해결의
법칙

중학

수학 2-1

개념 해결의 법칙

이 책을 기획·검토해 주신 245명의 선생님들께 감사드립니다.

개념 해결의 법칙

이 책은 수학을 어려워하는 학생의 눈높이에 맞춰 꼭 알아야 하는 개념을 쉽고 자세하게 설명한 책입니다. 수학을 처음 시작하는 학생이나 수학의 기초가 닦여 있지 않은 학생은 나도 할 수 있다!는 자신감을 가지고 학습하시기 바랍니다.

○ 개념을 쉽고 정확하게 이해할 수 있도록 정리

○ 개념을 확실하게 이해할 수 있도록 개념 이해 문제와 적용 문제 제시

○ 교과서 수준의 대표 유형 문제와 대표 유형을 반복 연습할 수 있는 쌍둥이 문제 제시

○ 빈칸 채우기를 통한 개념 정리와 대표 유형에서 학습한 문제와 유사한 문제들로 단원 마무리 구성

수학은 단계적인 학문이기 때문에 빠른 시간 안에 성적을 끌어올리기는 쉽지 않습니다.
비록 거북이 걸음이라 할지라도 꾸준하게 노력하는 사람만이 수학에서 승리할 수 있습니다.
개념 해결의 법칙은 쉽고 빠르게 기본 실력을 다지는데 그 목표를 두었습니다.
이 책을 사용하는 학생 모두가 수학에 자신감을 갖게 되기를 바랍니다.

Structure
구성과 특징

개념 정리

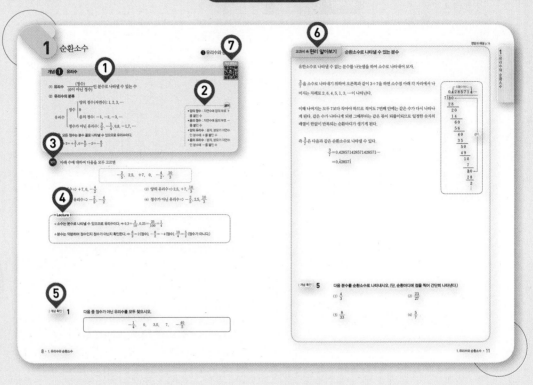

① **개념 설명** : 개념을 쉽고 정확하게 이해할 수 있도록 정리

② **용어** : 이전 학년 또는 앞 단원에서 배웠던 용어가 다시 나오는 경우에 대한 설명

③ **보기** : 개념을 어떻게 적용시키는지 예를 보여줌

④ **Lecture** : 중요한 내용 또는 반드시 짚고 가야할 내용을 정리

⑤ **개념 확인** : 개념만으로 풀 수 있는 문제로 개념을 바르게 이해했는지 확인

⑥ **교과서 속 원리 알아보기** : 교과서에 나오는 개념 중에서 보충 설명이 필요한 개념을 알아보기 쉽게 별도로 구성

⑦ **개념 동영상** : QR코드를 스마트폰으로 스캔하여 동영상 강의를 시청!

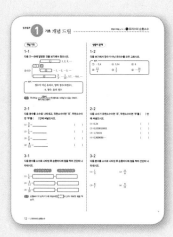

Step 1 기초 개념 드릴

- **개념 기초** : 쉬운 개념 이해 문제와 적용 문제를 제시
- **쌍둥이 문제** : 유사한 문제로 반복 연습

Step 2 대표 유형으로 개념 잡기

- 교과서 또는 학교 시험에 나오는 필수 유형들을 개념과 함께 제시
- 예제와 풀이, 쌍둥이 문제로 구성

Step 3 개념 뛰어넘기

- 빈칸 채우기를 통해 개념 정리 부분을 다시 한번 짚고 넘어가기
- 대표 유형에서 학습한 문제와 유사한 문제들로 다시 한번 확인
- **창의, 융합** : 새로운 문제 및 개념을 응용한 문제에 대한 적응력 기르기

부록 단원 종합 문제

Contents
차 례

1 유리수와 순환소수

학습 목표

• 순환소수의 뜻을 알고, 유리수와 순환소수의 관계를 이해한다.

1 순환소수

개념 ❶ 유리수

(1) 유리수 $\dfrac{(정수)}{(0이\ 아닌\ 정수)}$인 분수로 나타낼 수 있는 수

(2) 유리수의 분류

$$유리수 \begin{cases} 정수 \begin{cases} 양의\ 정수(자연수):\ 1,\ 2,\ 3,\ \cdots \\ 0 \\ 음의\ 정수:\ -1,\ -2,\ -3,\ \cdots \end{cases} \\ 정수가\ 아닌\ 유리수:\ \dfrac{3}{2},\ -\dfrac{1}{4},\ 0.8,\ -1.7,\ \cdots \end{cases}$$

> **용어**
> • **양의 정수** : 자연수에 양의 부호 $+$를 붙인 수
> • **음의 정수** : 자연수에 음의 부호 $-$를 붙인 수
> • **양의 유리수** : 분자, 분모가 자연수인 분수에 $+$를 붙인 수
> • **음의 유리수** : 분자, 분모가 자연수인 분수에 $-$를 붙인 수

> **참고** 모든 정수는 분수 꼴로 나타낼 수 있으므로 유리수이다.
> $+2=+\dfrac{2}{1},\ 0=\dfrac{0}{2},\ -2=-\dfrac{6}{3}$

보기 아래 수에 대하여 다음을 모두 고르면

$$-\dfrac{2}{5},\quad 2.5,\quad +7,\quad 0,\quad -\dfrac{4}{2},\quad \dfrac{10}{3}$$

(1) 정수 $\Rightarrow +7,\ 0,\ -\dfrac{4}{2}$

(2) 양의 유리수 $\Rightarrow 2.5,\ +7,\ \dfrac{10}{3}$

(3) 음의 유리수 $\Rightarrow -\dfrac{2}{5},\ -\dfrac{4}{2}$

(4) 정수가 아닌 유리수 $\Rightarrow -\dfrac{2}{5},\ 2.5,\ \dfrac{10}{3}$

• Lecture •

• 소수는 분수로 나타낼 수 있으므로 유리수이다. ➡ $0.3=\dfrac{3}{10},\ 0.25=\dfrac{25}{100}=\dfrac{1}{4}$

• 분수는 약분하여 정수인지 정수가 아닌지 확인한다. ➡ $\dfrac{6}{3}=2\ (정수),\ -\dfrac{8}{2}=-4\ (정수),\ \dfrac{10}{4}=\dfrac{5}{2}\ (정수가\ 아니다.)$

┃개념 확인┃ **1** 다음 중 정수가 아닌 유리수를 모두 찾으시오.

$$-\dfrac{1}{4},\quad 0,\quad 3.5,\quad 7,\quad -\dfrac{40}{5}$$

개념 2 유한소수와 무한소수

(1) **유한소수** 소수점 아래의 0이 아닌 숫자가 유한개인 소수

> **예** 0.4 ➡ 소수점 아래에 0이 아닌 숫자가 1개
>
> 0.123 ➡ 소수점 아래에 0이 아닌 숫자가 3개

(2) **무한소수** 소수점 아래의 0이 아닌 숫자가 무한히 계속되는 소수

> **예** $2.333\cdots$, $-3.5252\cdots$, $3.001001001\cdots$, $\pi = 3.141592\cdots$

> **용어**
> • 유한(있을 有, 한계 限)소수
> 끝이 있는 소수
> • 무한(없을 無, 한계 限)소수
> 끝없이 계속되는 소수

 보기 분수 꼴의 유리수는 (분자)÷(분모), 즉 나눗셈을 하여 정수 또는 소수로 나타낼 수 있다.

$$\frac{6}{2}=6\div 2=3, \quad \frac{12}{3}=12\div 3=4 \qquad \Leftarrow \text{정수}$$

$$\frac{2}{5}=2\div 5=0.4, \quad \frac{123}{100}=123\div 100=1.23 \qquad \Leftarrow \text{유한소수}$$

$$\frac{1}{3}=1\div 3=0.33333\cdots, \quad \frac{5}{12}=5\div 12=0.41666\cdots \qquad \Leftarrow \text{무한소수}$$

정수가 아닌 유리수는 유한소수 또는 무한소수로 나타낼 수 있다.

└→ 분자를 분모로 나누었을 때, 그 나눗셈이 끝없이 계속된다.

• Lecture •

• 소수 ┌ 유한소수 ➡ 끝이 있는 소수
    └ 무한소수 ➡ 끝없이 계속되는 소수

∥개념 확인∥ 2 다음 소수가 유한소수이면 '유', 무한소수이면 '무'를 ( ) 안에 써넣으시오.

(1) 0.7 ( ) (2) 3.141592 ( )

(3) 1.23123 ( ) (4) $0.101001000\cdots$ ( )

∥개념 확인∥ 3 다음 분수를 소수로 나타내고, 유한소수와 무한소수로 구분하시오.

(1) $\dfrac{1}{4}$ (2) $\dfrac{1}{6}$

(3) $\dfrac{10}{11}$ (4) $\dfrac{5}{16}$

개념 **3** 순환소수

(1) 순환소수 무한소수 중에서 소수점 아래의 어떤 자리에서부터 일정한 숫자의 배열이 한없이 되풀이되는 소수

> **예** $0.5555\cdots$, $0.232323\cdots$, $0.123123123\cdots$

> **참고** 무한소수 중에는 $0.1011001110001\cdots$, $0.1121231234\cdots$, $\pi = 3.14159265\cdots$와 같이 순환하지 않는 무한소수도 있다.

(2) 순환마디 순환소수에서 소수점 아래의 숫자의 배열이 되풀이되는 한 부분

> **예** $0.5555\cdots$의 순환마디 ➡ 5
>
> $0.232323\cdots$의 순환마디 ➡ 23
>
> $0.123123123\cdots$의 순환마디 ➡ 123

(3) 순환소수의 표현 순환마디의 양 끝의 숫자 위에 점을 찍어 나타낸다.

> **예** $0.5555\cdots = 0.\dot{5}$, $0.2323\cdots = 0.\dot{2}\dot{3}$, $0.123123\cdots = 0.\dot{1}2\dot{3}$

 순환소수를 순환마디의 개수에 따라 다음과 같이 나타낼 수 있다.

순환소수	순환마디	순환마디 읽는 법	순환소수의 표현
(1) $0.222\cdots$	2	순환마디 이	$0.\dot{2}$
(2) $4.5030303\cdots$	03	순환마디 영삼	$4.5\dot{0}\dot{3}$
(3) $3.162162162\cdots$	162	순환마디 일육이	$3.\dot{1}6\dot{2}$

> • 순환마디의 숫자가 1개 또는 2개일 때
> ⇨ 반복되는 숫자 위에 점을 찍는다.
> • 순환마디의 숫자가 3개 이상일 때
> ⇨ 반복되는 숫자의 양 끝의 숫자 위에 점을 찍는다.

┌─ **Lecture** ───────────────────────────

● 순환소수의 표현에서 주의해야 할 점

① 순환마디는 소수점 아래에서 찾는다. ➡ $3.253253\cdots = \dot{3}.2\dot{5}$ (×)

② 순환마디는 처음 반복되는 부분에 점을 찍는다. ➡ $3.253253\cdots = 3.2\dot{5}3\dot{2}$ (×)

③ 순환마디는 양 끝의 숫자 위에 점을 찍는다. ➡ $3.253253\cdots = 3.2\dot{5}\dot{3}$ (×)

➡ $3.253253\cdots = 3.\dot{2}5\dot{3}$ (○)

└──────────────────────────────────────

| 개념 확인 | 4 다음 순환소수의 순환마디를 말하고, 점을 찍어 간단히 나타내시오.

(1) $0.7777\cdots$

(2) $0.151515\cdots$

(3) $0.369369369\cdots$

(4) $3.4131313\cdots$

교과서 속 **원리 알아보기** 순환소수로 나타낼 수 있는 분수

유한소수로 나타낼 수 없는 분수를 나눗셈을 하여 소수로 나타내어 보자.

$\dfrac{3}{7}$ 을 소수로 나타내기 위하여 오른쪽과 같이 $3 \div 7$ 을 하면 소수점 아래 각 자리에서 나머지는 차례로 2, 6, 4, 5, 1, 3, …이 나타난다.

이때 나머지는 모두 7보다 작아야 하므로 적어도 7번째 안에는 같은 수가 다시 나타나게 된다. 같은 수가 나타나게 되면 그때부터는 같은 몫이 되풀이되므로 일정한 숫자의 배열이 한없이 반복되는 순환마디가 생기게 된다.

즉 $\dfrac{3}{7}$ 은 다음과 같은 순환소수로 나타낼 수 있다.

$$\dfrac{3}{7} = 0.428571428571428571\cdots$$
$$= 0.\dot{4}2857\dot{1}$$

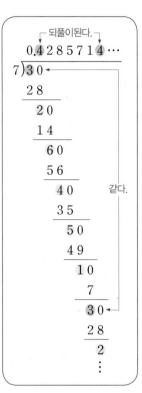

| 개념 확인 | **5** 다음 분수를 순환소수로 나타내시오. (단, 순환마디에 점을 찍어 간단히 나타낸다.)

(1) $\dfrac{4}{3}$

(2) $\dfrac{23}{27}$

(3) $\dfrac{8}{33}$

(4) $\dfrac{5}{7}$

개념 기초

1-1

다음 ㉠~㉤에 알맞은 것을 보기에서 찾으시오.

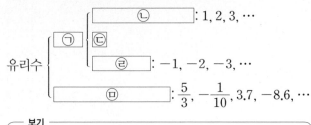

유리수 {
㉠ {
㉡ : 1, 2, 3, ⋯
㉢
㉣ : −1, −2, −3, ⋯
}
㉤ : $\frac{5}{3}$, $-\frac{1}{10}$, 3.7, −8.6, ⋯

보기
정수가 아닌 유리수, 양의 정수(자연수),
0, 정수, 음의 정수

연구 유리수는 $\frac{(정수)}{(0이\ 아닌\ 정수)}$ 인 분수로 나타낼 수 있는 수이다.

2-1

다음 분수를 소수로 나타내고, 유한소수이면 '유', 무한소수이면 '무'를 ( ) 안에 써넣으시오.

(1) $\frac{3}{8}=$＿＿＿＿＿＿ ( )

(2) $\frac{1}{5}=$＿＿＿＿＿＿ ( )

(3) $\frac{2}{9}=$＿＿＿＿＿＿ ( )

(4) $\frac{8}{15}=$＿＿＿＿＿＿ ( )

3-1

다음 분수를 소수로 나타낸 후 순환마디에 점을 찍어 간단히 나타내시오.

소수로 나타내기	순환소수의 표현

(1) $\frac{1}{6}=$ ⬚ $=$ ⬚

(2) $\frac{5}{11}=$ ⬚ $=$ ⬚

(3) $\frac{2}{37}=$ ⬚ $=$ ⬚

연구 순환마디의 숫자가 3개 이상이면 ⬚의 숫자 위에만 점을 찍는다.

쌍둥이 문제

1-2

다음 보기에서 정수가 아닌 유리수를 모두 고르시오.

보기
㉠ −2.4   ㉡ 3.14   ㉢ 0
㉣ $\frac{12}{4}$ ㉤ $\frac{2}{5}$ ㉥ $-\frac{10}{5}$

2-2

다음 소수가 유한소수이면 '유', 무한소수이면 '무'를 ( ) 안에 써넣으시오.

(1) 0.34 ( )

(2) 0.010010001 ( )

(3) 1.72424 ( )

(4) 0.969696⋯ ( )

3-2

다음 분수를 소수로 나타낸 후 순환마디에 점을 찍어 간단히 나타내시오.

(1) $\frac{1}{3}$ (2) $\frac{11}{6}$

(3) $\frac{6}{7}$ (4) $\frac{9}{11}$

대표 유형 ❶ 순환소수의 표현
유형 해결의 법칙 중 2-1 10쪽

- 순환마디의 숫자가 1개 또는 2개일 때 ➡ 반복되는 숫자 위에 점을 찍는다.
- 순환마디의 숫자가 3개 이상일 때 ➡ 순환마디의 양 끝의 숫자 위에 점을 찍는다.

1-1 다음 중 순환소수의 표현이 옳지 <u>않은</u> 것은?

① $1.666\cdots = 1.\dot{6}$

② $0.2585858\cdots = 0.2\dot{5}\dot{8}$

③ $4.040404\cdots = \dot{4}.\dot{0}$

④ $7.6001001001\cdots = 7.6\dot{0}0\dot{1}$

⑤ $0.234444\cdots = 0.23\dot{4}$

풀이 ③ $4.040404\cdots = 4.\dot{0}\dot{4}$

답 ③

쌍둥이 1-2

다음 중 순환소수 $4.6121212\cdots$를 순환마디를 이용하여 바르게 나타낸 것은?

① $4.6\dot{1}$ ② $4.6\dot{1}\dot{2}$ ③ $4.\dot{6}1\dot{2}$

④ $4.61\dot{2}\dot{1}$ ⑤ $4.612\dot{1}$

쌍둥이 1-3

다음 중 순환소수의 표현이 옳은 것은?

① $1.212121\cdots = \dot{1}.\dot{2}$ ② $0.535353\cdots = 0.5\dot{3}\dot{5}$

③ $0.14222\cdots = 0.\dot{1}4\dot{2}$ ④ $3.162162162\cdots = 3.\dot{1}6\dot{2}$

⑤ $2.472472472\cdots = 2.\dot{4}7\dot{2}$

대표 유형 ❷ 순환소수의 소수점 아래 n번째 자리의 숫자 구하기
유형 해결의 법칙 중 2-1 10쪽

① 분수를 순환소수로 나타낸다.

② 순환마디의 숫자의 개수를 센다.

③ $n \div$ (순환마디의 숫자의 개수)를 해서 나머지만큼 순환마디에서 이동한 숫자를 찾는다.

2-1 분수 $\dfrac{2}{7}$를 소수로 나타낼 때, 소수점 아래 37번째 자리의 숫자를 구하려고 한다. 다음 물음에 답하시오.

(1) $\dfrac{2}{7}$를 순환소수로 간단히 나타내시오.

(2) 순환마디의 숫자의 개수를 구하시오.

(3) 소수점 아래 37번째 자리의 숫자를 구하시오.

풀이 (1) $\dfrac{2}{7} = 0.285714285714\cdots = 0.\dot{2}8571\dot{4}$

(2) 순환마디의 숫자는 2, 8, 5, 7, 1, 4의 6개이다.

(3) $37 = 6 \times 6 + 1$에서 소수점 아래 37번째 자리의 숫자는 순환마디의 첫 번째 숫자인 2이다.

답 (1) $0.\dot{2}8571\dot{4}$ (2) 6 (3) 2

쌍둥이 2-2

순환소수 $2.6\dot{5}\dot{2}$의 소수점 아래 50번째 자리의 숫자를 구하시오.

쌍둥이 2-3

분수 $\dfrac{4}{7}$를 소수로 나타낼 때, 소수점 아래 33번째 자리의 숫자를 구하시오.

순환소수의 표현

(1) 유한소수와 무한소수

　① 유한소수 : 소수점 아래의 0이 아닌 숫자가

　　❶ 개인 소수

　② 무한소수 : 소수점 아래의 0이 아닌 숫자가 무

　　한히 계속되는 소수

(2) 순환소수

　① 순환소수 : 무한소수 중에서 소수점 아래의 어

　　떤 자리에서부터 일정한 숫자의 배열이 한없이

　　되풀이되는 소수

　② **❷** : 순환소수에서 소수점 아래의 숫자의

　　배열이 되풀이되는 한 부분

답 **❶** 유한　**❷** 순환마디

01

다음 분수를 소수로 나타낼 때, 무한소수인 것은?

① $\dfrac{3}{150}$　　② $\dfrac{1}{3}$　　③ $\dfrac{7}{20}$

④ $\dfrac{12}{5}$　　⑤ $\dfrac{7}{2}$

02

다음 중 순환소수의 순환마디를 바르게 구한 것은?

① $2.575757\cdots$ ➡ 257

② $2.484848\cdots$ ➡ 24

③ $9.134134134\cdots$ ➡ 134

④ $0.2737373\cdots$ ➡ 273

⑤ $0.573573573\cdots$ ➡ 735

03

두 분수 $\dfrac{1}{9}$ 과 $\dfrac{14}{11}$ 를 소수로 나타내었을 때, 순환마디를 이루는 숫자의 개수를 각각 x, y라 하자. 이때 $x+y$의 값을 구하시오.

04

다음 중 순환소수의 표현이 옳지 <u>않은</u> 것은?

① $0.121212\cdots=0.\dot{1}\dot{2}$

② $0.2595959\cdots=0.2\dot{5}\dot{9}$

③ $0.505050\cdots=0.\dot{5}0\dot{5}$

④ $3.030303\cdots=3.\dot{0}\dot{3}$

⑤ $5.435435435\cdots=5.\dot{4}3\dot{5}$

05

창의 융합

다음은 계산기를 이용하여 $\dfrac{7}{13}$ 을 소수로 나타낸 것이다. 소수점 아래 101번째 자리의 숫자를 구하시오.

$$\boxed{7} \boxed{\div} \boxed{1}\boxed{3} \Rightarrow \boxed{0.5384615384615}$$

06

서술형

분수 $\dfrac{5}{111}$ 를 소수로 나타내었을 때, 소수점 아래 100번째 자리의 숫자를 구하려고 한다. 다음 물음에 답하시오.

(1) 순환마디의 숫자의 개수를 구하시오.

(2) 소수점 아래 100번째 자리의 숫자를 구하시오.

개념 ❶ 유한소수로 나타낼 수 있는 분수

(1) 유한소수를 분수로 나타내기

① 모든 유한소수는 분모가 10의 거듭제곱인 분수로 나타낼 수 있다.

② 유한소수를 기약분수로 나타내면 분모의 소인수는 2 또는 5뿐이다.

예 $0.4 = \dfrac{4}{10} = \dfrac{2}{5}$, $0.46 = \dfrac{46}{100} = \dfrac{23}{50} = \dfrac{23}{2 \times 5^2}$

(2) 분수를 유한소수로 나타내기

분모의 소인수가 2 또는 5뿐인 기약분수는 분자, 분모에 2 또는 5의 거듭제곱을 적당히 곱하여 분모를 10의 거듭제곱으로 고쳐서 유한소수로 나타낼 수 있다.

> **용어**
> • 거듭제곱 : 같은 수나 문자를 거듭하여 곱한 것
> • 기약분수 : 분모와 분자가 더 이상 약분이 되지 않는 분수
> • 소수 : 1보다 큰 자연수 중에서 1과 자기 자신만을 약수로 가지는 수
> • 소인수 : 소수인 인수

 보기 다음 분수의 분모를 10의 거듭제곱으로 고쳐서 분수를 유한소수로 나타내어 보자.

(1) $\dfrac{3}{20} = \dfrac{3}{2^2 \times 5} = \dfrac{3 \times 5}{2^2 \times 5 \times 5} = \dfrac{15}{2^2 \times 5^2} = \dfrac{15}{100} = 0.15$

     ↳ 5를 곱하여 지수가 2로 같아지도록 한다.

(2) $\dfrac{6}{75} = \dfrac{2}{25} = \dfrac{2}{5^2} = \dfrac{2 \times 2^2}{5^2 \times 2^2} = \dfrac{8}{100} = 0.08$

  기약분수로   ↳ 2^2을 곱하여 지수가 2로 같아지도록 한다.
나타내기

> 10의 거듭제곱은 $10 = 2 \times 5$, $10^2 = 2^2 \times 5^2$, $10^3 = 2^3 \times 5^3$, …과 같이 소인수가 2와 5로만 이루어져 있고, 2와 5의 지수가 서로 같아. 따라서 2와 5의 지수가 다른 수는 둘 중 지수가 작은 수를 적당히 곱해서 지수가 같도록 만들어주면 돼.

• Lecture •

● 분수를 유한소수로 나타낼 때

➡ 분모의 소인수인 2와 5 중 지수가 작은 수를 분모, 분자에 적당히 곱해서 2와 5의 지수가 같아지도록 만든다.

개념 확인 1 다음 유한소수를 기약분수로 나타내고, 분모의 소인수를 구하시오.

(1) 0.5

(2) 0.42

(3) 0.225

(4) 0.072

개념 확인 2 다음은 분수의 분모를 10의 거듭제곱으로 고쳐서 분수를 유한소수로 나타내는 과정이다. ☐ 안에 알맞은 수를 써넣으시오.

(1) $\dfrac{7}{5} = \dfrac{7 \times \square}{5 \times \square} = \dfrac{\square}{10} = \square$

(2) $\dfrac{1}{8} = \dfrac{1}{2^3} = \dfrac{1 \times \square}{2^3 \times \square} = \dfrac{\square}{1000} = \square$

개념 2 유한소수와 순환소수의 구별법

분수를 **기약분수로 나타낸 후** 분모를 소인수분해하였을 때

① 분모의 소인수가 **2 또는 5뿐**이면 그 분수는 **유한소수**로 나타낼 수 있다.

② 분모에 **2 또는 5 이외의 소인수가 있으면** 그 분수는 **순환소수**로 나타낼 수 있다.

 보기 다음 분수를 유한소수로 나타낼 수 있는지 확인해 보자.

(1) $\dfrac{9}{12} = \dfrac{3}{4} = \dfrac{3}{2^2}$ ⇨ 분모의 소인수가 2뿐이므로 유한소수로 나타낼 수 있다.

기약분수로 나타내기   분모를 소인수분해하기

(2) $\dfrac{6}{45} = \dfrac{2}{15} = \dfrac{2}{3 \times 5}$ ⇨ 분모에 2 또는 5 이외의 소인수 3이 있으므로 유한소수로 나타낼 수 없다. 즉 순환소수로 나타내어진다.

기약분수로 나타내기   분모를 소인수분해하기

> $\dfrac{9}{12}$ 를 기약분수로 나타내지 않고 분모를 소인수분해하면 $\dfrac{9}{12} = \dfrac{9}{2^2 \times 3}$ 가 돼. 이때 분모에 2 또는 5 이외의 소인수 3이 있으므로 순환소수라는 잘못된 판단을 내릴 수 있어.

• **Lecture** •

| 분수를 기약분수로 나타내기 | ⇒ | 분모를 소인수분해하기 | ⇒ | 분모의 소인수가 2 또는 5뿐인지 확인하기 | Yes ↗ 유한소수 |
| | | | | | No ↘ 순환소수 |

개념 확인 3 다음 분수를 소수로 나타낼 때, 유한소수로 나타낼 수 있는 것에는 ○표, 유한소수로 나타낼 수 없는 것에는 ×표를 ( ) 안에 써넣으시오.

(1) $\dfrac{3}{2^3 \times 5}$ ( )   (2) $\dfrac{3}{3^2 \times 5}$ ( )

(3) $\dfrac{21}{2 \times 7}$ ( )   (4) $\dfrac{15}{2^2 \times 3 \times 7}$ ( )

개념 확인 4 다음 ☐ 안에 알맞은 수를 써넣고, 옳은 것에 ○표를 하시오.

(1) $\dfrac{1}{40} = \dfrac{1}{2^3 \times 5}$ ➡ 분모의 소인수는 ☐와 ☐이다.
➡ 분수를 유한소수로 나타낼 수 (있다, 없다).

(2) $\dfrac{5}{12} = \dfrac{5}{2^2 \times 3}$ ➡ 분모의 소인수는 ☐와 ☐이다.
➡ 분수를 유한소수로 나타낼 수 (있다, 없다).

개념 기초

1-1

다음은 분수의 분모를 10의 거듭제곱으로 고쳐서 분수를 유한소수로 나타내는 과정이다. ☐ 안에 알맞은 수를 써넣으시오.

(1) $\dfrac{5}{8} = \dfrac{5}{2^3} = \dfrac{5 \times \square}{2^3 \times \square} = \dfrac{625}{1000} = 0.625$

(2) $\dfrac{3}{25} = \dfrac{3}{5^2} = \dfrac{3 \times \square}{5^2 \times \square} = \dfrac{\square}{100} = \square$

연구 분모의 소인수 2와 5의 지수를 같게 만들어 분모를 ☐의 거듭제곱으로 고친다.

2-1

다음 분수를 소수로 나타낼 때, 유한소수로 나타낼 수 있는 것에는 ○표, 유한소수로 나타낼 수 없는 것에는 ×표를 ( ) 안에 써넣으시오.

(1) $\dfrac{3}{2^3 \times 3^2}$ ( ) (2) $\dfrac{22}{2^2 \times 5 \times 11}$ ( )

(3) $\dfrac{9}{2^2 \times 3 \times 5}$ ( ) (4) $\dfrac{35}{2^3 \times 3 \times 7}$ ( )

연구 분모의 소인수가 2 또는 ☐뿐인 기약분수는 유한소수로 나타낼 수 있다.

3-1

다음 분수를 기약분수로 나타낸 후 분모를 소인수분해하시오. 또, 그 분수를 소수로 나타낼 때, 유한소수로 나타낼 수 있는 것에는 '유', 순환소수로만 나타낼 수 있는 것에는 '순'을 ( )안에 써넣으시오.

	기약분수	분모의 소인수분해	
(1) $\dfrac{12}{40} =$	_____	_____	( )
(2) $\dfrac{3}{90} =$	_____	_____	( )
(3) $\dfrac{27}{180} =$	_____	_____	( )
(4) $\dfrac{35}{210} =$	_____	_____	( )

쌍둥이 문제

1-2

다음 분수의 분모를 10의 거듭제곱으로 고쳐서 분수를 유한소수로 나타내시오.

(1) $\dfrac{8}{5}$

(2) $\dfrac{6}{25}$

(3) $\dfrac{6}{40}$

2-2

다음 보기의 분수 중 순환소수로만 나타낼 수 있는 것을 모두 구하시오.

┌─ 보기 ─────────────────────┐

㉠ $\dfrac{3}{2^2 \times 5}$ ㉡ $\dfrac{3}{2 \times 7}$

㉢ $\dfrac{7}{3^2 \times 5}$ ㉣ $\dfrac{12}{2 \times 3 \times 5}$

└────────────────────────────┘

3-2

다음 분수를 소수로 나타낼 때, 유한소수로 나타낼 수 있는 것에는 '유', 순환소수로만 나타낼 수 있는 것에는 '순'을 ( )안에 써넣으시오.

(1) $\dfrac{11}{20}$ ( ) (2) $\dfrac{7}{18}$ ( )

(3) $\dfrac{21}{70}$ ( ) (4) $\dfrac{7}{45}$ ( )

(5) $\dfrac{6}{30}$ ( ) (6) $\dfrac{3}{125}$ ( )

대표 유형 ❶ 10의 거듭제곱을 이용하여 분수를 유한소수로 나타내기 유형 해결의 법칙 중 2-1 11쪽

① 분수를 기약분수로 나타낸 후 분모를 소인수분해한다.

② 분모의 소인수 2와 5의 지수가 같아지도록 분모, 분자에 2 또는 5의 거듭제곱을 각각 곱한다.

1-1 다음은 분수 $\dfrac{13}{50}$ 을 유한소수로 나타내는 과정이다. 이때 $A+B$ 의 값을 구하시오.

$$\dfrac{13}{50}=\dfrac{13}{2\times5^2}=\dfrac{13\times A}{2\times5^2\times A}=\dfrac{26}{B}=0.26$$

풀이 $\dfrac{13}{50}=\dfrac{13}{2\times5^2}=\dfrac{13\times2}{2\times5^2\times2}=\dfrac{26}{100}=0.26$

따라서 $A=2,\ B=100$ 이므로

$A+B=2+100=102$

답 102

쌍둥이 1-2

다음은 분수 $\dfrac{7}{40}$ 을 유한소수로 나타내는 과정이다. ①~⑤에 들어갈 것으로 옳지 <u>않은</u> 것은?

$$\dfrac{7}{40}=\dfrac{7}{2^3\times5}=\dfrac{7\times\boxed{①}}{2^3\times5\times\boxed{②}}=\dfrac{\boxed{③}}{\boxed{④}}=\boxed{⑤}$$

① 5^2 ② 5^2 ③ 175

④ 100   ⑤ 0.175

대표 유형 ❷ 유한소수로 나타낼 수 있는 분수 유형 해결의 법칙 중 2-1 12쪽

분수를 기약분수로 나타낸 후 분모를 소인수분해하였을 때

┌ 분모의 소인수가 2 또는 5뿐이면 ➡ 유한소수로 나타낼 수 있다.

└ 분모에 2 또는 5 이외의 소인수가 있으면 ➡ 순환소수로 나타낼 수 있다.

2-1 다음 분수 중 유한소수로 나타낼 수 있는 것을 모두 고르면? (정답 2개)

① $\dfrac{1}{7}$ ② $\dfrac{2}{3^2}$ ③ $\dfrac{9}{2^2\times3}$

④ $\dfrac{10}{2^2\times7}$ ⑤ $\dfrac{27}{2\times3^2\times5}$

풀이 ③ $\dfrac{9}{2^2\times3}=\dfrac{3}{2^2}$

④ $\dfrac{10}{2^2\times7}=\dfrac{5}{2\times7}$

⑤ $\dfrac{27}{2\times3^2\times5}=\dfrac{3}{2\times5}$

따라서 유한소수로 나타낼 수 있는 것은 ③, ⑤이다.

답 ③, ⑤

쌍둥이 2-2

다음 분수 중 유한소수로 나타낼 수 <u>없는</u> 것을 모두 고르면?

(정답 2개)

① $\dfrac{11}{50}$ ② $\dfrac{3}{51}$ ③ $\dfrac{1}{12}$

④ $\dfrac{21}{120}$ ⑤ $\dfrac{49}{140}$

쌍둥이 2-3

다음 분수 중 유한소수로 나타낼 수 있는 것은?

① $\dfrac{7}{12}$ ② $\dfrac{3}{18}$ ③ $\dfrac{9}{40}$

④ $\dfrac{4}{2\times3\times5}$ ⑤ $\dfrac{21}{2\times3^2\times7}$

대표 유형 ③ $\dfrac{B}{A} \times x$가 유한소수가 되도록 하는 x의 값 구하기

유형 해결의 법칙 중 2-1 12쪽

$\dfrac{B}{A} \times x$ (A, B는 서로소)가 유한소수가 되도록 하는 x의 값

➡ 분모의 소인수 중 2와 5를 제외한 소인수들의 곱의 배수이다.

3-1 분수 $\dfrac{x}{420}$를 소수로 나타내면 유한소수가 될 때, x의 값이 될 수 있는 가장 작은 자연수를 구하시오.

풀이 $\dfrac{x}{420} = \dfrac{x}{2^2 \times 3 \times 5 \times 7}$가 유한소수가 되려면 x는 $3 \times 7 = 21$의 배수이어야 한다.

따라서 구하는 가장 작은 자연수는 21이다.

답 21

쌍둥이 3-2

다음 유리수를 소수로 나타내면 유한소수가 될 때, ☐ 안에 들어갈 수 중 가장 작은 자연수를 구하시오.

(1) $\dfrac{1}{2^3 \times 7} \times \square$

(2) $\dfrac{2}{3^2 \times 5} \times \square$

쌍둥이 3-3

분수 $\dfrac{a}{2 \times 3 \times 5^3}$를 소수로 나타내면 유한소수가 될 때, a의 값이 될 수 있는 가장 작은 두 자리 자연수를 구하시오.

대표 유형 ④ $\dfrac{B}{A \times x}$가 유한소수가 되도록 하는 x의 값 구하기

유형 해결의 법칙 중 2-1 13쪽

$\dfrac{B}{A \times x}$ (A, B는 서로소)가 유한소수가 되도록 하는 x의 값

➡ 분자의 약수이거나 소인수가 2 또는 5뿐인 수이거나 이들의 곱으로 이루어진 수이다.

4-1 분수 $\dfrac{3}{5 \times a}$을 소수로 나타내면 유한소수가 될 때, 다음 중 a의 값이 될 수 없는 것은? (단, a는 자연수)

① 2 ② 3 ③ 5
④ 6 ⑤ 7

풀이 $\dfrac{3}{5 \times a}$이 유한소수가 되려면 a는 3의 약수이거나 소인수가 2 또는 5뿐인 수이거나 이들의 곱으로 이루어진 수이다.

따라서 a의 값이 될 수 있는 수는 1, 2, 3, 4, 5, 6, 8, 10, …이므로 보기 중 a의 값이 될 수 없는 것은 ⑤이다.

답 ⑤

쌍둥이 4-2

분수 $\dfrac{7}{2^2 \times 5^2 \times a}$을 소수로 나타낼 때, 유한소수가 되도록 하는 a의 값을 모두 구하시오. (단, a는 10보다 작은 자연수)

쌍둥이 4-3

분수 $\dfrac{12}{x}$를 소수로 나타내면 유한소수가 될 때, 다음 중 x의 값이 될 수 있는 것은? (단, x는 자연수)

① 7 ② 9 ③ 14
④ 15 ⑤ 21

대표 유형 **5** 두 분수를 모두 유한소수가 되도록 하는 미지수의 값 구하기

유형 해결의 법칙 중 2-1 13쪽

① 두 분수를 기약분수로 나타낸다.
② 두 분수의 분모의 소인수 중 2 또는 5를 제외한 소인수의 공배수를 두 분수에 각각 곱한다.

5-1 두 분수 $\dfrac{2}{36}, \dfrac{3}{70}$ 에 어떤 자연수 a를 각각 곱하면 두 분수 모두 유한소수로 나타낼 수 있다고 한다. 이때 a의 값이 될 수 있는 가장 작은 자연수를 구하시오.

풀이 $\dfrac{2}{36} = \dfrac{1}{18} = \dfrac{1}{2 \times 3^2}$, $\dfrac{3}{70} = \dfrac{3}{2 \times 5 \times 7}$ 이므로 $\dfrac{2}{36} \times a$, $\dfrac{3}{70} \times a$를 모두 유한소수로 나타낼 수 있으려면 a는 9와 7의 공배수이어야 한다.

따라서 a의 값이 될 수 있는 가장 작은 자연수는 9와 7의 최소공배수이므로 63이다.

답 63

쌍둥이 5-2

두 분수 $\dfrac{a}{6}, \dfrac{a}{140}$ 를 소수로 나타내면 두 분수 모두 유한소수가 될 때, a의 값이 될 수 있는 가장 작은 자연수를 구하시오.

쌍둥이 5-3

두 분수 $\dfrac{5}{22}, \dfrac{11}{45}$ 에 어떤 자연수 n을 각각 곱하면 두 분수 모두 유한소수로 나타낼 수 있다고 한다. 이때 n의 값이 될 수 있는 가장 작은 자연수를 구하시오.

대표 유형 **6** 유한소수가 되도록 하는 미지수의 값을 찾고 기약분수로 나타내기

유형 해결의 법칙 중 2-1 14쪽

분수 $\dfrac{x}{A}$ 를 소수로 나타내면 유한소수가 되고 기약분수로 나타내면 $\dfrac{B}{y}$ 가 될 때, x, y의 값 구하기
① 유한소수로 만드는 x의 값 구하기 ➡ x는 분모의 소인수 중 2 또는 5를 제외한 소인수들의 곱의 배수이다.
② ①에서 구한 값을 대입하여 조건에 맞는 y의 값을 찾는다.

6-1 분수 $\dfrac{x}{120}$ 를 소수로 나타내면 유한소수가 되고, 기약분수로 나타내면 $\dfrac{1}{y}$ 이 된다. x가 $20 < x < 30$인 자연수일 때, x, y의 값을 각각 구하시오.

풀이 $\dfrac{x}{120} = \dfrac{x}{2^3 \times 3 \times 5}$ 가 유한소수가 되려면 x는 3의 배수이어야 한다. 이때 $20 < x < 30$이므로 $x = 21$ 또는 $x = 24$ 또는 $x = 27$이다.

(i) $x = 21$일 때, $\dfrac{21}{2^3 \times 3 \times 5} = \dfrac{7}{2^3 \times 5}$ (×)

(ii) $x = 24$일 때, $\dfrac{24}{2^3 \times 3 \times 5} = \dfrac{1}{5}$ (○)

(iii) $x = 27$일 때, $\dfrac{27}{2^3 \times 3 \times 5} = \dfrac{9}{2^3 \times 5}$ (×)

(i)~(iii)에서 $x = 24, y = 5$

답 $x = 24, y = 5$

쌍둥이 6-2

분수 $\dfrac{x}{28}$ 를 소수로 나타내면 유한소수가 되고, 기약분수로 나타내면 $\dfrac{1}{y}$ 이 된다. 다음 물음에 답하시오.

(단, x는 $10 < x < 25$인 자연수)

(1) x, y의 값을 각각 구하시오.

(2) $x + y$의 값을 구하시오.

유한소수와 순환소수의 구별법

분수를 기약분수로 나타낸 후 분모를 소인수분해하였을 때
① 분모의 소인수가 2 또는 5뿐인 분수 ➡ **①** 소수
② 분모에 2 또는 5 이외의 소인수가 있는 분수
➡ **②** 소수

답 ❶유한 ❷순환

01

다음은 분수 $\dfrac{7}{20}$ 을 유한소수로 나타내는 과정이다. $A+B+C$ 의 값을 구하시오.

$$\dfrac{7}{20}=\dfrac{7}{2^2\times5}=\dfrac{7\times A}{2^2\times5\times5}=\dfrac{B}{100}=C$$

★ 02

다음 분수 중 유한소수로 나타낼 수 있는 것은?

① $\dfrac{8}{12}$ ② $\dfrac{7}{21}$ ③ $\dfrac{16}{22}$

④ $\dfrac{21}{28}$ ⑤ $\dfrac{25}{45}$

03

다음 보기의 분수 중 유한소수로 나타낼 수 <u>없는</u> 것을 모두 고르시오.

보기
㉠ $\dfrac{9}{20}$ ㉡ $\dfrac{6}{45}$ ㉢ $\dfrac{15}{48}$
㉣ $\dfrac{20}{5\times11}$ ㉤ $\dfrac{30}{2^4\times3^2\times5}$

04

$10\leq a<20$일 때, 분수 $\dfrac{1}{a}$ 을 순환소수로만 나타낼 수 있는 자연수 a의 값의 개수는?

① 5   ② 6   ③ 7
④ 8   ⑤ 9

05

창의력

민혁이가 다음과 같은 규칙으로 미로를 통과했을 때 A, B, C, D, E 중 나가게 되는 출구는?

규칙
• 유한소수로 나타낼 수 있는 분수가 적혀 있는 방으로 들어가면 그 옆방이나 그 아랫방으로 갈 수 있다.
• 유한소수로 나타낼 수 없는 분수가 적혀 있는 방으로 들어가면 더 이상 진행할 수 없다.

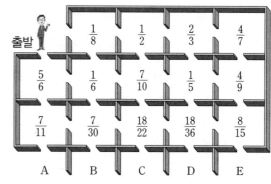

① A   ② B   ③ C
④ D   ⑤ E

06

두 분수 $\dfrac{1}{6}$ 과 $\dfrac{3}{10}$ 사이에 있는 분모가 30인 분수 중에서 유한소수로 나타낼 수 있는 분수는 모두 몇 개인가?

① 1개 ② 2개 ③ 3개

④ 4개 ⑤ 5개

07

서술형

분수 $\dfrac{3}{105} \times A$ 를 소수로 나타내면 유한소수가 될 때, 다음 물음에 답하시오.

⑴ A의 값 중 가장 작은 자연수를 구하시오.

⑵ A의 값 중 30보다 작은 자연수는 모두 몇 개인지 구하시오.

★ 08

분수 $\dfrac{a}{2 \times 3^2 \times 5^2}$ 를 소수로 나타내면 유한소수가 될 때, a의 값이 될 수 있는 가장 작은 두 자리 자연수를 구하시오.

09

분수 $\dfrac{a}{132}$ 를 소수로 나타내면 순환소수가 될 때, 다음 중 a의 값이 될 수 <u>없는</u> 것은?

① 22 ② 30 ③ 33

④ 42 ⑤ 55

10

분수 $\dfrac{12}{2^2 \times 5 \times a}$ 를 소수로 나타내면 유한소수가 될 때, 다음 중 a의 값이 될 수 <u>없는</u> 것은?

① 2 ② 3 ③ 4

④ 5 ⑤ 9

11

서술형

두 분수 $\dfrac{13}{42}$, $\dfrac{49}{60}$ 에 어떤 자연수 a를 각각 곱하면 두 분수 모두 유한소수로 나타낼 수 있다고 한다. 이때 a의 값이 될 수 있는 가장 작은 자연수를 구하시오.

12

분수 $\dfrac{a}{180}$ 는 소수로 나타내면 유한소수가 되고, 기약분수로 나타내면 $\dfrac{1}{b}$ 이 된다. a가 10 이하의 자연수일 때, $b-a$의 값을 구하시오.

3 순환소수의 분수 표현

개념 ① 순환소수를 분수로 나타내는 방법 (1) – 등식의 성질을 이용

$x=0.\dot{4}=0.444\cdots$ ➡ ① 순환소수를 x로 놓는다.

$10x=4.444\cdots$ ➡ ② 등식의 양변에 10의 거듭제곱을 곱하여 소수 부분이 같은 두 식을 만든다.

소수 부분이 같은 두 식

$-)\ \ \ x=0.444\cdots$

$9x=4$ ➡ ③ 두 식을 변끼리 빼서 소수점 이하를 없앤다.

$\therefore x=\dfrac{4}{9}$ ➡ ④ x의 값을 구한다.

이때 x는 기약분수로 나타낸다.

보기 〈소수점 아래 바로 순환마디가 오는 경우〉

(1) $0.\dot{1}\dot{2}$

① $x=0.1212\cdots$
  └ 순환마디의 숫자가 2개 ➡ 100을 곱한다.

② $100x=12.1212\cdots$

③ $\quad 100x=12.1212\cdots$
  $-)\qquad x=\ \ 0.1212\cdots$ ┐ 소수 부분이 같으므로 소수 부분을 없앨 수 있다.

  $\quad 99x=12$
  └ $100x-x$

④ $x=\dfrac{12}{99}=\dfrac{4}{33}$

〈소수점 아래 바로 순환마디가 오지 않는 경우〉

(2) $0.1\dot{2}\dot{3}$

① $x=0.12323\cdots$
  └ 소수점 아래에서 순환하지 않는 숫자가 1개 ➡ 10을 곱한다.

② $10x=1.2323\cdots$
  └ 순환마디의 숫자가 2개 ➡ 100을 곱한다.

  $1000x=123.2323\cdots$

③ $\quad 1000x=123.2323\cdots$
  $-)\qquad 10x=\ \ \ 1.2323\cdots$ ┐ 소수 부분이 같으므로 소수 부분을 없앨 수 있다.

  $\quad 990x=122$
  └ $1000x-10x$

④ $x=\dfrac{122}{990}=\dfrac{61}{495}$

• **Lecture** •

● 순환소수를 분수로 나타내는 방법

① 순환소수를 x로 놓는다.

② 등식의 양변에 적당한 10의 거듭제곱을 곱하여 소수 부분이 같은 두 식을 만든다.

③ 두 식을 변끼리 빼서 x의 값을 구한다.

∥개념 확인∥ **1** 다음은 순환소수를 기약분수로 나타내는 과정이다. ☐ 안에 알맞은 수를 써넣으시오.

(1) $x=0.\dot{2}\dot{7}$

$\boxed{}x=27.272727\cdots$

$-)\qquad x=\ \ 0.272727\cdots$

$\boxed{}x=27$

$\therefore x=\dfrac{27}{\boxed{}}=\boxed{}$

(2) $x=2.3\dot{6}$

$\boxed{}x=236.666\cdots$

$-)\quad 10x=\ \ 23.666\cdots$

$\boxed{}x=213$

$\therefore x=\dfrac{213}{\boxed{}}=\boxed{}$

개념 2 순환소수를 분수로 나타내는 방법 (2) – 공식을 이용

(1) 분모

순환마디의 숫자의 개수만큼 9를 쓰고, 그 뒤에 소수점 아래에서 순환하지 않는 숫자의 개수만큼 0을 쓴다.

(2) 분자

(전체의 수) − (순환하지 않는 수)

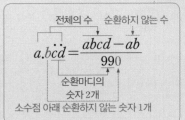

$$a.b\dot{c}\dot{d} = \frac{abcd - ab}{990}$$

전체의 수 / 순환하지 않는 수
순환마디의 숫자 2개
소수점 아래 순환하지 않는 숫자 1개

보기 〈소수점 아래 바로 순환마디가 오는 경우〉

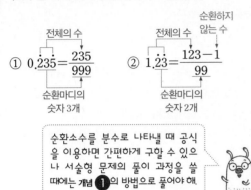

① $0.\dot{2}3\dot{5} = \dfrac{235}{999}$ — 순환마디의 숫자 3개

② $1.\dot{2}\dot{3} = \dfrac{123 - 1}{99}$ — 전체의 수, 순환하지 않는 수, 순환마디의 숫자 2개

순환소수를 분수로 나타낼 때 공식을 이용하면 간편하게 구할 수 있으나 서술형 문제의 풀이 과정을 쓸 때에는 **개념 1**의 방법으로 풀어야 해.

〈소수점 아래 바로 순환마디가 오지 않는 경우〉

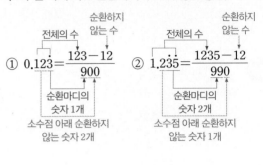

① $0.1\dot{2}\dot{3} = \dfrac{123 - 12}{900}$ — 전체의 수, 순환하지 않는 수, 순환마디의 숫자 1개, 소수점 아래 순환하지 않는 숫자 2개

② $1.2\dot{3}\dot{5} = \dfrac{1235 - 12}{990}$ — 전체의 수, 순환하지 않는 수, 순환마디의 숫자 2개, 소수점 아래 순환하지 않는 숫자 1개

• **Lecture** •

● 소수점 아래 바로 순환마디가 오는 경우 ➡ $0.\dot{a}\dot{b} = \dfrac{ab}{99}$ (2개), $a.\dot{b}\dot{c} = \dfrac{abc - a}{99}$ (2개)

● 소수점 아래 바로 순환마디가 오지 않는 경우 ➡ $0.a\dot{b}\dot{c} = \dfrac{abc - ab}{900}$ (1개, 2개), $a.b\dot{c} = \dfrac{abc - ab}{90}$ (1개, 1개)

‖ 개념 확인 ‖ 2 다음은 순환소수를 기약분수로 나타내는 과정이다. □ 안에 알맞은 수를 써넣으시오.

(1) $0.\dot{6} = \dfrac{\square}{9} = \square$

(2) $0.\dot{4}\dot{2} = \dfrac{\square}{99} = \square$

(3) $0.3\dot{8} = \dfrac{38 - \square}{90} = \dfrac{\square}{90} = \square$

(4) $1.2\dot{3}\dot{4} = \dfrac{\square - \square}{990} = \dfrac{\square}{990} = \square$

개념 3 유리수와 소수의 관계

(1) 정수가 아닌 유리수는 유한소수 또는 순환소수로 나타낼 수 있다.

(2) 유한소수와 순환소수는 분수로 나타낼 수 있으므로 유리수이다.

$$
소수
\begin{cases}
유한소수: 0.1, 0.236, 0.7125, \cdots \\
무한소수
\begin{cases}
순환소수: 0.222\cdots, 0.141414\cdots, \cdots \quad \big] 유리수 \\
순환하지 않는 무한소수: \pi, 0.1010010001\cdots, \cdots - 유리수가 아니다.
\end{cases}
\end{cases}
$$

 보기

① 유한소수는 유리수이다. (○)

② 무한소수는 순환소수이다. (×)

⇨ π, 0.1010010001…과 같이 순환하지 않는 무한소수도 있다.

③ 모든 소수는 분수로 나타낼 수 있다. (×)

⇨ 순환하지 않는 무한소수는 분수로 나타낼 수 없다.

④ 모든 순환소수는 유리수이다. (○)

⑤ 모든 무한소수는 유리수이다. (×)

⇨ 순환하지 않는 무한소수는 분수로 나타낼 수 없으므로 유리수가 아니다.

• Lecture •

$$
소수
\begin{cases}
유한소수 \\
무한소수
\begin{cases}
순환소수 \quad \big] 유리수 \\
순환하지 않는 무한소수 - 유리수가 아니다.
\end{cases}
\end{cases}
$$

| 개념 확인 | **3** 다음 설명 중 옳은 것에는 ○표, 옳지 않은 것에는 ×표를 (   ) 안에 써넣으시오.

(1) 유한소수 중에는 유리수가 아닌 것도 있다. (   )

(2) 모든 무한소수는 유리수이다. (   )

(3) 모든 순환소수는 유리수이다. (   )

(4) 순환소수 중에는 유리수가 아닌 것도 있다. (   )

(5) 무한소수는 모두 분수로 나타낼 수 없다. (   )

(6) 정수가 아닌 유리수는 유한소수 또는 순환소수로 나타낼 수 있다. (   )

개념 기초

1-1

다음은 순환소수 $0.7\dot{4}\dot{2}$를 기약분수로 나타내는 과정이다. ☐ 안에 알맞은 수를 써넣으시오.

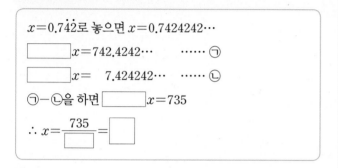

$x = 0.7\dot{4}\dot{2}$로 놓으면 $x = 0.7424242\cdots$

☐ $x = 742.4242\cdots$ ····· ㉠

☐ $x = 7.424242\cdots$ ····· ㉡

㉠ $-$ ㉡을 하면 ☐ $x = 735$

$\therefore x = \dfrac{735}{\boxed{}} = \boxed{}$

> **연구** 등식의 양변에 10의 거듭제곱을 곱하여 소수 부분이 같은 두 식을 만든다.

2-1

다음 순환소수를 분수로 나타내기 위해 필요한 가장 편리한 식을 보기에서 찾으시오.

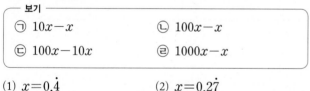

> 보기
> ㉠ $10x - x$ ㉡ $100x - x$
> ㉢ $100x - 10x$ ㉣ $1000x - x$

(1) $x = 0.\dot{4}$ (2) $x = 0.2\dot{7}$

(3) $x = 1.\dot{2}\dot{8}$ (4) $x = 0.1\dot{2}\dot{5}$

3-1

다음은 순환소수를 기약분수로 나타내는 과정이다. ☐ 안에 알맞은 수를 써넣으시오.

전체의 수   순환하지 않는 수

$7.3\dot{4}\dot{1} = \dfrac{7341 - \boxed{}}{\boxed{}} = \dfrac{7268}{\boxed{}} = \boxed{}$

순환마디의 숫자 ☐ 개,

소수점 아래에서 순환하지 않는 숫자 ☐ 개

> **연구** 분모: 순환마디의 숫자의 개수만큼 9를 쓰고, 그 뒤에 소수점 아래에서 순환하지 않는 숫자의 개수만큼 0을 쓴다.
> 분자: (전체의 수) $-$ (순환하지 않는 수)

쌍둥이 문제

1-2

다음은 순환소수 $0.\dot{3}\dot{7}$을 분수로 나타내는 과정이다. ☐ 안에 알맞은 수를 써넣으시오.

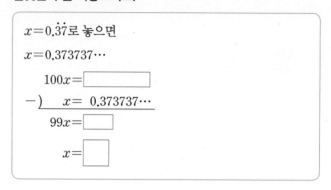

$x = 0.\dot{3}\dot{7}$로 놓으면

$x = 0.373737\cdots$

$100x = \boxed{}$

$-\,)\quad x = 0.373737\cdots$

$99x = \boxed{}$

$x = \boxed{}$

2-2

다음 순환소수를 분수로 나타내기 위해 필요한 가장 편리한 식을 보기에서 찾으시오.

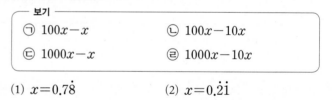

> 보기
> ㉠ $100x - x$ ㉡ $100x - 10x$
> ㉢ $1000x - x$ ㉣ $1000x - 10x$

(1) $x = 0.7\dot{8}$ (2) $x = 0.\dot{2}\dot{1}$

(3) $x = 1.\dot{3}4\dot{5}$ (4) $x = 2.0\dot{1}\dot{4}$

3-2

다음 순환소수를 기약분수로 나타내시오.

(1) $0.5\dot{6}$ (2) $0.82\dot{4}$

(3) $1.3\dot{7}$ (4) $2.5\dot{8}\dot{3}$

대표 유형 **1** 순환소수를 분수로 나타내기 (1) – 등식의 성질을 이용

유형 해결의 법칙 중 2-1 18쪽

첫 순환마디의 앞뒤로 소수점이 오도록 10의 거듭제곱을 곱한다.

➡ $x = 0.a\dot{b}\dot{c}$라 하면 $1000x - 10x$를 한다.

 소수점 아래의 수가 같은 두 식을 만들고, 그 차를 이용하여 소수점 아래를 없애는 것이 핵심이야.

1-1 순환소수 $x = 2.4\dot{3}\dot{5}$를 분수로 나타낼 때, 가장 편리한 식은?

① $100x - 10x$ ② $1000x - x$

③ $1000x - 10x$ ④ $1000x - 100x$

⑤ $10000x - 100x$

풀이 $x = 2.43555\cdots$에서

$\quad 1000x = 2435.555\cdots \quad \cdots\cdots ㉠$

$\quad 100x = \;\; 243.555\cdots \quad \cdots\cdots ㉡$

㉠−㉡을 하면 $900x = 2192$ $\quad \therefore x = \dfrac{2192}{900} = \dfrac{548}{225}$

따라서 가장 편리한 식은 ④이다.

답 ④

쌍둥이 1-2

다음은 순환소수 $0.7\dot{3}$을 기약분수로 나타내는 과정이다. ①~⑤에 알맞은 것으로 옳지 않은 것은?

> $x = 0.7\dot{3}$으로 놓으면 $x = 0.7333\cdots$
>
> ① $x = 73.333\cdots \quad\quad\quad \cdots\cdots ㉠$
>
> ② $x = \;\; 7.333\cdots \quad\quad\quad \cdots\cdots ㉡$
>
> ㉠−㉡을 하면 ③ $x =$ ④
>
> $\therefore x =$ ⑤

① 100   ② 10   ③ 90

④ 76   ⑤ $\dfrac{11}{15}$

대표 유형 **2** 순환소수를 분수로 나타내기 (2) – 공식을 이용

유형 해결의 법칙 중 2-1 19쪽

$$0.\dot{a} = \frac{a}{9}, \quad 0.\dot{a}\dot{b}\dot{c} = \frac{abc}{999}, \quad 0.a\dot{b}\dot{c} = \frac{abc - a}{990}, \quad a.b\dot{c}\dot{d} = \frac{abcd - ab}{990}$$

2-1 다음 중 순환소수를 분수로 나타내는 과정으로 옳은 것은?

① $0.2\dot{9} = \dfrac{29 - 2}{99}$ ② $0.5\dot{4}\dot{6} = \dfrac{546}{990}$

③ $0.4\dot{3} = \dfrac{43}{90}$ ④ $1.\dot{2}\dot{3} = \dfrac{123 - 1}{99}$

⑤ $1.4\dot{7} = \dfrac{147 - 1}{90}$

풀이 ① $0.2\dot{9} = \dfrac{29}{99}$ ② $0.5\dot{4}\dot{6} = \dfrac{546 - 5}{990}$

③ $0.4\dot{3} = \dfrac{43 \quad 4}{90}$ ⑤ $1.4\dot{7} = \dfrac{147 - 14}{90}$

답 ④

쌍둥이 2-2

다음 중 순환소수를 분수로 나타낸 것으로 옳지 않은 것은?

① $0.\dot{2}\dot{5} = \dfrac{25}{99}$ ② $0.4\dot{8} = \dfrac{22}{45}$

③ $0.1\dot{8} = \dfrac{2}{11}$ ④ $2.3\dot{4} = \dfrac{232}{99}$

⑤ $1.02\dot{6} = \dfrac{77}{75}$

대표 유형 3 (순환소수)×a가 자연수가 되도록 하는 미지수의 값 구하기

유형 해결의 법칙 중 2-1 20쪽

(순환소수)×a가 자연수가 되도록 하는 a의 값 구하기

① 순환소수를 분수로 나타낸다.

② 분수를 자연수가 되도록 하는 a의 값을 구한다.

3-1 순환소수 $1.2\dot{3}$에 자연수 a를 곱하면 그 결과가 자연수가 된다고 한다. 이때 a의 값이 될 수 있는 가장 작은 자연수를 구하시오.

풀이 $1.2\dot{3} = \dfrac{123-12}{90} = \dfrac{111}{90} = \dfrac{37}{30}$

이때 $\dfrac{37}{30} \times a$가 자연수가 되려면 a는 30의 배수이어야 한다.

따라서 a의 값이 될 수 있는 가장 작은 자연수는 30이다.

답 30

쌍둥이 3-2

순환소수 $0.0\dot{6}$에 자연수 a를 곱하면 그 결과가 자연수가 된다고 한다. 이때 a의 값이 될 수 있는 가장 작은 자연수를 구하시오.

쌍둥이 3-3

순환소수 $0.2\dot{6}$에 자연수 a를 곱하면 그 결과가 자연수가 된다고 한다. 이때 a의 값이 될 수 있는 수를 작은 수부터 차례대로 3개 구하시오.

대표 유형 4 순환소수로 잘못 나타낸 기약분수

유형 해결의 법칙 중 2-1 20쪽

기약분수를 소수로 나타낼 때

① 분모를 잘못 보았다. ➡ 분자는 제대로 보았다.

② 분자를 잘못 보았다. ➡ 분모는 제대로 보았다.

4-1 기약분수 A를 순환소수로 나타내는데 우성이는 분자를 잘못 보아서 $2.\dot{3}$으로 나타내었고, 수진이는 분모를 잘못 보아서 $1.2\dot{6}$으로 나타내었다. 기약분수 A를 순환소수로 바르게 나타내시오.

풀이 $2.\dot{3} = \dfrac{23-2}{9} = \dfrac{21}{9} = \dfrac{7}{3}$이고 우성이는 분모를 제대로 보았으므로 기약분수 A의 분모는 3이다.

$1.2\dot{6} = \dfrac{126-12}{90} = \dfrac{114}{90} = \dfrac{19}{15}$이고 수진이는 분자를 제대로 보았으므로 기약분수 A의 분자는 19이다.

따라서 $A = \dfrac{19}{3}$이므로 $\dfrac{19}{3}$를 순환소수로 나타내면 $6.\dot{3}$이다.

답 $6.\dot{3}$

쌍둥이 4-2

예은이와 우주는 어떤 기약분수를 순환소수로 나타내었다. 그런데 예은이는 분자를 잘못 보아서 $6.\dot{6}$으로 나타내었고, 우주는 분모를 잘못 보아서 $2.\dot{4}$로 나타내었다. 처음의 기약분수를 순환소수로 바르게 나타내면?

① $2.\dot{1}$ ② $2.\dot{6}$ ③ $4.\dot{2}$

④ $6.\dot{5}$ ⑤ $7.\dot{3}$

대표 유형 **5** 순환소수를 포함한 방정식의 풀이

유형 해결의 법칙 중 2-1 22쪽

> 순환소수를 포함한 방정식은 순환소수를 분수로 바꾼 후 푼다.
>
> **예** $x+0.\dot{3}=\dfrac{8}{9}$에서 $x+\dfrac{3}{9}=\dfrac{8}{9}$ $\qquad \therefore x=\dfrac{8}{9}-\dfrac{3}{9}=\dfrac{5}{9}$

5-1 $A-0.0\dot{7}=\dfrac{2}{15}$일 때, A의 값을 순환소수로 나타내시오.

풀이 $0.0\dot{7}=\dfrac{7}{90}$이므로 $A-\dfrac{7}{90}=\dfrac{2}{15}$

$\therefore A=\dfrac{2}{15}+\dfrac{7}{90}=\dfrac{12}{90}+\dfrac{7}{90}=\dfrac{19}{90}$

따라서 $\dfrac{19}{90}$를 순환소수로 나타내면 $0.2\dot{1}$이다.

답 $0.2\dot{1}$

쌍둥이 5-2

$0.\dot{4}\dot{1}=41\times\boxed{}$일 때, $\boxed{}$ 안에 알맞은 수를 순환소수로 나타내시오.

쌍둥이 5-3

$\dfrac{17}{30}=x+0.0\dot{1}$일 때, x의 값을 순환소수로 나타내시오.

대표 유형 **6** 유리수와 소수의 관계

유형 해결의 법칙 중 2-1 22쪽

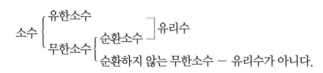

6-1 다음 설명 중 옳지 <u>않은</u> 것을 모두 고르면? (정답 2개)

① 모든 유한소수는 유리수이다.

② 순환소수는 무한소수이다.

③ 순환하지 않는 무한소수는 유리수이다.

④ 정수가 아닌 유리수는 유한소수 또는 순환소수로 나타낼 수 있다.

⑤ 순환소수 중에는 분수로 나타낼 수 없는 것도 있다.

풀이 ③ 순환하지 않는 무한소수는 유리수가 아니다.

⑤ 순환소수는 모두 분수로 니다낼 수 있다.

따라서 옳지 않은 것은 ③, ⑤이다.

답 ③, ⑤

쌍둥이 6-2

다음 설명 중 옳은 것은?

① 모든 무한소수는 유리수이다.

② 무한소수는 모두 분수로 나타낼 수 있다.

③ 유한소수 중에는 유리수가 아닌 것도 있다.

④ 기약분수의 분모에 소인수가 2 또는 5뿐이면 순환소수로만 나타낼 수 있다.

⑤ 모든 순환소수는 분수로 나타낼 수 있다.

순환소수를 분수로 나타내는 방법

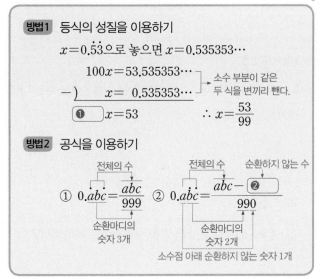

방법1 등식의 성질을 이용하기

$x=0.\dot{5}\dot{3}$으로 놓으면 $x=0.535353\cdots$

$100x=53.535353\cdots$

$-)\quad x=\ \ 0.535353\cdots$ ⟶ 소수 부분이 같은 두 식을 변끼리 뺀다.

$\boxed{❶}\ x=53$ $\qquad \therefore x=\dfrac{53}{99}$

방법2 공식을 이용하기

① $0.\dot{a}b\dot{c}=\dfrac{abc}{999}$ ② $0.a\dot{b}\dot{c}=\dfrac{abc-\boxed{❷}}{990}$

전체의 수 / 순환마디의 숫자 3개

전체의 수 / 순환하지 않는 수 / 순환마디의 숫자 2개 / 소수점 아래 순환하지 않는 숫자 1개

답 ❶ 99 ❷ a

⭐ 01

다음은 순환소수 $0.2\dot{4}\dot{6}$을 분수로 나타내는 과정이다. ☐ 안에 알맞은 수를 써넣으시오.

$x=0.2\dot{4}\dot{6}$으로 놓으면

$x=0.2464646\cdots$

$1000x=\boxed{①}$ $\qquad\cdots\cdots\ \text{㉠}$

$\boxed{②}\ x=2.464646\cdots$ $\qquad\cdots\cdots\ \text{㉡}$

㉠$-$㉡을 하면 $\boxed{③}\ x=\boxed{④}$

$\therefore x=\dfrac{\boxed{⑤}}{495}$

02

순환소수 $1.2\dot{3}$을 분수로 나타내려고 한다. $x=1.2\dot{3}$이라 할 때, 다음 중 가장 편리한 식은?

① $1000x-10x$ ② $1000x-x$

③ $100x-10x$ ④ $100x-x$

⑤ $10x-x$

03

다음 중 순환소수 $x=0.1252525\cdots$에 대한 설명으로 옳지 <u>않은</u> 것은?

① 무한소수이다.

② 순환마디는 25이다.

③ $0.1\dot{2}\dot{5}$로 나타낼 수 있다.

④ 기약분수로 나타내면 $\dfrac{62}{495}$이다.

⑤ 분수로 나타낼 때 가장 편리한 식은 $1000x-x$이다.

⭐ 04

다음 중 순환소수를 분수로 나타낸 것으로 옳지 <u>않은</u> 것을 모두 고르면? (정답 2개)

① $0.\dot{7}=\dfrac{7}{10}$ ② $0.\dot{5}\dot{1}=\dfrac{17}{33}$

③ $0.1\dot{3}\dot{8}=\dfrac{137}{990}$ ④ $1.5\dot{3}\dot{4}=\dfrac{511}{330}$

⑤ $0.1\dot{6}=\dfrac{1}{6}$

05

순환소수 $0.\dot{6}$의 역수를 a, $0.1\dot{3}$의 역수를 b라 할 때, $a+b$의 값을 구하시오.

06

순환소수 $0.8\dot{1}$에 자연수 a를 곱하면 그 결과가 자연수가 될 때, 다음 중 a의 값이 될 수 있는 수는?

① 9　　　　　　② 13　　　　　　③ 22

④ 30　　　　　　⑤ 38

07

기약분수 A를 소수로 나타내는데 수혁이는 분자를 잘못 보아서 $0.\dot{4}\dot{5}$로 나타내었고, 아름이는 분모를 잘못 보아서 $0.5\dot{3}$으로 나타내었다. 기약분수 A를 순환소수로 바르게 나타내면?

① $0.\dot{9}\dot{8}$　　　　② $0.\dot{7}\dot{2}$　　　　③ $0.\dot{5}$

④ $0.4\dot{5}$　　　　⑤ $0.\dot{3}$

08
(서술형)

$0.\dot{3}x+2=3.\dot{5}$일 때, 다음 물음에 답하시오.

⑴ x의 값을 구하시오.

⑵ x의 값을 순환소수로 나타내시오.

09

다음 중 두 수의 대소 관계가 옳지 않은 것은?

① $0.\dot{4}\dot{3}>0.43$　　　　② $0.3\dot{7}>0.\dot{3}\dot{7}$

③ $0.5\dot{4}>0.\dot{5}\dot{4}$　　　　④ $0.1\dot{8}<0.2$

⑤ $0.3\dot{3}\dot{2}<0.\dot{3}3\dot{2}$

유리수와 소수의 관계

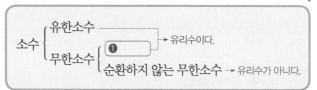

$$\text{소수}\begin{cases}\text{유한소수} \\ \text{무한소수}\begin{cases}\boxed{①} \rightarrow \text{유리수이다.} \\ \text{순환하지 않는 무한소수} \rightarrow \text{유리수가 아니다.}\end{cases}\end{cases}$$

답 ① 순환소수

★
10

다음 중 옳은 것을 모두 고르면? (정답 2개)

① 모든 정수는 유리수가 아니다.

② 무한소수 중에는 유리수가 아닌 것도 있다.

③ 유한소수로 나타낼 수 없는 분수는 순환소수로 나타낼 수 있다.

④ 순환소수 중에는 분수로 나타낼 수 없는 수도 있다.

⑤ 기약분수를 소수로 나타내면 모두 순환소수이다.

11

다음 중 유리수가 <u>아닌</u> 것은?

① -1　　　　② $\dfrac{3}{2}$　　　　③ 2.6

④ $3.\dot{4}\dot{5}$　　　　⑤ π

12
(창의력)

다음은 유리수와 소수 사이의 관계에 대한 네 학생의 대화이다. 옳지 <u>않게</u> 말한 학생을 모두 고르고, 그 이유를 말하시오.

> 성진: 모든 순환소수는 유리수야.
>
> 수지: 유한소수 중에는 유리수가 아닌 것도 있어.
>
> 준성: 기약분수를 소수로 나타내면 모두 유한소수야.
>
> 은희: 0은 분수로 나타낼 수 있으므로 유리수야.

2 단항식의 계산

학습 목표

- 지수법칙을 이해한다.
- 단항식의 곱셈과 나눗셈의 원리를 이해하고, 그 계산을 할 수 있다.

개념 **1** 지수법칙(1), (2) – 거듭제곱의 곱셈, 거듭제곱의 거듭제곱

(1) 지수법칙 (1) – 거듭제곱의 곱셈

$$m, n\text{이 자연수일 때, } a^m \times a^n = a^{m+n} \Rightarrow \text{지수끼리 더한다.}$$

예 ① $x \times x^9 = x^{1+9} = x^{10}$

② $a^3 \times a^2 \times a = a^{3+2+1} = a^6$

③ $x^3 \times y^2 \times x = x^3 \times x \times y^2 = x^{3+1} \times y^2 = x^4 y^2$ → 밑이 같을 때에만 지수법칙이 성립

(2) 지수법칙 (2) – 거듭제곱의 거듭제곱

$$m, n\text{이 자연수일 때, } (a^m)^n = a^{mn} \Rightarrow \text{지수끼리 곱한다.}$$

예 ① $(a^3)^2 = a^{3 \times 2} = a^6$

② $(a^2)^3 \times (a^3)^5 = a^{2 \times 3} \times a^{3 \times 5} = a^6 \times a^{15} = a^{6+15} = a^{21}$

③ $x^4 \times (x^2)^5 \times (y^3)^4 = x^4 \times x^{2 \times 5} \times y^{3 \times 4} = x^4 \times x^{10} \times y^{12} = x^{4+10} \times y^{12} = x^{14} y^{12}$

설명 (1) $a^3 \times a^2 = \underbrace{(a \times a \times a)}_{3\text{개}} \times \underbrace{(a \times a)}_{2\text{개}} = a^5$

➡ $a^3 \times a^2 = a^5$에서 a^5의 지수 5는 $a^3 \times a^2$의 두 지수 3과 2의 합과 같다.

(2) $(a^2)^3 = \underbrace{a^2 \times a^2 \times a^2}_{3\text{개}} = a^{2+2+2} = a^6$

➡ $(a^2)^3$은 a^2을 3번 곱한 것이므로 $(a^2)^3 = a^6$에서 a^6의 지수 6은 $(a^2)^3$의 두 지수 2와 3의 곱과 같다.

--- Lecture ---

주의 ① $x^4 \times x^3 = x^{4 \times 3} = x^{12}$ (×) ➡ $x^4 \times x^3 = x^{4+3} = x^7$ (○)

② $x^2 \times y^3 = x^{2+3} = x^5$ (×) ➡ $x^2 \times y^3 = x^2 y^3$ (○)

③ $(x^3)^2 = x^{3+2} = x^5$ (×) ➡ $(x^3)^2 = x^{3 \times 2} = x^6$ (○)

┃개념 확인┃ **1** 다음 식을 간단히 하시오.

(1) $x^2 \times x^4$

(2) $2^3 \times 2 \times 2^3$

(3) $a^2 \times a \times b \times b$

(4) $x^4 \times x^2 \times y^2 \times y$

┃개념 확인┃ **2** 다음 식을 간단히 하시오.

(1) $(2^3)^4$

(2) $(x^4)^7$

(3) $(a^2)^3 \times a^4$

(4) $(x^8)^2 \times (y^3)^5$

개념 ② 지수법칙(3) – 거듭제곱의 나눗셈

$$a \neq 0 \text{이고 } m, n \text{이 자연수일 때, } a^m \div a^n = \begin{cases} m > n \text{이면 } a^{m-n} \\ m = n \text{이면 } 1 \\ m < n \text{이면 } \dfrac{1}{a^{n-m}} \end{cases}$$

$a^m \div a^n$을 계산할 때에는 m과 n의 크기를 먼저 비교해 봐. 즉 $m > n$, $m = n$, $m < n$인 경우로 나누어서 생각해야 해.

예 ① $x^4 \div x^3 = x^{4-3} = x^1 = x$

② $x^3 \div x^3 = 1$

③ $x^2 \div x^4 = \dfrac{1}{x^{4-2}} = \dfrac{1}{x^2}$

보기 (1) $a^5 \div a^2 = \dfrac{\overbrace{a \times a \times a \times \cancel{a} \times \cancel{a}}^{5개}}{\underbrace{\cancel{a} \times \cancel{a}}_{2개}} = a \times a \times a = a^3$

즉 $a^5 \div a^2 = a^{\overset{\text{지수끼리의 차}}{5-2}}$

(2) $a^2 \div a^2 = \dfrac{\cancel{a} \times \cancel{a}}{\cancel{a} \times \cancel{a}} = 1$ ← 자기를 자기 자신으로 나누면 항상 1

0이라고 착각하지 않도록 주의해.

(3) $a^2 \div a^5 = \dfrac{\overbrace{\cancel{a} \times \cancel{a}}^{2개}}{\underbrace{a \times a \times a \times \cancel{a} \times \cancel{a}}_{5개}} = \dfrac{1}{a \times a \times a} = \dfrac{1}{a^3}$

즉 $a^2 \div a^5 = \dfrac{1}{a^{\overset{\text{지수끼리의 차}}{5-2}}}$

• Lecture •

주의 $x^6 \div x^3 = x^{6 \div 3} = x^2 \ (\times) \Rightarrow x^6 \div x^3 = x^{6-3} = x^3 \ (\bigcirc)$

개념 확인 **3** 다음 식을 간단히 하시오.

(1) $2^5 \div 2^3$ (2) $3^6 \div 3^3$

(3) $x^{10} \div x^{10}$ (4) $x^2 \div x^6$

개념 확인 **4** 다음 식을 간단히 하시오.

(1) $a^{16} \div (a^3)^2$ (2) $(x^2)^5 \div (x^3)^4$

(3) $x^5 \div x \div x^3$ (4) $x^3 \div x \times x^8$

2 단항식의 계산

개념 **3** 지수법칙(4) – 곱 또는 몫의 거듭제곱

m이 자연수일 때, $(ab)^m = a^m b^m$, $\left(\dfrac{a}{b}\right)^m = \dfrac{a^m}{b^m}$ (단, $b \neq 0$)

예 ① $(ab)^3 = a^3 b^3$, $(a^3 b^2)^5 = (a^3)^5 (b^2)^5 = a^{15} b^{10}$ $(a^3 b^2)^5 = a^3 b^{10}$ (×)

② $\left(\dfrac{a}{b}\right)^3 = \dfrac{a^3}{b^3}$, $\left(\dfrac{a^2}{b^3}\right)^3 = \dfrac{(a^2)^3}{(b^3)^3} = \dfrac{a^6}{b^9}$

참고 음수의 거듭제곱

$a > 0$일 때, $(-a)^{\text{짝수}} = a^{\text{짝수}}$, $(-a)^{\text{홀수}} = -a^{\text{홀수}}$

예 $(-2)^2 = 2^2 = 4$, $(-2)^3 = -2^3 = -8$

설명 (1) $(ab)^3 = \underbrace{ab \times ab \times ab}_{\text{3개}} = \underbrace{a \times a \times a}_{\text{3개}} \times \underbrace{b \times b \times b}_{\text{3개}} = a^3 b^3$, 즉 $(ab)^3 = a^3 b^3$

(2) $\left(\dfrac{a}{b}\right)^3 = \underbrace{\dfrac{a}{b} \times \dfrac{a}{b} \times \dfrac{a}{b}}_{\text{3개}} = \dfrac{\overbrace{a \times a \times a}^{\text{3개}}}{\underbrace{b \times b \times b}_{\text{3개}}} = \dfrac{a^3}{b^3}$, 즉 $\left(\dfrac{a}{b}\right)^3 = \dfrac{a^3}{b^3}$

보기 괄호 안이 (수)×(문자)인 경우에도 지수법칙을 똑같이 적용한다.

(1) $(3x^2)^2 = 3^2 \times (x^2)^2 = 9x^4$

(2) $(-xy^3)^2 = (-1)^2 \times x^2 \times (y^3)^2 = x^2 y^6$ → 밑이 음수인 거듭제곱에서
지수가 짝수이면 부호는 $+$,
지수가 홀수이면 부호는 $-$

(3) $\left(\dfrac{x^2}{2y}\right)^3 = \dfrac{(x^2)^3}{(2y)^3} = \dfrac{x^6}{2^3 \times y^3} = \dfrac{x^6}{8y^3}$

> 지수법칙 총정리!
> m, n은 자연수, $a \neq 0$일 때
> (1) $a^m \times a^n = a^{m+n}$
> (2) $(a^m)^n = a^{mn}$
> (3) $a^m \div a^n = \begin{cases} a^{m-n} & (m > n) \\ 1 & (m = n) \\ \dfrac{1}{a^{n-m}} & (m < n) \end{cases}$
> (4) $(ab)^m = a^m b^m$, $\left(\dfrac{a}{b}\right)^m = \dfrac{a^m}{b^m}$ (단, $b \neq 0$)

• Lecture •

주의 ① $(2x^2)^3 = 2^{2 \times 3} = 2x^6$ (×) ➡ $(2x^2)^3 = 2^3 \times (x^2)^3 = 8 \times x^{2 \times 3} = 8x^6$ (○)

② $(-x)^3 = x^3$ (×) ➡ $(-x)^3 = (-1)^3 \times x^3 = -x^3$ (○)

| 개념 확인 | 5   다음 식을 간단히 하시오.

(1) $(xy^2)^4$ (2) $(a^2 b^2)^3$

(3) $(-a^2)^4$ (4) $(-2a^2)^3$

| 개념 확인 | 6   다음 식을 간단히 하시오.

(1) $\left(\dfrac{b}{a^2}\right)^4$ (2) $\left(\dfrac{x^2}{y^5}\right)^3$

(3) $\left(-\dfrac{a^2}{b^3}\right)^5$ (4) $\left(-\dfrac{2y}{x}\right)^2$

개념 기초

1-1

다음 ▢ 안에 알맞은 수를 써넣으시오.

(1) $a^2 \times a^3 \times b \times b^5 = a^{2+\square} \times b^{\square+5} = a^{\square} b^{\square}$

(2) $(x^2)^4 \times (y^3)^4 = x^{2\times\square} \times y^{3\times\square} = x^{\square} y^{\square}$

연구 m, n이 자연수일 때

(1) $a^m \times a^n = a^{\boxed{}}$

(2) $(a^m)^n = a^{\boxed{}}$

⇨ 밑이 다를 때에는 밑이 ▢ 것끼리 모아서 간단히 한다.

2-1

다음 ▢ 안에 알맞은 수를 써넣으시오.

(1) $x^8 \times x^5 \div x^8 = x^{\square+\square} \div x^8 = x^{\square} \div x^8$
$= x^{\square-\square} = x^{\square}$

(2) $a^{10} \div a^5 \div a^8 = a^{\square-\square} \div a^8 = a^{\square} \div a^8$
$= \dfrac{1}{a^{\square-\square}} = \dfrac{1}{a^{\square}}$

연구 $a \neq 0$이고, m, n이 자연수일 때

$$a^m \div a^n = \begin{cases} a^{m-n} & (m \,\square\, n) \\ 1 & (m = n) \\ \dfrac{1}{a^{n-m}} & (m \,\square\, n) \end{cases}$$

3-1

다음 ▢ 안에 알맞은 것을 써넣으시오.

(1) $(-4x^3)^3 = (-4)^{\square} \times x^{3\times\square} = \boxed{}$

(2) $\left(-\dfrac{a}{b^2}\right)^4 = (-1)^{\square} \times \dfrac{a^{\square}}{b^{2\times\square}} = \boxed{}$

연구 m이 자연수일 때

$(ab)^m = a^{\square} b^{\square}$, $\left(\dfrac{a}{b}\right)^m = \dfrac{a^{\square}}{b^m}$ (단, $b \neq 0$)

쌍둥이 문제

1-2

다음 식을 간단히 하시오.

(1) $x^3 \times x^7 \times y^2 \times y^{10}$

(2) $a^4 \times b^5 \times a^2 \times b$

(3) $(2^2)^4 \times 2^5 \times (2^3)^5$

(4) $a \times (a^3)^2 \times b^3$

2-2

다음 식을 간단히 하시오.

(1) $x^8 \div x^2 \div x^3$

(2) $a^{12} \div a^4 \div a^{11}$

(3) $x^4 \times x^6 \div x^5$

(4) $a^2 \div a^5 \times a$

3-2

다음 식을 간단히 하시오.

(1) $(-3ab^2)^2$ (2) $(ab^2c^3)^4$

(3) $\left(\dfrac{b^2}{2a}\right)^3$ (4) $\left(-\dfrac{3y}{2x^2}\right)^3$

대표 유형 **1**　지수법칙(1) – 거듭제곱의 곱셈

유형 해결의 법칙 중 2-1 32쪽

> m, n이 자연수일 때
> $a^m \times a^n = a^{m+n}$ ➡ 지수끼리 더한다.

1-1 다음 ☐ 안에 알맞은 수를 써넣으시오.

(1) $x^{\square} \times x^2 = x^{10}$

(2) $x^3 \times x^{\square} \times x = x^8$

풀이 (1) $x^{\square} \times x^2 = x^{\square+2} = x^{10}$에서

　　　$\square + 2 = 10$　　∴ $\square = 8$

　　(2) $x^3 \times x^{\square} \times x = x^{3+\square+1} = x^{\square+4} = x^8$에서

　　　$\square + 4 = 8$　　∴ $\square = 4$

답 (1) 8　(2) 4

쌍둥이 1-2

다음 보기 중 옳은 것을 모두 고르시오.

> **보기**
> ㉠ $x^4 \times x^5 = x^{20}$　　　㉡ $a^2 \times a^3 = a^5$
> ㉢ $x \times x^2 \times x^4 = x^6$　　㉣ $3 \times 3^2 = 3^3$
> ㉤ $2^{10} \times 2^2 = 2^{20}$

쌍둥이 1-3

$3^2 \times 3^a \times 3 = 3^{10}$일 때, 자연수 a의 값을 구하시오.

대표 유형 **2**　지수법칙(2) – 거듭제곱의 거듭제곱

유형 해결의 법칙 중 2-1 32쪽

> m, n이 자연수일 때
> $(a^m)^n = a^{mn}$ ➡ 지수끼리 곱한다.

2-1 다음 ☐ 안에 알맞은 수를 써넣으시오.

(1) $(x^{\square})^6 = x^{12}$

(2) $x^3 \times (x^{\square})^2 = x^9$

풀이 (1) $(x^{\square})^6 = x^{\square \times 6} = x^{12}$에서

　　　$\square \times 6 = 12$　　∴ $\square = 2$

　　(2) $x^3 \times (x^{\square})^2 = x^{3+\square \times 2} = x^9$에서

　　　$3 + \square \times 2 = 9$　　∴ $\square = 3$

답 (1) 2　(2) 3

쌍둥이 2-2

다음 보기 중 옳지 <u>않은</u> 것을 모두 고르시오.

> **보기**
> ㉠ $(2^3)^2 = 4^6$　　　㉡ $(a^3)^3 = a^6$
> ㉢ $(5^4)^x = 5^{4x}$　　㉣ $(a^5)^2 \times a = a^{10}$
> ㉤ $(a^3)^x = (a^x)^3$

쌍둥이 2-3

$(x^3)^a \times x^6 = x^{21}$일 때, 자연수 a의 값을 구하시오.

대표 유형 ③ 지수법칙(3) – 거듭제곱의 나눗셈

유형 해결의 법칙 중 2–1 33쪽

$a \neq 0$이고 m, n이 자연수일 때, $a^m \div a^n = \begin{cases} a^{m-n} & (m > n) \\ 1 & (m = n) \\ \dfrac{1}{a^{n-m}} & (m < n) \end{cases}$

3-1 다음 ☐ 안에 알맞은 수를 써넣으시오.

(1) $a^{\square} \div a^3 = a^5$

(2) $x^4 \div x^{\square} = \dfrac{1}{x^3}$

풀이 (1) $a^{\square} \div a^3 = a^{\square - 3} = a^5$에서

$\square - 3 = 5$ ∴ $\square = 8$

(2) $x^4 \div x^{\square} = \dfrac{1}{x^{\square - 4}} = \dfrac{1}{x^3}$에서

$\square - 4 = 3$ ∴ $\square = 7$

답 (1) 8 (2) 7

쌍둥이 3-2

다음 중 옳은 것을 모두 고르면? (정답 2개)

① $a^8 \div a^2 = a^4$ ② $a^2 \div a^2 = 0$

③ $a \div a^5 = \dfrac{1}{a^4}$ ④ $a^3 \div a^2 \div a^3 = a^2$

⑤ $(a^2)^3 \div (a^3)^2 = 1$

쌍둥이 3-3

$6^7 \div 6^5 \div 6^x = 1$일 때, 자연수 x의 값을 구하시오.

대표 유형 ④ 지수법칙(4) – 곱 또는 몫의 거듭제곱

유형 해결의 법칙 중 2–1 33쪽

m이 자연수일 때

$(ab)^m = a^m b^m$, $\left(\dfrac{a}{b}\right)^m = \dfrac{a^m}{b^m}$ (단, $b \neq 0$)

4-1 $(3a^x)^3 = ya^{15}$일 때, 자연수 x, y의 값을 각각 구하시오.

풀이 $(3a^x)^3 = 3^3 \times a^{x \times 3} = 27a^{3x}$

즉 $27a^{3x} = ya^{15}$이므로 $27 = y$, $3x = 15$

∴ $x = 5$, $y = 27$

답 $x = 5$, $y = 27$

쌍둥이 4-2

다음 중 옳은 것은?

① $(a^2 b)^5 = a^7 b^6$ ② $(2xy^3)^5 = 10x^5 y^8$

③ $\left(\dfrac{1}{b^2}\right)^4 = \dfrac{1}{b^6}$ ④ $\left(-\dfrac{x}{2}\right)^3 = -\dfrac{x^3}{8}$

⑤ $\left(-\dfrac{b^2}{3a}\right)^3 = \dfrac{b^6}{27a^3}$

쌍둥이 4-3

$\left(\dfrac{x^{2a}}{2y^b}\right)^3 = \dfrac{x^{24}}{8y^9}$일 때, 자연수 a, b에 대하여 $a + b$의 값을 구하시오.

대표 유형 5 **지수법칙의 확대 – 밑이 다른 경우** 유형 해결의 법칙 중 2-1 35쪽

① 소인수분해를 이용하여 밑을 같게 만든다.
② 밑이 같은 수 또는 문자끼리 지수법칙을 이용한다.

5-1 다음 식을 만족하는 자연수 x의 값을 구하시오.

(1) $3^x \times 9 = 81$

(2) $2^{x+5} = 8^3$

쌍둥이 5-2

$4 \times 64 = 2^x$을 만족하는 자연수 x의 값을 구하시오.

풀이 (1) $3^x \times 9 = 81$에서

$3^x \times 3^2 = 3^4, 3^{x+2} = 3^4$

따라서 $x+2 = 4$이므로 $x = 2$

(2) $2^{x+5} = 8^3$에서

$2^{x+5} = (2^3)^3, 2^{x+5} = 2^9$

따라서 $x+5 = 9$이므로 $x = 4$

쌍둥이 5-3

$4^x \times 32 \div 16 = 2^7$일 때, 자연수 x의 값을 구하시오.

답 (1) 2 (2) 4

대표 유형 6 **지수법칙의 응용 (1) – 같은 수의 덧셈식** 유형 해결의 법칙 중 2-1 36쪽

같은 수의 덧셈식은 곱셈식으로 나타낸 다음 지수법칙을 이용한다.

➡ $\underbrace{a^n + a^n + \cdots + a^n}_{k개} = a^n \times k$

예 $\underbrace{2 + 2 + 2 + 2 + 2}_{5개} = 2 \times 5$

6-1 다음 식에서 자연수 a의 값을 구하시오.

(1) $3^5 + 3^5 + 3^5 = 3^a$

(2) $4^2 + 4^2 + 4^2 + 4^2 = 2^a$

쌍둥이 6-2

$3^4 + 3^4 + 3^4 = 3^a$일 때, 자연수 a의 값을 구하시오.

풀이 (1) $3^5 + 3^5 + 3^5 = 3^5 \times 3 = 3^{5+1} = 3^6$

∴ $a = 6$

(2) $4^2 + 4^2 + 4^2 + 4^2 = 4^2 \times 4 = 4^{2+1} = 4^3$

$= (2^2)^3 = 2^6$

∴ $a = 6$

쌍둥이 6-3

$2^5 + 2^5 + 2^5 + 2^5 = 2^a$, $2^5 \times 2^5 \times 2^5 \times 2^5 = 2^b$일 때, $a+b$의 값을 구하시오. (단, a, b는 자연수)

답 (1) 6 (2) 6

대표 유형 7 　지수법칙의 응용 (2) – 문자를 사용하여 나타내기

유형 해결의 법칙 중 2-1 37쪽

$A=a^n$일 때, 어떤 수를 A를 사용하여 나타내기
① 어떤 수의 밑을 a의 거듭제곱으로 나타낸다.
② $(a^m)^n=(a^n)^m$임을 이용한다.

7-1 $A=2^6$일 때, 16^6을 A를 사용하여 나타내시오.

풀이 16^6
$=(2^4)^6$ ⟩ 16을 2의 거듭제곱으로 나타내기
$=(2^6)^4$ ⟩ $(a^m)^n=(a^n)^m$임을 이용하기
$=A^4$ ⟩ 2^6 대신 A 대입하기

답 A^4

쌍둥이 7-2

$3^4=A$일 때, 27^4을 A를 사용하여 나타내시오.

쌍둥이 7-3

$A=2^x$일 때, 8^{x+1}을 A를 사용하여 나타내시오.

대표 유형 8 　자릿수 구하기

유형 해결의 법칙 중 2-1 37쪽

$2^m \times 5^n$의 자릿수 구하기
➡ 2와 5의 거듭제곱을 같은 지수로 묶어 $a \times 10^k$ (a, k는 자연수)의 꼴로 나타낸다.

8-1 $2^7 \times 5^9$은 n자리 자연수일 때, n의 값을 구하시오.

풀이 $2^7 \times 5^9$
$=2^7 \times 5^{7+2}$
$=2^7 \times (5^7 \times 5^2)$ ⟩ 2와 5의 지수를 같게 만든다.
$=(2^7 \times 5^7) \times 5^2$
$=(2 \times 5)^7 \times 5^2$ ⟩ 2와 5의 거듭제곱을 같은 지수로 묶는다.
$=10^7 \times 5^2$ ⟩ 10의 거듭제곱으로 나타낸다.
$=25 \times 10^7$
$=250000000$
따라서 $2^7 \times 5^9$은 9자리 자연수이므로
$n=9$

답 9

쌍둥이 8-2

$2^8 \times 5^5$은 몇 자리 자연수인지 구하시오.

쌍둥이 8-3

$2^{16} \times 5^{12} \times 3$은 n자리 자연수일 때, n의 값을 구하시오.

지수법칙

(1) m, n이 자연수일 때

$a^m \times a^n = a^{m+n}$, $(a^m)^n = a^{\boxed{0}}$

(2) $a \neq 0$이고 m, n이 자연수일 때

$$a^m \div a^n = \begin{cases} a^{m-n} & (m > n) \\ \boxed{2} & (m = n) \\ \dfrac{1}{a^{n-m}} & (m < n) \end{cases}$$

(3) m이 자연수일 때

$(ab)^m = a^m b^m$, $\left(\dfrac{a}{b}\right)^m = \dfrac{a^m}{b^m}$ (단, $b \boxed{3} 0$)

目 ❶ mn ❷ 1 ❸ $\neq$

01

$a^2 \times b \times a^3 \times b^2$을 간단히 하시오.

02

$a^5 \times b^3 \times a^x \times b^4 = a^8 b^y$일 때, 자연수 x, y에 대하여 $x + y$의 값을 구하시오.

03

다음 중 ☐ 안에 들어갈 수가 가장 큰 것은?

① $a^{\square} \times a^3 = a^5$
② $(a^{\square})^5 = a^{20}$
③ $(a^3)^2 \times a = a^{\square}$
④ $(a^3)^{\square} = a^{15}$
⑤ $a^{\square} \times a^2 \times a = a^6$

04

다음 중 $a^{11} \div a^4 \div a^2$과 계산 결과가 같은 것은?

① $a^{11} \times (a^4 \div a^2)$
② $a^{11} \div a^4 \times a^2$
③ $a^{11} \div (a^4 \div a^2)$
④ $a^{11} \times a^4 \div a^2$
⑤ $a^{11} \div (a^4 \times a^2)$

★ 05

다음 중 옳지 <u>않은</u> 것은?

① $(a^2)^3 \div a^3 \times (b^5)^2 = a^3 b^{10}$
② $(x^2)^5 \times y^3 \div (y^3)^4 = \dfrac{x^{10}}{y^9}$
③ $(3x)^3 = 27x^3$
④ $\left(-\dfrac{3y}{x^3}\right)^2 = -\dfrac{9y^2}{x^6}$
⑤ $\left(-\dfrac{2}{y}\right)^5 = -\dfrac{32}{y^5}$

06

서술형

$\left(\dfrac{2x^2}{y^a}\right)^b = \dfrac{4x^c}{y^6}$일 때, 자연수 a, b, c에 대하여 $a+b+c$의 값을 구하시오.

07

$9^{10} \div 3^3 = 3^x$일 때, 자연수 x의 값은?

① 16   ② 17   ③ 18

④ 19   ⑤ 20

08 창의 융합

다음 표는 컴퓨터의 저장 용량 단위를 나타낸 것이다. 용량이 1 GB인 휴대용 저장 장치에 용량이 64 KB인 자료는 최대 몇 개까지 저장할 수 있는지 구하시오.

1 KB	1 MB	1 GB	1 TB
2^{10} Byte	2^{10} KB	2^{10} MB	2^{10} GB

지수법칙의 활용

(1) 거듭제곱의 합을 간단히 하기 : 곱셈식으로 바꾼다.

➡ $\underbrace{a^n + a^n + a^n + \cdots + a^n}_{k개} = a^n \times \boxed{1}$

(2) 거듭제곱을 문자를 사용하여 나타내기 : $A = a^n$일 때, $a^{mn} = (a^n)^m = A^m$, $a^{m+n} = a^m \times a^n = a^m A$

(3) 자릿수 구하기 : 주어진 식을 $a \times 10^n$의 꼴로 나타낸다. (단, a, n은 자연수)

참고 $a \times 10^n$의 자릿수는 (a의 자릿수)$+n$이다.

🔖 **❶** k

09

$2^3 + 2^3 = 2^a$, $3^2 + 3^2 + 3^2 = 3^b$일 때, $a - b$의 값을 구하시오.

(단, a, b는 자연수)

10

$2^{20} + 2^{20} + 2^{20} + 2^{20}$을 간단히 하면?

① $4 + 2^{20}$ ② 2^{20} ③ 2^{21}

④ 2^{22} ⑤ $(2^{20})^4$

11

$a = 3^3$일 때, 9^6을 a를 사용하여 나타내면?

① $3a$ ② $6a$ ③ a^3

④ a^4 ⑤ a^6

12

$a = 4^x$일 때, 64^x을 a를 사용하여 나타내면?

① a ② a^2 ③ a^3

④ a^4 ⑤ a^5

13 서술형

$2^{10} \times 5^8 \times 7$이 n자리 자연수일 때, n의 값을 구하시오.

2 단항식의 계산

개념 ① 단항식의 곱셈

(단항식)×(단항식)은 다음과 같이 계산한다

① 계수는 계수끼리, 문자는 문자끼리 곱한다.

② 같은 문자끼리의 곱셈은 지수법칙을 이용하여 간단히 한다.

참고 전체 부호를 결정할 때

$(-)$가 홀수 개 ➡ $(-)$, $(-)$가 짝수 개 ➡ $(+)$

> **용어**
> • 단항식 : 다항식 중에서 하나의 항으로 이루어진 식
> • 계수 : 문자를 포함한 항에서 문자 앞에 곱해진 수

 (1) $3a \times 4b = (3 \times a) \times (4 \times b)$

$= 3 \times a \times 4 \times b$

$= 3 \times 4 \times a \times b$ ⎫ 교환법칙

$= (3 \times 4) \times (a \times b)$ ⎭ 결합법칙

$= 12ab$

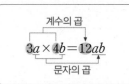

(2) $-3a^2 \times 2ab = (-3 \times a \times a) \times (2 \times a \times b)$

$= -3 \times a \times a \times 2 \times a \times b$

$= -3 \times 2 \times a \times a \times a \times b$ ⎫ 교환법칙

$= (-3 \times 2) \times (a \times a \times a \times b)$ ⎭ 결합법칙

$= -6a^3b$

↳ 수를 문자보다 먼저 쓰고, 문자는 알파벳 순서로 쓴다.

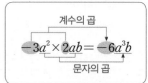

• Lecture •

● 단항식의 곱셈 ➡ 계수는 계수끼리, 문자는 문자끼리 계산한다.

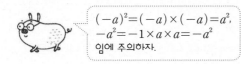

$(-a)^2 = (-a) \times (-a) = a^2$,
$-a^2 = -1 \times a \times a = -a^2$
임에 주의하자.

| 개념 확인 | **1** 다음 식을 간단히 하시오.

(1) $3x \times 2x^2$ (2) $2x \times (-5y)$

(3) $-4x^3 \times \dfrac{3}{2}x^4$ (4) $\dfrac{1}{2}x^2y^3 \times 8xy$

| 개념 확인 | **2** 다음 식을 간단히 하시오.

(1) $(-x)^2 \times 2xy$ (2) $-x^2y^3 \times (3xy)^2$

(3) $-3ab \times (-2b)^3$ (4) $5x^2y \times (x^2y^3)^2$

개념 ② 단항식의 나눗셈

(단항식)÷(단항식)은 다음과 같이 계산한다.

방법1 분수로 바꾸어 계산한다.

$$\Rightarrow A \div B = \frac{A}{B}$$

방법2 역수의 곱셈으로 바꾸어 계산한다.

$$\Rightarrow A \div B = A \times \frac{1}{B}$$

용어
- 역수 : 두 수의 곱이 1일 때, 한 수를 다른 수의 역수라 한다.

  예 3의 역수는 $\frac{1}{3}$

  $\frac{2}{a}$의 역수는 $\frac{a}{2}$
  부호가 바뀌지 않는 것에 주의!

 $12ab \div 3a$를 두 가지 방법을 이용하여 계산하면 다음과 같다.

방법1 $12ab \div 3a$

$$= \frac{12ab}{3a}$$ 〉 분수로 바꾸기

$$= \frac{12}{3} \times \frac{ab}{a}$$ 〉 계수는 계수끼리, 문자는 문자끼리

$$= 4b$$

방법2 $12ab \div 3a$

$$= 12ab \times \frac{1}{3a}$$ 〉 역수의 곱셈으로 바꾸기

$$= \left(12 \times \frac{1}{3}\right) \times \left(ab \times \frac{1}{a}\right)$$ 〉 계수는 계수끼리, 문자는 문자끼리

$$= 4b$$

 나누는 식이 분수 꼴이면 **방법2** 를 이용하여 계산하는 것이 편리하다.

$$15ab \div \frac{3}{2}a = 15ab \times \frac{2}{3a} = 10b$$

$$\frac{3}{2}a = \frac{3a}{2}$$

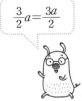

· Lecture ·

● 단항식의 나눗셈 ➡ 나눗셈을 분수로 바꾸어 계산하거나 나누는 식을 역수의 곱셈으로 바꾸어 계산한다.

| 개념 확인 | **3** 다음 식을 간단히 하시오.

(1) $8a^3 \div 4a$

(2) $6a^3b \div 2ab$

(3) $24a^3b \div (ab)^2$

(4) $8a^4b^3 \div (-4a^2b^3)$

| 개념 확인 | **4** 다음 식을 간단히 하시오.

(1) $12a^3 \div \frac{a}{3}$

(2) $6a^3b^2 \div \left(-\frac{3}{5}a^2b\right)$

(3) $2a^2b \div \frac{ab}{3}$

(4) $-x^2y^4 \div \frac{1}{2}xy^2$

개념 ③ 단항식의 곱셈과 나눗셈의 혼합 계산

단항식의 곱셈과 나눗셈이 혼합된 식은 다음과 같이 계산한다.

① 지수법칙을 이용하여 괄호를 푼다.

② 나눗셈을 분수 또는 역수의 곱셈으로 바꾼다.

③ 계수는 계수끼리, 문자는 문자끼리 계산한다.

보기

$$5x^3y \div (-xy^2)^3 \times xy$$

$$= 5x^3y \div (-x^3y^6) \times xy$$ ① 지수법칙을 이용하여 괄호를 푼다.

$$= 5x^3y \times \left(-\frac{1}{x^3y^6}\right) \times xy$$ ② 나눗셈을 역수의 곱셈으로 바꾼다.

$$= 5 \times (-1) \times x^3y \times \frac{1}{x^3y^6} \times xy$$ ③ 계수는 계수끼리, 문자는 문자끼리 계산한다.

$$= -\frac{5x}{y^4}$$

설명 $\times$, $\div$가 혼합된 계산은 앞에서부터 순서대로 계산해야 한다.

$$A \div B \times C = A \div BC = \frac{A}{BC} \; (\times) \Rightarrow A \div B \times C = \frac{A}{B} \times C = \frac{AC}{B} \; (\bigcirc)$$

● Lecture ●

● 단항식의 곱셈과 나눗셈의 혼합 계산

➡ 나눗셈을 역수의 곱셈으로 바꾸고 앞에서부터 차례대로 계산한다.

| 개념 확인 | **5**   **다음 식을 간단히 하시오.**

(1) $12x^3 \div 4x^2 \times 5x^4$

(2) $18x^3 \times (-4y^2)^2 \div 9xy$

(3) $a^4b^3 \times 8b \div 2ab$

(4) $6xy^3 \div (-2xy) \times (x^2y)^2$

| 개념 확인 | **6**   **다음 식을 간단히 하시오.**

(1) $3x^2y \div \frac{1}{2}x \times 8xy^2$

(2) $x^3y^4 \div \frac{1}{5}xy^2 \times (-2y)^2$

(3) $4x^2y \div \frac{1}{3}xy^2 \times 6xy$

(4) $(2x^2y)^3 \times (-3xy^2) \div \frac{3}{2}xy$

개념 기초

1-1

다음 ☐ 안에 알맞은 것을 써넣으시오.

$$\left(-\frac{1}{3}xy\right)^2 \times 18x = \left(-\frac{1}{3}\right)^2 \times x^2 \times \boxed{}^2 \times 18 \times \boxed{}$$

$$= \boxed{} \times 18 \times x^2 \times \boxed{} \times \boxed{}^2$$

$$= \boxed{}$$

연구 계수는 ☐☐☐끼리, 문자는 ☐☐☐끼리 곱한다.

2-1

다음 ☐ 안에 알맞은 것을 써넣으시오.

$$6a^3b^2 \div \left(-\frac{2}{5}a^2b\right) = 6a^3b^2 \times \left(-\frac{\boxed{}}{\boxed{}}\right)$$

$$= 6 \times \left(-\boxed{}\right) \times a^3b^2 \times \frac{1}{a^2b}$$

$$= \boxed{}$$

연구 나눗셈을 분수 또는 역수의 ☐☐☐으로 바꾼다.

3-1

다음 ☐ 안에 알맞은 것을 써넣으시오.

$$\frac{2}{3}x^2 \div \frac{1}{3}x \times \left(-\frac{1}{4}x\right) = \frac{2}{3}x^2 \times \boxed{} \times \left(-\frac{1}{4}x\right)$$

$$= \frac{2}{3} \times \boxed{} \times \left(-\frac{1}{4}\right) \times x^2 \times \frac{1}{\boxed{}} \times x$$

$$= \boxed{}$$

연구 계수끼리 계산할 때, 부호를 먼저 결정하면 편리하다.

쌍둥이 문제

1-2

다음 식을 간단히 하시오.

(1) $(3x^3y)^2 \times (-x^4y^3)^3$

(2) $(2a)^2 \times \left(-\frac{1}{2}a^2\right)^3$

(3) $\frac{2}{3}xy \times (-3x^2y)^2 \times (-2xy^2)^3$

2-2

다음 식을 간단히 하시오.

(1) $5x^3y^2 \div \left(-\frac{1}{4}x^3y\right)$

(2) $\left(-\frac{3}{4}ab^2\right)^2 \div \frac{9}{8}a^3b^2$

(3) $\left(\frac{1}{3}x^2y\right)^2 \div \left(-\frac{2}{3}xy^2\right)^3$

3-2

다음 식을 간단히 하시오.

(1) $12a^3b^5 \div (-2ab)^3 \times (-6a)^2$

(2) $\left(-\frac{3}{2}ab\right)^2 \div \left(-\frac{9}{8}a^3b^2\right) \times \frac{1}{4}ab$

(3) $\frac{2}{3}xy^2 \times \left(-\frac{1}{2}x\right)^2 \div \frac{5}{6}xy$

대표 유형 ❶ 단항식의 곱셈

유형 해결의 법칙 중 2-1 40쪽

① 계수는 계수끼리, 문자는 문자끼리 곱한다.
② 같은 문자끼리의 곱셈은 지수법칙을 이용하여 간단히 한다.

1-1 $(-3x^3y)^2 \times (-2x^2y^3) = ax^by^c$일 때, $a+b+c$의 값을 구하시오. (단, a, b, c는 상수)

풀이 $(-3x^3y)^2 \times (-2x^2y^3) = 9x^6y^2 \times (-2x^2y^3)$
$\qquad\qquad\qquad = 9 \times (-2) \times x^6y^2 \times x^2y^3$
$\qquad\qquad\qquad = -18x^8y^5$

따라서 $a = -18$, $b = 8$, $c = 5$이므로

$a+b+c = -18+8+5 = -5$

답 -5

쌍둥이 1-2

다음 식을 간단히 하시오.

(1) $6a^2 \times \left(-\dfrac{1}{2}a^3\right)$

(2) $-x^2y \times 3xy^3 \times (-4x^2y)^3$

(3) $2xy^2 \times (-3xy^2)^3 \times (-x^3y^3)$

대표 유형 ❷ 단항식의 나눗셈

유형 해결의 법칙 중 2-1 40쪽

방법1 나눗셈을 분수로 바꾸어 계산한다. ➡ $A \div B = \dfrac{A}{B}$

방법2 나누는 식을 역수의 곱셈으로 바꾸어 계산한다. ➡ $A \div B = A \times \dfrac{1}{B}$

2-1 $\left(-\dfrac{1}{3}x^2y\right)^2 \div 9x^4y$를 간단히 하시오.

풀이 $\left(-\dfrac{1}{3}x^2y\right)^2 \div 9x^4y = \dfrac{1}{9}x^4y^2 \div 9x^4y$
$\qquad\qquad\qquad = \dfrac{1}{9}x^4y^2 \times \dfrac{1}{9x^4y}$
$\qquad\qquad\qquad = \dfrac{1}{9} \times \dfrac{1}{9} \times x^4y^2 \times \dfrac{1}{x^4y}$
$\qquad\qquad\qquad = \dfrac{1}{81}y$

답 $\dfrac{1}{81}y$

쌍둥이 2-2

다음 식을 간단히 하시오.

(1) $\left(-\dfrac{1}{2}xy^2\right)^2 \div (-2x^3y^2)$

(2) $24y^6 \div 3y^2 \div (-4y)$

쌍둥이 2-3

$(3x^2y^3)^2 \div (xy^3)^3 = \dfrac{ax^b}{y^c}$일 때, $a-b-c$의 값을 구하시오.

(단, a, b, c는 상수)

대표 유형 3 **단항식의 곱셈과 나눗셈의 혼합 계산**   유형 해결의 법칙 중 2-1 41쪽

① 지수법칙을 이용하여 괄호를 푼다.
② 나눗셈을 분수 또는 역수의 곱셈으로 바꾼다.
③ 계수는 계수끼리, 문자는 문자끼리 계산한다.

3-1 다음 식을 간단히 하시오.

$$6x^3y^4 \div 3x^4y^2 \times (-2xy)^2$$

풀이
$$6x^3y^4 \div 3x^4y^2 \times (-2xy)^2$$
$$= 6x^3y^4 \div 3x^4y^2 \times 4x^2y^2$$
$$= 6x^3y^4 \times \frac{1}{3x^4y^2} \times 4x^2y^2$$
$$= 6 \times \frac{1}{3} \times 4 \times x^3y^4 \times \frac{1}{x^4y^2} \times x^2y^2$$
$$= 8xy^4$$

답 $8xy^4$

쌍둥이 3-2

다음 식을 간단히 하시오.

(1) $(-3xy)^2 \times 4xy^2 \div (-6x^3y)$

(2) $18x^4y^2 \div \left(\dfrac{2y^3}{x^2}\right)^3 \times \left(\dfrac{4}{3}xy^2\right)^2$

쌍둥이 3-3

$(-6x^3y)^2 \div 4x^5y \times xy^2 = ax^by^c$일 때, $a+b-c$의 값을 구하시오. (단, a, b, c는 상수)

대표 유형 4 **단항식의 계산에서 □ 안에 알맞은 식 구하기**   유형 해결의 법칙 중 2-1 41쪽

$$A \div \boxed{} \times B = C \ \Rightarrow\ A \times \frac{1}{\boxed{}} \times B = C \ \Rightarrow\ A \times B \times \frac{1}{\boxed{}} = C \ \Rightarrow\ \frac{1}{\boxed{}} = \frac{C}{A \times B} \ \Rightarrow\ \boxed{} = \frac{A \times B}{C}$$

4-1 $3x^2y \div \boxed{} \times (-2xy)^3 = 24x^3y$일 때, □ 안에 알맞은 식을 구하시오.

풀이 $3x^2y \div \boxed{} \times (-2xy)^3 = 24x^3y$에서

$$3x^2y \times \frac{1}{\boxed{}} \times (-8x^3y^3) = 24x^3y$$

$$-24x^5y^4 \times \frac{1}{\boxed{}} = 24x^3y$$

$$\therefore \boxed{} = -24x^5y^4 \div 24x^3y$$
$$= \frac{-24x^5y^4}{24x^3y}$$
$$= -x^2y^3$$

답 $-x^2y^3$

쌍둥이 4-2

다음 □ 안에 알맞은 식을 구하시오.

(1) $2a^3b \times \boxed{} = 4a^4b$

(2) $2xy^2 \div \boxed{} = 3x^2y^3$

쌍둥이 4-3

다음 □ 안에 알맞은 식을 구하시오.

(1) $\boxed{} \times (-2x)^2 \div 3x^2y^3 = 1$

(2) $3ab^3 \times 4a^2b \div \boxed{} = 2b^2$

대표 유형 ❺ 단항식의 계산에서 미지수의 값 구하기

유형 해결의 법칙 중 2-1 42쪽

주어진 식의 좌변을 간단히 한 후 우변과 비교하여 미지수의 값을 구한다.
이때 계수는 계수끼리, 지수는 밑이 같은 지수끼리 비교한다.

5-1 다음 등식이 성립할 때, $a+b+c$의 값을 구하시오.

(단, a, b, c는 상수)

$$(-4x^3)^a \times 2xy^b \div (-2x^2y)^2 = 8x^cy$$

풀이 $(-4x^3)^a \times 2xy^b \div (-2x^2y)^2$

$= (-4)^a \times x^{3a} \times 2xy^b \div 4x^4y^2$

$= (-4)^a \times x^{3a} \times 2xy^b \times \dfrac{1}{4x^4y^2}$

$= (-4)^a \times 2 \times \dfrac{1}{4} \times x^{3a} \times xy^b \times \dfrac{1}{x^4y^2}$

$= \dfrac{(-4)^a}{2}x^{3a-3}y^{b-2} = 8x^cy$

이때 $\dfrac{(-4)^a}{2}=8$에서 $(-4)^a=16=(-4)^2$ ∴ $a=2$

$y^{b-2}=y$에서 $b-2=1$ ∴ $b=3$

$x^{3a-3}=x^c$에서 $3a-3=c$ ∴ $c=3\times2-3=3$

∴ $a+b+c=2+3+3=8$

답 8

쌍둥이 5-2

$(-6xy^3)^a \times 2x^3y = bx^5y^c$일 때, $a+b+c$의 값을 구하시오.

(단, a, b, c는 상수)

쌍둥이 5-3

$(2xy^a)^3 \div (3x^by^2)^2 = \dfrac{8y^2}{9x^5}$일 때, 상수 a, b의 값을 각각 구하시오.

대표 유형 ❻ 도형에서의 단항식의 계산

유형 해결의 법칙 중 2-1 43쪽

(직육면체의 부피)=(밑넓이)×(높이)

6-1 오른쪽 그림과 같이 밑면의 가로의 길이가 $8a^3b^2$, 세로의 길이가 $2a^2$인 직육면체의 부피가 $48a^6b^2$일 때, 이 직육면체의 높이를 구하시오.

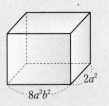
$2a^2$
$8a^3b^2$

풀이 (직육면체의 부피)=(밑넓이)×(높이)이므로

$48a^6b^2 = 8a^3b^2 \times 2a^2 \times$(높이)에서

$48a^6b^2 = 16a^5b^2 \times$(높이)

∴ (높이)$=48a^6b^2 \div 16a^5b^2 = \dfrac{48a^6b^2}{16a^5b^2} = 3a$

답 $3a$

쌍둥이 6-2

세로의 길이가 $4a^2b^3$인 직사각형의 넓이가 $28a^5b^5$일 때, 이 직사각형의 가로의 길이를 구하시오.

쌍둥이 6-3

오른쪽 그림과 같이 밑면의 반지름의 길이가 a^3b인 원기둥의 부피가 $8\pi a^8b^3$일 때, 이 원기둥의 높이를 구하시오.

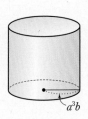
a^3b

1 다음 식을 간단히 하시오.

(1) $4xy^2 \times 3xy$

(2) $9x^2y^4 \times (-xy^2)$

(3) $(-2a^3b)^2 \times \left(\dfrac{b}{2a}\right)^3$

(4) $\left(-\dfrac{1}{5}a\right)^2 \times (-10a^2b^3)^2$

(5) $-2x^2y \times (-3xy^2)^2 \times (-x^3)$

2 다음 식을 간단히 하시오.

(1) $(-3xy)^3 \div 3xy$

(2) $2a^2b \div \dfrac{ab}{3}$

(3) $x^5y^4 \div (-2xy^2)^2$

(4) $16a^3b^4 \div \left(-\dfrac{b^3}{4a^2}\right)$

(5) $(-10x^2y)^2 \div (5xy)^3 \div 2x^3y^2$

3 다음 식을 간단히 하시오.

(1) $36ab^4 \times 4a^2 \div 9a^2b^4$

(2) $12x^2y^5 \times 2x^4y^2 \div (-3x^3y)$

(3) $(xy^2)^2 \div (-x^3y)^2 \times (-2x^3)^4$

(4) $6x^2 \div (-9xy^2) \times y^3$

(5) $(8x^3)^2 \times 4x^2y \div (-12x^3y)^2$

(6) $\left(-\dfrac{1}{2}x\right)^3 \times \left(-\dfrac{4}{3}xy\right) \div 6y$

(7) $2x^2y^4 \div \left(-\dfrac{3}{5}y\right) \times \left(-\dfrac{1}{2}y\right)^2$

(8) $(-2ab^3)^3 \times \dfrac{a^3}{b^4} \div \left(-\dfrac{1}{3}a^3b\right)$

단항식의 곱셈과 나눗셈

(1) 단항식의 곱셈 : 계수는 계수끼리, 문자는 문자끼리 곱한다.

(2) 단항식의 나눗셈

방법1 분수로 바꾸어 계산한다.

방법2 역수의 곱셈으로 바꾸어 계산한다.

(3) 단항식의 곱셈과 나눗셈의 혼합 계산

① 지수법칙을 이용하여 괄호를 푼다.

② 나눗셈은 분수 또는 **❶** 의 곱셈으로 바꾼다.

③ 계수는 계수끼리, 문자는 **❷** 끼리 계산한다.

답 ❶역수 ❷문자

01

다음 중 옳은 것은?

① $-3x \times 4y = -7xy$

② $2ab \times 5a = 10ab$

③ $ab \times 5a^2 b = 5a^3 b^2$

④ $-x^2 \div 3x^3 = 2x$

⑤ $8x^2 \div (-2x^2) = -4x$

02

$2x^2 y^3 \times (3x^5 y^2)^2$을 간단히 하면?

① $6x^7 y^6$ ② $6x^{10} y^7$ ③ $18x^{10} y^5$

④ $18x^{10} y^7$ ⑤ $18x^{12} y^7$

03

$\left(-\dfrac{3}{2} ab^3\right)^3 \div \dfrac{1}{8} a^3 b$를 간단히 하시오.

04

$12x^2 y^4 \div \dfrac{1}{2} xy \times \dfrac{3y^2}{2x}$을 간단히 하면?

① $36x^2 y^3$ ② $9x^2 y^5$ ③ $9x^2 y^3$

④ $36y^5$ ⑤ $9y^5$

★ 05

다음 중 옳지 <u>않은</u> 것은?

① $x^2 \times y \div (-xy) = -x$

② $-12x^3 y^2 \div 3x \times 2y = -8x^2 y^3$

③ $12x^4 \div 4x \div \dfrac{x^2}{3} = 9x$

④ $x^2 y^2 \times 4x \div (-2xy)^2 = \dfrac{1}{x}$

⑤ $6x^4 y^2 \div 3x^2 y^3 = \dfrac{2x^2}{y}$

06 서술형

두 식 A, B가 아래와 같을 때, 다음 물음에 답하시오.

$$A = 3x^2 \times 6xy$$

$$B = 4x^2 y \div 3y^2 \div \dfrac{4}{3} x^3$$

(1) A를 간단히 하시오.

(2) B를 간단히 하시오.

(3) AB를 간단히 하시오.

단항식의 곱셈과 나눗셈의 활용

(1) 단항식의 계산에서 ☐ 안에 알맞은 식 구하기

  ① $A \times \boxed{} \div B = C \Rightarrow \boxed{} = \dfrac{BC}{A}$

  ② $A \div \boxed{} \times B = C \Rightarrow \boxed{} = \dfrac{AB}{C}$

(2) 단항식의 계산에서 미지수의 값 구하기

  ① 주어진 등식의 좌변을 간단히 정리한다.

  ② 계수는 $\boxed{❶}$ 끼리, 지수는 밑이 같은 지수끼리 비교한다.

(3) 도형에서의 단항식의 계산

  도형의 넓이 또는 부피를 구하는 공식을 이용하여 식을 세운다.

📝 ❶ 계수

 07

다음 ☐ 안에 알맞은 식을 구하시오.

$$(-2xy^2)^2 \times \boxed{} \div (-x^2y^3)^2 = \dfrac{24}{x}$$

---

08 〔창의력〕

다음을 계산한 결과가 $2xy$일 때, A, B에 알맞은 식을 구하시오.

$$\boxed{A} \xrightarrow{\times(-y)} \boxed{B} \xrightarrow{\div 4x^2y} \boxed{2xy}$$

09

$2x^a y \times (xy)^2 = bx^5 y^3$일 때, $a+b$의 값을 구하시오.

(단 a, b는 상수)

 **10**

$x^2 y^3 \times (-4x^3 y^A) \div 2x^B y = Cx^4 y^6$일 때, $2A-3B+C$의 값을 구하시오. (단, A, B, C는 상수)

---

11 〔융합형〕

다음 그림과 같이 밑면의 가로의 길이가 $4a$ cm, 세로의 길이가 $3b$ cm인 직육면체 모양의 선물 상자가 있다. 이 선물 상자의 부피가 $60a^3 b^2$ cm³일 때, 높이는?

$4a$ cm $3b$ cm

① $3ab$ cm   ② $12ab$ cm   ③ $5a^2 b$ cm

④ $12a^2 b$ cm   ⑤ $15a^2 b$ cm

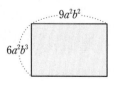 **12** 〔서술형〕

다음 그림에서 직사각형의 넓이와 삼각형의 넓이가 서로 같을 때, 물음에 답하시오.

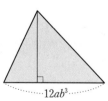

$9a^2 b^2$

$6a^2 b^3$

$12ab^3$

(1) 직사각형의 넓이를 구하시오.

(2) 삼각형의 높이를 구하시오.

3 다항식의 계산

학습 목표

- 다항식의 덧셈과 뺄셈의 원리를 이해하고, 그 계산을 할 수 있다.
- 단항식과 다항식의 곱셈의 원리를 이해하고, 그 계산을 할 수 있다.
- 다항식과 단항식의 나눗셈의 원리를 이해하고, 그 계산을 할 수 있다.
- 다항식과 단항식의 덧셈, 뺄셈, 곱셈, 나눗셈이 섞여 있는 식의 계산을 할 수 있다.

1 다항식의 덧셈과 뺄셈

개념 ❶ 다항식의 덧셈과 뺄셈

문자가 2개인 일차식의 덧셈과 뺄셈 괄호가 있으면 먼저 괄호를 풀고, 동류항끼리 모아서 간단히 한다.

예
$$(3x+4y)+(5x-2y)$$
$$=3x+4y+5x-2y \quad \text{괄호를 푼다.}$$
$$=3x+5x+4y-2y \quad \text{동류항끼리 모은다.}$$
$$=8x+2y \quad \text{동류항끼리 간단히 한다.}$$

용어
- **다항식** : 하나의 항이나 여러 개의 항의 합으로 이루어진 식
- **동류항** : $2a$, $4a$와 같이 문자와 차수가 각각 같은 항
- **차수** : 문자를 포함한 항에서 어떤 문자의 곱해진 개수
  예 $3x^2$의 차수는 2이다.

보기 다음 식을 간단히 하면

(1)
$$(2a-3b)+(-5a+b)$$
$$=2a-3b-5a+b \quad \text{괄호를 푼다.}$$
$$=2a-5a-3b+b \quad \text{동류항끼리 모은다.}$$
$$=-3a-2b \quad \text{동류항끼리 간단히 한다.}$$

$$
\begin{array}{r}
2a-3b \\
+)\ -5a+\ b \\
\hline
-3a-2b
\end{array}
$$
동류항끼리 세로로 놓고 계산한다.

(2)
$$(3a-2b)-(6a-4b)$$
$$=3a-2b-6a+4b \quad \text{괄호를 푼다.}$$
$$=3a-6a-2b+4b \quad \text{동류항끼리 모은다.}$$
$$=-3a+2b \quad \text{동류항끼리 간단히 한다.}$$

$$
\begin{array}{r}
3a-2b \\
-)\ 6a-4b \\
\hline
\end{array}
\Rightarrow
\begin{array}{r}
3a-2b \\
+)\ -6a+4b \\
\hline
-3a+2b
\end{array}
$$

• Lecture •

● 다항식의 덧셈과 뺄셈

➡ 괄호를 풀고 동류항끼리 간단히 한다.

　다항식의 뺄셈은 빼는 식의 각 항의 부호를 바꾸어 더한다.

$$+(A-B)=A-B$$
$$-(A-B)=-A+B$$
괄호 앞의 부호가 ―이면
괄호 안의 부호는 반대가 돼.

| 개념 확인 | 1 다음 식을 간단히 하시오.

(1) $(2x+7y)+(5x-4y)$

(2) $(2x+3y)+(-3x+5y)$

(3) $(3x-y)-(2x+5y)$

(4) $(4x-3y)-(2x-3y)$

개념 ② 이차식의 덧셈과 뺄셈

(1) **이차식** 다항식의 각 항의 차수 중 가장 큰 차수가 2인 다항식

예 다항식 $2x^2-5x+3$은 세 개의 항 $2x^2$, $-5x$, 3의 합으로 이루어져 있다. 이 중에서 차수가 가장 큰 항은 $2x^2$이고 그 차수는 2이 므로 이 다항식의 차수는 2이다.

(2) **이차식의 덧셈과 뺄셈** 괄호가 있으면 먼저 괄호를 풀고 동류항끼리 모아서 간단히 한다.

참고 이차식의 뺄셈도 빼는 식의 각 항의 부호를 바꾸어 더한다.

보기 다음 식을 간단히 하면

(1) $(2x^2+3x-1)+(x^2-4)$ —— 괄호를 푼다.
$=2x^2+3x-1+x^2-4$ —— 동류항끼리 모은다.
$=2x^2+x^2+3x-1-4$ —— 동류항끼리 간단히 한다.
$=3x^2+3x-5$

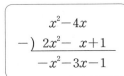

$$\begin{array}{r} 2x^2+3x-1 \\ +)\ \ x^2\ \ \ \ \ -4 \\ \hline 3x^2+3x-5 \end{array}$$

동류항이 없는 경우 자리를 비워 두고 동류항의 자리를 맞추어 동류항끼리 간단히 하면 돼.

(2) $(x^2-4x)-(2x^2-x+1)$ —— 괄호를 푼다.
$=x^2-4x-2x^2+x-1$ —— 동류항끼리 모은다.
$=x^2-2x^2-4x+x-1$ —— 동류항끼리 간단히 한다.
$=-x^2-3x-1$

$$\begin{array}{r} x^2-4x \\ -)\ \ 2x^2-\ \ x+1 \\ \hline -x^2-3x-1 \end{array}$$

Lecture

● 이차식의 덧셈과 뺄셈

➡ 괄호를 풀고 동류항끼리 간단히 한다.

이차식의 뺄셈은 빼는 식의 각 항의 부호를 바꾸어 더한다.

개념 확인 2 다음 다항식이 이차식이면 ○표, 이차식이 아니면 ×표를 ( ) 안에 써넣으시오.

(1) x^2-3x ( ) (2) $-2x+4y-3$ ( )

(3) $x^2-(x^2+2x)-1$ ( ) (4) $2x^2-2(x+1)$ ( )

개념 확인 3 다음 식을 간단히 하시오.

(1) $(2x^2-7x+1)+(-x^2+3x)$ (2) $(x^2+5x-7)+(3x^2-2x+5)$

(3) $(3x^2+5x-1)-(5x^2-2x-6)$ (4) $(2x^2-4x-5)-(6x^2-2x)$

개념 기초

1-1

다음 식을 간단히 하시오.

(1) $(5x+4y)+(2x+3y)$

(2) $(3a+2b)-(2a-4b)$

(3) $(3x+2y-1)-(2x-y-2)$

연구 다항식의 덧셈과 뺄셈은 먼저 괄호를 풀고 [ ]끼리 모아서 간단히 한다. 이때 뺄셈은 빼는 식의 각 항의 부호를 바꾸어 더한다.

(2) $(3a+2b)-(2a-4b)=3a+2b-2a+\boxed{}b$

$\qquad\qquad\qquad\qquad\quad =\boxed{}$

2-1

다음 $\boxed{}$ 안에 알맞은 수나 식을 써넣으시오.

$(-3x+6y)-2(x-2y)$

$=-3x+6y-\boxed{}x+\boxed{}y$

$=\boxed{}$

3-1

다음 식을 간단히 하시오.

(1) $(5x^2-3x-2)+4(-2x^2-2x+7)$

(2) $(2x^2+x-3)-5(3x^2-5x+1)$

(3) $2(x^2-x+6)+7(x^2+x-1)$

쌍둥이 문제

1-2

다음 식을 간단히 하시오.

(1) $(4a-b)+(3a+5b)$

(2) $(14a-9b)-(7a-10b)$

(3) $(2x-5y+1)-(-x+2y-3)$

2-2

다음 식을 간단히 하시오.

(1) $2(2x-3y)+5(x+7y)$

(2) $2(a-3b)-6(a-2b)$

(3) $(2x-5y+1)-(-x+2y-3)$

3-2

다음 식을 간단히 하시오.

(1) $2(x^2-2x)+(3x^2+4x-2)$

(2) $(5x^2-2x+7)-3(2x^2-2x-1)$

(3) $3(4x^2-x+1)-5(5x^2+6x-2)$

STEP 2 대표 유형으로 개념 잡기

대표 유형 ❶ 다항식의 덧셈과 뺄셈

유형 해결의 법칙 중 2-1 52쪽

- 괄호를 풀고 동류항끼리 모아서 간단히 한다.
- 괄호 앞에 ┌ +가 있으면: 괄호 안의 부호 **그대로** ➡ $A+(B-C)=A+B-C$
  └ ─가 있으면: 괄호 안의 부호 **반대로** ➡ $A-(B-C)=A-B+C$

1-1 다음을 간단히 하시오.

(1) $2(3a+2b+1)-(2a-b)$

(2) $\dfrac{x-y}{3}-\dfrac{3x+2y}{2}$

풀이 (1) $2(3a+2b+1)-(2a-b)$

$=6a+4b+2-2a+b$

$=4a+5b+2$

(2) $\dfrac{x-y}{3}-\dfrac{3x+2y}{2}$

$=\dfrac{2(x-y)-3(3x+2y)}{6}$ ⟩ 분모의 최소공배수로 통분한다.

$=\dfrac{2x-2y-9x-6y}{6}$ ⟩ 분자의 괄호를 푼다.

$=\dfrac{-7x-8y}{6}=-\dfrac{7}{6}x-\dfrac{4}{3}y$ ⟩ 동류항끼리 모아서 간단히 한다.

답 (1) $4a+5b+2$ (2) $-\dfrac{7}{6}x-\dfrac{4}{3}y$

쌍둥이 1-2

$\dfrac{3}{2}x+\dfrac{1}{2}y-\left(\dfrac{1}{3}x+\dfrac{2}{3}y\right)=ax+by$일 때, $a+b$의 값을 구하시오. (단, a,b는 상수)

쌍둥이 1-3

다음 식을 간단히 하시오.

(1) $\dfrac{3x+4y}{2}+\dfrac{2x-y}{3}$

(2) $\dfrac{x+5y}{3}-\dfrac{2x+y}{4}$

대표 유형 ❷ 이차식의 덧셈과 뺄셈

유형 해결의 법칙 중 2-1 52쪽

괄호를 풀고 동류항끼리 모아서 간단히 한다.

2-1 $(x^2+4x-5)-(3x^2+x-6)$을 간단히 하였을 때, x^2의 계수와 상수항의 합을 구하시오.

풀이 $(x^2+4x-5)-(3x^2+x-6)$

$=x^2+4x-5-3x^2-x+6$

$=-2x^2+3x+1$

이때 x^2의 계수는 -2, 상수항은 1이므로

구하는 합은 $-2+1=-1$

답 -1

쌍둥이 2-2

다음 중 옳지 <u>않은</u> 것을 모두 고르면? (정답 2개)

① $(2x^2-4)+(x^2-x+2)=3x^2-x-2$

② $(2x^2-x-2)-(x^2-2x-5)=x^2-3x+3$

③ $(x^2+x+2)+(x^2-2x+1)=2x^2-x+3$

④ $(3x^2+2x-4)-(2x^2-2x+3)=x^2+4x-7$

⑤ $(-x^2+x-3)-(4x^2-2x-1)=3x^2-x-2$

대표 유형 **3** 여러 가지 괄호가 있는 다항식의 계산

유형 해결의 법칙 중 2-1 53쪽

(소괄호) ➡ {중괄호} ➡ [대괄호]의 순서로 괄호를 푼다.

3-1 $4x-[2y-\{3x-(2x+7y)\}]$를 간단히 하시오.

풀이 $4x-[2y-\{3x-(2x+7y)\}]$
$=4x-\{2y-(3x-2x-7y)\}$
$=4x-\{2y-(x-7y)\}$
$=4x-(2y-x+7y)$
$=4x-(-x+9y)$
$=4x+x-9y$
$=5x-9y$

답 $5x-9y$

쌍둥이 3-2

$3x+7y-\{4y-(-x+5y)\}=ax+by$일 때, ab의 값을 구하시오. (단, a, b는 상수)

쌍둥이 3-3

다음 식을 간단히 하시오.

$$4x^2-[2x-\{6x^2-(2x-3)\}]$$

대표 유형 **4** 잘못 계산한 식에서 바르게 계산한 식 구하기

유형 해결의 법칙 중 2-1 54쪽

어떤 식에 A를 더해야 할 것을 잘못하여 빼었더니 B가 되었다.
➡ (어떤 식)$-A=B$, 즉 (어떤 식)$=B+A$

4-1 어떤 식에 x^2-4x+3을 더해야 할 것을 잘못하여 빼었더니 $-3x^2+2x-4$가 되었다. 이때 바르게 계산한 식을 구하시오.

풀이 어떤 식을 ☐라 하면
☐$-(x^2-4x+3)=-3x^2+2x-4$
∴ ☐$=-3x^2+2x-4+(x^2-4x+3)$
$=-2x^2-2x-1$
따라서 바르게 계산한 식은
$-2x^2-2x-1+(x^2-4x+3)=-x^2-6x+2$

답 $-x^2-6x+2$

쌍둥이 4-2

어떤 식에서 $3a^2-a+5$를 빼어야 할 것을 잘못하여 더하였더니 $-5a^2+3a+2$가 되었다. 다음 물음에 답하시오.
(1) 어떤 식을 구하시오.

(2) 바르게 계산한 식을 구하시오.

쌍둥이 4-3

어떤 식에 $5x+2y-3$을 더해야 할 것을 잘못하여 빼었더니 $-5x-3y+2$가 되었다. 이때 바르게 계산한 식을 구하시오.

1 다음 식을 간단히 하시오.

(1) $(4x-y)+(2x+6y)$

(2) $(x-y+2)+(-3x-2y+5)$

(3) $(-4x+7y)-(x+4y)$

(4) $3(x+2y-2)-2(2x+5y+1)$

(5) $\dfrac{5x+8y}{3}+\dfrac{3x-5y}{2}$

(6) $\dfrac{2x-y}{2}+\dfrac{x+3y}{4}$

(7) $\dfrac{x+2y}{4}-\dfrac{x-5y}{6}$

(8) $\dfrac{x-y}{3}-\dfrac{x-2y}{2}$

2 다음 식을 간단히 하시오.

(1) $(3x^2-x+1)+(x^2+5x-7)$

(2) $(2x^2-7)+(-3x^2+5x+6)$

(3) $(3x^2-4x+1)-(-x^2-3x+2)$

(4) $3(x-2x^2)-2(2x^2+3x+4)$

(5) $2x-[3x-\{2y-(5-6x)+7\}]$

(6) $7x-[2x-\{x-5y+(3x-4y)\}]$

(7) $-2x^2+2-\{3x^2-1-(5x^2+x)\}$

(8) $x^2-[2x-\{3x^2-(4x-5)\}+6]$

3 다항식의 계산

STEP 3 개념 뛰어넘기

다항식의 덧셈과 뺄셈

(1) 다항식의 덧셈과 뺄셈
① 다항식의 덧셈 : 괄호를 풀고 ❶ 끼리 모아서 간단히 한다.
② 다항식의 뺄셈 : 빼는 식의 각 항의 ❷ 를 바꾸어 더한다.

(2) 여러 가지 괄호가 있는 식의 계산
① (소괄호) ➡ {중괄호} ➡ [대괄호]의 순서로 괄호를 풀어 계산한다.
② 괄호 앞에 ┌ ➕가 있으면 ➡ 부호는 그대로
          └ ➖가 있으면 ➡ 부호는 반대로

답 ❶동류항 ❷부호

01

다음 중 옳지 <u>않은</u> 것은?

① $(5a+3b)+(2a-2b)=7a+b$

② $(4a+3b)-(2a-b)=2a+4b$

③ $(a-3b)+(2a+b)=3a-2b$

④ $(2a+3b)+(3a-4b)=5a-7b$

⑤ $(a+3b)-(-2a-4b)=3a+7b$

02

$\dfrac{2x-3y}{4}-\dfrac{3x+y}{2}=ax+by$일 때, $a-b$의 값을 구하시오.

(단, a, b는 상수)

★ 03

$x-[7y-3x-\{2x-(x-3y)\}]$를 간단히 하면 $ax+by$일 때, $a+b$의 값을 구하시오. (단, a, b는 상수)

04

다음 식을 간단히 하였을 때, x의 계수와 상수항의 합은?

$$(2x^2+x-4)-(5x^2-6x+3)$$

① -10 ② -3 ③ 0

④ 1 ⑤ 4

05

다음 다항식 중 이차식인 것을 모두 고르면? (정답 2개)

① $-10x+5$ ② $1-3x-\dfrac{1}{2}x^2$

③ $3x^3+12x^2-11$ ④ $-2(x^2+x)+2x^2$

⑤ $2(5x^2+1)-7$

06 서술형

어떤 식에 $6x^2-3x+8$을 더해야 할 것을 잘못하여 뺐더니 x^2-3x가 되었다. 다음 물음에 답하시오.

(1) 어떤 식을 구하시오.

(2) 바르게 계산한 식을 구하시오.

07 창의력

오른쪽 그림과 같은 전개도를 이용하여 직육면체를 만들었을 때, 평행한 두 면에 있는 두 다항식의 합이 모두 같다고 한다. 이때 A에 알맞은 식을 구하시오.

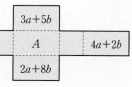

개념 ❶ 단항식과 다항식의 곱셈

(1) **전개** 단항식과 다항식의 곱을 괄호를 풀어서 하나의 다항식으로 나타내는 것

(2) **전개식** 전개하여 얻은 다항식

$$\overset{\text{전개}}{\overbrace{5x(x-2y)}}=\underset{\text{전개식}}{5x^2-10xy}$$

(3) **(단항식)×(다항식)의 계산**

단항식과 다항식의 곱셈은 일차식과 수의 계산과 같은 방법으로 분배법칙을 이용하여 계산한다.

예 $2x(3y+5)=2x\times 3y+2x\times 5=6xy+10x,\ (3x^2+x)4x=3x^2\times 4x+x\times 4x=12x^3+4x^2$

보기 다음 식을 전개하면

(1) $-2a(a-4b)=(-2a)\times a+(-2a)\times(-4b)=-2a^2+8ab$

(2) $(xy-x)(-3y)=xy\times(-3y)+(-x)\times(-3y)=-3xy^2+3xy$

(3) $2x(-x+2y-1)=2x\times(-x)+2x\times 2y+2x\times(-1)=-2x^2+4xy-2x$

• Lecture •

● (단항식)×(다항식) ➡ 분배법칙을 이용하여 전개하여 계산한다.

● 분배법칙

① $a(b+c)=ab+ac$ ② $(a+b)c=ac+bc$

| 개념 확인 | **1** 다음 ☐ 안에 알맞은 것을 써넣으시오.

(1) $-3a(a-b)=-3a\times\boxed{}-(\boxed{})\times b=\boxed{}$

(2) $(2x-y-3)\times(-2x)=2x\times(\boxed{})-y\times(\boxed{})-3\times(\boxed{})$

$$=\boxed{}$$

| 개념 확인 | **2** 다음 식을 전개하시오.

(1) $2a(5a-b)$ (2) $-3x(5x-2y)$

(3) $(15x-10y)\times\dfrac{2}{5}x$ (4) $(-x+2y-5)\times 3y$

(다항식)÷(단항식)의 계산

방법1 분수로 바꾸어 계산한다.

$$(A+B)\div C=\frac{A+B}{C}=\frac{A}{C}+\frac{B}{C}$$

분자 / 분모

방법2 역수의 곱셈으로 바꾸어 계산한다.

역수

$$(A+B)\div C=(A+B)\times\frac{1}{C}=A\times\frac{1}{C}+B\times\frac{1}{C}$$
$$=\frac{A}{C}+\frac{B}{C}$$

÷를 ×로

보기 (1) $(8x^2+4x)\div 2x$를 다음과 같이 두 가지 방법을 이용하여 계산해 보자.

방법1
$$(8x^2+4x)\div 2x=\frac{8x^2+4x}{2x}$$
$$=\frac{8x^2}{2x}+\frac{4x}{2x}$$
$$=4x+2$$

방법2
$$(8x^2+4x)\div 2x=(8x^2+4x)\times\frac{1}{2x}$$
$$=8x^2\times\frac{1}{2x}+4x\times\frac{1}{2x}$$
$$=4x+2$$

(2)
$$(9x^2y+15xy^2)\div\left(-\frac{3xy}{2}\right)=(9x^2y+15xy^2)\times\left(-\frac{2}{3xy}\right)$$
$$=9x^2y\times\left(-\frac{2}{3xy}\right)+15xy^2\times\left(-\frac{2}{3xy}\right)$$
$$=-6x-10y$$

> 나누는 식이 분수 꼴이면 **방법2** 를 이용하여 계산하는 것이 편리해.

• Lecture •

• (다항식)÷(단항식) ➡ ┌ 분수로 바꾸어 계산
　　　　　　　　　　　└ 역수의 곱셈으로 바꾸어 계산

│개념 확인│ 3 다음 ☐ 안에 알맞은 것을 써넣으시오.

$$(4x^2-6x)\div(-2x)=\frac{4x^2-6x}{\boxed{}}=\frac{4x^2}{\boxed{}}-\frac{6x}{\boxed{}}=\boxed{}$$

│개념 확인│ 4 다음 식을 간단히 하시오.

(1) $(15a^2+5a)\div 5a$

(2) $(6xy-15y)\div(-3y)$

(3) $(10x^2-2x)\div\frac{2}{3}x$

(4) $(xy^2-3y)\div\left(-\frac{1}{2}y\right)$

개념 ③ 덧셈, 뺄셈, 곱셈, 나눗셈이 혼합된 식의 계산

① 지수법칙을 이용하여 거듭제곱을 먼저 정리한다.

② 괄호가 있으면 (소괄호) ➡ {중괄호} ➡ [대괄호]의 순서로 괄호를 푼다.

③ 곱셈, 나눗셈을 계산한다.

④ 동류항끼리 덧셈, 뺄셈을 계산한다.

보기 $2x(3xy^2-2y)+(-xy)^2 \div xy$를 간단히 하면

$2x(3xy^2-2y)+(-xy)^2 \div xy$

$=2x(3xy^2-2y)+x^2y^2 \div xy$ 　지수법칙을 이용하여 거듭제곱을 정리한다.

$=6x^2y^2-4xy+x^2y^2 \div xy$ 　괄호를 푼다.

$=6x^2y^2-4xy+xy$ 　곱셈, 나눗셈을 계산한다.

$=6x^2y^2-3xy$ 　동류항끼리 덧셈, 뺄셈을 계산한다.

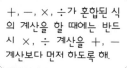

$+$, $-$, $\times$, $\div$가 혼합된 식의 계산을 할 때에는 반드시 $\times$, $\div$ 계산을 $+$, $-$ 계산보다 먼저 하도록 해.

주의 덧셈, 뺄셈을 곱셈, 나눗셈보다 먼저 하지 않도록 주의한다.

$6x^2y^2-4xy+x^2y^2 \div xy=6x^2y^2+x^2y^2-4xy \div xy \ (\times)$

$=7x^2y^2-4 \ (\times)$

• **Lecture** •

● 덧셈, 뺄셈, 곱셈, 나눗셈이 혼합된 식의 계산

| 거듭제곱 정리 | ➡ | 괄호 풀기 | ➡ | $\times$, $\div$ 계산 | ➡ | $+$, $-$ 계산 |

3
다
항
식
의
계
산

‖개념 확인‖ **5** 　다음 식을 간단히 하시오.

(1) $2(3a-b)+(9ab-6b^2) \div 3b$

(2) $(8xy^2-4xy) \div (xy)^2 \times 3x^2y$

(3) $(-4a^2b-6ab^2) \div (-2ab)^3 \times 6a^2b^3$

(4) $(2x^2y+5xy) \div \dfrac{1}{4}y+3x(x+1)$

개념 **4** 식의 대입

(1) **식의 값** 주어진 식의 문자에 수를 대입하여 계산한 값

(2) **식의 대입**

주어진 식의 문자에 그 문자를 나타내는 다른 식을 대입하는 것으로 그 순서는 다음과 같다.

① 주어진 식을 간단히 한다.

② 대입하는 식을 괄호로 묶어서 대입한다.

③ ②를 전개하고 동류항끼리 모아서 간단히 한다.

(1) $y=2x+5$일 때, 다항식 $2x+3y-5$를 x의 식으로 나타내면

$$2x+3y-5=2x+3(2x+5)-5 \quad \longrightarrow y=2x+5\text{를 대입}$$
$$=2x+6x+15-5$$
$$=8x+10$$

(2) $A=x-y,\ B=2x+y$일 때, $4A-(A+B)$를 $x,\ y$의 식으로 나타내면

$$4A-(A+B)=4A-A-B$$
$$=3A-B$$
$$=3(x-y)-(2x+y) \quad \longleftarrow A=x-y,\ B=2x+y\text{를 대입}$$
$$=3x-3y-2x-y$$
$$=x-4y$$

'x의 식으로 나타낸다.'는 말은 x 이외의 다른 문자가 있으면 안된다는 뜻이야.

─ • **Lecture** • ────────────────────────────────

● 식을 대입할 때에는 반드시 괄호로 묶어서 대입한다.

──

‖ 개념 확인 ‖ **6** $y=x-3$일 때, 다음을 x의 식으로 나타내시오.

(1) $2x-6y$ 　　　　　　　　　　(2) $3x-y+1$

‖ 개념 확인 ‖ **7** $x=2y+3$일 때, 다음을 y의 식으로 나타내시오.

(1) $3x-5y$ 　　　　　　　　　　(2) $2x-3y+7$

‖ 개념 확인 ‖ **8** $A=x+y,\ B=x-4y$일 때, 다음을 $x,\ y$의 식으로 나타내시오.

(1) $3A+5B$ 　　　　　　　　　　(2) $A-2(A+B)$

개념 기초

1-1

다음 식을 간단히 하시오.

(1) $-2x(x-4y+4)$

(2) $(16a-10b^2) \times \left(-\dfrac{1}{2}a\right)$

(3) $5a(2a+3b)+a(-a+4b)$

> 연구 (단항식)×(다항식)은 분배법칙을 이용하여 전개한다.

쌍둥이 문제

1-2

다음 식을 간단히 하시오.

(1) $(a-5b-2) \times (-3a)$

(2) $\dfrac{1}{2}x(6xy^2-4x^2)$

(3) $5x(x+y)-3x(x-6y)$

2-1

다음 □ 안에 알맞은 것을 써넣으시오.

$$(3xy-2y) \div \left(-\dfrac{1}{2}y\right) = (3xy-2y) \times (\boxed{})$$
$$= 3xy \times (\boxed{}) - 2y \times (\boxed{})$$
$$= \boxed{}$$

> 연구 계수가 분수인 단항식으로 다항식을 나눌 때에는 역수의 곱셈으로 바꾸어 계산한다.

2-2

다음 식을 간단히 하시오.

(1) $(6x^2y-3xy) \div (-3xy)$

(2) $(8xy^2-4x^2y+6x) \div \left(-\dfrac{2}{5}x\right)$

(3) $(20x^2-15xy) \div (-5x) + (28y^2+12xy) \div 4y$

3-1

$A=3x+2y$, $B=5x-y$일 때, 다음을 x, y의 식으로 나타내려고 한다. □ 안에 알맞은 수를 써넣으시오.

$$3A-2(A+B) = 3A-2A-2B$$
$$= A-2B$$
$$= \boxed{}x + \boxed{}y - 2(5x-y)$$
$$= \boxed{}x + \boxed{}y - 10x + \boxed{}y$$
$$= \boxed{}x + \boxed{}y$$

> 연구 주어진 식을 간단히 한 후 대입하는 식을 괄호로 묶어서 대입한다.

3-2

$A=4x-3y$, $B=x+5y$일 때, 다음 식을 x, y의 식으로 나타내시오.

(1) $-2A+3B$

(2) $-A-5B$

(3) $3A-2(B-A)$

대표 유형 ① 단항식과 다항식의 곱셈

유형 해결의 법칙 중 2-1 54쪽

단항식과 다항식의 곱셈 ➡ 분배법칙을 이용하여 전개한다.

1-1 다음 식을 간단히 하시오.

(1) $(12ab - 15b^2) \times \left(-\dfrac{1}{3}a\right)$

(2) $-\dfrac{2}{3}x(6-x) + 2x\left(\dfrac{5}{3}x - 3\right)$

풀이 (1) $(12ab - 15b^2) \times \left(-\dfrac{1}{3}a\right)$

$= 12ab \times \left(-\dfrac{1}{3}a\right) - 15b^2 \times \left(-\dfrac{1}{3}a\right)$

$= -4a^2b + 5ab^2$

(2) $-\dfrac{2}{3}x(6-x) + 2x\left(\dfrac{5}{3}x - 3\right)$

$= -\dfrac{2}{3}x \times 6 - \left(-\dfrac{2}{3}x\right) \times x + 2x \times \dfrac{5}{3}x - 2x \times 3$

$= -4x + \dfrac{2}{3}x^2 + \dfrac{10}{3}x^2 - 6x = 4x^2 - 10x$

답 (1) $-4a^2b + 5ab^2$ (2) $4x^2 - 10x$

쌍둥이 1-2

다음 중 옳은 것은?

① $xy(x^2 - 3y^2) = x^2y - 3xy^2$

② $-5x(2xy + y) = -10x^2y - 5xy$

③ $2x^2(x^2 + x - 1) = 2x^4 + 2x^3 - 1$

④ $-2y(3x + 2y - 1) = -6xy + 4y^2 - 2y$

⑤ $2x(x-1) = 2x^2 - 1$

대표 유형 ② 다항식과 단항식의 나눗셈

유형 해결의 법칙 중 2-1 55쪽

다항식과 단항식의 나눗셈 ➡ 분수로 바꾸거나 역수의 곱셈으로 바꾸어 계산한다.

2-1 다음 식을 간단히 하시오.

(1) $(20xy - 15y^2) \div (-5y)$

(2) $(6x^2y + 12xy^2 - 9y^2) \div \dfrac{3}{2}y$

풀이 (1) $(20xy - 15y^2) \div (-5y) = \dfrac{20xy - 15y^2}{-5y} = \dfrac{20xy}{-5y} - \dfrac{15y^2}{-5y}$

$= -4x + 3y$

(2) $(6x^2y + 12xy^2 - 9y^2) \div \dfrac{3}{2}y$

$= (6x^2y + 12xy^2 - 9y^2) \times \dfrac{2}{3y}$

$= 6x^2y \times \dfrac{2}{3y} + 12xy^2 \times \dfrac{2}{3y} - 9y^2 \times \dfrac{2}{3y}$

$= 4x^2 + 8xy - 6y$

답 (1) $-4x + 3y$ (2) $4x^2 + 8xy - 6y$

쌍둥이 2-2

다음 중 옳지 <u>않은</u> 것은?

① $(4a^2 + 3ab) \div a = 4a + 3b$

② $(8a^2 - 4ab) \div \dfrac{1}{2}a = 4a - 2b$

③ $(12x^2y - 4xy) \div 4xy = 3x - 1$

④ $(4x^2 + 6xy) \div (-2x) = -2x - 3y$

⑤ $(-8x^2 + 24xy) \div (-4x) = 2x - 6y$

대표 유형 ③ 덧셈, 뺄셈, 곱셈, 나눗셈이 혼합된 식의 계산

유형 해결의 법칙 중 2-1 55쪽

$$\boxed{\text{거듭제곱 정리}} \Rightarrow \boxed{\text{괄호 풀기}} \Rightarrow \boxed{\times, \div \text{ 계산}} \Rightarrow \boxed{+, - \text{ 계산}}$$

3-1 다음 식을 간단히 하시오.

(1) $(6x^2y - 3x^2y^2) \div \dfrac{3}{2}xy + 4x(x - 5y)$

(2) $\dfrac{18x^2 - 24xy}{6x} - \dfrac{28xy - 20y^2}{4y}$

쌍둥이 3-2

$(15x^2 - 6xy) \div 3x - (20xy - 35y^2) \times \dfrac{1}{5y}$ 을 간단히 하였을 때, x의 계수와 y의 계수의 합을 구하시오.

풀이 (1) $(6x^2y - 3x^2y^2) \div \dfrac{3}{2}xy + 4x(x - 5y)$

$= (6x^2y - 3x^2y^2) \times \dfrac{2}{3xy} + 4x^2 - 20xy$

$= 4x - 2xy + 4x^2 - 20xy$

$= 4x^2 - 22xy + 4x$

(2) $\dfrac{18x^2 - 24xy}{6x} - \dfrac{28xy - 20y^2}{4y}$

$= 3x - 4y - (7x - 5y)$

$= 3x - 4y - 7x + 5y$

$= -4x + y$

쌍둥이 3-3

$\dfrac{20x^2 - 5xy}{5x} - \dfrac{16xy - 8y^2}{-4y} = Ax + By$일 때, $A + B$의 값을 구하시오. (단, A, B는 상수)

답 (1) $4x^2 - 22xy + 4x$ (2) $-4x + y$

대표 유형 ④ 도형에서의 식의 계산

유형 해결의 법칙 중 2-1 56쪽

$$\boxed{(\text{직육면체의 부피}) = (\text{밑넓이}) \times (\text{높이})}$$

4-1 오른쪽 그림과 같이 밑면의 가로의 길이가 a, 세로의 길이가 $2b$이고 높이가 $4ab - 3a$인 직육면체의 부피를 구하시오.

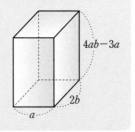

쌍둥이 4-2

오른쪽 그림과 같이 밑면인 원의 반지름의 길이가 $3a$인 원기둥의 부피가 $45\pi a^3 - 18\pi a^2 b$일 때, 이 원기둥의 높이를 구하시오.

풀이 (직육면체의 부피) = (밑넓이) × (높이)

$= a \times 2b \times (4ab - 3a)$

$= 2ab \times (4ab - 3a)$

$= 2ab \times 4ab - 2ab \times 3a$

$= 8a^2b^2 - 6a^2b$

답 $8a^2b^2 - 6a^2b$

대표 유형 5 **식의 값**

유형 해결의 법칙 중 2-1 56쪽

주어진 식을 간단히 한 후 문자에 수를 대입한다.

5-1 $x=2, y=-1$일 때, 다음 식의 값을 구하시오.

$$3x(-3y+2)+(15x^2-10x^2y)\div(-5x)$$

풀이 $3x(-3y+2)+(15x^2-10x^2y)\div(-5x)$

$=3x\times(-3y)+3x\times2+\dfrac{15x^2-10x^2y}{-5x}$

$=-9xy+6x+(-3x+2xy)$

$=-7xy+3x$

$-7xy+3x$에 $x=2, y=-1$을 대입하면

$-7xy+3x=-7\times2\times(-1)+3\times2$

$\qquad\qquad\quad =14+6=20$

답 20

쌍둥이 5-2

$a=\dfrac{1}{2}, b=\dfrac{1}{3}$일 때, $3a(2a-5b)-2(a^2-3ab)$의 값을 구하시오.

쌍둥이 5-3

$a=-3, b=2$일 때, $\dfrac{4a^3-6a^2b}{2a}-\dfrac{9b^3+6ab^2}{3b}$의 값을 구하시오.

대표 유형 6 **식의 대입**

유형 해결의 법칙 중 2-1 57쪽

① 주어진 식을 간단히 한다.
② 대입하는 식을 괄호로 묶어서 대입한다.

6-1 $A=3x-2y, B=2x+y$일 때, 다음 식을 x, y의 식으로 나타내시오.

$$2(A-2B)-3(2A-B)$$

풀이 $2(A-2B)-3(2A-B)=2A-4B-6A+3B$

$\qquad\qquad\qquad\qquad\quad =-4A-B$

$\qquad\qquad\qquad\qquad\quad =-4(3x-2y)-(2x+y)$

$\qquad\qquad\qquad\qquad\quad =-12x+8y-2x-y$

$\qquad\qquad\qquad\qquad\quad =-14x+7y$

답 $-14x+7y$

쌍둥이 6-2

$y=2x-3$일 때, $2x-3y+2$를 x의 식으로 나타내시오.

쌍둥이 6-3

$A=x-4y, B=5x-6y$일 때, $3(A-B)+4B$를 x, y의 식으로 나타내시오.

1 다음 식을 전개하시오.

(1) $-3x(-2x+6)$

(2) $(x+7y)\times(-2y)$

(3) $-\dfrac{1}{4}a(4a^2-8a+12)$

2 다음 식을 간단히 하시오.

(1) $(-6x^2y+8xy^2)\div(-2xy)$

(2) $(15x^2-20x)\div\dfrac{5}{2}x$

(3) $(2x^2y-6xy^2)\div\left(-\dfrac{2}{7}xy\right)$

3 다음 식을 간단히 하시오.

(1) $2a(6b+3a)-3b(4a-2b)$

(2) $2(-2a^2+3a-1)-a(a-4)$

(3) $\dfrac{8x^2+6xy}{2x}-\dfrac{12y^2-9xy}{3y}$

(4) $(3a^2+2a)\div(-a)+(6a^2-4a)\div2a$

4 다음 식을 간단히 하시오.

(1) $(4x^3-8x^2y)\div(-2xy)^2\times6xy^2$

(2) $x(-x+3)+(4x^3-6x)\div2x$

(3) $a(2a-3)-(2a^3b-6a^2b)\div2ab$

(4) $(6x^2y+12xy^3-9y^2)\div\dfrac{3}{2}y-5x(x-2y^2)$

5 $A=-x+3y$, $B=4x+y$일 때, 다음 식을 x, y의 식으로 나타내시오.

(1) $A-2B$

(2) $-2A+5B$

(3) $\dfrac{1}{2}(4A-6B)$

(4) $2A-3(A+B)$

다항식과 단항식의 곱셈과 나눗셈

(1) 단항식과 다항식의 곱셈
   ➡ 분배법칙을 이용하여 전개하여 계산한다.

(2) 다항식과 단항식의 나눗셈
   ① 분수로 바꾸어 계산한다.
      ➡ $(A+B) \div C = \dfrac{A+B}{C} = \dfrac{A}{C} + \dfrac{\boxed{❶}}{C}$
   ② 역수의 곱셈으로 바꾸어 계산한다.
      ➡ $(A+B) \div C = (A+B) \times \boxed{❷}$
      $= A \times \dfrac{1}{C} + B \times \dfrac{1}{C}$

답 ❶ B ❷ $\dfrac{1}{C}$

01

$3a(a-3b)+2a(-a+5b)$를 간단히 하면?

① $-a^2-b$ ② $-a^2-ab$ ③ a^2-19b

④ a^2-ab ⑤ a^2+ab

02   서술형 + 창의 융합

소라는 $(18a^2-6a) \div (-3a)$를 다음과 같이 간단히 하였다. 계산 과정에서 처음으로 잘못된 부분을 찾고, 바르게 계산하시오.

$$(18a^2-6a) \div (-3a) = \dfrac{18a^2-6a}{-3a} \quad \cdots\cdots \text{(가)}$$
$$= -6a-6a \quad \cdots\cdots \text{(나)}$$
$$= -12a \quad \cdots\cdots \text{(다)}$$

03

$(9x^2-6xy) \div \dfrac{3}{2}x = ax+by$일 때, $a+b$의 값을 구하시오.

(단, a, b는 상수)

04

어떤 다항식 A에 $\dfrac{1}{4}ab$를 곱하였더니 $-\dfrac{1}{4}a^2b-ab^2+3ab$
가 되었다. 이때 다항식 A를 구하면?

① $-a-4b-12$ ② $-a-4b+12$

③ $-a+4b-12$ ④ $-a+4b+12$

⑤ $a-4b+12$

05   서술형

어떤 다항식에 $3x$를 곱해야 할 것을 잘못하여 $3x$로 나누었더니 그 결과가 $2x+4y-1$이 되었다. 다음 물음에 답하시오.

(1) 어떤 다항식을 구하시오.

(2) 바르게 계산한 식을 구하시오.

덧셈, 뺄셈, 곱셈, 나눗셈이 혼합된 식의 계산

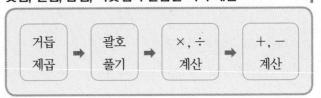

| 거듭
제곱 | ➡ | 괄호
풀기 | ➡ | ×, ÷
계산 | ➡ | +, −
계산 |

06

다음 중 옳은 것을 모두 고르면? (정답 2개)

① $3x(-x+2y-4) = -3x^2+6xy-12x$

② $(-9x^2+21xy) \div (-3x) = 3x+7y$

③ $-2x(2x-4)+2(2x^2+6) = 8x^2+8x+12$

④ $\dfrac{4x^2-6xy}{2x} - \dfrac{xy-5y^2}{y} = x+2y$

⑤ $(12x^2-15xy) \div 3x - 2(x-y) = 6x-7y$

07

$\dfrac{5xy^2 - 3x^2y}{xy} - \dfrac{xy - 4x^2}{x} = Ax + By$일 때, $A - B$의 값을

구하시오. (단, A, B는 상수)

08

$-3x(4x - 6y) + (18x^2y^2 - 12x^3y) \div 6xy$를 간단히 하였

을 때, xy의 계수는?

① -15 ② -6 ③ 3

④ 18 ⑤ 21

09

오른쪽 그림은 밑면이 직각삼각형인 삼
각기둥이다. 밑면의 직각을 낀 두 변의
길이가 각각 $4a$, $2b$이고 삼각기둥의 부
피가 $16a^2b^3 - 8ab^2$일 때, 이 삼각기둥
의 높이를 구하시오.

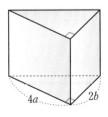

10

오른쪽 그림과 같은 직사각형
에서 색칠한 부분의 넓이는?

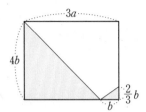

① $6a^2b - \dfrac{5}{3}a^2$

② $6a^2b + \dfrac{5}{3}b^2$

③ $6ab^2 - \dfrac{5}{3}a^2$

④ $6ab + \dfrac{5}{3}b^2$

⑤ $6ab - \dfrac{5}{3}b^2$

11

$x = -1$, $y = 1$일 때, $3x(x - 2y) - 2y(x + y)$의 값은?

① 1 ② 3 ③ 5

④ 7 ⑤ 9

12

$A = 2x + y$, $B = 5x - 3y$일 때, $4A - 3B$를 x, y의 식으로
나타내면?

① $-7x + 13y$ ② $2x - 3y$ ③ $5x + 3y$

④ $7x - 2y$ ⑤ $7x - 13y$

13 (서술형)

$A = x^2 + 3x - 3$, $B = 2x^2 - 1$일 때, $2A - \{B - 2(A + B)\}$
를 x의 식으로 나타내시오.

4 일차부등식

학습 목표

- 부등식의 뜻과 그 해의 의미를 이해한다.
- 부등식의 성질을 이해한다.
- 일차부등식의 뜻과 그 해의 의미를 이해한다.
- 일차부등식을 풀고 부등식의 해를 수직선 위에 나타낼 수 있다.
- 일차부등식을 활용하여 다양한 실생활의 문제를 해결할 수 있다.

1 부등식의 해와 그 성질

개념 ① 부등식의 뜻

(1) **부등식** 부등호 $<$, $>$, $\leq$, $\geq$를 사용하여 수 또는 식의 대소 관계를 나타낸 식

예 $1\leq 2$, $x\geq 2$, $x+1>3$ ➡ 부등식

$2x-1$, $x+1=0$ ➡ 부등식이 아니다.

$$\underset{\text{좌변}}{x-1} < \underset{\text{우변}}{3}$$
$$\text{양변}$$

보충

• 부등식의 좌변과 우변
부등호의 왼쪽 부분을 좌변, 오른쪽 부분을 우변이라 하고 좌변과 우변을 통틀어 양변이라 한다.

(2) **부등식의 표현**

$a<b$	$a>b$	$a\leq b$	$a\geq b$
a는 b보다 작다. a는 b 미만이다.	a는 b보다 크다. a는 b 초과이다.	a는 b보다 작거나 같다. a는 b보다 크지 않다. a는 b 이하이다.	a는 b보다 크거나 같다. a는 b보다 작지 않다. a는 b 이상이다.

• $a\leq b$와 $a\geq b$
$a\leq b$는 $a<b$ 또는 $a=b$
$a\geq b$는 $a>b$ 또는 $a=b$

 보기 다음 문장을 부등식으로 나타내어 보자.

(1) x를 5로 나눈 수는 / 13보다 / 작다.
$$\underset{x\div 5}{} \quad \underset{<}{} \quad \underset{13}{}$$

(2) x의 3배에 15를 더한 수는 / x에서 2를 뺀 수의 4배 / 이상이다.
$$\underset{3x+15}{} \quad \underset{\geq}{} \quad \underset{4(x-2)}{}$$

(3) 무게가 x g인 상자에 무게가 400 g인 선물을 넣으면 / 500 g보다 / 크지 않다.
$$\underset{x+400}{} \quad \underset{\leq}{} \quad \underset{500}{}$$

문장을 부등식으로 나타낼 때에는 문장의 뜻을 파악하고 좌변/우변/부등호로 끊어서 부등식으로 나타내면 돼.

• Lecture •
• 등식은 등호($=$)를 사용한 식이고, 부등식은 부등호($<$, $>$, $\leq$, $\geq$)를 사용한 식이다.

┃개념 확인┃ **1** 다음 보기 중에서 부등식인 것을 모두 고르시오.

┌─ 보기 ─────────────────────────┐
ㄱ $4x\geq 0$ ㄴ $3=7-4$ ㄷ $2x+y-11$
ㄹ $y=4x+5$ ㅁ $2x-1>3x$ ㅂ $-1<5$
└─────────────────────────────┘

┃개념 확인┃ **2** 다음 문장을 부등식으로 나타낼 때, ☐ 안에 알맞은 부등호를 써넣으시오.

(1) 어떤 수 x에 3을 더한 수는 20 미만이다. ➡ $x+3$ ☐ 20

(2) 한 권에 x원인 책 4권의 값은 30000원 이상이다. ➡ $4x$ ☐ 30000

(3) 어떤 수 x의 3배에 5를 더하면 1보다 크지 않다. ➡ $3x+5$ ☐ 1

개념 ❷ 부등식의 해

(1) **부등식의 해** 부등식을 참이 되게 하는 미지수의 값

　📕 부등식 $2x-3>5$에 대하여

　　$x=5$일 때, $2\times5-3>5$이므로 참이 된다.

　　$x=2$일 때, $2\times2-3<5$이므로 거짓이 된다.

　　따라서 $x=5$는 부등식의 해이고, $x=2$는 부등식의 해가 아니다.

(2) **부등식을 푼다** 부등식의 해를 모두 구하는 것

> **참고**
>
> 일차방정식의 해는 보통 한 개이지만 부등식의 해는 부등식을 참이 되게 하는 수가 모두 해가 되므로 보통 여러 개이거나 범위로 주어진다.

보기 x의 값이 $-1, 0, 1, 2$일 때, 부등식 $3x+4\geq7$의 해를 모두 구해 보자.

x의 값	좌변	부등호	우변	참, 거짓 판별
-1	$3\times(-1)+4=1$	$<$	7	거짓
0	$3\times0+4=4$	$<$	7	거짓
1	$3\times1+4=7$	$=$	7	참
2	$3\times2+4=10$	$>$	7	참

→ $\geq$는 $>$ 또는 $=$이므로 $=$도 참이 된다.

따라서 주어진 부등식의 해는 1, 2이다.

• Lecture •

● $x=a$를 부등식에 대입하였을 때 ┌ 부등식이 참 ➡ $x=a$는 부등식의 해이다.
　　　　　　　　　　　　　　　 └ 부등식이 거짓 ➡ $x=a$는 부등식의 해가 아니다.

∥개념 확인∥ 3 x의 값이 $-1, 0, 1$일 때, 부등식 $2x+1<3$의 해를 구하려고 한다. 다음 표를 완성하고, 부등식의 해를 모두 구하시오.

x의 값	좌변	부등호	우변	참, 거짓 판별
-1	-1	$<$	3	참
0				
1				

∥개념 확인∥ 4 x의 값이 $2, 3, 4, 5$일 때, 다음 부등식의 해를 모두 구하시오.

(1) $6-x>2$ 　　　　　　　　　　　　(2) $2x+3\leq11$

개념 **3** 부등식의 성질

(1) 부등식의 양변에 같은 수를 더하거나 양변에서 같은 수를 빼어도 부등호의 방향은 바뀌지 않는다.

➡ $a<b$일 때, $a+c<b+c$, $a-c<b-c$

(2) 부등식의 양변에 같은 양수를 곱하거나 양변을 같은 양수로 나누어도 부등호의 방향은 바뀌지 않는다.

➡ $a<b$일 때, $c>0$이면 $ac<bc$, $\dfrac{a}{c}<\dfrac{b}{c}$

(3) 부등식의 양변에 같은 음수를 곱하거나 양변을 같은 음수로 나누면 부등호의 방향이 바뀐다.

➡ $a<b$일 때, $c<0$이면 $ac>bc$, $\dfrac{a}{c}>\dfrac{b}{c}$

참고 부등식의 성질은 부등호가 $>$, $\leq$, $\geq$일 때에도 모두 성립한다.

 보기 (1) 부등식 $1<3$의 양변에 2를 더하거나 양변에서 2를 빼어도 부등호의 방향은 바뀌지 않는다.

① $1+2<3+2$ ② $1-2<3-2$

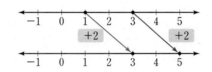 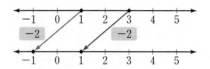

(2) 부등식 $1<3$의 양변에 2를 곱하거나 양변을 2로 나누어도 부등호의 방향은 바뀌지 않는다.

① $1\times2<3\times2$ ➡ $2<6$ ② $1\div2<3\div2$ ➡ $\dfrac{1}{2}<\dfrac{3}{2}$

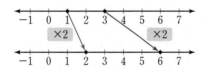 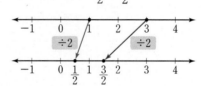

(3) 부등식 $1<3$의 양변에 -2를 곱하거나 양변을 -2로 나누면 부등호의 방향이 바뀐다.

① $1\times(-2)>3\times(-2)$ ➡ $-2>-6$ ② $1\div(-2)>3\div(-2)$ ➡ $-\dfrac{1}{2}>-\dfrac{3}{2}$

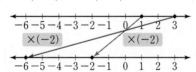 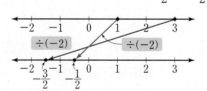

• **Lecture** •

● 부등식의 양변에 같은 음수를 곱하거나 양변을 같은 음수로 나누면 부등호의 방향이 바뀐다.

│개념 확인│ **5** $a\leq b$일 때, 다음 ☐ 안에 알맞은 부등호를 써넣으시오.

(1) $a+(-2)$ ☐ $b+(-2)$ (2) $a-(-8)$ ☐ $b-(-8)$

(3) $2a$ ☐ $2b$ (4) $-\dfrac{a}{5}$ ☐ $-\dfrac{b}{5}$

개념 기초

1-1

$a>b$일 때, 다음 □ 안에 알맞은 부등호를 써넣으시오.

(1) $2a+1$ □ $2b+1$

(2) $\dfrac{a}{2}-3$ □ $\dfrac{b}{2}-3$

(3) $-3a-2$ □ $-3b-2$

(4) $-\dfrac{2}{5}a+1$ □ $-\dfrac{2}{5}b+1$

연구 (3)

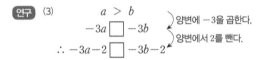

$$a > b$$
$$-3a \;\square\; -3b \quad \text{양변에 } -3\text{을 곱한다.}$$
$$\therefore -3a-2 \;\square\; -3b-2 \quad \text{양변에서 2를 뺀다.}$$

2-1

다음 □ 안에 알맞은 부등호를 써넣으시오.

(1) $a+2>b+2$이면 a □ b이다.

(2) $8a\geq8b$이면 a □ b이다.

(3) $-4a+5<-4b+5$이면 a □ b이다.

연구 (3)
$$-4a+5 < -4b+5 \quad \text{양변에서 5를 뺀다.}$$
$$-4a \;\square\; -4b \quad \text{양변을 } -4\text{로 나눈다.}$$
$$\therefore a \;\square\; b$$

3-1

$x>2$일 때, $-2x+3$의 값의 범위를 구하시오.

연구
$$x > 2$$
$$-2x \;\square\; 2\times(-2) \quad \text{양변에 } -2\text{를 곱한다.}$$
$$-2x+3 \;\square\; 2\times(-2)+3 \quad \text{양변에 3을 더한다.}$$
$$\therefore -2x+3 \;\square\; -1$$

쌍둥이 문제

1-2

$a>b$일 때, 다음 □ 안에 알맞은 부등호를 써넣으시오.

(1) $7a-2$ □ $7b-2$

(2) $\dfrac{a}{4}+3$ □ $\dfrac{b}{4}+3$

(3) $-a+6$ □ $-b+6$

(4) $-3(a-2)$ □ $-3(b-2)$

2-2

다음 □ 안에 알맞은 부등호를 써넣으시오.

(1) $a-\dfrac{1}{3}>b-\dfrac{1}{3}$이면 a □ b이다.

(2) $-\dfrac{a}{4}\leq-\dfrac{b}{4}$이면 a □ b이다.

(3) $3-5a>3-5b$이면 a □ b이다.

3-2

$x>3$일 때, 다음 식의 값의 범위를 구하시오.

(1) $x+2$ (2) $x-1$

(3) $3x-2$ (4) $-\dfrac{1}{2}x+1$

대표 유형 ① 문장을 부등식으로 나타내기   유형 해결의 법칙 중 2-1 66쪽

- (크거나 같다.)=(작지 않다.)=(이상이다.)
- (작거나 같다.)=(크지 않다.)=(이하이다.)

1-1 다음 문장을 부등식으로 나타내시오.

(1) x가 2 이상이고 7 미만이다.

(2) x에 3을 더한 수는 x의 2배보다 크지 않다.

(3) 시속 3 km로 x시간 동안 간 거리는 13 km 이하이다.

풀이 (2) (크지 않다.)=(작거나 같다.)이므로

$$x+3 \leq 2x$$

(3) (거리)=(속력)×(시간)이므로

$$3x \leq 13$$

답 (1) $2 \leq x < 7$ (2) $x+3 \leq 2x$ (3) $3x \leq 13$

쌍둥이 1-2

다음 중 문장을 부등식으로 나타낸 것으로 옳은 것은?

① x에서 3을 뺀 값은 -1보다 크다.

  ➡ $x-3 < -1$

② x의 5배에 7을 더한 수는 10보다 크다.

  ➡ $5x+7 \geq 10$

③ x cm에서 10 cm 더 자라도 170 cm를 넘지 않는다.

  ➡ $x+10 < 170$

④ 형의 나이 x살의 2배는 30살보다 많거나 같다.

  ➡ $2x > 30$

⑤ 한 개에 a원인 우유 5개의 가격은 5000원 이하이다.

  ➡ $5a \leq 5000$

대표 유형 ② 부등식의 해   유형 해결의 법칙 중 2-1 67쪽

$x=k$가 부등식의 해이다.

➡ $x=k$를 주어진 부등식에 대입하면 부등식이 참이 된다.

2-1 다음 보기의 부등식 중 $x=2$가 해인 것을 모두 고르시오.

┌─ 보기 ─────────────────┐
ㄱ $x<0$ ㄴ $3x-5 \leq 1$
ㄷ $2x-1<3$ ㄹ $5x-9>0$
ㅁ $-5+4x \geq 2$
└───────────────────────┘

풀이 각 부등식에 $x=2$를 대입하면

ㄱ $2<0$ (거짓)   ㄴ $3 \times 2 - 5 \leq 1$ (참)

ㄷ $2 \times 2 - 1 < 3$ (거짓)   ㄹ $5 \times 2 - 9 > 0$ (참)

ㅁ $-5+4 \times 2 \geq 2$ (참)

따라서 $x=2$가 해인 것은 ㄴ, ㄹ, ㅁ이다.

답 ㄴ, ㄹ, ㅁ

쌍둥이 2-2

x의 값이 -1, 0, 1, 2일 때, 부등식 $4x-3>0$의 해를 모두 구하시오.

쌍둥이 2-3

다음 중 [ ] 안의 수가 부등식의 해가 <u>아닌</u> 것은?

① $2x \geq 3x$ $[-3]$

② $-3x \geq x+1$ $[-2]$

③ $3x+1 \leq -2$ $[-1]$

④ $-3x+2 \leq -5$ $[1]$

⑤ $x+2 > 3$ $[2]$

대표 유형 ③ 부등식의 성질

유형 해결의 법칙 중 2-1 67쪽

(1) $a<b$이면 $a+c<b+c$, $a-c<b-c$

(2) $a<b$이고 $c>0$이면 $ac<bc$, $\dfrac{a}{c}<\dfrac{b}{c}$

(3) $a<b$이고 $c<0$이면 $ac>bc$, $\dfrac{a}{c}>\dfrac{b}{c}$

> 부등식의 양변에 같은 음수를 곱하거나 양변을 같은 음수로 나누면 부등호의 방향이 바뀐다!

3-1 $a<b$일 때, 다음 중 옳지 <u>않은</u> 것은?

① $3a+2<3b+2$ ② $-3a+2>-3b+2$

③ $-3a-2<-3b-2$ ④ $\dfrac{a}{5}-6<\dfrac{b}{5}-6$

⑤ $-\dfrac{a}{4}+3>-\dfrac{b}{4}+3$

풀이 ① $a<b$에서 $3a<3b$ $\therefore 3a+2<3b+2$

② $a<b$에서 $-3a>-3b$ $\therefore -3a+2>-3b+2$

③ $a<b$에서 $-3a>-3b$ $\therefore -3a-2>-3b-2$

④ $a<b$에서 $\dfrac{a}{5}<\dfrac{b}{5}$ $\therefore \dfrac{a}{5}-6<\dfrac{b}{5}-6$

⑤ $a<b$에서 $-\dfrac{a}{4}>-\dfrac{b}{4}$ $\therefore -\dfrac{a}{4}+3>-\dfrac{b}{4}+3$

답 ③

쌍둥이 3-2

$a>b$일 때, ☐ 안에 들어갈 부등호의 방향이 나머지 넷과 다른 하나는?

① $4a \ \square \ 4b$ ② $-3a \ \square \ -3b$

③ $a+3 \ \square \ b+3$ ④ $a-5 \ \square \ b-5$

⑤ $\dfrac{2}{3}a-1 \ \square \ \dfrac{2}{3}b-1$

쌍둥이 3-3

$-3a>-3b$일 때, 다음 중 옳지 <u>않은</u> 것은?

① $a+3<b+3$ ② $-a+3<-b+3$

③ $\dfrac{a}{2}+5<\dfrac{b}{2}+5$ ④ $a-\dfrac{1}{2}<b-\dfrac{1}{2}$

⑤ $a\div(-3)>b\div(-3)$

대표 유형 ④ 식의 값의 범위 구하기

유형 해결의 법칙 중 2-1 68쪽

x의 값의 범위가 주어졌을 때, $\bullet x+\blacktriangle$의 값의 범위 구하기

① 각 변에 $\bullet$를 곱하여 $\bullet x$의 값의 범위를 구한다.

② 각 변에 $\blacktriangle$를 더하여 $\bullet x+\blacktriangle$의 값의 범위를 구한다.

4-1 다음은 $-2\le x<1$일 때, $4x-5$의 값의 범위를 구하는 과정이다. ☐ 안에 알맞은 수를 써넣으시오.

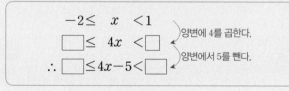

$$-2\le \ x \ <1$$
$$\square \le \ 4x \ <\square \quad \text{양변에 4를 곱한다.}$$
$$\therefore \square \le 4x-5<\square \quad \text{양변에서 5를 뺀다.}$$

풀이

$-2\le \ x \ <1$ 양변에 4를 곱한다.

$-8\le \ 4x \ <4$ 양변에서 5를 뺀다.

$-13\le 4x-5<-1$

답 $-8, 4, -13, -1$

쌍둥이 4-2

$-1<x\le 2$일 때, $2x+1$의 값의 범위를 구하시오.

쌍둥이 4-3

다음은 $3\le 2x-3<7$일 때, x의 값의 범위를 구하는 과정이다. ☐ 안에 알맞은 수를 써넣으시오.

$$3\le 2x-3<7$$
$$\square \le \ 2x \ <\square$$
$$\therefore \square \le \ x \ <\square$$

4 일차부등식

부등식 / 부등식의 해

(1) 부등식: 부등호를 사용하여 수 또는 식의 대소 관계를 나타낸 식

(2) 부등식의 해: 부등식을 ❶_____이 되게 하는 미지수의 값

답 ❶참

01

다음 보기 중 부등식을 모두 고르시오.

보기
㉠ $a+2>7$
㉡ $3x+1=13$
㉢ $y=-x+8$
㉣ $-4>0$
㉤ $8x-(x+5)$
㉥ $4x\leq10$

02

오른쪽 그림의 교통표지판은 차량의 무게가 5.5 t을 넘지 않아야 한다는 의미를 가지고 있다. 차량의 무게를 x t이라 할 때, x의 값의 범위를 부등식으로 나타내면?

(융합형)

① $x>5.5$ ② $x<5.5$
③ $x\geq5.5$ ④ $x\leq5.5$
⑤ $1<x\leq5.5$

03

다음 중 [ ] 안의 수가 부등식의 해인 것은?

① $2x+1<0$ $[0]$ ② $x>3x-2$ $[3]$
③ $2x-3>7$ $[6]$ ④ $1-3x\geq5$ $[-1]$
⑤ $2-3x\leq2-x$ $[-2]$

04

x가 자연수일 때, 부등식 $-3x+2>-10$의 해를 모두 구하시오.

부등식의 성질

(1) $a<b$일 때, $a+c<b+c$, $a-c$ ❶___ $b-c$

(2) $a<b$일 때, $c>0$이면

$$ac<bc, \frac{a}{c}<\frac{b}{c} \text{ (부등호의 방향은 바뀌지 않는다.)}$$

(3) $a<b$일 때, $c<0$이면

$$ac>bc, \frac{a}{c}>\frac{b}{c} \text{ (부등호의 방향이 ❷___.)}$$

답 ❶< ❷바뀐다

⭐05

$a<b$일 때, 다음 중 옳지 <u>않은</u> 것은?

① $a+3<b+3$ ② $-2a>-2b$
③ $\dfrac{a}{5}<\dfrac{b}{5}$ ④ $3a+\dfrac{5}{2}<3b+\dfrac{5}{2}$
⑤ $2-\dfrac{a}{3}<2-\dfrac{b}{3}$

06

(서술형)

$-4<x\leq2$이고 $A=-3x+5$일 때, A의 값의 범위를 구하려고 한다. 다음 물음에 답하시오.

(1) $-3x$의 값의 범위를 구하시오.

(2) A의 값의 범위를 구하시오.

2 일차부등식의 풀이

개념 ① 일차부등식의 뜻

(1) **일차부등식** 부등식의 모든 항을 좌변으로 이항하여 정리하였을 때, 다음 중 어느 하나의 꼴로 나타낼 수 있는 부등식

$$(일차식)<0, \ (일차식)>0, \ (일차식)\leq0, \ (일차식)\geq0$$

$$x-2>0$$
일차식

예 $x>0$, $x-4<0$ ➡ 일차부등식

$\underset{\text{이차식}}{x^2-1>0}$, $\underset{\text{└─} -3<0}{2x-1<2x+2}$ ➡ 일차부등식이 아니다.

용어
• 이항: 등식 또는 부등식에서 한 변에 있는 항을 부호만 바꾸어 다른 변으로 옮기는 것

 $2x-1<3$ ➡ $\underset{\text{이항}}{2x-1-3<0}$ ➡ $2x-4<0$
동류항끼리 간단히 한다.

설명 부등식에서도 부등식의 성질을 이용하면 부등호의 한 쪽에 있는 항의 부호를 바꾸어 부등호의 다른 쪽으로 이동할 수 있다.

$$x+4<6$$
$$\underset{\text{이항}}{x+4-6<0}$$

이항하면 부호가 바뀐다.

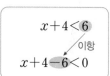

• **Lecture** •

• 일차식 ➡ $ax+b \ (a\neq0)$ **예** $2x-1, x, -3x+2, \cdots$

• 일차방정식 ➡ $ax+b=0 \ (a\neq0)$ **예** $x-1=0, 2x=0, \cdots$

• 일차부등식 ➡ $ax+b<0, ax+b>0, ax+b\leq0, ax+b\geq0 \ (a\neq0)$ **예** $2x<0, -x>0, 3x-1\geq0, \cdots$

4
일차부등식

∥ 개념 확인 ∥ **1** 다음 중 일차부등식인 것에는 ○표, 일차부등식이 아닌 것에는 ✕표를 ( ) 안에 써넣으시오.

(1) $6x+2>5$ ( )

(2) $x^2\leq3x+2$ ( )

(3) $2x-3\geq5x+6$ ( )

(4) $x+2<x-5$ ( )

개념 2 부등식의 성질을 이용한 부등식의 풀이

(1) 부등식을 풀 때 부등식의 성질을 이용하여 주어진 부등식을

$x < (수), x > (수), x \leq (수), x \geq (수)$

중 어느 하나의 꼴로 바꾸어 해를 구한다.

(2) **부등식의 해를 수직선 위에 나타내기**

① $x < a$

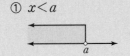

② $x > a$

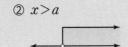

③ $x \leq a$

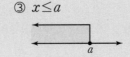

④ $x \geq a$

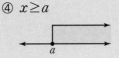

참고 수직선에서 '●'는 그에 대응하는 수가 해에 포함되고, '○'는 그에 대응하는 수가 해에 포함되지 않음을 뜻한다.

보기 다음 부등식을 풀고, 그 해를 수직선 위에 나타내어 보자.

(1) 　$x - 4 > 3$ ⟩ 양변에 4를 더한다.

　　$x - 4 + 4 > 3 + 4$

　　$\therefore x > 7$

> 등호가 없으므로 시작점은 ○,
> '크다.'이므로 화살표는
> 7에서 오른쪽으로!

(2) 　$-2x + 6 \geq 4$ ⟩ 양변에서 6을 뺀다.

　　$-2x + 6 - 6 \geq 4 - 6$

　　$-2x \geq -2$ ⟩ 양변을 −2로 나눈다. 이때 부등호의 방향이 바뀐다.

　　$\dfrac{-2x}{-2} \leq \dfrac{-2}{-2}$

　　$\therefore x \leq 1$

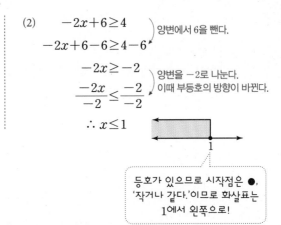

> 등호가 있으므로 시작점은 ●,
> '작거나 같다.'이므로 화살표는
> 1에서 왼쪽으로!

• **Lecture** •

●부등식의 양변에 같은 음수를 곱하거나 양변을 같은 음수로 나누면 부등호의 방향이 바뀐다.

┃개념 확인┃ **2**　다음 수직선 위에 나타내어진 x의 값의 범위를 부등식으로 나타내시오.

(1)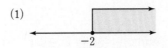

(2)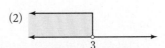

┃개념 확인┃ **3**　부등식의 성질을 이용하여 다음 일차부등식을 풀고, 그 해를 수직선 위에 나타내시오.

(1) $x - 2 > 1$

(2) $3x + 1 \leq 7$

(3) $-\dfrac{3}{2}x \geq 9$

(4) $-5x - 6 < 4$

개념 ③ 일차부등식의 풀이 (1)

(1) 일차부등식의 풀이

① x를 포함한 항은 좌변으로, 상수항은 우변으로 이항한다.

② 양변을 간단히 하여

$ax<b,\ ax>b,\ ax\leq b,\ ax\geq b$

중 어느 하나의 꼴로 나타낸다. (단, $a\neq0$)

③ 양변을 x의 계수 a로 나눈다. 이때 x의 계수가 음수이면 부등호의 방향이 바뀐다.

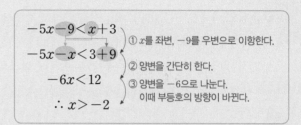

(2) 괄호가 있는 일차부등식의 풀이

괄호가 있으면 분배법칙을 이용하여 괄호를 풀어 정리한 후 푼다.

보충

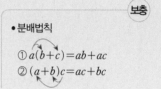

• 분배법칙

① $a(b+c)=ab+ac$

② $(a+b)c=ac+bc$

보기 다음 일차부등식을 풀어 보자.

(1) $5x-8\leq x+8$ 이항한다.

$\quad\ 5x-x\leq8+8$ 양변을 간단히 한다.

$\qquad\qquad 4x\leq16$ 양변을 4로 나눈다.

$\qquad\quad \therefore x\leq4$

(2) $2(x+1)>x-3$ 괄호를 푼다.

$\quad\ 2x+2>x-3$ 이항한다.

$\quad\ 2x-x>-3-2$ 양변을 간단히 한다.

$\qquad\quad \therefore x>-5$

• Lecture •

• 일차부등식의 풀이

➡ x를 포함한 항은 좌변으로, 상수항은 우변으로 이항하여 정리한 후 양변을 x의 계수로 나눈다.

이때 x의 계수가 음수이면 부등호의 방향이 바뀐다.

| 개념 확인 | **4** 다음 일차부등식을 푸시오.

(1) $2x-5\geq-x+1$

(2) $1-4x>-8-x$

(3) $2x+6\geq4(x-3)$

(4) $3(x-1)+5<2(x-3)$

개념 ④ 일차부등식의 풀이 (2)

(1) 계수가 소수인 일차부등식의 풀이

부등식의 양변에 $10, 100, 1000, \cdots$을 곱하여 계수를 정수로 바꾼 후 푼다.

(2) 계수가 분수인 일차부등식의 풀이

부등식의 양변에 분모의 최소공배수를 곱하여 계수를 정수로 바꾼 후 푼다.

> **용어**
> ● **최소공배수** : 두 개 이상의 자연수의 공배수 중 가장 작은 수

보기 (1) 계수가 소수인 경우

① $0.3x - 1 < 0.2x$ — 양변에 10을 곱한다.
$3x - 10 < 2x$ — 이항한다.
$3x - 2x < 10$ — 양변을 정리한다.
$\therefore x < 10$

② $0.2x + 1.4 > 0.4x$ — 양변에 10을 곱한다.
$2x + 14 > 4x$ — 이항한다.
$2x - 4x > -14$ — 양변을 정리한다.
$-2x > -14$ — 양변을 -2로 나눈다.
$\therefore x < 7$ — 이때 부등호의 방향이 바뀐다.

(2) 계수가 분수인 경우

① $\dfrac{1}{2}x - 1 \geq \dfrac{1}{3}x$ — 양변에 분모 2, 3의 최소공배수 6을 곱한다.
$3x - 6 \geq 2x$ — 이항한다.
$3x - 2x \geq 6$ — 양변을 정리한다.
$\therefore x \geq 6$

② $\dfrac{-x+1}{4} > \dfrac{3}{2}x$ — 양변에 분모 4, 2의 최소공배수 4를 곱한다.
$-x + 1 > 6x$ — 이항한다.
$-x - 6x > -1$ — 양변을 정리한다.
$-7x > -1$ — 양변을 -7로 나눈다.
$\therefore x < \dfrac{1}{7}$ — 이때 부등호의 방향이 바뀐다.

> 계수가 소수 또는 분수인 일차부등식의 양변에 수를 곱할 때에는 모든 항에 수를 곱해 주어야 해. 정수라고 빼 먹으면 안 돼.

● Lecture ●

● 계수가 소수인 일차부등식 ➡ 양변에 10의 거듭제곱을 곱한다.

● 계수가 분수인 일차부등식 ➡ 양변에 분모의 최소공배수를 곱한다.

｜개념 확인｜ 5 다음 일차부등식을 푸시오.

(1) $0.3x - 1.2 < 0.6x$

(2) $0.9x + 0.8 \geq 0.5x - 2$

(3) $\dfrac{1}{3}x + \dfrac{3}{4} \leq \dfrac{5}{12}x$

(4) $\dfrac{1}{2}x - 1 \geq \dfrac{5}{4}x + 2$

【개념 기초】

1-1

일차부등식 $5x-6<3x+4$를 푸시오.

[연구] $5x-6<3x+4$ x항은 좌변으로,
$5x-3x<4+\boxed{}$ 상수항은 우변으로 이항한다.
$\boxed{}x<\boxed{}$ 양변을 x의 계수 2로 나눈다.
$\therefore \boxed{}$

2-1

일차부등식 $-2(x+1)<3(x+3)+4$를 푸시오.

[연구] $-2(x+1)<3(x+3)+4$ 괄호를 푼다.
$-2x-2<3x+\boxed{}+4$ x항은 좌변으로,
$-2x-3x<9+4+\boxed{}$ 상수항은 우변으로 이항한다.
$-5x<\boxed{}$ 양변을 x의 계수 -5로 나눈다.
$\therefore \boxed{}$

3-1

일차부등식 $0.2x+1.8>-0.1x$를 푸시오.

[연구] $0.2x+1.8>-0.1x$ 양변에 10을 곱한다.
$2x+\boxed{}>-x$ x항은 좌변으로,
$2x+x>\boxed{}$ 상수항은 우변으로 이항한다.
$3x>\boxed{}$ 양변을 x의 계수 3으로 나눈다.
$\therefore \boxed{}$

4-1

일차부등식 $\dfrac{1}{5}x-\dfrac{1}{6}\geq\dfrac{x}{3}$를 푸시오.

[연구] $\dfrac{1}{5}x-\dfrac{1}{6}\geq\dfrac{x}{3}$ 양변에 분모 5, 6, 3의 최소공배수 30을 곱한다.
$6x-\boxed{}\geq10x$ x항은 좌변으로,
$6x-10x\geq\boxed{}$ 상수항은 우변으로 이항한다.
$\boxed{}x\geq\boxed{}$ 양변을 x의 계수 -4로 나눈다.
$\therefore \boxed{}$

【쌍둥이 문제】

1-2

다음 일차부등식을 푸시오.

(1) $4x-5>x+7$

(2) $2x+2\leq3x+8$

2-2

다음 일차부등식을 푸시오.

(1) $3(x+1)>5x+9$

(2) $2x-(5x-4)\geq-11$

3-2

다음 일차부등식을 푸시오.

(1) $0.5x+0.2<x-0.1$

(2) $3.6x-1.4\leq2.4x+1$

4-2

다음 일차부등식을 푸시오.

(1) $\dfrac{x}{3}+1\geq\dfrac{2}{5}x-\dfrac{3}{5}$

(2) $\dfrac{4-2x}{3}<\dfrac{x-7}{2}$

4 일차부등식

대표 유형 ❶ 일차부등식

유형 해결의 법칙 중 2-1 68쪽

부등식의 모든 항을 좌변으로 이항하여 정리한 식이 (일차식)<0, (일차식)>0, (일차식)≤0, (일차식)≥0 중 어느 하나의 꼴로 나타낼 수 있는 부등식을 일차부등식이라 한다.

1-1 다음 보기 중에서 일차부등식인 것을 모두 고르시오.

보기
$\bigcirc$ $x-4>-1$　　$\bigcirc$ $x(2x-1)<3x$
$\bigcirc$ $5x-10\geq5(x-2)$　$\bigcirc$ $6-2x\leq x+4$
$\bigcirc$ $x^2-3x+2<x^2+1$

풀이 $\bigcirc$ $x-3>0$
　　$\bigcirc$ $2x^2-x<3x,\ 2x^2-4x<0$
　　$\bigcirc$ $5x-10\geq5x-10,\ 0\geq0$
　　$\bigcirc$ $-3x+2\leq0$
　　$\bigcirc$ $-3x+1<0$
따라서 일차부등식인 것은 $\bigcirc$, $\bigcirc$, $\bigcirc$이다.

답 $\bigcirc$, $\bigcirc$, $\bigcirc$

쌍둥이 1-2

다음 중 일차부등식인 것은?
① $x+7=0$　　　　② $3x\geq12$
③ $2x-1<13+2x$　④ $5x-2\leq x^2$
⑤ $x^2-2x+1=x^2-3$

대표 유형 ❷ 일차부등식의 풀이

유형 해결의 법칙 중 2-1 69쪽

① x를 포함한 항은 좌변으로, 상수항은 우변으로 이항한다.
② 양변을 x의 계수로 나눈다.

2-1 다음 중 일차부등식의 해가 나머지 넷과 다른 하나는?
① $-2x-6<-4x+2$　② $x-2>5x-6$
③ $-2x>x-12$　　　④ $2x-9<-1$
⑤ $4x-3<x+9$

풀이 ① $-2x-6<-4x+2$에서 $2x<8$　$\therefore x<4$
② $x-2>5x-6$에서 $-4x>-4$　$\therefore x<1$
③ $-2x>x-12$에서 $-3x>-12$　$\therefore x<4$
④ $2x-9<-1$에서 $2x<8$　$\therefore x<4$
⑤ $4x-3<x+9$에서 $3x<12$　$\therefore x<4$
따라서 해가 나머지 넷과 다른 하나는 ②이다.

답 ②

쌍둥이 2-2

다음 일차부등식 중 해가 $x>2$인 것은?
① $x-1>-1$　　　② $-2x>-4$
③ $2x+1>3x-1$　④ $2x-5>-x+1$
⑤ $1-4x>-8-x$

쌍둥이 2-3

일차부등식 $x+1\geq5x-3$을 풀고, 그 해를 수직선 위에 나타내시오.

대표 유형 ③ 괄호가 있는 일차부등식의 풀이

유형 해결의 법칙 중 2-1 70쪽

일차부등식에 괄호가 있으면 분배법칙을 이용하여 괄호를 먼저 풀고 해를 구한다.

3-1 일차부등식 $5(x+2)>2(x-1)+3$을 푸시오.

풀이 $5(x+2)>2(x-1)+3$에서
$5x+10>2x-2+3$
$3x>-9$
$\therefore x>-3$

답 $x>-3$

쌍둥이 3-2

일차부등식 $2(x+3)<10+3x$를 푸시오.

쌍둥이 3-3

일차부등식 $7-3(x-1)\geq -x$를 만족하는 자연수 x의 개수를 구하시오.

대표 유형 ④ 복잡한 일차부등식의 풀이

유형 해결의 법칙 중 2-1 71쪽

계수에 소수와 분수가 섞여 있으면 소수를 기약분수로 바꾼 후 분모의 최소공배수를 곱한다.
또는 소수와 분수를 모두 정수로 바꿀 수 있는 적당한 수를 찾아 곱한다.

4-1 일차부등식 $0.5x+1\leq \frac{1}{5}(2x+1)$에 대하여 다음 물음에 답하시오.
(1) 부등식을 푸시오.
(2) 해를 수직선 위에 나타내시오.

풀이 (1) $0.5x+1\leq \frac{1}{5}(2x+1)$에서 $\frac{1}{2}x+1\leq \frac{1}{5}(2x+1)$
양변에 10을 곱하면 $5x+10\leq 2(2x+1)$
$5x+10\leq 4x+2$ $\therefore x\leq -8$
(2) 부등식의 해를 수직선 위에 나타내면
오른쪽 그림과 같다.

답 (1) $x\leq -8$ (2)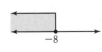
-8

쌍둥이 4-2

다음 일차부등식을 푸시오.
(1) $\frac{5}{6}x+\frac{1}{3}\leq 1.5x-3$

(2) $\frac{2-x}{5}>0.2(x+10)$

대표 유형 **5** x의 계수가 미지수인 일차부등식의 풀이

유형 해결의 법칙 중 2-1 71쪽

주어진 부등식을 $ax>b$의 꼴로 정리하였을 때

① $a>0$이면 $x>\dfrac{b}{a}$ ② $a<0$이면 $x<\dfrac{b}{a}$

5-1 다음 조건에 따라 x에 대한 일차부등식 $ax+3>6$을 푸시오.

(1) $a>0$일 때   (2) $a<0$일 때

풀이 (1) $ax+3>6$에서 $ax>3$

이때 $a>0$이므로 양변을 a로 나누면

$x>\dfrac{3}{a}$

(2) $ax+3>6$에서 $ax>3$

이때 $a<0$이므로 양변을 a로 나누면 부등호의 방향이 바뀐다.

$\therefore x<\dfrac{3}{a}$

답 (1) $x>\dfrac{3}{a}$ (2) $x<\dfrac{3}{a}$

쌍둥이 5-2

$a<0$일 때, x에 대한 일차부등식 $ax+5\leq3$을 푸시오.

쌍둥이 5-3

$a<0$일 때, x에 대한 일차부등식 $a(x+3)>5a$를 푸시오.

대표 유형 **6**   일차부등식의 해가 주어진 경우

유형 해결의 법칙 중 2-1 72쪽

주어진 부등식의 부등호의 방향과 그 부등식의 해의 부등호의 방향을 비교하였을 때
- 같다. ➡ x의 계수는 양수
- 다르다. ➡ x의 계수는 음수

6-1 x에 대한 일차부등식 $ax-5<1$의 해가 $x<1$일 때, 상수 a의 값을 구하시오.

풀이 $ax-5<1$에서 $ax<6$

이때 일차부등식의 해가 $x<1$이므로

$a>0$

따라서 $x<\dfrac{6}{a}$이므로 $\dfrac{6}{a}=1$

$\therefore a=6$

답 6

쌍둥이 6-2

x에 대한 일차부등식 $3x-8\leq-2x+a$의 해가 $x\leq3$일 때, 상수 a의 값을 구하시오.

쌍둥이 6-3

x에 대한 일차부등식 $ax+4<0$의 해가 $x>2$일 때, 상수 a의 값을 구하시오.

1 다음 일차부등식을 푸시오.

(1) $-3x-3>3$

(2) $6x \geq 2x+8$

(3) $12x+6<2x-4$

(4) $5x-3 \leq 8x+9$

(5) $7x-2(x-3) \leq 16$

(6) $2(1-x) \geq 12-x$

(7) $-5>1-2(2-x)$

(8) $3(x+2)<2(x+3)+5x$

2 다음 일차부등식을 푸시오.

(1) $0.3x-0.5 \geq 0.8x-2$

(2) $2-0.6x \leq 2.4x$

(3) $-0.3(2x-1) \geq 0.2(5-4x)$

(4) $\dfrac{1}{2}x+\dfrac{5-x}{3}<2$

(5) $\dfrac{3x+4}{2}+2<\dfrac{5x-3}{4}$

(6) $2-\dfrac{x-1}{6} \leq \dfrac{2x-1}{3}$

(7) $0.2x+1 \geq \dfrac{1}{5}(2x-1)$

(8) $\dfrac{3}{5}x+1.2 \geq 0.7x-\dfrac{1}{2}$

일차부등식의 풀이

(1) 일차부등식의 풀이
   ① x를 포함한 항은 좌변으로, 상수항은 우변으로 이항하여 정리한다.
   ② 양변을 x의 계수로 나눈다.
(2) 복잡한 일차부등식의 풀이
   ① 괄호가 있는 경우: 분배법칙을 이용하여 괄호를 풀고 식을 정리한 후 푼다.
   ② 계수가 소수인 경우: 양변에 ❶ 의 거듭제곱을 곱하여 계수를 모두 정수로 바꿔서 푼다.
   ③ 계수가 분수인 경우: 양변에 분모의 ❷ 를 곱하여 계수를 모두 정수로 바꿔서 푼다.

🔖 ❶ 10 ❷ 최소공배수

⭐
01

다음 중 일차부등식인 것을 모두 고르면? (정답 2개)

① $x-4<x+3$ 　　② $\dfrac{1}{x}-4<3$

③ $2x^2+1\geq3$ 　　④ $x^2+3x+1\leq x^2+4$

⑤ $x-5>0$

02

다음 중 문장을 식으로 나타낼 때, 일차부등식인 것은?

① x의 3배는 9와 같다.
② 9의 2배는 4의 3배보다 크다.
③ x보다 4 작은 수는 x의 2배보다 크다.
④ x에서 3을 뺀 수의 2배는 x의 2배보다 작다.
⑤ 한 변의 길이가 x인 정사각형의 넓이는 10 이하이다.

03

다음 중 일차부등식 $5x-3<12$와 해가 같은 것은?

① $2x<10$ 　　② $x+2>2x-1$

③ $4x+1>4+3x$ 　　④ $-2x-2>x+7$

⑤ $-5x>-2x-18$

04

다음 일차부등식 중 그 해를 수직선 위에 나타낸 것이 오른쪽 그림과 같은 것은?

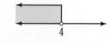

① $-2x>8$ 　　② $\dfrac{1}{2}x>2$

③ $3x-8<x$ 　　④ $3x>x+16$

⑤ $4x-8<6x+4$

05

일차부등식 $4(x-3)<x+1$을 만족하는 모든 자연수 x의 값의 합을 구하시오.

⭐
06　　　　　　　　　　　　　　서술형

일차부등식 $\dfrac{x-1}{3}-\dfrac{x+2}{2}\leq-2$를 풀고, 그 해를 수직선 위에 나타내시오.

07

일차부등식 $0.8x-\dfrac{1}{2}<0.3x+4$를 푸시오.

08

$a<0$일 때, x에 대한 일차부등식 $-1+ax \geq 0$의 해는?

① $x \leq \dfrac{1}{a}$ ② $x \geq \dfrac{1}{a}$ ③ $x \geq a-1$

④ $x \leq -\dfrac{1}{a}$ ⑤ $x \geq -\dfrac{1}{a}$

★ 09

$a<3$일 때, x에 대한 일차부등식 $(a-3)x \geq 3a-9$를 풀면?

① $x \geq 3$ ② $x \leq 3$ ③ $x>3$

④ $x<3$ ⑤ $x \geq 4$

10

x에 대한 일차부등식 $8(2x+8)<7(x+a)$의 해가 $x<-4$ 일 때, 상수 a의 값은?

① 4 ② 3 ③ 2

④ 1 ⑤ -1

11

다음 두 일차부등식의 해가 서로 같을 때, 물음에 답하시오.

(단, a는 상수)

$$3-x \leq 4-2x, \ 3-2a \geq x-a$$

(1) 부등식 $3-x \leq 4-2x$를 푸시오.

(2) 부등식 $3-2a \geq x-a$를 푸시오.

(3) 상수 a의 값을 구하시오.

12

x에 대한 일차부등식 $(a-5)x+7 \geq -8$의 해를 수직선 위에 나타내면 오른쪽 그림과 같을 때, 상수 a의 값을 구하시오.

13

부등식 $x-a<7$을 만족시키는 자연수 x의 값이 존재하지 않을 때, 상수 a의 값의 범위를 구하시오.

(1) 주어진 부등식을 $x<$ ⬚㉠ 과 같이 바꿀 때, ㉠에 알맞은 식을 구하시오.

(2) 문제의 뜻에 맞게 ㉠의 식의 값의 범위를 부등식으로 나타내시오.

(3) 상수 a의 값의 범위를 구하시오.

3 일차부등식의 활용

개념 ① 일차부등식의 활용 문제

일차부등식의 활용 문제는 다음과 같은 순서로 해결한다.

① 미지수 정하기 문제의 뜻을 파악하고 구하려는 것을 미지수 x로 놓는다.

② 일차부등식 세우기 수량 사이의 대소 관계를 찾아 x에 대한 일차부등식을 세운다.

③ 일차부등식 풀기 일차부등식을 푼다.

④ 확인하기 구한 해가 문제의 뜻에 맞는지 확인한다.

 어떤 정수의 3배에 15를 더한 수는 72보다 크다고 한다. 이와 같은 정수 중 가장 작은 수를 구해 보자.

① 미지수 정하기 어떤 정수를 x라 하자.

② 일차부등식 세우기 어떤 정수의 3배에 15를 더한 수는 72보다 크다.

$$3x+15 \quad > \quad 72$$

③ 일차부등식 풀기 $3x+15>72$에서 $3x>57$ ∴ $x>19$

따라서 19보다 큰 정수 중에서 가장 작은 수는 20이다.

④ 확인하기 $3\times20+15=75>72$이므로 문제의 뜻에 맞다.

• Lecture •

● 물건의 개수, 사람 수, 횟수 등을 미지수 x로 놓았을 때에는 구한 해 중 자연수만을 답으로 한다.

부등호의 크기를 나타내는 용어
• 작다, 적다, 미만 ➡ $<$
• 크다, 많다, 초과 ➡ $>$
• 작거나 같다, 크지 않다, 이내, 넘지 않는다, 이하 ➡ $\leq$
• 크거나 같다, 작지 않다, 이상 ➡ $\geq$

┃개념 확인┃ **1** 어떤 정수에 2를 더한 수의 3배는 27보다 작거나 같다고 한다. 이와 같은 정수 중에서 가장 큰 수를 구하시오.

┃개념 확인┃ **2** 현재 형과 동생의 통장에는 각각 50000원, 35000원이 예금되어 있다. 다음 달부터 매월 형은 1000원씩, 동생은 3000원씩 예금할 때, 다음 표를 완성하고 동생의 예금액이 형의 예금액보다 많아지는 것은 몇 개월 후부터인지 구하시오.

	형의 예금액 (원)	동생의 예금액 (원)
현재	50000	35000
x개월 후		

개념 2 소금물의 농도에 대한 일차부등식의 활용 문제

$$(\text{소금물의 농도})=\frac{(\text{소금의 양})}{(\text{소금물의 양})}\times100\,(\%)$$

$$(\text{소금의 양})=\frac{(\text{소금물의 농도})}{100}\times(\text{소금물의 양})$$

> **용어**
> ● 농도(진할 濃, 정도 度)
> 물질이 물에 녹아 있는 양의 정도
> 를 백분율로 나타낸 것

예 (1) 20 g의 소금에 물을 넣어 100 g의 소금물을 만들 때, 이 소금물의 농도는

$$\frac{20}{100}\times100=20\,(\%)$$

(2) 10 %의 소금물 500 g에 들어 있는 소금의 양은

$$\frac{10}{100}\times500=50\,(g)$$

참고 소금물에 물을 넣거나 소금물을 증발시키면 전체 소금물의 농도는 변하지만 소금의 양은 변하지 않는다.

보기 10 %의 소금물 500 g이 있다. 이 소금물에 물을 더 넣어서 5 % 이하의 소금물을 만들려면 최소 몇 g의 물을 더 넣어야 하는지 구해 보자.

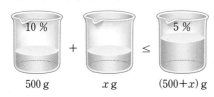

➡ 물을 x g 더 넣는다고 하면

$$\frac{10}{100}\times500\leq\frac{5}{100}\times(500+x)$$

$$5000\leq5(500+x),\ 5000\leq2500+5x$$

$$-5x\leq-2500 \qquad \therefore\ x\geq500$$

따라서 최소 500 g의 물을 더 넣어야 한다.

● Lecture ●

● 소금을 더 넣는 경우에는 소금의 양과 소금물의 양이 모두 증가한다.

● 물을 더 넣는 경우에는 소금의 양은 변하지 않고, 소금물의 양만 증가한다.

개념 확인 3 12 %의 소금물 500 g이 있다. 이 소금물에 물을 더 넣어서 5 % 이하의 소금물을 만들려고 한다. 다음 ☐ 안에 알맞은 수를 써넣고, 최소 몇 g의 물을 더 넣어야 하는지 구하시오.

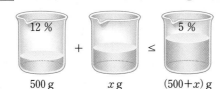

➡ 물을 x g 더 넣는다고 하면

$$\frac{\boxed{}}{100}\times500\leq\frac{\boxed{}}{100}\times(500+x)$$

4 일차부등식

개념 기초

1-1

유영이는 800원짜리 볼펜과 500원짜리 연필을 합하여 15자루를 사려고 한다. 전체 가격이 10000원 이하가 되게 하려면 800원짜리 볼펜은 최대 몇 자루까지 살 수 있는지 구하시오.

연구 볼펜의 개수를 x자루로 놓으면

	볼펜	연필
개수 (자루)	x	
금액 (원)	$800x$	

(볼펜의 총 금액)+(연필의 총 금액)☐10000(원)이므로

$800x +$ ☐☐☐☐☐ ≤ 10000 $\therefore x \leq$ ☐

따라서 볼펜은 최대 ☐자루까지 살 수 있다.

쌍둥이 문제

1-2

해인이는 한 개에 2000원인 사과와 한 개에 1300원인 오렌지를 합하여 12개를 사려고 한다. 전체 금액이 21000원을 넘지 않도록 하려고 할 때, 다음 물음에 답하시오.

(1) 사과의 개수를 x개로 놓고 부등식을 세우시오.

(2) (1)에서 세운 부등식을 푸시오.

(3) 사과를 최대 몇 개까지 살 수 있는지 구하시오.

2-1

소희는 등산을 하는데 올라갈 때는 시속 3 km로 걷고, 내려올 때는 시속 4 km로 걸어서 2시간 이내에 등산을 마치려고 한다. 이때 최대 몇 km 지점까지 올라갈 수 있는지 구하시오. (단, 중간에 쉬는 시간은 없고, 올라간 길로 다시 내려온다.)

연구 올라갈 때 걸은 거리를 x km라 하면

	올라갈 때	내려올 때
거리	x km	☐ km
속력	시속 3 km	시속 4 km
시간	☐ 시간	☐ 시간

(올라갈 때 걸린 시간)+(내려올 때 걸린 시간)≤(2시간)이므로

☐ + ☐ ≤ 2 $\therefore x \leq$ ☐

따라서 최대 ☐ km까지 올라갈 수 있다.

2-2

민서는 등산을 하는데 올라갈 때는 시속 2 km로 걷고, 내려올 때는 올라갈 때와 같은 길을 시속 3 km로 걷는다고 한다. 전체 시간이 2시간을 넘지 않도록 다녀오려고 할 때, 다음 물음에 답하시오. (단, 중간에 쉬는 시간은 없다.)

(1) 올라갈 때 걸은 거리를 x km로 놓고 부등식을 세우시오.

(2) (1)에서 세운 부등식을 푸시오.

(3) 올라갈 수 있는 거리는 최대 몇 km인지 구하시오.

대표 유형 ❶ 개수에 대한 일차부등식의 활용

유형 해결의 법칙 중 2-1 76쪽

두 물건 A, B를 합하여 n개를 살 때

➡ A의 개수를 x개라 하면 B의 개수는 $(n-x)$개이다.

1-1 한 개에 1000원인 과자와 한 개에 1500원인 빵을 합하여 20개를 사려고 한다. 전체 금액이 25000원 이하가 되게 하려면 빵은 최대 몇 개까지 살 수 있는지 구하시오.

풀이 빵의 개수를 x개라 하면 과자의 개수는 $(20-x)$개이므로

$1000(20-x)+1500x \leq 25000$

$20000-1000x+1500x \leq 25000$

$500x \leq 5000$　　∴ $x \leq 10$

따라서 빵은 최대 10개까지 살 수 있다.

답 10개

쌍둥이 1-2

무게가 500 g인 상자에 한 개에 200 g인 물건을 여러 개 넣은 후 상자의 무게를 측정해 보니 4 kg을 넘지 않았다. 물건은 최대 몇 개까지 담을 수 있는지 구하시오.

대표 유형 ❷ 유리한 방법을 선택하는 일차부등식의 활용

유형 해결의 법칙 중 2-1 78쪽

(유리하다.) = (가격이 싸다.)이므로 할인 매장에 가서 사는 것이 동네 가게에서 사는 것보다 유리한 경우

➡ (할인 매장에서 산 가격) + (교통비) < (동네 가게에서 산 가격)

2-1 집 근처 가게에서 한 캔에 800원인 음료수가 할인 매장에서는 한 캔에 500원이라고 한다. 할인 매장에 다녀오는 데 왕복 교통비가 1600원이 든다고 할 때, 음료수를 몇 캔 이상 사는 경우에 할인 매장에 가는 것이 더 유리한지 구하시오.

풀이 음료수를 x캔 산다고 하면

	집 근처 가게	할인 매장
음료수 가격(원)	$800x$	$500x$
교통비(원)	0	1600

(할인 매장에서 산 음료수 x캔의 가격) + (교통비)

　　　　< (집 근처 가게에서 산 음료수 x캔의 가격)이므로

$500x+1600 < 800x$

$-300x < -1600$　　∴ $x > \dfrac{16}{3}$

이때 음료수 캔의 수는 자연수이므로 6캔 이상 사는 경우에 할인 매장에 가는 것이 더 유리하다.

답 6캔

쌍둥이 2-2

동네 가게에서 한 개에 2000원 하는 과자를 할인 매장에 가면 한 개에 1800원에 살 수 있다. 그런데 할인 매장에 다녀오려면 왕복 교통비가 2100원이 든다고 한다. 과자를 몇 개 이상 사는 경우에 할인 매장에 가는 것이 더 유리한지 구하시오.

4 일차부등식

대표 유형 ③ 입장료에 대한 일차부등식의 활용

유형 해결의 법칙 중 2-1 79쪽

x명이 입장한다고 할 때, a명의 단체 입장료를 지불하는 것이 유리한 경우

➡ (x명의 입장료) > (a명의 단체 입장료) (단, $x < a$)

3-1 어느 공원의 입장료는 한 사람당 1000원이고 40명 이상의 단체인 경우에는 입장료의 20 %를 할인해 준다고 한다. 40명 미만인 단체는 몇 명 이상이면 40명의 단체 입장권을 사는 것이 더 유리한지 구하시오.

풀이 입장한 사람 수를 x명이라 하면

$$1000x > \left(1000 \times \frac{80}{100}\right) \times 40, \ 1000x > 32000$$

$$\therefore x > 32$$

이때 사람 수는 자연수이므로 33명 이상일 때 40명의 단체 입장권을 사는 것이 더 유리하다.

답 33명

쌍둥이 3-2

어느 미술관의 입장료는 한 사람당 2000원이고, 30명 이상의 단체에게는 입장료의 10 %를 할인해 준다고 한다. 30명 미만인 단체는 몇 명 이상이면 30명의 단체 입장권을 사는 것이 유리한지 구하시오.

쌍둥이 3-3

어느 놀이공원의 입장료는 한 사람당 10000원이고, 50명 이상의 단체에 대해서는 한 사람당 9500원이라고 한다. 50명 미만인 단체는 몇 명 이상이면 50명의 단체 입장권을 사는 것이 유리한지 구하시오.

대표 유형 ④ 도형에 대한 일차부등식의 활용

유형 해결의 법칙 중 2-1 80쪽

① (직사각형의 둘레의 길이) $= 2 \times$ {(가로의 길이) + (세로의 길이)}

② (사다리꼴의 넓이) $= \dfrac{1}{2} \times$ {(윗변의 길이) + (아랫변의 길이)} $\times$ (높이)

4-1 가로의 길이가 세로의 길이보다 4 cm 더 긴 직사각형이 있다. 이 직사각형의 둘레의 길이가 100 cm 이상이 되게 하려면 세로의 길이는 몇 cm 이상이어야 하는지 구하시오.

풀이 세로의 길이를 x cm라 하면 가로의 길이는 $(x+4)$ cm이므로

$$2 \times \{(x+4)+x\} \geq 100$$

$$4x+8 \geq 100, \ 4x \geq 92$$

$$\therefore x \geq 23$$

따라서 세로의 길이는 23 cm 이상이어야 한다.

답 23 cm

쌍둥이 4-2

세로의 길이가 가로의 길이보다 2 cm 더 긴 직사각형이 있다. 이 직사각형의 둘레의 길이가 52 cm 이상이 되게 하려면 가로의 길이는 몇 cm 이상이어야 하는지 구하시오.

쌍둥이 4-3

윗변의 길이가 7 cm이고 높이가 4 cm인 사다리꼴이 있다. 이 사다리꼴의 넓이가 40 cm² 이상이 되게 하려면 사다리꼴의 아랫변의 길이는 몇 cm 이상이어야 하는지 구하시오.

대표 유형 5 **거리, 속력, 시간에 대한 일차부등식의 활용** 유형 해결의 법칙 중 2-1 80쪽, 81쪽

$$(거리)=(속력)\times(시간),\ (속력)=\frac{(거리)}{(시간)},\ (시간)=\frac{(거리)}{(속력)}$$ 를 이용한다.

5-1 신호는 한강 걷기 대회에 참가하여 총 15 km를 가는데 처음에는 시속 3 km로 걸어가다 도중에 시속 6 km로 뛰었더니 4시간 30분 이내에 도착하였다. 이때 걸어간 거리는 몇 km 이하인지 구하시오.

풀이 신호가 걸어간 거리를 x km라 하면 뛰어간 거리는 $(15-x)$ km 이므로

$$\frac{x}{3}+\frac{15-x}{6}\leq\frac{9}{2}$$

$2x+15-x\leq27$ ∴ $x\leq12$

따라서 걸어간 거리는 12 km 이하이다.

답 12 km

> 4시간 30분은 $4\frac{30}{60}$시간,
> 즉 $4\frac{1}{2}$시간이므로 $\frac{9}{2}$시간이야.

쌍둥이 5-2

지수는 집에서 5 km 떨어진 도서관까지 가는데 처음에는 자전거를 타고 시속 8 km로 가다가 어느 지점부터 자전거를 끌고 시속 2 km로 걸어갔다. 도서관까지 가는 데 총 걸린 시간이 1시간을 넘지 않았다면 자전거를 타고 간 거리는 최소 몇 km인지 구하시오.

쌍둥이 5-3

동준이는 기차가 출발하기 전까지 1시간의 여유가 있어서 근처 상점에 가서 물건을 사오려고 한다. 물건을 사는 데 20분이 걸리고 시속 4 km로 걸을 때, 역에서 몇 km 이내에 있는 상점을 이용해야 하는지 구하시오.

대표 유형 6 **농도에 대한 일차부등식의 활용** 유형 해결의 법칙 중 2-1 82쪽

$$(소금의\ 양)=\frac{(소금물의\ 농도)}{100}\times(소금물의\ 양)$$ 을 이용한다.

6-1 5 %의 소금물 200 g과 8 %의 소금물을 섞어서 6 % 이상의 소금물을 만들려고 한다. 8 %의 소금물을 몇 g 이상 섞어야 하는지 구하시오.

풀이 8 %의 소금물을 x g 섞는다고 하면

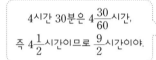

$$\frac{5}{100}\times200+\frac{8}{100}\times x\geq\frac{6}{100}\times(200+x)$$

$1000+8x\geq6(200+x)$

$1000+8x\geq1200+6x,\ 2x\geq200$ ∴ $x\geq100$

따라서 8 %의 소금물을 100 g 이상 섞어야 한다.

답 100 g

쌍둥이 6-2

9 %의 소금물 200 g과 15 %의 소금물을 섞어서 13 % 이상의 소금물을 만들려고 한다. 이때 15 %의 소금물을 몇 g 이상 섞어야 하는지 구하시오.

4 일차부등식

일차부등식의 활용(1)

(1) 예금액에 대한 일차부등식의 활용

현재 예금액이 a원이고, 매달 b원씩 예금하는 경우

➡ x개월 후의 예금액은 (**❶**　) 원

(2) 추가 요금에 대한 일차부등식의 활용

기본요금과 추가 요금이 주어질 때

(기본요금)＋(추가 요금) □ (이용 가능 금액)

└─ 문제의 뜻에 맞게 부등호
(＜, ＞, ≤, ≥)를 넣는다.

📖 **❶** $a+bx$

01

어떤 자연수의 3배에서 6을 뺐더니 처음 자연수의 2배에 2를 더한 것보다 크다고 한다. 이를 만족하는 가장 작은 자연수를 구하시오.

★ 02

혜진이와 미선이의 통장에는 현재 6000원, 12000원이 각각 들어 있다. 다음 달부터 혜진이는 매달 9000원씩, 미선이는 매달 3000원씩 예금하려고 한다. 혜진이의 예금액이 미선이의 예금액의 2배보다 많아지는 것은 몇 개월 후부터인가?

① 3개월 후　　② 4개월 후　　③ 5개월 후
④ 6개월 후　　⑤ 7개월 후

03 서술형

한 자루에 500원인 싸인펜 4자루와 한 자루에 1000원인 볼펜 몇 자루를 사는데 전체 가격이 10000원 이하가 되게 하려고 한다. 볼펜은 최대 몇 자루까지 살 수 있는지 구하시오.

04 창의·융합

어느 공원의 주차 요금은 30분까지는 1000원이고, 30분이 지나면 1분당 50원씩 요금이 추가된다고 한다. 주차 요금이 5000원 이하가 나오도록 하려면 최대 몇 분 동안 주차할 수 있는가?

① 50분　　② 70분　　③ 90분
④ 110분　　⑤ 130분

05

한 번에 3000 kg까지 운반할 수 있는 트럭이 있다. 이 트럭에 몸무게가 75 kg인 사람 5명과 1개에 170 kg인 짐을 여러 개 실어 운반하려고 할 때, 한 번에 운반할 수 있는 짐은 최대 몇 개인가?

① 14개　　② 15개　　③ 16개
④ 17개　　⑤ 18개

06 창의력

길이와 모양이 같은 성냥개비로 다음 그림과 같이 정삼각형을 한 방향으로 연결하여 만들려고 한다. 성냥개비 150개로 정삼각형은 최대 몇 개까지 만들 수 있는지 구하시오.

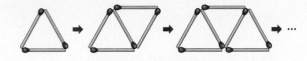

일차부등식의 활용 (2)

(1) 입장료에 대한 일차부등식의 활용

x명이 입장한다고 할 때, 단체 입장료를 지불하는 것이 더 유리한 경우

➡ (x명의 입장료) > (할인된 단체 입장료)

(2) 도형에 대한 일차부등식의 활용

(삼각형의 넓이) $= \dfrac{1}{2} \times$ (밑변의 길이) $\times$ ( )

답 ❶ 높이

07

서술형

어떤 음악 사이트는 정액 요금 7800원을 내면 한 달 동안 원하는 음악을 무제한으로 내려받을 수 있고, 정액제가 아닌 경우에는 한 곡당 500원에 내려받을 수 있다고 한다. 정액제를 이용하는 것이 유리한 경우는 한 달에 몇 곡 이상 내려받을 때인지 구하려고 한다. 다음 물음에 답하시오.

(1) 한 달에 내려 받는 곡 수를 x곡으로 놓고 부등식을 세우시오.

(2) (1)에서 세운 부등식을 푸시오.

(3) 한 달에 몇 곡 이상 내려받을 때 정액제를 이용하는 것이 유리한지 구하시오.

★ 08

어느 영화관의 학생 1명의 관람료는 8000원이고 20명 이상의 단체인 경우에는 관람료의 20 %를 할인해 준다고 한다. 20명 미만인 단체는 몇 명 이상이면 20명의 단체 요금을 내는 것이 유리한지 구하시오.

09

높이가 12 cm인 삼각형의 넓이가 72 cm² 이하가 되게 하려면 삼각형의 밑변의 길이는 몇 cm 이하이어야 하는지 구하시오.

일차부등식의 활용 (3)

(1) 거리, 속력, 시간에 대한 일차부등식의 활용

① (시속 a km로 걸을 때 걸린 시간) + (시속 b km로 걸을 때 걸린 시간) ≤ (전체 걸린 시간)

② (상점에 가는 데 걸린 시간) + (물건을 사는 데 걸린 시간) + (돌아오는 데 걸린 시간) ≤ (제한 시간)

(2) 농도에 대한 일차부등식의 활용

(소금의 양) $= \dfrac{(소금물의 농도)}{100} \times$ (소금물의 양)

10

초이는 학생 장거리달리기 대회에 참가하였다. 총 4.5 km를 달려야 하는데 처음에는 분속 150 m로 뛰다가 힘이 들어 남은 거리는 분속 60 m로 걸어서 갔다. 초이가 45분 이내로 완주했다면 초이가 뛴 거리는 최소 몇 km인지 구하시오.

★ 11

융합형

남인이는 기차 출발 시각까지 1시간 45분의 여유가 있어서 이 시간 동안 상점에 가서 물건을 사오려고 한다. 남인이가 걷는 속력은 시속 3 km이고 물건을 사는 데 15분이 걸린다면 역에서 몇 km 이내의 상점까지 다녀올 수 있는지 구하시오.

12

5 %의 소금물 200 g에서 물을 증발시켜서 8 % 이상의 소금물을 만들려고 한다. 이때 물을 몇 g 이상 증발시켜야 하는가?

① 40 g ② 75 g ③ 90 g

④ 100 g ⑤ 120 g

5 연립방정식의 풀이

학습 목표

- 미지수가 2개인 연립일차방정식의 뜻을 이해한다.
- 미지수가 2개인 일차방정식의 해의 뜻을 이해하고, 자연수인 해를 구할 수 있다.
- 대입을 이용하여 연립일차방정식을 풀 수 있다.
- 연립방정식을 이루는 두 일차방정식을 변끼리 더하거나 빼어서 연립방정식을 풀 수 있다.
- 괄호가 있는 연립방정식을 풀 수 있다.
- 계수가 소수 또는 분수인 연립방정식을 풀 수 있다.

1 연립방정식

개념 ❶ 미지수가 2개인 일차방정식

미지수가 2개인 일차방정식 미지수가 2개이고, 그 차수가 모두 1인 방정식

➡ $ax+by+c=0$ (단, a, b, c는 상수, $a \neq 0$, $b \neq 0$)

└─ x, y의 계수가 0이면 x, y가 없어지기 때문에 미지수가 x, y의 2개인 일차방정식이 될 수 없다.

예 $\underset{\text{미지수 2개}}{\overset{\text{차수 1}}{x-y}}+3=0, \underset{\text{미지수 2개}}{\overset{\text{차수 1}}{2x+y}}-2=0$

참고 미지수가 1개인 일차방정식: $x+1=5$ ➡ x의 값에 따라 참이 되기도 하고 거짓이 되기도 한다.

미지수가 2개인 일차방정식: $x+y=4$ ➡ x, y의 값에 따라 참이 되기도 하고 거짓이 되기도 한다.

용어
- 등식 : 등호를 사용하여 나타낸 식
- 방정식 : 미지수의 값에 따라 참이 되기도 하고 거짓이 되기도 하는 등식

 설명 미지수가 2개인 일차방정식이 아닌 예

(1) $x^2+y+1=0$ ⇨ x의 차수가 2이므로 일차방정식이 아니다.

(2) $x+2y=x-3y$ ⇨ 식을 간단히 정리하면 $5y=0$이므로 미지수가 1개인 일차방정식이다.

(3) $\dfrac{1}{x}+\dfrac{1}{y}+1=0$ ⇨ 미지수가 분모에 있으므로 일차방정식이 아니다.

• Lecture •

• 미지수가 2개인 일차방정식 ➡ $a\overset{\text{생략된 차수 1}}{x}+b\overset{}{y}+c=0$ (단, a, b, c는 상수, $a \neq 0$, $b \neq 0$)

$\underset{\text{미지수가 } x, y \text{의 2개}}{}$

⎮개념 확인⎮ 1 다음 중 미지수가 2개인 일차방정식인 것에는 ○표, 아닌 것에는 ×표를 (   ) 안에 써넣으시오.

(1) $x-y=0$ (   ) (2) $2y=-\dfrac{3}{x}+2$ (   )

(3) $xy+3y=2x-4$ (   ) (4) $x^2-x=x^2+y+2$ (   )

⎮개념 확인⎮ 2 다음 문장을 미지수가 2개인 일차방정식으로 나타내시오.

(1) 농구 경기에서 재민이가 x골, 시후가 y골을 넣어 모두 15골을 넣었다.

➡ _____

(2) 700원짜리 초콜릿 x개와 1200원짜리 과자 y개를 사고 8100원을 지불하였다.

➡ _____

문장 속에서 등식을 찾아!

개념 **2** 미지수가 2개인 일차방정식의 해

(1) 미지수가 2개인 일차방정식의 해 미지수가 x, y의 2개인 일차방정식을 만족하는 x, y의 값 또는 그 순서쌍 (x, y)

> **예** 일차방정식 $x-2y=1$에서 $x=3$, $y=1$일 때, $3-2\times1=1$ (참) ➡ $(3, 1)$은 $x-2y=1$의 해이다.
>
> $x=1$, $y=1$일 때, $1-2\times1\neq1$ (거짓) ➡ $(1, 1)$은 $x-2y=1$의 해가 아니다.
>
> **참고** $(\bullet, \blacktriangle)\neq(\blacktriangle, \bullet)$이므로 해를 순서쌍으로 나타낼 때에는 (x, y)의 순서를 반드시 지킨다.

(2) 일차방정식을 푼다 일차방정식의 해를 모두 구하는 것

> **보기** x, y가 자연수일 때, 일차방정식 $x+2y=6$의 해를 구해 보자.
>
> ⇨ $x=1, 2, 3, \cdots$을 $x+2y=6$에 대입하여 y의 값을 구하면 다음 표와 같다.
>
> | x | 1 | 2 | 3 | 4 | 5 | 6 | $\cdots$ |
> |---|---|---|---|---|---|---|---|
> | y | $\dfrac{5}{2}$ | 2 | $\dfrac{3}{2}$ | 1 | $\dfrac{1}{2}$ | 0 | $\cdots$ |
>
> x, y가 자연수일 때, 구하는 해를 순서쌍 (x, y)로 나타내면 $(2, 2)$, $(4, 1)$이다.

• Lecture •

- 미지수가 1개인 일차방정식은 해가 하나뿐이지만 미지수가 2개인 일차방정식은 해가 여러 개일 수 있다.
- 미지수가 x, y의 2개인 일차방정식의 해를 나타내는 여러 가지 방법

  ① $x=\bullet$, $y=\blacktriangle$ ② $(\bullet, \blacktriangle)$ ③ $\begin{cases} x=\bullet \\ y=\blacktriangle \end{cases}$

- 미지수가 x, y의 2개인 일차방정식의 해가 $x=\bullet$, $y=\blacktriangle$이다.

  ➡ $x=\bullet$, $y=\blacktriangle$를 주어진 방정식에 대입하면 그 방정식은 참이 된다.

| 개념 확인 | **3** x, y가 자연수일 때, 일차방정식 $2x+y=7$에 대하여 다음 표를 완성하고, 해를 순서쌍 (x, y)로 나타내시오.

x	1	2	3	4
y				

| 개념 확인 | **4** 다음 보기 중 일차방정식 $x+3y=10$의 해를 모두 고르시오.

> **보기**
>
> ㉠ $(1, 1)$ ㉡ $(1, 3)$ ㉢ $(2, 4)$
>
> ㉣ $(3, 1)$ ㉤ $(4, 2)$ ㉥ $(5, 1)$

5 연립방정식의 풀이

개념 ③ 미지수가 2개인 연립일차방정식 (연립방정식)

(1) **미지수가 2개인 연립일차방정식** 미지수가 2개인 일차방정식 두 개를 한 쌍으로 묶어 놓은 것

예 $\begin{cases} x+y=4 \\ x-y=2 \end{cases}$ $\begin{cases} 3x-y-1=0 \\ 2x+y+3=0 \end{cases}$

참고 연립일차방정식을 간단히 연립방정식이라 한다.

용어

• 연립(나란히 할 聯, 설 立)방정식
방정식 2개를 나란히 짝지어 세운
것

(2) **연립방정식의 해** 연립방정식에서 두 일차방정식을 동시에 만족하는 x, y의 값
또는 그 순서쌍 (x, y)

(3) **연립방정식을 푼다** 연립방정식의 해를 구하는 것

 보기 x, y가 자연수일 때, 연립방정식 $\begin{cases} x+y=6 & \cdots\cdots \text{㉠} \\ 2x+y=10 & \cdots\cdots \text{㉡} \end{cases}$ 의 해를 구해 보자.

$x=1, 2, 3, \cdots$을 일차방정식 ㉠, ㉡에 대입하여 y의 값을 각각 구하면 다음 표와 같다.

㉠의 해

x	1	2	3	4	5	$\cdots$
y	5	4	3	2	1	$\cdots$

→ 연립방정식의 해

㉡의 해

x	1	2	3	4	5	$\cdots$
y	8	6	4	2	0	$\cdots$

x, y가 자연수일 때, ㉠, ㉡을 동시에 만족하는 해는 $(4, 2)$이다.

> • **Lecture** •
>
> • 연립방정식을 푼다 ➡ 두 일차방정식을 모두 만족하는 x, y의 값을 구하는 것

∥개념 확인∥ 5 다음 보기의 연립방정식 중 해가 $(1, 2)$인 것을 모두 고르시오.

┌ **보기** ┐

㉠ $\begin{cases} x+y=3 \\ x-y=-1 \end{cases}$ ㉡ $\begin{cases} x+2y=4 \\ 3x+y=5 \end{cases}$ ㉢ $\begin{cases} 2x+3y=8 \\ 2x-y=0 \end{cases}$ ㉣ $\begin{cases} 5x+3y=13 \\ 2x+3y=8 \end{cases}$

∥개념 확인∥ 6 x, y가 자연수일 때, 연립방정식 $\begin{cases} 3x+y=13 & \cdots\cdots \text{㉠} \\ x+y=7 & \cdots\cdots \text{㉡} \end{cases}$ 에 대하여 다음 표를 완성하고, 해를 순서쌍 (x, y)로 나타내시오.

㉠

x	1	2	3	4	5	6	7
y							

㉡

x	1	2	3	4	5	6	7
y							

개념 기초

1-1

다음 보기 중 미지수가 2개인 일차방정식을 고르시오.

> 보기
> ㉠ $x+xy=2$
> ㉡ $7x-3y=5$
> ㉢ $x^2+y=-2y+x^2+7$
> ㉣ $3x+5y+1$

연구 ㉠ xy항이 있으므로 일차방정식이 아니다.
㉢ $x^2+y=-2y+x^2+7$을 간단히 하면 $\boxed{}-7=0$
➡ 미지수가 $\boxed{}$개인 일차방정식이다.
㉣ 미지수가 2개인 $\boxed{}$이다.

쌍둥이 문제

1-2

다음 보기 중 미지수가 2개인 일차방정식을 모두 고르시오.

> 보기
> ㉠ $y=2x+1$ ㉡ $2x-3y+1=2x-y$
> ㉢ $xy-2x+y=0$ ㉣ $y=\dfrac{3}{x}+5$
> ㉤ $x-y+2$ ㉥ $x(x-1)=x^2+y+3$

2-1

x, y가 자연수일 때, 일차방정식 $2x+y=9$에 대하여 다음 표를 완성하고, 해를 구하시오.

x	1	2	3	4	5
y					

연구 x, y의 값이 모두 $\boxed{}$인 순서쌍을 찾는다.

2-2

x, y가 자연수일 때, 다음 일차방정식을 푸시오.

(1) $2x+y=5$

(2) $x+2y=9$

(3) $3x+2y=18$

3-1

x, y가 자연수일 때, 연립방정식 $\begin{cases} x+y=4 & \cdots\cdots ㉠ \\ x-y=2 & \cdots\cdots ㉡ \end{cases}$에 대하여 다음 표를 완성하고, 해를 구하시오.

㉠
x	1	2	3	4	5	6
y						

㉡
x	1	2	3	4	5	6
y						

연구 연립방정식의 해는 두 일차방정식을 모두 만족하는 x, y의 값 또는 그 순서쌍 (x, y)를 말한다.

3-2

x, y가 자연수일 때, 다음 연립방정식을 푸시오.

(1) $\begin{cases} 4x+y=21 \\ 2x-y=9 \end{cases}$

(2) $\begin{cases} x+2y=7 \\ 3x-y=0 \end{cases}$

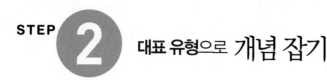
대표 유형 ❶ x, y가 자연수일 때, 일차방정식의 해

유형 해결의 법칙 중 2-1 93쪽

$x=1, 2, 3, \cdots$을 주어진 방정식에 대입하여 y의 값이 자연수가 되는 순서쌍 (x, y)를 찾는다.

1-1 x, y가 자연수일 때, 일차방정식 $3x+2y=15$의 해는 모두 몇 개인가?

① 1개   ② 2개   ③ 3개

④ 4개   ⑤ 5개

풀이 $x=1, 2, 3, \cdots$을 $3x+2y=15$에 대입하여 y의 값을 구하면 다음과 같다.

x	1	2	3	4	5	$\cdots$
y	6	$\frac{9}{2}$	3	$\frac{3}{2}$	0	$\cdots$

x, y가 자연수일 때, 일차방정식 $3x+2y=15$의 해는 $(1, 6), (3, 3)$의 2개이다.

답 ②

쌍둥이 1-2

x, y가 자연수일 때, 다음 중 일차방정식 $x+3y=18$을 만족하는 순서쌍 (x, y)가 <u>아닌</u> 것은?

① $(15, 1)$ ② $(12, 2)$ ③ $(10, 3)$

④ $(6, 4)$ ⑤ $(3, 5)$

쌍둥이 1-3

x, y가 자연수일 때, 일차방정식 $3x+y=10$의 해를 모두 구하시오.

대표 유형 ❷ 일차방정식의 해 또는 계수가 문자로 주어질 때

유형 해결의 법칙 중 2-1 94쪽

일차방정식의 한 해가 (a, b)이다.

➡ 일차방정식에 $x=a, y=b$를 대입하면 등식이 성립한다.

2-1 일차방정식 $2x+3y=21$의 한 해가 $(3, a)$일 때, a의 값을 구하시오.

풀이 $2x+3y=21$에 $x=3, y=a$를 대입하면

$6+3a=21, 3a=15$ $\therefore a=5$

답 5

쌍둥이 2-2

일차방정식 $2x-3y=10$의 한 해가 $(-1, a)$일 때, a의 값을 구하시오.

쌍둥이 2-3

일차방정식 $3x-ay=1$의 한 해가 $(3, 2)$일 때, 상수 a의 값을 구하시오.

대표 유형 ❸ 미지수가 2개인 연립방정식의 해

유형 해결의 법칙 중 2-1 94쪽

연립방정식의 해가 $x=a, y=b$일 때

➡ $x=a, y=b$는 두 일차방정식을 모두 만족시킨다.

➡ 각각의 일차방정식에 $x=a, y=b$를 대입하면 등식이 성립한다.

3-1 다음 연립방정식 중 해가 $x=2, y=3$인 것은?

① $\begin{cases} 4x-3y=-1 \\ 2x-y=3 \end{cases}$ ② $\begin{cases} x-4y=7 \\ 2x+3y=3 \end{cases}$

③ $\begin{cases} x+2y=-1 \\ 3x+5y=4 \end{cases}$ ④ $\begin{cases} 4x+y=11 \\ 6x-y=19 \end{cases}$

⑤ $\begin{cases} 4x+y=11 \\ 3x-y=3 \end{cases}$

풀이 $x=2, y=3$을 두 일차방정식에 각각 대입하면

⑤ $4 \times 2 + 3 = 11, 3 \times 2 - 3 = 3$

따라서 해가 $x=2, y=3$인 것은 ⑤이다.

답 ⑤

쌍둥이 3-2

다음 연립방정식 중 해가 $(2, 0)$인 것은?

① $\begin{cases} x+y=2 \\ 2x+3y=-1 \end{cases}$ ② $\begin{cases} x+3y=-1 \\ 2x-4y=4 \end{cases}$

③ $\begin{cases} x-2y=6 \\ 5x+4y=3 \end{cases}$ ④ $\begin{cases} 2x-y=4 \\ 3x+y=6 \end{cases}$

⑤ $\begin{cases} x-y=2 \\ 2x-y=5 \end{cases}$

대표 유형 ❹ 연립방정식의 해 또는 계수가 문자로 주어질 때

유형 해결의 법칙 중 2-1 95쪽

연립방정식의 해가 $x=a, y=b$이다.

➡ 두 일차방정식에 $x=a, y=b$를 각각 대입하여 미지수의 값을 구한다.

4-1 연립방정식 $\begin{cases} x-y=a \\ -bx-y=6 \end{cases}$의 해가 $x=4, y=6$일 때, $a+b$의 값을 구하시오. (단, a, b는 상수)

풀이 $x=4, y=6$을 $x-y=a$에 대입하면

$4-6=a$ ∴ $a=-2$

$x=4, y=6$을 $-bx-y=6$에 대입하면

$-4b-6=6, -4b=12$ ∴ $b=-3$

∴ $a+b=-2+(-3)=-5$

답 -5

쌍둥이 4-2

연립방정식 $\begin{cases} ax+y=1 \\ -x-by=1 \end{cases}$의 해가 $(2, -1)$일 때, ab의 값을 구하시오. (단, a, b는 상수)

쌍둥이 4-3

연립방정식 $\begin{cases} 2x-3y=7 \\ 2x-by=2 \end{cases}$의 해가 $(2, a)$일 때, $a-b$의 값을 구하시오. (단, b는 상수)

미지수가 2개인 일차방정식

(1) 미지수가 2개인 일차방정식
➡ $ax+by+c=0$
(단, a, b, c는 상수, a ❶ 0, b ❷ 0)

(2) 미지수가 2개인 일차방정식의 해 : 미지수가 x, y의 2 개인 일차방정식을 만족하는 x, y의 값 또는 순서쌍 (x, y)

답 ❶ ≠ ❷ ≠

01

다음 중 미지수가 2개인 일차방정식은?

① $3x-2y+1$ ② $5(x+2)=x+3$

③ $\frac{1}{2}x^2+y=1$ ④ $2x-3y=5$

⑤ $x+2y+2=2(x+y)$

02

다음 중 일차방정식 $2x+y=9$의 해가 **아닌** 것은?

① $(0, 9)$ ② $(1, 7)$ ③ $(2, 5)$

④ $(3, 4)$ ⑤ $(4, 1)$

03

x, y가 자연수일 때, 일차방정식 $4x+y=20$을 만족하는 순서 쌍 (x, y)의 개수는?

① 1   ② 2   ③ 3

④ 4   ⑤ 5

04

서술형

두 순서쌍 $(a, -1)$, $(2, b)$가 모두 일차방정식 $x-3y=-1$ 의 해일 때, $a+b$의 값을 구하시오.

미지수가 2개인 연립일차방정식

(1) 미지수가 2개인 일차방정식 두 개를 한 쌍으로 묶어 놓은 것을 ❶ [   ] (=연립방정식)이라 한다.

(2) 연립방정식의 해 : 두 일차방정식을 모두 만족하는 x, y의 값 또는 순서쌍 (x, y)

답 ❶ 연립일차방정식

05

다음 연립방정식 중 순서쌍 $(2, 3)$을 해로 갖는 것은?

① $\begin{cases} x-y=1 \\ x+2y=7 \end{cases}$ ② $\begin{cases} x+y=5 \\ 2x-y=1 \end{cases}$

③ $\begin{cases} x+4y=6 \\ 5x-y=9 \end{cases}$ ④ $\begin{cases} x+y=4 \\ 3x-2y=0 \end{cases}$

⑤ $\begin{cases} x-y=-1 \\ 2x+y=9 \end{cases}$

06

연립방정식 $\begin{cases} ax+y=5 \\ x-by=13 \end{cases}$ 의 해가 $(4, -3)$일 때, $a-b$의 값 을 구하시오. (단, a, b는 상수)

2 연립방정식의 풀이

개념 ① 연립방정식의 풀이 (1) – 대입법

(1) **대입법** 연립방정식에서 한 방정식을 한 미지수에 대하여 푼 후 그것을 다른 방정식에 대입하여 연립방정식의 해를 구하는 방법

용어
• 대입(대신 代, 들 入)법
  대신 다른 것을 넣는 방법

(2) **대입법을 이용하여 연립방정식을 푸는 방법**

　① 한 방정식을 한 미지수에 대하여 푼다.

　② ①의 식을 다른 방정식에 대입하여 일차방정식을 푼다.

　③ ②에서 구한 해를 ①의 식에 대입하여 다른 미지수의 값을 구한다.

참고 연립방정식의 두 일차방정식 중 어느 하나가 '$x=\sim$'의 꼴이거나 '$y=\sim$'의 꼴일 때에는 대입법을 이용하는 것이 편리하다.

 연립방정식 $\begin{cases} x=5-3y \\ 2x-3y=1 \end{cases}$ 을 대입법을 이용하여 풀어 보자.

$\begin{cases} x=5-3y & \cdots\cdots ㉠ \\ 2x-3y=1 & \cdots\cdots ㉡ \end{cases}$ $\Rightarrow$

㉠을 ㉡에 대입하면
$2\boxed{(5-3y)}-3y=1$

식을 대입할 때에는 반드시 괄호로 묶는다.

$10-6y-3y=1$
$-9y=-9$
$\therefore y=1$

$\Rightarrow$

$y=1$을 ㉠에 대입하면
$x=5-3\times1=2$
따라서 연립방정식의 해는
$x=2,\ y=1$이다.

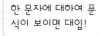 한 문자에 대하여 푼 식이 보이면 대입!

• Lecture •

● 대입법

　① 한 방정식을 $y=(x$에 대한 일차식$)$ 또는 $x=(y$에 대한 일차식$)$의 꼴로 바꾼다.

　② ①의 식을 다른 방정식의 y 또는 x에 대입하여 한 미지수의 값을 구한다.

　③ ②에서 구한 해를 ①의 식에 대입하여 다른 미지수의 값을 구한다.

| 개념 확인 | **1** 다음 연립방정식을 대입법을 이용하여 푸시오.

(1) $\begin{cases} y=3x+1 \\ 3x-2y=1 \end{cases}$　　　　(2) $\begin{cases} y=2x-10 \\ 2x+y=2 \end{cases}$

(3) $\begin{cases} 2x+5y=9 \\ x=-2y+5 \end{cases}$　　　　(4) $\begin{cases} 2x-3y=15 \\ x=-3y+6 \end{cases}$

5 연립방정식의 풀이

개념 ② 연립방정식의 풀이 ⑵ – 가감법

(1) **가감법** 연립방정식에서 두 일차방정식을 변끼리 더하거나 빼어서 한 미지수를

없앤 후 연립방정식의 해를 구하는 방법

용어

• 가감(더할 加, 덜 減)법
  더하거나 빼는 방법

(2) **가감법을 이용하여 연립방정식을 푸는 방법**

① 각 방정식에 적당한 수를 곱하여 없애려는 미지수의 계수의 절댓값이 같도록 한다.

② ①의 두 식을 변끼리 더하거나 빼어서 한 미지수를 없앤 후 방정식을 푼다.

③ ②에서 구한 해를 두 일차방정식 중 간단한 일차방정식에 대입하여 다른 미지수의 값을 구한다.

보기 연립방정식 $\begin{cases} 5x+2y=16 \\ 3x+2y=12 \end{cases}$ 를 가감법을 이용하여 풀어 보자.

$\begin{cases} 5x+2y=16 & \cdots\cdots ㉠ \\ 3x+2y=12 & \cdots\cdots ㉡ \end{cases}$ ⇨

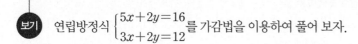

㉠－㉡을 하면

$\begin{array}{r} 5x+2y=16 \\ -)\ 3x+2y=12 \\ \hline 2x\qquad\ =4 \\ \therefore x=2 \end{array}$ ⇨

$x=2$를 ㉠에 대입하면
(㉡에 대입해도 결과는 같다.)
$5\times2+2y=16,\ 2y=6$ $\therefore y=3$

따라서 연립방정식의 해는

$x=2,\ y=3$이다.

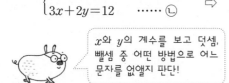

x와 y의 계수를 보고 덧셈, 뺄셈 중 어떤 방법으로 어느 문자를 없앨지 판단!

설명 (1) 없앨 미지수의 계수의 절댓값이 같을 때

 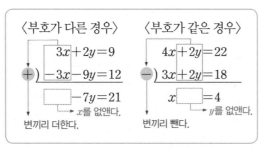

〈부호가 다른 경우〉

$\begin{array}{r} 3x+2y=9 \\ +)\ -3x-9y=12 \\ \hline -7y=21 \end{array}$

변끼리 더한다. → x를 없앤다.

〈부호가 같은 경우〉

$\begin{array}{r} 4x+2y=22 \\ -)\ 3x+2y=18 \\ \hline x\qquad=4 \end{array}$

변끼리 뺀다. → y를 없앤다.

(2) 없앨 미지수의 계수의 절댓값이 다를 때

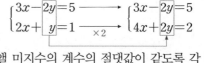

$\begin{cases} 3x-2y=5 \\ 2x+y=1 \end{cases} \xrightarrow{\times2} \begin{cases} 3x-2y=5 \\ 4x+2y=2 \end{cases}$

없앨 미지수의 계수의 절댓값이 같도록 각 방정식의 양변에 적당한 수를 곱한 후 (1)과 같은 방법으로 푼다.

• **Lecture** •

● 가감법

① 없애려는 미지수의 계수의 절댓값이 같도록 만든다.

② 계수의 부호가 같으면 두 식을 빼고, 부호가 다르면 두 식을 더한다.

| 개념 확인 | 2 다음 연립방정식을 가감법을 이용하여 푸시오.

(1) $\begin{cases} x+y=3 \\ x+2y=7 \end{cases}$

(2) $\begin{cases} 2x+y=4 \\ x+y=0 \end{cases}$

(3) $\begin{cases} 2x-3y=2 \\ 4x+6y=0 \end{cases}$

(4) $\begin{cases} 5x-2y=17 \\ 3x+y=8 \end{cases}$

STEP 1 기초 개념 드릴

개념 기초

1-1

연립방정식 $\begin{cases} 5x+y=2 & \cdots\cdots ㉠ \\ 7x+2y=10 & \cdots\cdots ㉡ \end{cases}$ 을 대입법을 이용하여

푸시오.

연구 ㉠을 y에 대하여 풀면

$y=\boxed{}$ $\cdots\cdots$ ㉢

㉢을 ㉡에 대입하면

$7x+2(\boxed{})=10$ $\therefore x=\boxed{}$

$x=\boxed{}$ 를 ㉢에 대입하면 $y=\boxed{}$

2-1

연립방정식 $\begin{cases} 2x-y=4 & \cdots\cdots ㉠ \\ 2x+3y=-4 & \cdots\cdots ㉡ \end{cases}$ 를 가감법을 이용하여

푸시오.

연구 ㉠-㉡을 하면

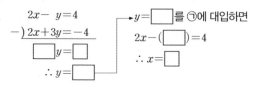

$\begin{array}{r} 2x-\ y=4 \\ -)\ 2x+3y=-4 \\ \hline \boxed{}y=\boxed{} \\ \therefore y=\boxed{} \end{array}$

$y=\boxed{}$ 를 ㉠에 대입하면

$2x-(\boxed{})=4$

$\therefore x=\boxed{}$

3-1

연립방정식 $\begin{cases} 3x-2y=4 & \cdots\cdots ㉠ \\ 8x+3y=19 & \cdots\cdots ㉡ \end{cases}$ 를 가감법을 이용하여

푸시오.

연구 ㉠×3+㉡×2를 하면

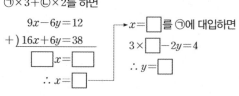

$\begin{array}{r} 9x-6y=12 \\ +)\ 16x+6y=38 \\ \hline \boxed{}x=\boxed{} \\ \therefore x=\boxed{} \end{array}$

$x=\boxed{}$ 를 ㉠에 대입하면

$3\times\boxed{}-2y=4$

$\therefore y=\boxed{}$

쌍둥이 문제

1-2

다음 연립방정식을 대입법을 이용하여 푸시오.

(1) $\begin{cases} 4x+2y=24 \\ x=2y+1 \end{cases}$ (2) $\begin{cases} 4x+3y=-4 \\ 2x+y=1 \end{cases}$

2-2

다음 연립방정식을 가감법을 이용하여 푸시오.

(1) $\begin{cases} x+2y=11 \\ 3x-2y=5 \end{cases}$ (2) $\begin{cases} 3x-y=7 \\ x-y=3 \end{cases}$

3-2

다음 연립방정식을 가감법을 이용하여 푸시오.

(1) $\begin{cases} 4x-3y=2 \\ 3x-y=4 \end{cases}$ (2) $\begin{cases} 5x-3y=12 \\ 2x-5y=1 \end{cases}$

5 연립방정식의 풀이

대표 유형 ❶   연립방정식의 풀이 (1) – 대입법

유형 해결의 법칙 중 2-1 95쪽

① 두 방정식 중에서 한 방정식을 $x=(y$에 대한 일차식$)$ 또는 $y=(x$에 대한 일차식$)$으로 바꾼다.

② ①의 식을 다른 방정식에 대입하여 푼다.

1-1 연립방정식 $\begin{cases} x=3y-2 & \cdots\cdots ㉠ \\ 3x-2y=13 & \cdots\cdots ㉡ \end{cases}$ 을 대입법으로 풀기 위해 ㉠을 ㉡에 대입하였더니 $ay=19$가 되었다. 이때 상수 a의 값을 구하시오.

풀이 ㉠을 ㉡에 대입하면

$3(3y-2)-2y=13,\ 7y=19$

$\therefore a=7$

답 7

쌍둥이 1-2

연립방정식 $\begin{cases} x+4y=7 & \cdots\cdots ㉠ \\ y=2x-1 & \cdots\cdots ㉡ \end{cases}$ 을 풀기 위하여 ㉡을 ㉠에 대입하였더니 $9x=a$가 되었다. 이때 상수 a의 값을 구하시오.

쌍둥이 1-3

다음 연립방정식을 대입법을 이용하여 푸시오.

(1) $\begin{cases} x=y+5 \\ 5x+2y=4 \end{cases}$ (2) $\begin{cases} 2x-3y=8 \\ 3x+y=1 \end{cases}$

대표 유형 ❷   연립방정식의 풀이 (2) – 가감법

유형 해결의 법칙 중 2-1 96쪽

① 각 방정식에 적당한 수를 곱하여 없애려는 미지수의 계수의 절댓값을 같게 한다.

② 없애려는 미지수의 계수의 부호가 같으면 두 식을 빼고, 부호가 다르면 두 식을 더한다.

2-1 연립방정식 $\begin{cases} -2x+3y=2 & \cdots\cdots ㉠ \\ 7x+2y=-3 & \cdots\cdots ㉡ \end{cases}$ 을 가감법을 이용하여 풀려고 한다. y를 없애기 위해 다음 중 필요한 식은?

① ㉠$\times 7+$㉡$\times 2$ ② ㉠$\times 7-$㉡$\times 2$

③ ㉠$\times 2+$㉡$\times 3$ ④ ㉠$\times 2-$㉡$\times 3$

⑤ ㉠$\times 3-$㉡$\times 2$

풀이 y를 없애려면 y의 계수의 절댓값이 같아야 하므로 필요한 식은 ㉠$\times 2-$㉡$\times 3$이다.

답 ④

쌍둥이 2-2

연립방정식 $\begin{cases} 2x+3y=-5 & \cdots\cdots ㉠ \\ 5x-2y=12 & \cdots\cdots ㉡ \end{cases}$ 에서 x를 없애기 위해 다음 중 필요한 식은?

① ㉠$\times 3-$㉡$\times 2$ ② ㉠$\times 3+$㉡$\times 2$

③ ㉠$\times 5-$㉡$\times 2$ ④ ㉠$\times 5+$㉡$\times 2$

⑤ ㉠$\times 3-$㉡$\times 5$

쌍둥이 2-3

다음 연립방정식을 가감법을 이용하여 푸시오.

(1) $\begin{cases} 2x-y=14 \\ x+2y=2 \end{cases}$ (2) $\begin{cases} -3x+4y=10 \\ 2x-3y=-7 \end{cases}$

대표 유형 ③ 연립방정식의 해가 주어질 때 미지수의 값 구하기

유형 해결의 법칙 중 2-1 97쪽

① 주어진 연립방정식의 해를 각 방정식에 대입한다.
② 새로운 미지수에 대한 연립방정식을 푼다.

3-1 연립방정식 $\begin{cases} ax-by=8 \\ ax+by=4 \end{cases}$ 의 해가 $x=1, y=-2$일 때, 상수 a, b의 값을 각각 구하시오.

풀이 $x=1, y=-2$를 주어진 두 일차방정식에 각각 대입하면

$\begin{cases} a+2b=8 & \cdots\cdots \bigcirc \\ a-2b=4 & \cdots\cdots \bigcirc \end{cases}$

$\bigcirc+\bigcirc$을 하면 $2a=12$ $\quad \therefore a=6$

$a=6$을 $\bigcirc$에 대입하면

$6+2b=8, 2b=2$ $\quad \therefore b=1$

답 $a=6, b=1$

쌍둥이 3-2

연립방정식 $\begin{cases} ax+by=4 \\ bx+ay=-7 \end{cases}$ 의 해가 $(2, 1)$일 때, $a-b$의 값을 구하시오. (단, a, b는 상수)

대표 유형 ④ 연립방정식의 해의 조건이 주어질 때 미지수의 값 구하기

유형 해결의 법칙 중 2-1 98쪽

① x, y에 대한 조건을 식으로 나타낸다.
② x, y 이외의 미지수가 없는 두 일차방정식으로 연립방정식을 세워 해를 구한다.
③ ②에서 구한 해를 나머지 일차방정식에 대입하여 미지수의 값을 구한다.

4-1 연립방정식 $\begin{cases} 4x+3y=5 \\ ax-3y=1 \end{cases}$ 을 만족하는 y의 값이 x의 값의 2배일 때, 상수 a의 값을 구하시오.

풀이 y의 값이 x의 값의 2배이므로 $y=2x$

주어진 연립방정식의 해는 세 일차방정식을 모두 만족하므로

연립방정식 $\begin{cases} 4x+3y=5 & \cdots\cdots \bigcirc \\ y=2x & \cdots\cdots \bigcirc \end{cases}$ 의 해와 같다.

$\bigcirc$을 $\bigcirc$에 대입하면 $10x=5$ $\quad \therefore x=\dfrac{1}{2}$

$x=\dfrac{1}{2}$을 $\bigcirc$에 대입하면 $y=1$

$x=\dfrac{1}{2}, y=1$을 $ax-3y=1$에 대입하면

$\dfrac{1}{2}a-3=1, \dfrac{1}{2}a=4$ $\quad \therefore a=8$

답 8

쌍둥이 4-2

연립방정식 $\begin{cases} 4x-ay=2 \\ x+y=8 \end{cases}$ 을 만족하는 y의 값이 x의 값의 3배일 때, 상수 a의 값을 구하시오.

쌍둥이 4-3

연립방정식 $\begin{cases} 2x+3y=8 \\ x+ay=-2 \end{cases}$ 의 해가 일차방정식 $2x-y=-4$를 만족할 때, 상수 a의 값을 구하시오.

5 연립방정식의 풀이

대표 유형 5 해가 같은 두 연립방정식에서 미지수의 값 구하기

유형 해결의 법칙 중 2-1 99쪽

① x, y 이외의 미지수가 없는 두 일차방정식으로 연립방정식을 세워 해를 구한다.

② ①에서 구한 해를 나머지 두 일차방정식에 각각 대입하여 미지수의 값을 구한다.

5-1 두 연립방정식

$$\begin{cases} y=2x+1 & \cdots\cdots ㉠ \\ ax+y=-3 & \cdots\cdots ㉡ \end{cases} \begin{cases} x+by=1 & \cdots\cdots ㉢ \\ -x+y=3 & \cdots\cdots ㉣ \end{cases}$$

의 해가 서로 같을 때, 상수 a, b의 값을 각각 구하시오.

풀이 두 연립방정식의 해가 같으므로 그 해는 a, b가 없는 두 일차방정식으로 연립방정식을 세워 해를 구한 것과 같다.

$$\begin{cases} y=2x+1 & \cdots\cdots ㉠ \\ -x+y=3 & \cdots\cdots ㉣ \end{cases}$$ 에서 ㉠을 ㉣에 대입하면

$-x+(2x+1)=3$ ∴ $x=2$

$x=2$를 ㉠에 대입하면 $y=2\times2+1=5$

$x=2, y=5$를 ㉡에 대입하면

$2a+5=-3, 2a=-8$ ∴ $a=-4$

$x=2, y=5$를 ㉢에 대입하면

$2+5b=1, 5b=-1$ ∴ $b=-\dfrac{1}{5}$

답 $a=-4, b=-\dfrac{1}{5}$

쌍둥이 5-2

다음 두 연립방정식의 해가 서로 같을 때, 물음에 답하시오. (단, a, b는 상수)

$$\begin{cases} 2x+by=6 & \cdots\cdots ㉠ \\ 3x+y=5 & \cdots\cdots ㉡ \end{cases} \begin{cases} 2x-y=5 & \cdots\cdots ㉢ \\ ax+2y=4 & \cdots\cdots ㉣ \end{cases}$$

(1) a, b가 없는 두 일차방정식으로 연립방정식을 세우고 그 해를 구하시오.

➡ $$\begin{cases} 3x+y=5 & \cdots\cdots ㉡ \\ 2x-y=5 & \cdots\cdots ㉢ \end{cases}$$

(2) (1)에서 구한 해를 ㉣에 대입하여 a의 값을 구하시오.

(3) (1)에서 구한 해를 ㉠에 대입하여 b의 값을 구하시오.

(4) ab의 값을 구하시오.

쌍둥이 5-3

다음 두 연립방정식의 해가 서로 같을 때, $a+b$의 값을 구하시오. (단, a, b는 상수)

$$\begin{cases} 2x+y=5 & \cdots\cdots ㉠ \\ ax+3y=3 & \cdots\cdots ㉡ \end{cases} \begin{cases} 3x-by=12 & \cdots\cdots ㉢ \\ y=-x+1 & \cdots\cdots ㉣ \end{cases}$$

연립방정식의 풀이

(1) 대입법을 이용한 연립방정식의 풀이
  ① 한 방정식을 $y=(x$에 대한 일차식) 또는 $x=(y$에 대한 일차식)의 꼴로 바꾼다.
  ② ①의 식을 다른 방정식의 y 또는 x에 **❶** 하여 푼다.
(2) 가감법을 이용한 연립방정식의 풀이
  ① 두 방정식에 적당한 수를 곱하여 없애려는 미지수의 계수의 절댓값을 같게 만든다.
  ② 계수의 부호가 같으면 두 식을 **❷** , 부호가 다르면 두 식을 더한다.

답 ❶ 대입 ❷ 빼고

01

연립방정식 $\begin{cases} 5x-2y=7 & \cdots\cdots\, \text{㉠} \\ 2y=x+3 & \cdots\cdots\, \text{㉡} \end{cases}$ 을 풀기 위하여 ㉡을 ㉠에 대입하였더니 $2x=a$가 되었다. 이때 상수 a의 값을 구하시오.

02

연립방정식 $\begin{cases} x+2y=21 \\ x=3y-4 \end{cases}$ 의 해를 $x=a,\ y=b$라 할 때, $b-a$의 값은?

① -11 ② -6 ③ 5
④ 6 ⑤ 16

03

연립방정식 $\begin{cases} y=2x-11 \\ y=-2x-3 \end{cases}$ 의 해를 구하시오.

04

연립방정식 $\begin{cases} 3x+4y=18 \\ x-4y=-10 \end{cases}$ 의 해를 $(p,\ q)$라 할 때, $p+q$의 값은?

① 1 ② 2 ③ 3
④ 4 ⑤ 5

05

연립방정식 $\begin{cases} 2x-3y=8 & \cdots\cdots\, \text{㉠} \\ x+4y=3 & \cdots\cdots\, \text{㉡} \end{cases}$ 에서 y를 없애기 위해 다음 중 필요한 식은?

① ㉠$+$㉡$\times2$ ② ㉠$-$㉡$\times2$
③ ㉠$\times4-$㉡$\times2$ ④ ㉠$\times4+$㉡$\times3$
⑤ ㉠$\times4-$㉡$\times3$

06

다음 연립방정식 중 해가 나머지 넷과 다른 하나는?

① $\begin{cases} 2x+3y=-1 \\ x-y=2 \end{cases}$ ② $\begin{cases} 3x-2y=5 \\ x+y=0 \end{cases}$

③ $\begin{cases} 7x-y=8 \\ x+9y=-8 \end{cases}$ ④ $\begin{cases} x+y=0 \\ 2x-5y=7 \end{cases}$

⑤ $\begin{cases} 3x+y=0 \\ 3x+2y=9 \end{cases}$

07 〔서술형〕

연립방정식 $\begin{cases} 2x+5y=12 \\ 3x+ay=4 \end{cases}$ 의 해가 $(1, b)$일 때, ab의 값을 구하시오. (단, a는 상수)

08 ★

연립방정식 $\begin{cases} ax+by=11 \\ bx+ay=5 \end{cases}$ 의 해가 $x=-2, y=1$일 때, $a+b$의 값을 구하시오. (단, a, b는 상수)

09

연립방정식 $\begin{cases} 2x+y=-5 \\ x+2y=a \end{cases}$ 를 만족하는 x의 값이 y의 값의 2배일 때, 상수 a의 값은?

① -7 ② -4 ③ -1
④ 2 ⑤ 5

10 ★

연립방정식 $\begin{cases} -x+4y=a \\ 2x+3y=9 \end{cases}$ 의 해가 일차방정식 $y=3x-8$을 만족할 때, 상수 a의 값을 구하시오.

11 ★ 〔서술형〕

다음 두 연립방정식의 해가 같을 때, 다음 물음에 답하시오.
(단, a, b는 상수)

$$\begin{cases} 2ax-y=1 \\ x+2y=4 \end{cases}, \quad \begin{cases} x+2by=8 \\ 2x-y=3 \end{cases}$$

(1) 두 연립방정식의 해를 구하시오.

(2) ab의 값을 구하시오.

12

연립방정식 $\begin{cases} 2x+3y=5 & \cdots\cdots \ ㉠ \\ x+2y=7 & \cdots\cdots \ ㉡ \end{cases}$ 을 풀 때, 방정식 ㉡의 상수항 7을 잘못 보고 풀어서 $x=-2$가 되었다. 이때 상수항 7을 어떤 수로 잘못 보고 풀었는지 구하시오.

13

다음 그림과 같이 차례대로 주어진 연산을 통하여 값을 얻었다고 할 때, x와 y의 값을 각각 구하시오.

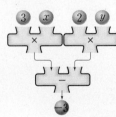

개념 1 복잡한 연립방정식의 풀이 (1)

(1) 괄호가 있는 연립방정식

분배법칙을 이용하여 괄호를 풀고 동류항끼리 간단히 정리한 후 푼다.

(예) $\begin{cases} 5x-3(x+2y)=20 \\ x+3y=2 \end{cases}$ ➡ $\begin{cases} 5x-3x-6y=20 \\ x+3y=2 \end{cases}$ ➡ $\begin{cases} 2x-6y=20 \\ x+3y=2 \end{cases}$

(2) 계수가 분수인 연립방정식

양변의 모든 항에 분모의 최소공배수를 곱하여 계수를 정수로 바꾼 후 푼다.

(예) $\begin{cases} \dfrac{1}{2}x-\dfrac{1}{3}y=3 \\ \dfrac{1}{4}x-\dfrac{1}{3}y=1 \end{cases}$

양변에 분모의 최소공배수 6을 곱한다.
양변에 분모의 최소공배수 12를 곱한다.

➡ $\begin{cases} 3x-2y=18 \\ 3x-4y=12 \end{cases}$

 연립방정식 $\begin{cases} \dfrac{x}{5}-\dfrac{y}{2}=-\dfrac{4}{5} \\ \dfrac{x}{3}+\dfrac{y}{2}=4 \end{cases}$ 를 풀어 보자.

$\begin{cases} \dfrac{x}{5}-\dfrac{y}{2}=-\dfrac{4}{5} \\ \dfrac{x}{3}+\dfrac{y}{2}=4 \end{cases}$

양변에 분모 5와 2의 최소공배수 10을 곱한다.
양변에 분모 3과 2의 최소공배수 6을 곱한다.

$\begin{cases} 2x-5y=-8 & \cdots\cdots \text{㉠} \\ 2x+3y=24 & \cdots\cdots \text{㉡} \end{cases}$

양변의 모든 항에 똑같이 곱해야 해!

㉠-㉡을 하면 $-8y=-32$ ∴ $y=4$

$y=4$를 ㉠에 대입하면 $2x-20=-8$, $2x=12$ ∴ $x=6$

따라서 연립방정식의 해는 $x=6$, $y=4$이다.

• Lecture •

● 괄호가 있는 경우에는 분배법칙을 이용하여 괄호를 푼다.

● 계수가 분수인 경우에는 양변에 분모의 최소공배수를 곱하여 계수를 정수로 바꾼 후 푼다.

| 개념 확인 | **1** 다음 연립방정식을 푸시오.

(1) $\begin{cases} 2(x-y)+3y=3 \\ x-2y=4 \end{cases}$

(2) $\begin{cases} 2x+3y=0 \\ 6(y+2)-(2x+3y)=0 \end{cases}$

| 개념 확인 | **2** 다음 연립방정식을 푸시오.

(1) $\begin{cases} \dfrac{1}{2}x-\dfrac{1}{3}y=\dfrac{2}{3} \\ \dfrac{1}{3}x+\dfrac{1}{6}y=\dfrac{5}{6} \end{cases}$

(2) $\begin{cases} \dfrac{x}{4}-\dfrac{y}{6}=1 \\ \dfrac{x}{3}-\dfrac{y}{4}=\dfrac{2}{3} \end{cases}$

(1) 계수가 소수인 연립방정식

양변의 모든 항에 10, 100, 1000, …의 <u>10의 거듭제곱을 곱하여</u> 계수를 정수로 바꾼 후 푼다.

예 $\begin{cases} 0.1x+0.2y=0.6 \\ 0.3x+0.2y=1 \end{cases}$ ──양변에 10을 곱한다.→ $\begin{cases} x+2y=6 \\ 3x+2y=10 \end{cases}$

(2) $A=B=C$ 꼴의 방정식

연립방정식 $\begin{cases} A=B \\ A=C \end{cases}$ 또는 $\begin{cases} A=B \\ B=C \end{cases}$ 또는 $\begin{cases} A=C \\ B=C \end{cases}$ 중 가장 간단한 것을 선택하여 푼다.

예 $x+3y=2x+y=15$는 $\begin{cases} x+3y=2x+y \\ x+3y=15 \end{cases}$ 또는 $\begin{cases} x+3y=2x+y \\ 2x+y=15 \end{cases}$ 또는 $\begin{cases} x+3y=15 \\ 2x+y=15 \end{cases}$ 중 가장 간단한 것을 선택하여 푼다.

보기 (1) 연립방정식 $\begin{cases} x-0.3y=1.1 \\ 0.07x+0.04y=0.26 \end{cases}$을 풀어 보자.

$\begin{cases} x-0.3y=1.1 \\ 0.07x+0.04y=0.26 \end{cases}$ ──양변에 10을 곱한다.── / ──양변에 100을 곱한다.──→ $\begin{cases} 10x-3y=11 \quad \cdots\cdots \text{㉠} \\ 7x+4y=26 \quad \cdots\cdots \text{㉡} \end{cases}$

㉠×4+㉡×3을 하면 $61x=122$ ∴ $x=2$

$x=2$를 ㉠에 대입하면 $20-3y=11$, $-3y=-9$ ∴ $y=3$

따라서 연립방정식의 해는 $x=2, y=3$이다.

(2) 방정식 $x+2y+2=-2x+y=3$을 풀어 보자.

$\begin{cases} x+2y+2=3 \\ -2x+y=3 \end{cases}$ ⇨ $\begin{cases} x+2y=1 \quad \cdots\cdots \text{㉠} \\ -2x+y=3 \quad \cdots\cdots \text{㉡} \end{cases}$

㉠×2+㉡을 하면 $5y=5$ ∴ $y=1$

$y=1$을 ㉠에 대입하면 $x+2=1$ ∴ $x=-1$

따라서 방정식의 해는 $x=-1, y=1$이다.

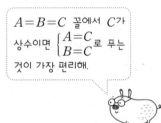

$A=B=C$ 꼴에서 C가 상수이면 $\begin{cases} A=C \\ B=C \end{cases}$로 푸는 것이 가장 편리해.

─• Lecture •─

● 계수가 소수인 연립방정식 ➡ 양변에 10의 거듭제곱을 곱하여 계수를 정수로 바꾼 후 푼다.

● $A=B=C$ 꼴인 방정식 ➡ 세 연립방정식 $\begin{cases} A=B \\ A=C \end{cases}, \begin{cases} A=B \\ B=C \end{cases}, \begin{cases} A=C \\ B=C \end{cases}$의 해가 모두 같으므로 이 중 가장 간단한 것을 선택하여 푼다.

┃개념 확인┃ **3** 다음 연립방정식을 푸시오.

(1) $\begin{cases} 0.5x-y=2 \\ 0.3x-1.2y=0.6 \end{cases}$

(2) $\begin{cases} 0.02x+0.07y=0.01 \\ 0.5x+0.8y=-0.7 \end{cases}$

┃개념 확인┃ **4** 다음 방정식을 푸시오.

(1) $3x-4y=5x-7y=1$

(2) $3x+5y=4x+6=x+y+2$

개념 3 해가 특수한 연립방정식

(1) 해가 무수히 많은 연립방정식

두 일차방정식을 변형하였을 때, 미지수의 계수와 상수항이 각각 같은 경우

➡ 미지수를 없애면 $0 \times x + 0 \times y = 0$의 꼴

 $\begin{cases} 2x - y = 5 \\ 6x - 3y = 15 \end{cases}$ ➡ $\begin{array}{r} 6x - 3y = 15 \\ -) \ 6x - 3y = 15 \\ \hline 0 \times x + 0 \times y = 0 \end{array}$ → 이 식을 만족하는 순서쌍 (x, y)가 무수히 많다.

(2) 해가 없는 연립방정식

두 일차방정식을 변형하였을 때, 미지수의 계수는 각각 같고 상수항은 서로 다른 경우

➡ 미지수를 없애면 $0 \times x + 0 \times y = k (k \neq 0)$의 꼴

예 $\begin{cases} x + y = 3 \\ 3x + 3y = 6 \end{cases}$ ➡ $\begin{array}{r} 3x + 3y = 9 \\ -) \ 3x + 3y = 6 \\ \hline 0 \times x + 0 \times y = 3 \end{array}$ → 이 식을 만족하는 순서쌍 (x, y)가 없다.

참고 연립방정식 $\begin{cases} ax + by = c \\ a'x + b'y = c' \end{cases}$ 에서

(1) 해가 무수히 많은 경우	(2) 해가 없는 경우	(3) 해가 한 개인 경우
$\dfrac{a}{a'} = \dfrac{b}{b'} = \dfrac{c}{c'}$	$\dfrac{a}{a'} = \dfrac{b}{b'} \neq \dfrac{c}{c'}$	$\dfrac{a}{a'} \neq \dfrac{b}{b'}$

(1) $\begin{cases} -2x + 3y = 1 \\ -4x + 6y = 2 \end{cases}$

➡ $\dfrac{-2}{-4} = \dfrac{3}{6} = \dfrac{1}{2}$

➡ 해가 무수히 많다.

(2) $\begin{cases} x - 2y = 3 \\ 2x - 4y = -1 \end{cases}$

➡ $\dfrac{1}{2} = \dfrac{-2}{-4} \neq \dfrac{3}{-1}$

➡ 해가 없다.

(3) $\begin{cases} 2x + 3y = -1 \\ 3x - y = 2 \end{cases}$

➡ $\dfrac{2}{3} \neq \dfrac{3}{-1}$

➡ 해가 한 개이다.

• Lecture •

● 두 일차방정식을 x, y의 계수가 각각 같도록 변형하였을 때

(ⅰ) 상수항이 같다. ➡ 해가 무수히 많다.

(ⅱ) 상수항이 다르다. ➡ 해가 없다.

| 개념 확인 | 5 다음 연립방정식을 푸시오.

(1) $\begin{cases} 3x + 2y = 6 \\ 6x + 4y = 12 \end{cases}$

(2) $\begin{cases} x - y = 2 \\ 3x - 3y = 4 \end{cases}$

(3) $\begin{cases} 2x - y = 1 \\ 4x - 2y = 3 \end{cases}$

(4) $\begin{cases} x - 3y = 1 \\ -2x + 6y = -2 \end{cases}$

5 연립방정식의 풀이

개념 기초

1-1

연립방정식 $\begin{cases} \dfrac{1}{2}x - \dfrac{1}{3}y = 1 & \cdots\cdots\ \text{㉠} \\ \dfrac{1}{5}x - \dfrac{1}{4}y = -1 & \cdots\cdots\ \text{㉡} \end{cases}$ 을 푸시오.

연구 ㉠의 양변에 분모의 최소공배수 ☐을 곱하면

☐☐☐☐☐☐

㉡의 양변에 분모의 최소공배수 ☐을 곱하면

☐☐☐☐☐☐

∴ $x = $☐, $y = $☐

2-1

연립방정식 $\begin{cases} 0.4x + 0.1y = 0.2 & \cdots\cdots\ \text{㉠} \\ 0.7x + 0.2y = 0.5 & \cdots\cdots\ \text{㉡} \end{cases}$ 를 푸시오.

연구 ㉠의 양변에 ☐을 곱하면

☐☐☐☐☐☐

㉡의 양변에 ☐을 곱하면

☐☐☐☐☐☐

∴ $x = $☐, $y = $☐

3-1

다음 ☐ 안에 알맞은 수를 써넣고, 연립방정식을 푸시오.

(1) $\begin{cases} x - 2y = 3 \\ -2x + 4y = -6 \end{cases}$ ➡ $\begin{cases} -2x + \square\, y = \square \\ -2x + 4y = -6 \end{cases}$

(2) $\begin{cases} x + y = 5 \\ 4x + 4y = 10 \end{cases}$ ➡ $\begin{cases} 4x + \square\, y = \square \\ 4x + 4y = 10 \end{cases}$

연구 두 일차방정식에서 x, y의 계수가 각각 같을 때
- 상수항이 같으면 해가 ☐☐☐☐☐.
- 상수항이 다르면 해가 ☐☐☐.

쌍둥이 문제

1-2

다음 연립방정식을 푸시오.

(1) $\begin{cases} 3x - 2(x + 2y) = 12 \\ 2(x - y) = 2 - 5y \end{cases}$

(2) $\begin{cases} \dfrac{3}{10}x + \dfrac{4}{5}y = 2 \\ \dfrac{x}{4} - \dfrac{y}{12} = -\dfrac{4}{3} \end{cases}$

2-2

연립방정식 $\begin{cases} 0.2x - 0.3y = -1 \\ 0.4x - 5y = 6.8 \end{cases}$ 을 푸시오.

2-3

방정식 $2x + y - 3 = 3x - 5y + 2 = x - y$를 푸시오.

3-2

다음 연립방정식을 푸시오.

(1) $\begin{cases} x + 2y = 5 \\ 3x + 6y = 7 \end{cases}$

(2) $\begin{cases} -x + 3y = 1 \\ 4x - 12y = -4 \end{cases}$

대표 유형 ❶ 괄호가 있는 연립방정식의 풀이

유형 해결의 법칙 중 2-1 102쪽

괄호가 있으면 ➡ 분배법칙을 이용하여 괄호를 풀고 동류항끼리 간단히 한다.

$$\begin{cases} 2(x+y)-x=1 \\ 3x-y=2(x+y) \end{cases} \Rightarrow \begin{cases} 2x+2y-x=1 \\ 3x-y=2x+2y \end{cases} \Rightarrow \begin{cases} x+2y=1 \\ x-3y=0 \end{cases}$$

1-1 연립방정식 $\begin{cases} 5(x-1)-3y=4(x+2) & \cdots\cdots \ \bigcirc \\ 2(x-7)=5(y-1)+15 & \cdots\cdots \ \bigcirc\!\!\bigcirc \end{cases}$

의 해를 $x=a, y=b$라 할 때, $a+b$의 값을 구하시오.

쌍둥이 1-2

다음 연립방정식을 푸시오.

(1) $\begin{cases} 3x-y=11 \\ 2x+3(x-y)=21 \end{cases}$

풀이 ㉠을 간단히 하면 $x-3y=13$ $\cdots\cdots$ ㉢

㉡을 간단히 하면 $2x-5y=24$ $\cdots\cdots$ ㉣

㉢$\times 2-$㉣을 하면 $-y=2$ ∴ $y=-2$

$y=-2$를 ㉢에 대입하면 $x+6=13$ ∴ $x=7$

따라서 $a=7, b=-2$이므로

$a+b=7+(-2)=5$

(2) $\begin{cases} 3(x+2y)-x=14 \\ x+2(2x+y)=-4 \end{cases}$

답 5

대표 유형 ❷ 계수가 분수인 연립방정식의 풀이

유형 해결의 법칙 중 2-1 102쪽

계수가 분수이면 ➡ 분모의 최소공배수를 양변에 곱하여 계수를 정수로 바꾼다.

$$\begin{cases} \dfrac{1}{2}x+\dfrac{1}{3}y=\dfrac{1}{6} & \xrightarrow{\text{분모의 최소공배수 6을 곱한다.}} \\ \dfrac{2}{3}x+\dfrac{1}{9}y=1 & \xrightarrow{\text{분모의 최소공배수 9를 곱한다.}} \end{cases} \begin{cases} 3x+2y=1 \\ 6x+y=9 \end{cases}$$

2-1 연립방정식 $\begin{cases} \dfrac{x-y}{2}+\dfrac{3}{10}y=1 & \cdots\cdots \ \bigcirc \\ \dfrac{3}{2}x-y=1 & \cdots\cdots \ \bigcirc\!\!\bigcirc \end{cases}$ 의 해를

$x=a, y=b$라 할 때, ab의 값을 구하시오.

쌍둥이 2-2

다음 연립방정식을 푸시오.

(1) $\begin{cases} \dfrac{1}{4}x+\dfrac{1}{3}y=5 \\ \dfrac{1}{2}x-y=5 \end{cases}$

(2) $\begin{cases} \dfrac{x-1}{3}=\dfrac{y+3}{5} \\ 5x+6y=-13 \end{cases}$

풀이 ㉠$\times 10$을 하면 $5(x-y)+3y=10$

$5x-2y=10$ $\cdots\cdots$ ㉢

㉡$\times 2$를 하면 $3x-2y=2$ $\cdots\cdots$ ㉣

㉢$-$㉣을 하면 $2x=8$ ∴ $x=4$

$x=4$를 ㉢에 대입하면

$20-2y=10, -2y=-10$ ∴ $y=5$

따라서 $a=4, b=5$이므로

$ab=4\times 5=20$

쌍둥이 2-3

연립방정식 $\begin{cases} x=2y+4 \\ \dfrac{x-2}{3}=\dfrac{y+1}{2} \end{cases}$ 의 해를 $x=a, y=b$라 할 때,

$a+b$의 값을 구하시오.

답 20

5 연립방정식의 풀이

대표 유형 **3** 계수가 소수인 연립방정식의 풀이

유형 해결의 법칙 중 2-1 103쪽

계수가 소수이면 ➡ 10의 거듭제곱을 양변에 곱하여 계수를 정수로 바꾼다.

$$\begin{cases} 0.6x+0.2y=2 \\ 0.2x-0.3y=-0.5 \end{cases} \xrightarrow[\text{양변에 } 10\text{을 곱한다.}]{\text{양변에 } 10\text{을 곱한다.}} \begin{cases} 6x+2y=20 \\ 2x-3y=-5 \end{cases}$$

3-1 연립방정식 $\begin{cases} 0.3x+0.4y=2.1 & \cdots\cdots ㉠ \\ \dfrac{2}{3}x+\dfrac{1}{2}y=\dfrac{7}{2} & \cdots\cdots ㉡ \end{cases}$ 의 해를

$x=a,\ y=b$라 할 때, $a+b$의 값을 구하시오.

풀이 ㉠×10을 하면 $3x+4y=21$ $\cdots\cdots$ ㉢

㉡×6을 하면 $4x+3y=21$ $\cdots\cdots$ ㉣

㉢×4-㉣×3을 하면 $7y=21$ $\therefore y=3$

$y=3$을 ㉢에 대입하면

$3x+12=21,\ 3x=9$ $\therefore x=3$

따라서 $a=3,\ b=3$이므로

$a+b=3+3=6$

답 6

쌍둥이 3-2

다음 연립방정식을 푸시오.

(1) $\begin{cases} 0.2x-0.5y=-0.5 \\ 0.7x-y=0.5 \end{cases}$

(2) $\begin{cases} 0.07x-0.1y=-0.11 \\ 0.3x+0.2y=0 \end{cases}$

(3) $\begin{cases} \dfrac{x}{4}-\dfrac{y}{5}=\dfrac{2}{5} \\ 0.3x-0.2y=0.8 \end{cases}$

대표 유형 **4** $A=B=C$ 꼴의 방정식의 풀이

유형 해결의 법칙 중 2-1 104쪽

$A=B=C$ 꼴의 방정식 ➡ $\begin{cases} A=B \\ A=C \end{cases}$ 또는 $\begin{cases} A=B \\ B=C \end{cases}$ 또는 $\begin{cases} A=C \\ B=C \end{cases}$ 중 가장 간단한 것을 선택하여 푼다.

4-1 방정식 $\dfrac{2x-y}{3}=\dfrac{3x+y}{3}=5$의 해를 $x=a,\ y=b$라 할 때, ab의 값을 구하시오.

풀이 주어진 방정식의 해는 다음 연립방정식의 해와 같다.

$\begin{cases} \dfrac{2x-y}{3}=5 & \cdots\cdots ㉠ \\ \dfrac{3x+y}{3}=5 & \cdots\cdots ㉡ \end{cases}$

㉠×3을 하면 $2x-y=15$ $\cdots\cdots$ ㉢

㉡×3을 하면 $3x+y=15$ $\cdots\cdots$ ㉣

㉢+㉣을 하면 $5x=30$ $\therefore x=6$

$x=6$을 ㉢에 대입하면 $12-y=15$ $\therefore y=-3$

따라서 $a=6,\ b=-3$이므로

$ab=6\times(-3)=-18$

답 -18

쌍둥이 4-2

다음 방정식을 푸시오.

(1) $2x+3y=-x-6y=6$

(2) $2(x-y)+1=x-4y+7=-3y-2$

(3) $\dfrac{2x+y}{4}=\dfrac{5x+3y-3}{2}=\dfrac{x+4y-6}{6}$

대표 유형 ⑤ 해가 특수한 연립방정식

유형 해결의 법칙 중 2-1 104, 105쪽

두 일차방정식을 x, y의 계수가 각각 같도록 변형하였을 때
(ⅰ) 상수항이 같은 경우 ➡ 해가 무수히 많다.
(ⅱ) 상수항이 다른 경우 ➡ 해가 없다.

5-1 다음 연립방정식 중 해가 <u>없는</u> 것은?

① $\begin{cases} 3x+2y=5 \\ 5x+y=13 \end{cases}$ ② $\begin{cases} x-2y=1 \\ 3x-6y=3 \end{cases}$

③ $\begin{cases} y=3x-2 \\ y=x+2 \end{cases}$ ④ $\begin{cases} 2x+3y=2 \\ 3x+4y=3 \end{cases}$

⑤ $\begin{cases} 3x+2y=-2 \\ 9x+6y=6 \end{cases}$

쌍둥이 5-2

다음 연립방정식 중 해가 무수히 많은 것은?

① $\begin{cases} x+2y=3 \\ 2x+4y=-6 \end{cases}$ ② $\begin{cases} 3x-2y=1 \\ 3x+2y=1 \end{cases}$

③ $\begin{cases} x=2y-4 \\ 2x+9y=5 \end{cases}$ ④ $\begin{cases} 2x-3y=2 \\ 4x-6y=4 \end{cases}$

⑤ $\begin{cases} 3x+4y=5 \\ 6x+8y=-10 \end{cases}$

풀이 ② $\begin{cases} x-2y=1 \\ 3x-6y=3 \end{cases}$ 에서 $\begin{cases} 3x-6y=3 \\ 3x-6y=3 \end{cases}$ 이므로 해가 무수히 많다.

⑤ $\begin{cases} 3x+2y=-2 \\ 9x+6y=6 \end{cases}$ 에서 $\begin{cases} 9x+6y=-6 \\ 9x+6y=6 \end{cases}$ 이므로 해가 없다.

답 ⑤

대표 유형 ⑥ 해가 특수한 연립방정식에서 미지수의 값 구하기

유형 해결의 법칙 중 2-1 104, 105쪽

두 일차방정식에서 미지수가 없는 x의 계수 또는 y의 계수가 같아지도록 두 일차방정식을 변형한다.
(ⅰ) 해가 무수히 많은 경우 ➡ x, y의 계수와 상수항이 각각 같다.
(ⅱ) 해가 없는 경우 ➡ x, y의 계수는 각각 같고, 상수항은 다르다.

6-1 연립방정식 $\begin{cases} 3x-6y=9 & \cdots\cdots ㉠ \\ ax-4y=b & \cdots\cdots ㉡ \end{cases}$ 에 대하여 다음을 구하시오. (단, a, b는 상수)

(1) 해가 무수히 많을 조건

(2) 해가 없을 조건

풀이 y의 계수가 같아지도록 ㉠×2, ㉡×3을 하면

$\begin{cases} 6x-12y=18 \\ 3ax-12y=3b \end{cases}$

(1) 해가 무수히 많으려면 $6=3a$, $18=3b$
  ∴ $a=2, b=6$

(2) 해가 없으려면 $6=3a$, $18\neq3b$
  ∴ $a=2, b\neq6$

답 (1) $a=2, b=6$ (2) $a=2, b\neq6$

쌍둥이 6-2

연립방정식 $\begin{cases} 3x+ay=12 \\ x-2y=1 \end{cases}$ 의 해가 없을 때, 상수 a의 값을 구하시오.

쌍둥이 6-3

연립방정식 $\begin{cases} 2x+4y=6 \\ x+ay=3 \end{cases}$ 의 해가 무수히 많을 때, 상수 a의 값을 구하시오.

1 다음 연립방정식을 대입법을 이용하여 푸시오.

(1) $\begin{cases} x+2y=17 \\ y=6-x \end{cases}$

(2) $\begin{cases} 2x+y=5 \\ 5x-3y=7 \end{cases}$

(3) $\begin{cases} 2x-3y=4 \\ -x+4y=8 \end{cases}$

(4) $\begin{cases} 3x+5y=-7 \\ 7x-y=9 \end{cases}$

2 다음 연립방정식을 가감법을 이용하여 푸시오.

(1) $\begin{cases} x-y=2 \\ x+y=4 \end{cases}$

(2) $\begin{cases} 3x+2y=6 \\ 2x+3y=4 \end{cases}$

(3) $\begin{cases} 7x+3y=5 \\ 3x-2y=12 \end{cases}$

(4) $\begin{cases} 3x+2y=6 \\ 5x+2y=12 \end{cases}$

3 다음 연립방정식을 푸시오.

(1) $\begin{cases} 2(x+y)=16 \\ 3x-(5y-2)=2 \end{cases}$

(2) $\begin{cases} 3x-2(2x-y)=x-10 \\ 2(y-2x)+y=-7-3x \end{cases}$

(3) $\begin{cases} \dfrac{3}{2}x+\dfrac{1}{8}y=-5 \\ \dfrac{1}{4}x+\dfrac{1}{6}y=\dfrac{1}{3} \end{cases}$

(4) $\begin{cases} 0.3x+0.2y=0.7 \\ 0.09x-0.1y=-0.11 \end{cases}$

(5) $\begin{cases} \dfrac{1}{2}x+y=\dfrac{3}{2} \\ 0.5x-0.2y=0.3 \end{cases}$

(6) $\begin{cases} \dfrac{x}{4}+\dfrac{2y}{3}=6 \\ 0.06x-0.05y=0.18 \end{cases}$

4 다음 방정식을 푸시오.

(1) $2x+y=3x-y=5$

(2) $\dfrac{1-3y}{2}=\dfrac{x+1}{3}=x+2y$

(3) $x+4y=2(3x-y)-3=4x-1$

여러 가지 연립방정식

(1) 계수가 분수인 연립방정식
  ➡ 양변에 분모의 **❶** 를 곱한다.

(2) 계수가 소수인 연립방정식
  ➡ 양변에 **❷** 의 거듭제곱을 곱한다.

(3) $A=B=C$ 꼴의 방정식
  ➡ $\begin{cases} A=B \\ A=C \end{cases}$ 또는 $\begin{cases} A=B \\ B=C \end{cases}$ 또는 $\begin{cases} A=C \\ B=C \end{cases}$ 중 가장 간단
  한 것을 선택하여 푼다.

답 **❶** 최소공배수 **❷** 10

01

다음 중 연립방정식 $\begin{cases} x-2(y+1)=0 \\ 3(x-3y)=-y+6 \end{cases}$ 을 만족하는 x, y의 값을 해로 가지는 일차방정식은?

① $2x+y=3$ ② $3x-2y=1$

③ $x+y=3$ ④ $4x-3y=8$

⑤ $5x+3y=11$

★
02

연립방정식 $\begin{cases} 0.4x+0.3y=3 \\ \dfrac{x}{4}+\dfrac{y-5}{6}=1 \end{cases}$ 의 해가 (a, b)일 때,

$(a+2b) \times (a-2b)$의 값을 구하시오.

★
03

방정식 $6x-2y-1=2x+3y+16=5x-4y$의 해는?

① $(1, -1)$ ② $(2, -3)$ ③ $(3, -1)$

④ $(8, 3)$ ⑤ $(10, 2)$

해가 특수한 연립방정식

연립방정식 $\begin{cases} ax+by=c \\ a'x+b'y=c' \end{cases}$ 에서

두 일차방정식을 변형하였을 때

(1) 미지수의 계수와 상수항이 각각 같은 경우
  ➡ 해가 무수히 많다.

(2) 미지수의 계수는 각각 같고 상수항은 다른 경우
  ➡ 해가 **❶** .

답 **❶** 없다

04

연립방정식 $\begin{cases} x-2y=3 & \cdots\cdots \text{㉠} \\ ax-6y=2 & \cdots\cdots \text{㉡} \end{cases}$ 의 해가 존재하지 않을 때, 상수 a의 값을 구하시오.

05 서술형

연립방정식 $\begin{cases} 3x-ay=2 & \cdots\cdots \text{㉠} \\ bx+6y=-4 & \cdots\cdots \text{㉡} \end{cases}$ 의 해가 무수히 많을 때, 상수 a, b에 대하여 $a+b$의 값을 구하시오.

06 창의 융합

다음 대화를 읽고, 연립방정식의 해를 구하시오. 또 성준이가 연립방정식의 해를 구하는 과정에서 무엇을 잘못 생각하였는지 말하시오.

혜원 : 연립방정식 $\begin{cases} 2x+3y=5 \\ 4(x+y)=10-2y \end{cases}$ 를 풀어 봐.

성준 : $x=1, y=1$일 때, 두 식이 모두 참이 되니까 …….
  풀어 볼 것도 없이 $x=1, y=1$이 답이네.

5
연립방정식의 풀이

6 연립방정식의 활용

학습 목표

• 미지수가 2개인 연립일차방정식을 활용하여 다양한 실생활 문제를
  해결할 수 있다.

1 **연립방정식의 활용**

1 연립방정식의 활용

개념 ① 연립방정식의 활용 문제 풀이 순서

(1) **미지수 정하기** 구하려고 하는 것을 미지수 x, y로 놓는다.

(2) **연립방정식 세우기** 수량 사이의 관계를 찾아 연립방정식을 세운다.

(3) **연립방정식 풀기** 연립방정식의 해를 구한다.

(4) **확인하기** 구한 해가 문제의 뜻에 맞는지 확인한다.

 한 개에 600원인 귤과 한 개에 1000원인 사과를 합하여 12개를 사고 8800원을 지불하였다. 귤과 사과의 개수를 각각 구해 보자.

| 미지수 x, y 정하기 | 귤의 개수를 x개, 사과의 개수를 y개라 하자. |

⬇

연립방정식 세우기
$$\begin{cases} x+y=12 \\ 600x+1000y=8800 \end{cases}$$

(개수에 대한 일차방정식)
(금액에 대한 일차방정식)

⬇

연립방정식 풀기
$x=8$, $y=4$
따라서 귤은 8개, 사과는 4개이다.

⬇

확인하기
과일의 개수는 $8+4=12$(개)
금액은 $600 \times 8 + 1000 \times 4 = 8800$(원)

• Lecture •

● 구하려고 하는 것을 x, y로 놓고 문제의 뜻에 맞는 연립방정식을 세운다.

│ 개념 확인 │ **1** 두 수의 차는 22이고 작은 수의 3배에서 큰 수를 빼면 12이다. 이 두 수를 구하려고 할 때, 다음 물음에 답하시오.

(1) 작은 수를 x, 큰 수를 y로 놓고, 연립방정식을 세우시오.

(2) (1)의 연립방정식을 이용하여 두 수를 구하시오.

│ 개념 확인 │ **2** 한 자루에 1000원인 볼펜과 한 자루에 500원인 연필을 합하여 13자루를 사고 8000원을 지불하였다. 다음 표를 완성하고, 볼펜과 연필의 개수를 각각 구하시오.

	볼펜	연필
개수	x자루	y자루
금액	원	원

6 연립방정식의 활용

개념 ② 거리, 속력, 시간에 대한 문제

(거리)=(속력)×(시간), (속력)=$\dfrac{(거리)}{(시간)}$, (시간)=$\dfrac{(거리)}{(속력)}$를 이용하여

$\begin{cases} (거리에\ 대한\ 일차방정식) \\ (시간에\ 대한\ 일차방정식) \end{cases}$ 으로 연립방정식을 세운다.

참고 거리, 속력, 시간에 대한 문제는 다음과 같이 단위를 통일해야 한다.

속력	시간	거리
시속 ● km	시간	km
분속 ▲ m	분	m
초속 ■ m	초	m

보기 17 km의 거리를 가는데 처음에는 시속 3 km로 걷다가 중간에 시속 4 km로 뛰어서 5시간이 걸렸다. 걸어간 거리를 x km, 뛰어간 거리를 y km라 할 때, 연립방정식을 세워 보자.

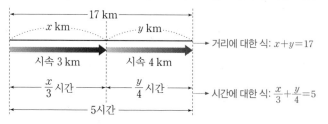

거리에 대한 식: $x+y=17$

시간에 대한 식: $\dfrac{x}{3}+\dfrac{y}{4}=5$

$\therefore \begin{cases} x+y=17 \\ \dfrac{x}{3}+\dfrac{y}{4}=5 \end{cases}$

• **Lecture** •

● x km의 거리를 시속 a km로 걷고, y km의 거리를 시속 b km로 걸을 때

➡ $\begin{cases} x+y=(총\ 이동\ 거리) \\ \dfrac{x}{a}+\dfrac{y}{b}=(총\ 걸린\ 시간) \end{cases}$

┃개념 확인┃ **3** 대성이가 7 km의 거리를 가는데 처음에는 시속 3 km로 뛰다가 중간에 시속 2 km로 걸어서 총 3시간이 걸렸다고 한다. 다음 ☐ 안에 알맞은 것을 써넣고, 대성이가 뛰어간 거리와 걸어간 거리를 각각 구하시오.

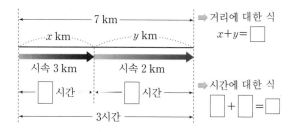

➡ 거리에 대한 식
$x+y=$ ☐

➡ 시간에 대한 식
☐ + ☐ = ☐

개념 ③ 농도에 대한 문제

$$(\text{소금물의 농도}) = \frac{(\text{소금의 양})}{(\text{소금물의 양})} \times 100 \, (\%), \quad (\text{소금의 양}) = \frac{(\text{소금물의 농도})}{100} \times (\text{소금물의 양})$$

을 이용하여 연립방정식을 세운다.

참고 소금물에 물을 더 넣거나 증발시킬 때에는 전체 소금물의 양이나 농도는 변하지만 소금의 양은 변하지 않음을 이용하여 연립방정식을 세운다.

보기 8 %의 소금물과 2 %의 소금물을 섞어서 5 %의 소금물 200 g을 만들려고 한다. 8 %의 소금물의 양을 x g, 2 %의 소금물의 양을 y g이라 할 때, 연립방정식을 세워 보자.

| x g | y g | 200 g | ⟶ 소금물의 양에 대한 식: $x+y=200$ |

$$8\% \quad + \quad 2\% \quad = \quad 5\%$$

$$\left(\frac{8}{100} \times x\right) \text{g} \quad \left(\frac{2}{100} \times y\right) \text{g} \quad \left(\frac{5}{100} \times 200\right) \text{g} \quad \longrightarrow \text{소금의 양에 대한 식: } \frac{8}{100}x + \frac{2}{100}y = \frac{5}{100} \times 200$$

$$\therefore \begin{cases} x+y=200 \\ \dfrac{8}{100}x + \dfrac{2}{100}y = 10 \end{cases}$$

• Lecture •

● 농도가 서로 다른 두 소금물 A, B를 섞는 문제는 다음을 이용하여 식을 세운다.

$$\begin{cases} \underset{\text{섞기 전 소금물의 양의 합}}{(\text{A 소금물의 양}) + (\text{B 소금물의 양})} = \underset{\text{섞은 후 소금물의 양}}{(\text{전체 소금물의 양})} \\ \underset{\text{섞기 전 소금의 양의 합}}{(\text{A 소금물의 소금의 양}) + (\text{B 소금물의 소금의 양})} = \underset{\text{섞은 후 소금의 양}}{(\text{전체 소금의 양})} \end{cases}$$

| 개념 확인 | 4 5 %의 소금물과 8 %의 소금물을 섞었더니 6 %의 소금물 600 g이 되었다. 다음 물음에 답하시오.

(1) 아래 표의 빈칸에 알맞은 것을 써넣으시오.

농도 (%)	5	8	6
소금물의 양 (g)	x	y	
소금의 양 (g)	$\dfrac{5}{100} \times x$		

(2) (1)을 이용하여 연립방정식을 세우시오.

(3) 5 %의 소금물과 8 %의 소금물을 각각 몇 g씩 섞었는지 구하시오.

개념 기초

1-1

두 자리 자연수가 있다. 각 자리의 숫자의 합은 7이고, 십의 자리의 숫자와 일의 자리의 숫자를 바꾼 수는 처음 수보다 9만큼 작다고 할 때, 처음 수를 구하시오.

연구 미지수 정하기 — 처음 수의 십의 자리의 숫자를 x, 일의 자리의 숫자를 y로 놓는다.

연립방정식 세우기

십의 자리 일의 자리

| 처음 수 | x ⤨ y | ➡ □ |

| 각 자리의 숫자를 바꾼 수 | y ⤨ x | ➡ □ |

$\begin{cases} \text{각 자리의 숫자의 합은 7이다.} \Rightarrow x+y= \boxed{} \\ (\text{바꾼 수})=(\text{처음 수})-9 \Rightarrow \boxed{}=10x+y-9 \end{cases}$

연립방정식 풀기

$\begin{cases} x+y= \boxed{} & \cdots\cdots \text{㉠} \\ -x+y= \boxed{} & \cdots\cdots \text{㉡} \end{cases}$

㉠, ㉡을 연립하여 풀면 $x=\boxed{}$, $y=\boxed{}$

따라서 처음 수는 $\boxed{}$이다.

2-1

현재 아버지와 딸의 나이의 합은 45세이고, 24년 후 아버지의 나이는 딸의 나이의 2배가 된다. 현재 아버지와 딸의 나이를 각각 구하시오.

 연구 미지수 정하기 — 현재 아버지의 나이를 x세, 딸의 나이를 y세로 놓는다.

연립방정식 세우기

	아버지	딸
현재 나이	x세	y세
24년 후의 나이	($\boxed{}$)세	($\boxed{}$)세

현재 아버지와 딸의 나이의 합은 45세이다.
➡ $\boxed{}$

24년 후 아버지의 나이는 딸의 나이의 2배이다.
➡ $\boxed{}$

연립방정식 풀기

$\begin{cases} x+y= \boxed{} & \cdots\cdots \text{㉠} \\ x-\boxed{}y= \boxed{} & \cdots\cdots \text{㉡} \end{cases}$

㉠, ㉡을 연립하여 풀면 $x=\boxed{}$, $y=\boxed{}$

따라서 현재 아버지의 나이는 $\boxed{}$세, 딸의 나이는 $\boxed{}$세이다.

쌍둥이 문제

1-2

각 자리의 숫자의 합이 10인 두 자리 자연수에서 십의 자리의 숫자와 일의 자리의 숫자를 바꾼 수는 처음 수보다 36만큼 크다고 한다. 다음 물음에 답하시오.

(1) 처음 수의 십의 자리의 숫자를 x, 일의 자리의 숫자를 y로 놓고, 문제의 조건에 맞는 연립방정식을 세우시오.

(2) (1)에서 세운 연립방정식을 풀어 처음 수를 구하시오.

2-2

현재 할머니의 나이는 손자의 나이의 5배이고, 10년 후 할머니의 나이는 손자의 나이의 3배보다 6세 많아진다. 다음 물음에 답하시오.

(1) 현재 할머니의 나이를 x세, 손자의 나이를 y세로 놓고, 문제의 조건에 맞는 연립방정식을 세우시오.

(2) (1)에서 세운 연립방정식을 풀어 현재 할머니와 손자의 나이를 각각 구하시오.

개념 기초

3-1

수현이가 등산을 하는데 올라갈 때는 시속 2 km로 걷고, 내려올 때는 다른 길을 시속 4 km로 걸었더니 총 2시간 30분이 걸렸다. 올라간 거리와 내려온 거리의 합이 8 km일 때, 올라간 거리와 내려온 거리를 각각 구하시오.

연구

미지수 정하기
올라간 거리를 x km, 내려온 거리를 y km로 놓는다.

연립방정식 세우기

	올라갈 때	내려올 때
거리	x km	y km
속력	시속 2 km	시속 4 km
시간	$\dfrac{x}{2}$시간	$\dfrac{y}{4}$시간

$\begin{cases} x+y=\boxed{} \\ \dfrac{x}{2}+\dfrac{y}{4}=\boxed{} \end{cases}$

연립방정식 풀기

$\begin{cases} x+y=\boxed{} \\ \dfrac{x}{2}+\dfrac{y}{4}=\boxed{} \end{cases} \Rightarrow \begin{cases} x+y=\boxed{} & \cdots\cdots ㉠ \\ 2x+y=\boxed{} & \cdots\cdots ㉡ \end{cases}$

㉠, ㉡을 연립하여 풀면 $x=\boxed{}$, $y=\boxed{}$

따라서 올라간 거리는 $\boxed{}$ km, 내려온 거리는 $\boxed{}$ km이다.

쌍둥이 문제

3-2

A, B의 두 등산 코스가 있다. 세연이는 올라갈 때는 A 코스를 시속 2 km로 올라가고, 내려올 때는 B 코스를 시속 4 km로 내려와서 총 거리 13 km를 4시간 30분만에 다녀왔다. 다음 물음에 답하시오.

⑴ A 코스의 길이를 x km, B 코스의 길이를 y km로 놓고, 문제의 조건에 맞는 연립방정식을 세우시오.

⑵ ⑴에서 세운 연립방정식을 풀어 A 코스의 길이와 B 코스의 길이를 각각 구하시오.

4-1

5 %의 소금물과 10 %의 소금물을 섞어서 9 %의 소금물 500 g을 만들려고 한다. 10 %의 소금물의 양을 구하시오.

연구

미지수 정하기
5 %의 소금물의 양을 x g, 10 %의 소금물의 양을 y g으로 놓는다.

연립방정식 세우기

농도	5 %	10 %	9 %
소금물의 양	x g	y g	500 g
소금의 양	$\dfrac{5}{100}x$ g	$\dfrac{10}{100}y$ g	$\dfrac{9}{100}\times 500$ g

$\begin{cases} x+y=\boxed{} \\ \dfrac{5}{100}x+\dfrac{10}{100}y=\dfrac{9}{100}\times\boxed{} \end{cases}$

연립방정식 풀기

$\begin{cases} x+y=\boxed{} \\ \dfrac{5}{100}x+\dfrac{10}{100}y=\boxed{} \end{cases} \Rightarrow \begin{cases} x+y=\boxed{} & \cdots ㉠ \\ x+2y=\boxed{} & \cdots ㉡ \end{cases}$

㉠, ㉡을 연립하여 풀면 $x=\boxed{}$, $y=\boxed{}$

따라서 10 %의 소금물의 양은 $\boxed{}$ g이다.

4-2

6 %의 소금물 x g과 12 %의 소금물 y g을 섞어서 10 %의 소금물 300 g을 만들려고 한다. 다음 물음에 답하시오.

⑴ 소금물의 양에 대한 일차방정식을 세우시오.

⑵ 소금의 양에 대한 일차방정식을 세우시오.

⑶ 6 %의 소금물과 12 %의 소금물을 각각 몇 g씩 섞어야 하는지 구하시오.

대표 유형 ① 가격, 개수에 대한 문제

유형 해결의 법칙 중 2-1 114쪽

a원짜리 물건 x개, b원짜리 물건 y개를 샀을 때

$$\begin{cases} (물건의\ 총\ 개수) \Rightarrow (x+y)개 \\ (총\ 가격) \Rightarrow (ax+by)원 \end{cases}$$

1-1 빵 3개와 우유 1개의 가격은 3500원이고, 빵 1개와 우유 3개의 가격은 2500원이다. 이때 빵 1개와 우유 1개의 가격을 각각 구하시오.

풀이 빵 1개의 가격을 x원, 우유 1개의 가격을 y원이라 하면

$$\begin{cases} 3x+y=3500 & \cdots\cdots ㉠ \\ x+3y=2500 & \cdots\cdots ㉡ \end{cases}$$

㉠×3−㉡을 하면 $8x=8000$ $\therefore x=1000$

$x=1000$을 ㉠에 대입하면

$3000+y=3500$ $\therefore y=500$

따라서 빵 1개의 가격은 1000원, 우유 1개의 가격은 500원이다.

답 빵: 1000원, 우유: 500원

쌍둥이 1-2

어느 박물관의 입장료는 어른이 6000원, 어린이가 3000원이다. 두 가족 8명이 입장하는 데 총 입장료가 36000원이었을 때, 어른과 어린이의 수를 각각 구하시오.

대표 유형 ② 여러 가지 개수에 대한 문제

유형 해결의 법칙 중 2-1 114쪽

가위바위보 게임에서 A, B 두 사람이 비기는 경우가 없다면

(A가 이긴 횟수)=(B가 진 횟수), (A가 진 횟수)=(B가 이긴 횟수)

2-1 가위바위보를 하여 이긴 사람은 두 계단씩 올라가고, 진 사람은 한 계단씩 내려가기로 하였다. 효영이와 지혜가 가위바위보를 하여 얼마 후에 효영이는 12계단, 지혜는 15계단을 올라갔을 때, 지혜가 이긴 횟수를 구하시오.

(단, 비기는 경우는 생각하지 않는다.)

풀이 효영이가 이긴 횟수를 x회, 진 횟수를 y회라 하면
지혜가 진 횟수가 x회, 이긴 횟수가 y회이므로

$$\begin{cases} 2x-y=12 & \cdots\cdots ㉠ \\ 2y-x=15 & \cdots\cdots ㉡ \end{cases}$$

㉠+㉡×2를 하면 $3y=42$ $\therefore y=14$

$y=14$를 ㉠에 대입하면

$2x-14=12,\ 2x=26$ $\therefore x=13$

따라서 지혜가 이긴 횟수는 14회이다.

답 14회

쌍둥이 2-2

영준이네 집에서 닭과 토끼를 합하여 모두 12마리를 키우고 있다. 닭과 토끼의 다리 수의 합이 30개일 때, 토끼는 몇 마리인지 구하시오.

쌍둥이 2-3

A, B 두 사람이 가위바위보를 하여 이긴 사람은 3계단씩 올라가고, 진 사람은 2계단씩 내려가기로 하였다. A는 처음보다 18계단을 올라갔고 B는 3계단을 올라갔을 때, B가 이긴 횟수를 구하시오. (단, 비기는 경우는 생각하지 않는다.)

대표 유형 **3** 증가, 감소에 대한 문제

유형 해결의 법칙 중 2-1 116쪽

- (올해 남학생 수)=(작년 남학생 수)+(변화한 남학생 수)
- (올해 여학생 수)=(작년 여학생 수)+(변화한 여학생 수)

3-1 어느 동아리의 작년 전체 인원 수는 60명이었다. 그런데 올해에는 작년에 비하여 남학생은 30 % 증가하고, 여학생은 10 % 감소하여 전체 인원 수는 10명이 늘었다. 올해 남학생 수와 여학생 수를 각각 구하시오.

풀이 작년의 남학생 수를 x명, 여학생 수를 y명이라 하면

$$\begin{cases} x+y=60 \\ \dfrac{30}{100}x-\dfrac{10}{100}y=10 \end{cases} \Rightarrow \begin{cases} x+y=60 & \cdots\cdots ㉠ \\ 3x-y=100 & \cdots\cdots ㉡ \end{cases}$$

㉠+㉡을 하면 $4x=160$ $\therefore x=40$

$x=40$을 ㉠에 대입하면 $40+y=60$ $\therefore y=20$

따라서 올해 남학생 수는 $40+40\times\dfrac{30}{100}=52$(명),

올해 여학생 수는 $20-20\times\dfrac{10}{100}=18$(명)이다.

답 남학생: 52명, 여학생: 18명

쌍둥이 3-2

어느 과수원에서 작년에 자두와 복숭아를 합하여 500상자를 수확하였다. 올해의 수확량은 작년에 비하여 자두는 5 % 감소하고, 복숭아는 10 % 증가하여 전체 수확량은 4 % 증가하였다. 올해 복숭아의 수확량을 구하시오.

대표 유형 **4** 일에 대한 문제

유형 해결의 법칙 중 2-1 120쪽

① 전체 일의 양을 1로 놓는다.
② 두 사람이 단위 시간(1시간, 1일)에 할 수 있는 일의 양을 각각 미지수 x, y로 놓는다.

4-1 소연이와 소율이가 벽화 그리기를 같이 하기로 하였다. 두 사람이 함께 그리면 4시간 만에 끝낼 수 있고, 소연이가 혼자 2시간을 그리면 나머지는 소율이가 혼자 8시간 동안 그려야 끝낼 수 있다. 소연이가 혼자서 그리면 몇 시간 만에 끝낼 수 있는지 구하시오.

풀이 전체 벽화의 양을 1로 놓고, 소연이와 소율이가 1시간 동안 그릴 수 있는 벽화의 양을 각각 x, y라 하면

$$\begin{cases} 4x+4y=1 & \cdots\cdots ㉠ \\ 2x+8y=1 & \cdots\cdots ㉡ \end{cases}$$

㉠$-$㉡$\times 2$를 하면 $-12y=-1$ $\therefore y=\dfrac{1}{12}$

$y=\dfrac{1}{12}$을 ㉠에 대입하면 $4x+\dfrac{1}{3}=1$ $\therefore x=\dfrac{1}{6}$

따라서 소연이가 혼자서 그리면 1시간 동안 전체의 $\dfrac{1}{6}$만큼 그리므로 6시간 만에 끝낼 수 있다.

답 6시간

쌍둥이 4-2

A, B 두 사람이 함께 8일 동안 작업하여 끝낼 수 있는 일을 A가 6일 동안 작업한 후 나머지를 B가 12일 동안 작업하여 끝냈다고 한다. B가 혼자서 이 일을 끝내려면 며칠이 걸리는지 구하시오.

대표 유형 ⑤ 거리, 속력, 시간에 대한 문제

유형 해결의 법칙 중 2-1 117쪽

중간에 속력이 바뀔 때

$\begin{cases} (\text{거리에 대한 일차방정식}) \\ (\text{시간에 대한 일차방정식}) \end{cases}$ 으로 연립방정식을 세운다.

5-1 영운이는 집에서 3 km 떨어진 학교에 가는데 처음에는 시속 4 km로 걷다가 도중에 시속 8 km로 뛰어서 총 30분이 걸렸다. 영운이가 걸어간 거리와 뛰어간 거리를 각각 구하시오.

풀이 영운이가 걸어간 거리를 x km, 뛰어간 거리를 y km라 하면

$$\begin{cases} x+y=3 \\ \dfrac{x}{4}+\dfrac{y}{8}=\dfrac{1}{2} \end{cases} \Rightarrow \begin{cases} x+y=3 & \cdots\cdots \text{㉠} \\ 2x+y=4 & \cdots\cdots \text{㉡} \end{cases}$$

㉠−㉡을 하면 $-x=-1$ ∴ $x=1$

$x=1$을 ㉠에 대입하면 $1+y=3$ ∴ $y=2$

따라서 영운이가 걸어간 거리는 1 km, 뛰어간 거리는 2 km이다.

답 걸어간 거리: 1 km, 뛰어간 거리: 2 km

쌍둥이 5-2

집에서 10 km 떨어진 공원에 가는데 처음에는 시속 14 km로 자전거를 타고 가다가 도중에 내려서 시속 6 km로 걸어서 가서 총 1시간이 걸렸다. 이때 자전거를 타고 간 거리를 구하시오.

대표 유형 ⑥ 농도에 대한 문제

유형 해결의 법칙 중 2-1 119쪽

농도가 다른 두 소금물 A, B를 섞을 때

$\begin{cases} (\text{A 소금물의 양})+(\text{B 소금물의 양})=(\text{전체 소금물의 양}) \\ (\text{A 소금물의 소금의 양})+(\text{B 소금물의 소금의 양})=(\text{전체 소금의 양}) \end{cases}$ 으로 연립방정식을 세운다.

6-1 6 %의 소금물과 16 %의 소금물을 섞어서 10 %의 소금물 500 g을 만들려고 한다. 이때 6 %의 소금물은 몇 g을 섞어야 하는지 구하시오.

풀이 6 %의 소금물의 양을 x g, 16 %의 소금물의 양을 y g이라 하면

$$\begin{cases} x+y=500 \\ \dfrac{6}{100}x+\dfrac{16}{100}y=\dfrac{10}{100}\times 500 \end{cases} \Rightarrow \begin{cases} x+y=500 & \cdots\cdots \text{㉠} \\ 3x+8y=2500 & \cdots\cdots \text{㉡} \end{cases}$$

㉠×3−㉡을 하면 $-5y=-1000$ ∴ $y=200$

$y=200$을 ㉠에 대입하면 $x+200=500$ ∴ $x=300$

따라서 6 %의 소금물은 300 g을 섞어야 한다.

답 300 g

쌍둥이 6-2

5 %의 소금물과 8 %의 소금물을 섞어서 7 %의 소금물 600 g을 만들려고 한다. 5 %의 소금물과 8 %의 소금물을 각각 몇 g씩 섞어야 하는지 구하시오.

쌍둥이 6-3

8 %의 소금물에 소금을 더 넣어 12 %의 소금물 345 g을 만들려고 할 때, 더 넣어야 하는 소금의 양을 구하시오.

연립방정식의 활용 – 자연수, 나이

(1) 자연수에 대한 문제

십의 자리의 숫자가 x, 일의 자리의 숫자가 y인 두 자리 자연수에 대하여

① 처음 수 ➡ $10x+y$

② 각 자리의 숫자를 바꾼 수 ➡ [❶]

(2) 나이에 대한 문제

① (x년 전의 나이)＝(현재 나이)$-x$(세)

② (x년 후의 나이)＝(현재 나이)$+$[❷](세)

답 ❶ $10y+x$ ❷ x

01

다음 조건을 모두 만족하는 두 자연수 x, y에 대하여 $x+y$의 값을 구하시오.

> ㈎ x의 3배와 y의 합은 8이다.
> ㈏ y는 x의 5배와 같다.

★ 02

두 자리 자연수가 있다. 각 자리의 숫자의 합은 13이고, 십의 자리의 숫자와 일의 자리의 숫자를 바꾼 수는 처음 수보다 9만큼 크다고 한다. 이때 처음 수와 각 자리의 숫자를 바꾼 수의 합은?

① 140   ② 141   ③ 142

④ 143   ⑤ 144

03

현재 민영이와 아버지의 나이의 차는 26세이다. 10년 후에 아버지의 나이는 민영이의 나이의 2배보다 3세가 작다고 할 때, 현재 아버지의 나이를 구하시오.

연립방정식의 활용 – 가격, 도형

(1) 물건의 가격에 대한 문제

$\begin{cases} (\text{A의 개수})+(\text{B의 개수})=(총\ [❶\ ]) \\ (\text{A의 가격})+(\text{B의 가격})=(총\ [❷\ ]) \end{cases}$

(2) 도형에 대한 문제

(직사각형의 둘레의 길이)

＝$2\times\{$(가로의 길이)$+$(세로의 길이)$\}$

답 ❶ 개수 ❷ 가격

04

놀이공원의 입장료가 어린이는 6000원, 어른은 15000원이라 한다. 어린이와 어른을 합하여 모두 36명이 입장하였고 총 입장료로 270000원을 내었을 때, 다음 물음에 답하시오.

(1) 연립방정식을 세우시오.

(2) 어린이는 몇 명 입장하였는지 구하시오.

05

승환이는 친구와 함께 농구 경기를 하였는데 2점 슛과 3점 슛을 합하여 모두 15골을 넣어 34점을 얻었다. 승환이가 넣은 2점 슛은 몇 골인지 구하시오.

06

가로의 길이 x가 세로의 길이 y보다 6만큼 더 긴 직사각형이 있다. 이 직사각형의 둘레의 길이가 64일 때, 직사각형의 세로의 길이를 구하시오.

연립방정식의 활용 − 증가, 감소, 일

(1) 증가, 감소에 대한 문제

① x에서 a % 증가하였을 때 전체 양

➡ $x + \dfrac{a}{100}x$

② x에서 b % 감소하였을 때 전체 양

➡ $x - \dfrac{\boxed{①}}{100}x$

(2) 일에 대한 문제

① 전체 일의 양을 $\boxed{②}$ 로 놓는다.

② 두 사람이 단위 시간(1시간, 1일)에 할 수 있는 일의 양을 각각 미지수 x, y로 놓는다.

답 ❶ b ❷ 1

07

어느 학교의 전체 학생 수는 작년에 400명이었는데, 올해는 작년에 비해 남학생 수는 5 % 증가하고 여학생 수는 5 % 감소하여 전체 학생 수는 10명이 줄었다. 올해의 남학생 수는?

① 100명   ② 105명   ③ 120명

④ 280명   ⑤ 285명

08

A와 B가 함께 하면 6일 만에 끝낼 수 있는 일을 A가 먼저 3일 동안 하고 나머지를 B가 7일 동안 해서 끝냈다. 같은 일을 B가 혼자서 한다면 며칠이 걸리는가?

① 8일   ② 12일   ③ 16일

④ 20일   ⑤ 24일

연립방정식의 활용 − 속력, 농도

(1) (거리) = (속력) × (시간), (시간) = $\dfrac{(거리)}{(속력)}$,

(속력) = $\dfrac{(거리)}{(시간)}$

(2) (소금의 양) = $\dfrac{(소금물의 \boxed{①})}{100}$ × (소금물의 양)

답 ❶ 농도

09

창의 융합

고속국도는 주요 도시를 잇는 자동차 전용의 도로를 말하고, 지방도는 도청 소재지로부터 시청 및 군청 소재지를 연결하는 도로를 말한다. 민균이네 가족은 자동차를 타고 할머니 댁까지 가는데 처음에는 고속국도를 시속 80 km로 달렸고, 그 후에 지방도를 시속 60 km로 달렸더니 2시간 45분 만에 할머니 댁에 도착하였다. 전체 달린 거리가 200 km일 때, 고속국도로 달린 거리와 지방도로 달린 거리를 각각 구하시오.

10 ★

수영이는 운동장에서 1시간 동안 트랙을 도는 운동을 하였다. 처음에는 시속 4 km로 걷다가 중간부터 속력을 높여 시속 8 km로 달렸다. 걷고 달린 거리가 총 5 km일 때, 시속 4 km로 걸은 시간은?

① 35분   ② 40분   ③ 45분

④ 50분   ⑤ 55분

11

8 %의 소금물과 13 %의 소금물을 섞어서 11 %의 소금물 500 g을 만들었다. 이때 13 %의 소금물은 몇 g 섞었는지 구하시오.

7 일차함수와 그래프 (1)

학습 목표

• 함수의 뜻을 이해한다.
• 일차함수의 의미를 이해하고, 그 그래프를 그릴 수 있다.
• 평행이동의 뜻을 알고, 이를 이용하여 일차함수의 그래프를 그릴 수 있다.
• 절편과 기울기의 뜻을 알고, 이를 이용하여 일차함수의 그래프를 그릴 수 있다.

1 함수의 뜻

개념 ❶ 함수

함수 두 변수 x, y에 대하여 x의 값이 변함에 따라 y의 값이 하나씩 정해지는 대응 관계가 있을 때, y를 x의 함수라 한다.

> **참고** 변수 : 여러 가지로 변하는 값을 나타내는 문자 ⇨ x, y 등
> 상수 : 변수와는 다르게 일정한 값을 가지는 수나 문자

용어
• 함수(상자 函, 수 數)
어떤 수가 상자 안에 들어가서 계산되어 그 값이 결정되는 관계

 보기 y가 x의 함수인 경우와 함수가 아닌 경우를 살펴보자.

(1) 한 변의 길이가 x cm인 정삼각형의 둘레의 길이를 y cm라 할 때

x (cm)	1	2	3	4	⋯
y (cm)	3	6	9	12	⋯

(2배, 3배, 4배)

⇨ $y = 3x$

x	1	2	3	4
y	1	1	2	2

위의 표와 같이 y의 값은 중복이 되어도 하나로만 정해지면 함수야.

⇨ x의 값이 1, 2, 3, 4, ⋯로 변함에 따라 y의 값이 3, 6, 9, 12, ⋯로 하나씩 정해지는 대응 관계가 있으므로 y는 x의 함수이다.

(2) 절댓값이 x인 수를 y라 할 때

x	0	1	2	3	⋯
y	0	$-1, 1$	$-2, 2$	$-3, 3$	⋯

⇨ x의 값 1, 2, 3에 대응하는 y의 값은 각각 2개이다. 따라서 x의 값 하나에 y의 값이 하나씩 정해지지 않으므로 y는 x의 함수가 아니다.

Lecture

• x의 값이 변함에 따라 y의 값이 ─ 하나로 정해지면 ➡ 함수이다.
─ 여러 개로 정해지면 ─
─ 정해지지 않으면 ─┘ ➡ 함수가 아니다.

| 개념 확인 | **1** 다음 두 변수 x, y에 대하여 y가 x의 함수인 것을 모두 찾으시오.

(1) 자연수 x의 약수의 개수 y

(2) 자연수 x보다 작은 자연수 y

(3) 넓이가 12 cm^{2}인 직사각형의 가로의 길이 x cm와 세로의 길이 y cm

정답과 해설 p.60

개념 ② 함숫값

(1) **함수의 표현** y가 x의 함수일 때, 이것을 기호로 $y=f(x)$
와 같이 나타낸다.

예 y가 x의 함수이고 $y=2x+3$인 관계가 있을 때, 이 함수를
$f(x)=2x+3$과 같이 나타낼 수 있다.

같은 함수를 다르게 표현한 것이다.

(2) **함숫값** 함수 $y=f(x)$에서 x의 값이 정해지면 그에 따라 정해지는 y의 값, 즉
$f(x)$를 x의 함숫값이라 한다.

용어
$y=f(x)$에서 f는 함수를 나타내는 function의 첫 글자를 기호로 나타낸 것이다.

보기 함수 $f(x)=x+1$에서 x의 값이 1, 2, 3일 때, x의 함숫값 $f(x)$를 각각 구해 보자.

$x=1$일 때 $f(x)=x+1 \Rightarrow \underline{f(1)=1+1=2}$
$\qquad x=1$일 때의 함숫값

$x=2$일 때 $f(x)=x+1 \Rightarrow \underline{f(2)=2+1=3}$
$\qquad x=2$일 때의 함숫값

$x=3$일 때 $f(x)=x+1 \Rightarrow \underline{f(3)=3+1=4}$
$\qquad x=3$일 때의 함숫값

• **Lecture** •

• $y=f(x)$는 y가 x의 함수임을 기호로 나타낸 것이다.
따라서 $y=2x$와 $f(x)=2x$는 같은 함수를 다르게 표현한 것이다.

• $f(a) \Rightarrow \begin{bmatrix} x=a일 \text{ 때, } y의 \text{ 값} \\ x=a일 \text{ 때의 함숫값} \end{bmatrix} \Rightarrow f(x)$에 x 대신 a를 대입하여 얻은 값

| 개념 확인 | **2** 함수 $f(x)=-2x$에 대하여 다음을 구하시오.

(1) $x=1$일 때의 함숫값

(2) $x=-3$일 때의 함숫값

(3) $x=-\dfrac{3}{2}$일 때의 함숫값

| 개념 확인 | **3** 함수 $y=f(x)$가 다음과 같을 때, $f(2)$의 값을 구하시오.

(1) $f(x)=5x$ 　　　　　　　　　 (2) $f(x)=-\dfrac{2}{x}$

(3) $f(x)=x-3$ 　　　　　　　　 (4) $f(x)=-2x+3$

개념 기초

1-1

지은이가 시속 $3\ \mathrm{km}$로 x시간 동안 걸은 거리를 $y\ \mathrm{km}$라 할 때, 다음 물음에 답하시오.

(1) 아래 표를 완성하시오.

x(시간)	1	2	3	4	⋯
y(km)	3				⋯

(2) x와 y 사이의 관계식을 구하시오.

(3) y가 x의 함수인지 함수가 아닌지 말하시오.

연구 두 변수 x, y에 대하여
① x의 값이 변함에 따라 y의 값이 하나씩 정해지면 y는 x의 $\boxed{}$ 이다.
② x의 값 하나에 y의 값이 정해지지 않거나 2개 이상 정해지면 y는 x의 함수가 $\boxed{}$.

쌍둥이 문제

1-2

자연수 x의 약수를 y라 할 때, 다음 물음에 답하시오.

(1) 아래 표를 완성하시오.

x	1	2	3	4	⋯
y					⋯

(2) y가 x의 함수인지 함수가 아닌지 말하시오.

2-1

함수 $y=f(x)$가 다음과 같을 때, $f(-1)$의 값을 구하시오.

(1) $f(x)=-x$

(2) $f(x)=\dfrac{8}{x}$

(3) $f(x)=-3x+5$

2-2

다음을 구하시오.

(1) $f(x)=\dfrac{5}{x}$에 대하여 $f(-5)$의 값

(2) $f(x)=-2x+1$에 대하여 $f(-1)$의 값

(3) $f(x)=-\dfrac{1}{3}x$에 대하여 $f(1)$, $f(-3)$의 값

(4) $f(x)=-\dfrac{6}{x}$에 대하여 $f(-1)$, $f(3)$의 값

3-1

함수 $f(x)=2x-3$에 대하여 $f(-1)+3f(2)$의 값을 구하시오.

연구 $f(-1)=2\times(-1)-3=\boxed{}$
$f(2)=2\times2-3=\boxed{}$
$\therefore f(-1)+3f(2)=\boxed{}+3\times\boxed{}=\boxed{}$

3-2

함수 $f(x)=-4x$에 대하여 다음을 구하시오.

(1) $f(-1)+f(2)$

(2) $2f\left(-\dfrac{1}{2}\right)-f(3)$

(3) $f(1)+f(2)+f(-3)$

대표 유형 ① 함수

유형 해결의 법칙 중 2-1 132쪽

두 변수 x, y에 대하여 x의 값이 변함에 따라 y의 값이 하나씩 정해지는 대응 관계가 있을 때, y를 x의 함수라 한다.

이때 함수가 아닌 경우는 x의 값 하나에 y의 값이 정해지지 않거나 2개 이상 정해질 때이다.

1-1 다음 보기 중 두 변수 x, y에 대하여 y가 x의 함수인 것을 고르시오.

보기
ㄱ 자연수 x의 배수 y
ㄴ 우리 반 학생 20명 중 x월에 태어난 학생의 번호 y
ㄷ 분속 5 km의 일정한 속력으로 달리는 기차가 x분 동안 이동한 거리 y km
ㄹ 키 x cm인 학생의 몸무게 y kg

쌍둥이 1-2

다음 중 두 변수 x, y에 대하여 y가 x의 함수가 <u>아닌</u> 것은?

① 자연수 x보다 작은 짝수 y
② 자연수 x를 3으로 나누었을 때의 나머지 y
③ 시속 x km로 4시간 동안 자동차가 달린 거리 y km
④ 같은 가격인 물건 x개의 값이 2000원일 때, 물건 한 개의 값 y원
⑤ 넓이가 50 cm²인 직사각형의 가로의 길이 x cm와 세로의 길이 y cm

풀이 ㄱ $x=2$일 때, $y=2, 4, 6, \cdots$ ➡ y는 x의 함수가 아니다.

ㄴ x의 값 하나에 y의 값이 정해지지 않거나 2개 이상인 경우가 있으므로 y는 x의 함수가 아니다.

ㄷ $y=5x$ ➡ y는 x의 함수이다.

ㄹ x의 값 하나에 y의 값이 2개 이상인 경우가 있으므로 y는 x의 함수가 아니다.   **답** ㄷ

대표 유형 ② 함숫값(1)

유형 해결의 법칙 중 2-1 132쪽

y가 x의 함수일 때, 이것을 기호로 $y=f(x)$와 같이 나타낸다.

함수 $y=f(x)$에서 $f(x)$를 x의 함숫값이라 한다.

예 y가 x의 함수이고 $y=3x$인 관계가 있을 때, 이 함수를 $f(x)=3x$와 같이 나타낼 수 있다.

2-1 한 개에 800원인 아이스크림 x개의 가격을 y원이라 하면 y는 x의 함수이다. 다음을 구하시오.

(1) $y=f(x)$일 때, $f(x)$
(2) $f(5)$, $f(12)$의 값

쌍둥이 2-2

1분에 x타씩 입력하여 1200타를 입력하는 데 걸리는 시간을 y분이라 하면 y는 x의 함수이다. 다음을 구하시오.

(1) $y=f(x)$일 때, $f(x)$

(2) $x=120$일 때의 함숫값

풀이 (1) 아이스크림 한 개의 가격이 800원이므로 아이스크림 x개의 가격은 $800x$원이다.

∴ $f(x)=800x$

(2) $f(5)=800\times5-4000$, $f(12)=800\times12=9600$

    답 (1) $f(x)=800x$ (2) $f(5)=4000$, $f(12)=9600$

대표 유형 ③　함숫값 (2)

유형 해결의 법칙 중 2-1 132쪽

함수 $y=f(x)$에 대하여 $f(a)$의 값 구하기
➡ $f(x)$의 식에 x 대신 a를 대입하여 계산한다.

3-1 함수 $f(x)=2x-1$에 대하여 다음을 구하시오.
(1) $f(-3)$의 값
(2) $f(a)=7$일 때, a의 값

풀이 (1) $f(-3)=2\times(-3)-1=-6-1=-7$
　　(2) $f(a)=7$은 $x=a$일 때 함숫값이 7이라는 뜻이다.
　　　　따라서 $f(a)=7$에서
　　　　$2a-1=7$
　　　　$2a=8$　∴ $a=4$

답 (1) -7 (2) 4

쌍둥이 3-2

함수 $f(x)=5x$에 대하여 $f(-6)+f(1)+f(3)$의 값을 구하시오.

쌍둥이 3-3

함수 $f(x)=\dfrac{10}{x}$에 대하여 $f\left(\dfrac{1}{2}\right)=a$, $f(-1)=b$일 때, $a+b$의 값을 구하시오.

대표 유형 ④　함숫값을 이용하여 미지수의 값 구하기

유형 해결의 법칙 중 2-1 133쪽

함수 $y=f(x)$에 대하여 함숫값이 주어질 때 함숫값을 대입하여 미지수의 값을 구한다.
예 ① 함수 $f(x)=ax$에 대하여 $f(p)=q$일 때 ➡ x에 p를 대입하면 $ap=q$임을 이용한다.
　　② 함수 $f(x)=\dfrac{a}{x}$에 대하여 $f(p)=q$일 때 ➡ x에 p를 대입하면 $\dfrac{a}{p}=q$임을 이용한다.

4-1 함수 $f(x)=ax$에 대하여 $f(2)=-5$일 때, 상수 a의 값을 구하시오.

풀이 $f(2)=-5$이므로 $f(x)=ax$에 $x=2$를 대입하면
　　　　$f(2)=2a=-5$
　　　　∴ $a=-\dfrac{5}{2}$

답 $-\dfrac{5}{2}$

쌍둥이 4-2

함수 $f(x)=\dfrac{a}{x}$에 대하여 $f(-2)=-9$일 때, 다음을 구하시오.
(1) 상수 a의 값

(2) $f(3)$의 값

함수

> 두 변수 x, y에 대하여 x의 값이 변함에 따라 y의 값이 하나씩 정해지는 대응 관계가 있을 때, y를 x의 　**❶** 　라 한다.
>
> **참고** 정비례 관계 $y=ax(a \neq 0)$와 반비례 관계 $y=\dfrac{a}{x}(a \neq 0)$는 x의 값이 변함에 따라 y의 값이 하나씩 정해지므로 y는 x의 함수이다.

답 ❶ 함수

01

다음 중 두 변수 x, y에 대하여 y가 x의 함수가 <u>아닌</u> 것은?

(정답 2개)

① 자연수 x의 소인수 y

② 자연수 x의 5배보다 1만큼 큰 수 y

③ 한 개에 700원인 볼펜을 x개 사고 지불한 돈 y원

④ 자연수 x보다 작은 홀수 y

⑤ 5 L의 물을 x명이 똑같이 나누어 마셨을 때, 한 사람이 마시는 물의 양 y L

02

x와 y 사이의 관계가 다음 표와 같을 때, x와 y 사이의 관계식은?

x	1	2	3	6	…
y	18	9	6	3	…

① $y=\dfrac{3}{x}$ 　　② $y=\dfrac{6}{x}$ 　　③ $y=\dfrac{8}{x}$

④ $y=\dfrac{12}{x}$ 　　⑤ $y=\dfrac{18}{x}$

03

창의력

한 개에 300원 하는 귤 x개의 값을 y원이라 할 때, 다음 중 옳지 <u>않은</u> 것은?

① x와 y 사이의 관계식은 $y=300x$이다.

② y는 x의 함수이다.

③ $y=f(x)$일 때, $f(x)=300x$이다.

④ $f(3)=600$

⑤ $x=4$일 때, 함숫값은 1200이다.

04

서술형

한 변의 길이가 x cm인 정오각형의 둘레의 길이를 y cm라 할 때, 다음 물음에 답하시오.

(1) 아래 표를 완성하시오.

x (cm)	1	2	3	4	…
y (cm)					…

(2) x와 y 사이의 관계식을 구하시오.

(3) $y=f(x)$일 때, $f(10)$의 값을 구하시오.

05

융합형

함수 $y=f(x)$의 그래프가 오른쪽 그림과 같을 때, 다음을 구하시오.

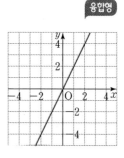

(1) $y=f(x)$일 때, $f(x)$

(2) $f(-1)$, $f(0)$, $f(1)$의 값

함숫값

(1) 함수의 표현 : y가 x의 함수일 때, 이것을 기호로 $y=$ **❶** 와 같이 나타낸다.

(2) **❷** : 함수 $y=f(x)$에서 x의 값이 정해지면 그에 따라 정해지는 y의 값

🔑 **❶** $f(x)$ **❷** 함숫값

06

함수 $f(x)=3x$에 대하여 다음 보기 중 옳은 것을 모두 고르시오.

┌─ 보기 ──────────────────────┐
㉠ $f(1)=3$ ㉡ $f(-2)=1$
㉢ $f(0)=3$ ㉣ $f(-3)=-9$
└──────────────────────────┘

07

함수 $f(x)=-3x$에 대하여 $f(3)+\dfrac{1}{2}f(-4)$의 값을 구하시오.

⭐ 08 서술형

함수 $f(x)=\dfrac{8}{x}$에 대하여 $f(4)=a$, $f(b)=-6$일 때, $a+b$의 값을 구하시오.

09

함수 $f(x)=5x-1$에 대하여 $f(-1)+\dfrac{1}{3}f(2)$의 값을 구하시오.

10 창의력

$x=3$일 때, 다음 두 함수의 함숫값이 같다. 이때 상수 a의 값은?

$$y=3x-7, \quad y=-\dfrac{a}{x}$$

① -6 ② -3 ③ -1
④ 3 ⑤ 6

11

함수 $y=\dfrac{a}{x}$에 대하여 x의 값에 대한 y의 값이 다음 표와 같을 때, $A-B$의 값은? (단, a는 상수)

x	-2	-1	1	2	3
y	6	A	B	-6	-4

① -24 ② -12 ③ 0
④ 12 ⑤ 24

개념 1 일차함수

함수 $y=f(x)$에서 y가 x에 대한 일차식, 즉

$$y=ax+b\,(a,\,b는\ 상수,\ a\neq0)$$

로 나타날 때, 이 함수를 x에 대한 일차함수라 한다.

예 ① $y=-x,\ y=2x+6,\ y=\dfrac{1}{4}x-2$ ➡ 일차함수이다.

② $y=x^2+1,\ y=\dfrac{2}{x},\ y=1$ ➡ 일차함수가 아니다.

> 일차함수 $y=ax+b\,(a\neq0)$에서 x의 값이 정해져 있지 않을 때에는 x의 값의 범위는 수 전체로 생각한다.

보기 대성이는 민지에게 한 개에 200원 하는 초콜릿 x개를 사서 1000원짜리 선물 상자에 담아 선물을 하려고 한다. 선물을 만드는 데 드는 전체 비용을 y원이라 할 때, y가 x에 대한 일차함수인지 알아보자.

(i) x와 y 사이의 관계를 표로 나타내면

x(개)	1	2	3	4	…
초콜릿의 값(원)	200	400	600	800	…
y(원)	1200	1400	1600	1800	…

⌐ 선물 상자의 값 1000원을 더한다.

(ii) x의 값 하나에 y의 값이 하나씩 정해지므로 y는 x의 함수이다.

(iii) x와 y 사이의 관계를 식으로 나타내면

$$y=200x+1000$$ 이고 이는 $y=ax+b\,(a\neq0)$의 꼴이므로 y는 x에 대한 일차함수이다.

└➤ y가 x에 대한 일차식

─ **Lecture** ─

● $a,\,b$가 상수이고 $a\neq0$일 때

① $ax+b$ ➡ x에 대한 일차식

② $ax+b=0$ ➡ x에 대한 일차방정식

③ $ax+b>0$ ➡ x에 대한 일차부등식

④ $y=ax+b$ ➡ x에 대한 일차함수

‖ 개념 확인 ‖ 1 다음 중 일차함수인 것에는 ○표, 일차함수가 아닌 것에는 ×표를 (　) 안에 써넣으시오.

(1) $y=3x+1$　　　　　(　　)　(2) $y=\dfrac{x}{6}+5$　　　　　(　　)

(3) $y=\dfrac{2}{x}$　　　　　(　　)　(4) $y=2x^2-1$　　　　　(　　)

‖ 개념 확인 ‖ 2 한 장에 10000원인 티셔츠 x장을 단체로 구입할 때, 배송비 2500원을 포함하여 구입하는 데 드는 전체 금액을 y원이라 한다. 다음 물음에 답하시오.

(1) y를 x의 식으로 나타내시오.

(2) y는 x에 대한 일차함수인지 말하시오.

개념 ② 일차함수의 그래프 (1)

(1) **일차함수 $y=ax+b\,(a\neq 0)$의 그래프** x의 값의 범위가 수 전체일 때, 일차함수 $y=ax+b$의 그래프는 직선으로 나타난다.

> **참고** 서로 관계가 있는 두 변수 x, y의 순서쌍 (x, y)를 좌표로 하는 점을 좌표평면 위에 모두 나타낸 것을 그래프라 한다.

(2) **두 점을 이용하여 일차함수 $y=ax+b\,(a\neq 0)$의 그래프 그리기**

① 주어진 일차함수의 그래프가 지나는 서로 다른 두 점을 찾는다.

② ①에서 찾은 두 점을 좌표평면 위에 찍고 직선으로 연결한다.

> 서로 다른 두 점을 지나는 직선은 오직 하나뿐이야.

설명 일차함수 $y=2x+1$에서 x의 값에 따른 y의 값을 구하여 표로 나타내면 다음과 같다.

x	$\cdots$	-2	-1	0	1	2	$\cdots$
y	$\cdots$	-3	-1	1	3	5	$\cdots$

위의 표에서 x, y의 값의 순서쌍 (x, y)를 좌표로 하는 점을 좌표평면 위에 나타내면 [그림 1]과 같다. 이때 x의 값의 간격을 점점 좁게 하여 얻어지는 순서쌍들을 좌표평면 위에 나타내면 [그림 2]와 같이 점점 직선에 가까워짐을 알 수 있다. 따라서 x의 값의 범위가 수 전체일 때, 일차함수 $y=2x+1$의 그래프는 [그림 3]과 같이 직선이 된다.

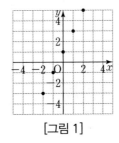

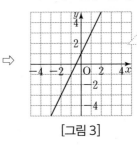

[그림 1]　　　　　[그림 2]　　　　　[그림 3]

> [그림 3]의 직선을 일차함수 $y=2x+1$의 그래프라 한다.

보기 일차함수 $y=\dfrac{1}{2}x+1$의 그래프가 지나는 서로 다른 두 점을 이용하여 그 그래프를 그려 보자.

① $y=\dfrac{1}{2}x+1$을 만족하는 두 점을 찾는다. ⇨

$x=0$일 때, $y=\dfrac{1}{2}\times 0+1=1 \Rightarrow$ 점 $(0, 1)$

$x=2$일 때, $y=\dfrac{1}{2}\times 2+1=2 \Rightarrow$ 점 $(2, 2)$

② ①에서 찾은 두 점을 지나는 직선을 그린다.

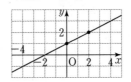

> 주어진 그래프 위의 두 점 $(0, 1)$, $(2, 2)$ 이외의 다른 두 점 $(-2, 0)$, $(4, 3)$을 찾아서 그려도 같은 그래프가 그려져.

│ 개념 확인 │ 3 일차함수 $y=\dfrac{2}{3}x+2$의 그래프가 지나는 서로 다른 두 점을 이용하여 그 그래프를 그리시오.

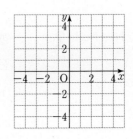

정답과 해설 p.63

개념 ③ 일차함수의 그래프 (2)

(1) **평행이동** 한 도형을 일정한 방향으로 일정한 거리만큼 옮기는 것

(2) 일차함수 $y=ax+b\,(a\neq0)$의 그래프는 일차함수 $y=ax$의 그래프를 y축의 방향으로 b만큼 평행이동한 직선이다.

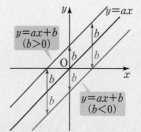

$$y=ax \xrightarrow[b\text{만큼 평행이동}]{y\text{축의 방향으로}} y=ax+b$$

> **예** 일차함수 $y=3x+7$의 그래프는 일차함수 $y=3x$의 그래프를 y축의 방향으로 7만큼 평행이동한 직선이고, 일차함수 $y=3x-7$의 그래프는 일차함수 $y=3x$의 그래프를 y축의 방향으로 -7만큼 평행이동한 직선이다.

(3) **평행이동을 이용하여 일차함수 $y=ax+b\,(a\neq0)$의 그래프 그리기**

　① 일차함수 $y=ax$의 그래프를 그린다.

　② 일차함수 $y=ax$의 그래프를 y축의 방향으로 b만큼 평행이동한다.

x의 값이 정수일 때, 두 일차함수 $y=2x$, $y=2x+3$의 함숫값을 표로 나타내면 다음과 같다.

x	$\cdots$	-2	-1	0	1	2	$\cdots$
$2x$	$\cdots$	-4	-2	0	2	4	$\cdots$
$2x+3$	$\cdots$	-1	1	3	5	7	$\cdots$

> 같은 x의 값에 대하여 $y=2x$의 함숫값보다 $y=2x+3$의 함숫값이 항상 3만큼 크다.

⇨ 일차함수 $y=2x+3$의 그래프는 오른쪽 그림과 같이 일차함수 $y=2x$의 그래프를 y축의 방향으로 3만큼 평행이동한 것과 같다.

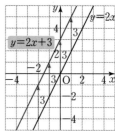

• **Lecture** •

● 일차함수 $y=ax+b\,(a\neq0)$의 그래프

$$y=ax \xrightarrow[b\text{만큼 평행이동}]{y\text{축의 방향으로}} y=ax+b$$

│ 개념 확인 │ 4 두 일차함수 $y=3x-3$, $y=3x+2$에 대하여 다음 ☐ 안에 알맞은 것을 써넣고, 오른쪽 좌표평면 위에 그래프를 그리시오.

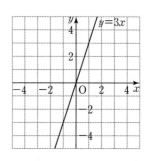

(1) 일차함수 $y=3x-3$의 그래프는 일차함수 $y=3x$의 그래프를 y축의 방향으로 ☐만큼 평행이동한 직선이다.

(2) 일차함수 $y-3x+2$의 그래프는 일차함수 $y=$☐의 그래프를 y축의 방향으로 2만큼 평행이동한 직선이다.

개념 기초

1-1

x와 y 사이의 관계가 다음과 같을 때, y를 x의 식으로 나타내고, 일차함수인 것에는 ○표, 일차함수가 아닌 것에는 ×표를 (　) 안에 써넣으시오.

(1) 하루 중 낮의 길이가 x시간일 때, 밤의 길이는 y시간이다. ➡ $y=\boxed{}$ (　)

(2) 반지름의 길이가 x cm인 원의 넓이 y cm²
➡ $y=\boxed{}$ (　)

연구 일차함수 ➡ $y=ax+b\,(a, b$는 상수, $a \neq 0)$로 나타난다.

2-1

다음 ☐ 안에 알맞은 것을 써넣으시오.

(1) $y=2x$ $\xrightarrow[\boxed{}\text{만큼 평행이동}]{y\text{축의 방향으로}}$ $y=2x+4$

(2) $y=-3x$ $\xrightarrow[\boxed{}\text{만큼 평행이동}]{\boxed{}\text{축의 방향으로}}$ $y=-3x+2$

(3) $y=-2x+1$ $\xrightarrow[-3\text{만큼 평행이동}]{y\text{축의 방향으로}}$ $y=\boxed{}$

연구 일차함수 $y=ax$의 그래프를 y축의 방향으로 b만큼 평행이동하면 일차함수 $y=ax+\boxed{}$의 그래프가 된다.

3-1

일차함수 $y=-x$의 그래프와 평행이동을 이용하여 오른쪽 좌표평면 위에 다음 일차함수의 그래프를 그리시오.

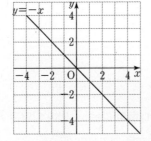

(1) $y=-x+2$

(2) $y=-x-3$

연구 (1) 일차함수 $y=-x+2$의 그래프는 일차함수 $y=-x$의 그래프를 y축의 방향으로 ☐만큼 평행이동한 것이다.

(2) 일차함수 $y=-x-3$의 그래프는 일차함수 $y=-x$의 그래프를 y축의 방향으로 ☐만큼 평행이동한 것이다.

쌍둥이 문제

1-2

다음 문장에서 y를 x의 식으로 나타내고, y가 x에 대한 일차함수인지 일차함수가 아닌지 말하시오.

(1) 시속 x km로 2시간 동안 달린 거리 y km

(2) 한 변의 길이가 x cm인 정사각형의 넓이 y cm²

(3) 초콜릿 50개를 x명에게 4개씩 나누어 주고 남은 초콜릿의 개수 y개

(4) 넓이가 20 cm²인 직사각형의 가로의 길이 x cm와 세로의 길이 y cm

2-2

다음 일차함수의 그래프를 y축의 방향으로 [　] 안의 값만큼 평행이동한 그래프가 나타내는 일차함수의 식을 구하시오.

(1) $y=x$ [3]

(2) $y=3x$ [-7]

(3) $y=-2x$ [5]

(4) $y=-\dfrac{1}{4}x-2$ [-4]

3-2

일차함수 $y=-\dfrac{1}{2}x$의 그래프와 평행이동을 이용하여 오른쪽 좌표평면 위에 다음 일차함수의 그래프를 그리시오.

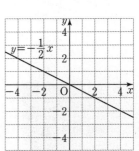

(1) $y=-\dfrac{1}{2}x-1$

(2) $y=-\dfrac{1}{2}x+3$

대표 유형 **1** 일차함수

유형 해결의 법칙 중 2-1 134쪽

일차함수는 y를 x의 식으로 나타내었을 때, $y=(x$에 대한 일차식$)$의 꼴이다.

1-1 다음 보기 중에서 일차함수인 것을 모두 고르시오.

> 보기
> ㉠ $y=-x$　　　　ㄴ $y=\dfrac{2}{x}$
> ㉢ $y=\dfrac{x-2}{3}$　　ㄹ $y=2x-x(2+x)$
> ㉤ $y=5x-4(x-1)$

풀이 ㄴ $y=\dfrac{2}{x}$ ➡ 분모에 x가 있으므로 일차함수가 아니다.

ㄹ $y=2x-x(2+x)=2x-2x-x^2=-x^2$

즉 $y=-x^2$ ➡ 일차함수가 아니다.

ㄷ $y=5x-4(x-1)=5x-4x+4=x+4$

즉 $y=x+4$ ➡ 일차함수이다.

따라서 일차함수인 것은 ㉠, ㉢, ㉤이다.

답 ㉠, ㉢, ㉤

쌍둥이 1-2

다음 중 일차함수인 것은?

① $y=5$ 　　　　　　② $y=2x+7$

③ $y=2x(2-x)$ 　　④ $y=4x^2+2$

⑤ $y=-\dfrac{3}{x}$

쌍둥이 1-3

다음 중 y가 x에 대한 일차함수가 <u>아닌</u> 것은?

① 시속 30 km로 x시간 동안 달린 거리 y km

② 넓이가 6 cm²인 삼각형의 밑변의 길이 x cm와 높이 y cm

③ 한 변의 길이가 x cm인 정삼각형의 둘레의 길이 y cm

④ 한 개에 x원인 물건 2개를 사고 3000원을 내었을 때의 거스름돈 y원

⑤ 가로의 길이가 3 cm, 세로의 길이가 x cm인 직사각형의 둘레의 길이 y cm

대표 유형 **2** 일차함수의 함숫값을 이용하여 미지수의 값 구하기

유형 해결의 법칙 중 2-1 135쪽

일차함수 $f(x)=ax+b$에 대하여 $f(p)=q$일 때, x에 p를 대입하면 $f(p)=ap+b=q$임을 이용하여 미지수의 값을 구한다.

2-1 일차함수 $f(x)=ax-5$에 대하여 $f(3)=1$일 때, 상수 a의 값을 구하시오.

풀이 $f(3)=1$이므로 $3a-5=1$

$3a=6$　∴ $a=2$

답 2

쌍둥이 2-2

일차함수 $f(x)=ax+3$에 대하여 $f(5)=-2$일 때, 상수 a의 값을 구하시오.

쌍둥이 2-3

일차함수 $f(x)=2x-a$에 대하여 $f(-2)=3$일 때, $f(-1)$의 값을 구하시오. (단, a는 상수)

대표 유형 **③** 일차함수의 그래프 위의 점이 주어질 때

유형 해결의 법칙 중 2-1 135쪽

일차함수 $y=ax+b$의 그래프가 점 (p, q)를 지난다.

➡ $y=ax+b$에 $x=p$, $y=q$를 대입하면 등식이 성립한다.

3-1 일차함수 $y=4x-5$의 그래프가 점 $(1, a)$를 지날 때, a의 값을 구하시오.

풀이 $y=4x-5$에 $x=1$, $y=a$를 대입하면

$a=4\times1-5=-1$

답 -1

쌍둥이 3-2

다음 중 일차함수 $y=-3x+1$의 그래프 위에 있는 점이 아닌 것은?

① $(0, 1)$ ② $(-1, 4)$ ③ $(2, -5)$

④ $(-3, 8)$ ⑤ $(4, -11)$

쌍둥이 3-3

일차함수 $y=ax-6$의 그래프가 점 $(1, -3)$을 지날 때, 상수 a의 값을 구하시오.

대표 유형 **④** 일차함수의 그래프의 평행이동

유형 해결의 법칙 중 2-1 136쪽

① $y=ax$ $\xrightarrow[k만큼\ 평행이동]{y축의\ 방향으로}$ $y=ax+k$

② $y=ax+b$ $\xrightarrow[k만큼\ 평행이동]{y축의\ 방향으로}$ $y=ax+b+k$

4-1 일차함수 $y=\dfrac{1}{2}x$의 그래프를 y축의 방향으로 -3만큼 평행이동한 그래프가 점 $(8, k)$를 지날 때, k의 값을 구하시오.

풀이 $y=\dfrac{1}{2}x$의 그래프를 y축의 방향으로 -3만큼 평행이동한 그래프를 나타내는 일차함수의 식은 $y=\dfrac{1}{2}x-3$

이때 일차함수 $y=\dfrac{1}{2}x-3$의 그래프가 점 $(8, k)$를 지나므로

$k=\dfrac{1}{2}\times8-3=1$

답 1

쌍둥이 4-2

다음 중 일차함수 $y=2x$의 그래프를 y축의 방향으로 -5만큼 평행이동한 그래프 위에 있는 점은?

① $(2, 3)$ ② $(1, -3)$ ③ $(-2, -1)$

④ $(-1, 5)$ ⑤ $(2, -5)$

쌍둥이 4-3

일차함수 $y=-\dfrac{1}{4}x+1$의 그래프를 y축의 방향으로 a만큼 평행이동한 그래프가 점 $(1, 2)$를 지날 때, a의 값을 구하시오.

STEP 3 개념 뛰어넘기

일차함수의 뜻과 일차함수의 함숫값

(1) 일차함수: y가 x에 대한 일차식, 즉 $y=ax+b$ (a, b는 상수, $a \neq 0$)의 꼴로 나타내어지면 y는 x에 대한 ①[   ]이다.

(2) 일차함수 $f(x)=ax+b$에서 $x=p$일 때의 함숫값은 $f(p)=ap+b$이다.

예 일차함수 $f(x)=2x+1$에 대하여 $x=1$일 때의 함숫값은 $f(1)=2 \times 1+1=3$

답 ① 일차함수

01

다음 중 y가 x에 대한 일차함수인 것을 모두 고르면? (정답 2개)

① $y=x-(2+x)$
② $y=\dfrac{3}{2}x+1$
③ $y=x$
④ $y=\dfrac{5}{x}$
⑤ $y=2x(x+1)$

02

다음 중 y가 x에 대한 일차함수가 <u>아닌</u> 것은?

① 현재 14살인 사람의 x년 후의 나이는 y살이다.
② x각형의 대각선의 개수는 y개이다. (단, $x > 3$)
③ 1시간에 20 km를 달리는 자동차가 x시간 동안 달린 거리는 y km이다.
④ 반지름의 길이가 x cm인 원의 둘레의 길이는 y cm이다.
⑤ 윗변과 아랫변의 길이가 각각 5 cm, x cm이고 높이가 8 cm인 사다리꼴의 넓이는 y cm²이다.

03

서술형

일차함수 $f(x)=-x+2a$에 대하여 $f(3)=5$일 때, 다음 물음에 답하시오.

(1) 상수 a의 값을 구하시오.

(2) $f(0)-f(-1)$의 값을 구하시오.

04

다음은 대운이의 문제 풀이 과정이다. 처음으로 틀린 곳을 찾고, 옳은 답을 구하시오.

문제
일차함수 $f(x)=ax+7$에 대하여 $f(-3)=-2$일 때, $f(2)$의 값을 구하시오. (단, a는 상수)

대운이의 풀이
① $f(-3)=-2$이므로 $-2a+7=-3$
② ∴ $a=5$
③ 즉 $f(x)=5x+7$이므로
④ $f(2)=5 \times 2+7=17$

05

일차함수 $f(x)=ax+2$에 대하여 $f(1)=3$, $f(b)=5$일 때, $a-b$의 값을 구하시오. (단, a는 상수)

일차함수의 그래프

(1) 일차함수의 그래프 위의 점

일차함수 $y=ax+b$의 그래프가 점 (p, q)를 지난다.

➡ $y=ax+b$에 $x=p$, $y=q$를 대입하면 등식이 성립한다.

(2) 일차함수의 그래프의 평행이동

$$y=ax \xrightarrow[b만큼\ 평행이동]{y축의\ 방향으로} y=ax+ \boxed{\textbf{❶}}$$

탑 **❶** b

06

다음 중 일차함수 $y=3x-2$의 그래프 위에 있는 점이 <u>아닌</u> 것은?

① $(0, -2)$ ② $(2, 4)$ ③ $(-1, -5)$

④ $(-2, -8)$ ⑤ $(1, -1)$

07

일차함수 $y=-3x+a$의 그래프가 점 $(-1, 1)$을 지날 때, 상수 a의 값을 구하시오.

08

다음 일차함수의 그래프 중 일차함수 $y=-2x$의 그래프를 y축의 방향으로 평행이동하였을 때 겹쳐지는 것은?

① $y=-3x-2$ ② $y=-2x-1$

③ $y=-x+3$ ④ $y=x+3$

⑤ $y=2x+5$

09

서술형

일차함수 $y=\dfrac{1}{6}x$의 그래프를 y축의 방향으로 3만큼 평행이동하면 일차함수 $y=ax+b$의 그래프가 된다. 이때 ab의 값을 구하시오. (단, a, b는 상수)

10

일차함수 $y=\dfrac{5}{3}x-4$의 그래프를 y축의 방향으로 k만큼 평행이동한 그래프를 나타내는 일차함수의 식이 $y=\dfrac{5}{3}x+6$일 때, k의 값을 구하시오.

11

일차함수 $y=ax+2$의 그래프를 y축의 방향으로 b만큼 평행이동하였더니 일차함수 $y=2x+4$의 그래프와 일치하였다. 이때 $a-b$의 값을 구하시오. (단, a는 상수)

★ 12

창의력

일차함수 $y=-3x+4$의 그래프를 y축의 방향으로 k만큼 평행이동한 그래프가 점 $(1, 3)$을 지날 때, k의 값을 구하시오.

3 x절편, y절편, 기울기

개념 ❶ 일차함수의 그래프의 x절편, y절편

(1) x**절편** 일차함수의 그래프가 x축과 만나는 점의 x좌표

　➡ $y=0$일 때 x의 값

(2) y**절편** 일차함수의 그래프가 y축과 만나는 점의 y좌표

　➡ $x=0$일 때 y의 값

(3) **일차함수 $y=ax+b\,(a\neq0)$의 그래프의 x절편, y절편**

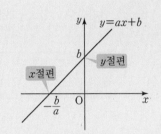

① x절편: $-\dfrac{b}{a}$ ➡ x축과 만나는 점의 좌표는 $\left(-\dfrac{b}{a},\,0\right)$

② y절편: b ➡ y축과 만나는 점의 좌표는 $(0,\,b)$

　참고　① $y=ax+b$에 $y=0$을 대입하면 $0=ax+b$에서 $x=-\dfrac{b}{a}$

　　　　② $y=ax+b$에 $x=0$을 대입하면 $y=b$

보기 일차함수 $y=2x+3$의 그래프의 x절편과 y절편을 각각 구해 보자.

① x절편 : $y=2x+3$에 $y=0$을 대입하면 $0=2x+3$ ∴ $x=-\dfrac{3}{2}$ ⇨ x절편 : $-\dfrac{3}{2}$

② y절편 : $y=2x+3$에 $x=0$을 대입하면 $y=2\times0+3=3$ ⇨ y절편 : 3

• Lecture •

● 일차함수 $y=ax+b$의 그래프에서

(1) x절편 ➡ $-\dfrac{b}{a}$

　➡ x축과 만나는 점의 x좌표

　➡ $y=0$일 때 x의 값

(2) y절편 ➡ b

　➡ y축과 만나는 점의 y좌표

　➡ $x=0$일 때 y의 값

┃개념 확인┃ 1 다음 일차함수의 그래프를 보고 표를 완성하시오.

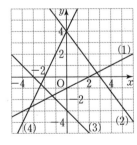

그래프	(1)	(2)	(3)	(4)
x축과의 교점의 좌표				
x절편				
y축과의 교점의 좌표				
y절편				

┃개념 확인┃ 2 다음 일차함수의 그래프의 x절편과 y절편을 각각 구하시오.

(1) $y=x+2$　　　　　　　　　　　　(2) $y=-4x-1$

개념 ② 일차함수의 그래프의 기울기

(1) **기울기** x의 값의 증가량에 대한 y의 값의 증가량의 비율

(2) 일차함수 $y=ax+b$의 그래프에서

$$(기울기)=\frac{(y의\ 값의\ 증가량)}{(x의\ 값의\ 증가량)}=a \longrightarrow 항상\ 일정$$

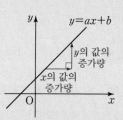

참고 일차함수 $y=ax+b$의 그래프에서 기울기 a는 x의 값이 1만큼 증가할 때, y의 값이 증가하는 양을 나타낸다.

설명 일차함수 $y=2x+1$에서 x의 값의 변화에 따른 y의 값의 변화를 표와 그래프로 나타내면 다음과 같다.

x	$\cdots$	0	1	2	3	$\cdots$
y	$\cdots$	1	3	5	7	$\cdots$

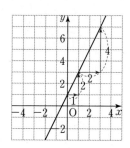

따라서 일차함수 $y=2x+1$의 그래프의 기울기를 구하면

$$(기울기)=\frac{(y의\ 값의\ 증가량)}{(x의\ 값의\ 증가량)}=\frac{2}{1}=\frac{4}{2}=2이고,$$

$y=2x+1$에서 x의 계수 2와 같다.

참고 두 점 (x_1, y_1), (x_2, y_2)를 지나는 일차함수의 그래프에서

$$(기울기)=\frac{(y의\ 값의\ 증가량)}{(x의\ 값의\ 증가량)}=\frac{y_2-y_1}{x_2-x_1}$$

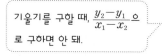

기울기를 구할 때, $\dfrac{y_2-y_1}{x_1-x_2}$으로 구하면 안 돼.

• Lecture •

● 일차함수 $y=ax+b$의 그래프에서 $(기울기)=\dfrac{(y의\ 값의\ 증가량)}{(x의\ 값의\ 증가량)}=a \longrightarrow 항상\ 일정$

│ 개념 확인 │ **3** 다음 ☐ 안에 알맞은 수를 써넣으시오.

(1)

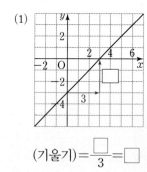

$$(기울기)=\frac{\boxed{}}{3}=\boxed{}$$

(2)

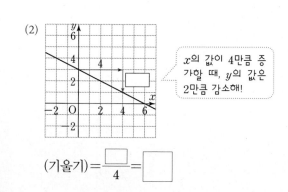

x의 값이 4만큼 증가할 때, y의 값은 2만큼 감소해!

$$(기울기)=\frac{\boxed{}}{4}=\boxed{}$$

│ 개념 확인 │ **4** 다음 일차함수의 그래프의 기울기를 구하시오.

(1) $y=2x+3$

(2) $y=-x-1$

(3) $y=4x+2$

(4) $y=-\dfrac{1}{5}x+5$

개념 3 일차함수의 그래프 그리기

방법1 x절편과 y절편을 이용하여 일차함수의 그래프 그리기

① x절편과 y절편을 구한다.

② ①을 이용하여 그래프가 x축 및 y축과 만나는 점을 좌표평면 위에 나타낸다.
└─ $(x$절편, $0)$, $(0, y$절편$)$

③ 두 점을 직선으로 연결한다.

방법2 기울기와 y절편을 이용하여 일차함수의 그래프 그리기

① y절편을 이용하여 그래프가 y축과 만나는 점을 좌표평면 위에 나타낸다.
└─ $(0, y$절편$)$

② ①의 점에서 기울기만큼 이동한 점을 찾는다.

③ ①의 점과 ②의 점을 직선으로 연결한다.

> 일차함수의 그래프는 직선 이므로 지나는 점 2개를 알면 그릴 수 있어.

 일차함수 $y=-2x+4$의 그래프를 다음 두 가지 방법을 이용하여 그려 보자.

방법1 x절편과 y절편을 이용

$y=-2x+4$에 $y=0$을 대입하면 $0=-2x+4$ ∴ $x=2$

$y=-2x+4$에 $x=0$을 대입하면 $y=4$

즉 x절편은 2, y절편은 4이므로 두 점 $(2, 0)$, $(0, 4)$를 지나는 직선을 그리면 오른쪽 그림과 같다.

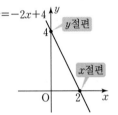

방법2 기울기와 y절편을 이용

y절편이 4이므로 점 $(0, 4)$를 좌표평면 위에 나타낸다.

기울기가 -2이므로 점 $(0, 4)$에서 x의 값이 1만큼 증가할 때, y의 값이 2만큼 감소한 점 $(1, 2)$를 좌표평면 위에 나타낸다.

두 점 $(0, 4)$, $(1, 2)$를 지나는 직선을 그리면 오른쪽 그림과 같다.

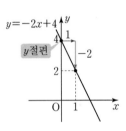

| 개념 확인 | 5 일차함수 $y=\dfrac{3}{4}x+3$의 그래프에 대하여 다음 물음에 답하시오.

(1) x절편과 y절편을 각각 구하시오.

(2) 오른쪽 좌표평면 위에 일차함수 $y=\dfrac{3}{4}x+3$의 그래프를 그리시오.

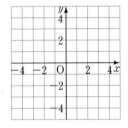

| 개념 확인 | 6 일차함수 $y=-\dfrac{1}{3}x+1$의 그래프에 대하여 다음 물음에 답하시오.

(1) 기울기와 y절편을 각각 구하시오.

(2) 오른쪽 좌표평면 위에 일차함수 $y=-\dfrac{1}{3}x+1$의 그래프를 그리시오.

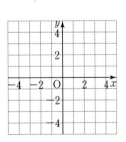

STEP ❶ 기초 개념 드릴

개념 기초

1-1

일차함수 $y=5x-1$의 그래프에서 다음을 구하시오.

(1) 기울기

(2) x절편

(3) y절편

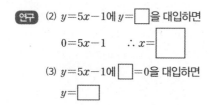
연구 (2) $y=5x-1$에 $y=\boxed{}$을 대입하면

$0=5x-1$ $\quad \therefore x=\boxed{}$

(3) $y=5x-1$에 $\boxed{}=0$을 대입하면

$y=\boxed{}$

2-1

다음 두 점을 지나는 일차함수의 그래프의 기울기를 구하시오.

(1) $(3, 4), (6, 5)$

(2) $(1, -5), (5, -4)$

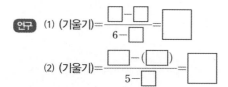
연구 (1) (기울기)$=\dfrac{\boxed{}-\boxed{}}{6-\boxed{}}=\boxed{}$

(2) (기울기)$=\dfrac{\boxed{}-(\boxed{})}{5-\boxed{}}=\boxed{}$

3-1

오른쪽 좌표평면 위에 일차함수 $y=-\dfrac{3}{2}x+3$의 그래프를 x절편과 y절편을 이용하여 그리시오.

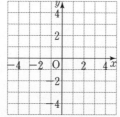

연구 ① x절편은 $\boxed{}$이므로 점 $\boxed{}$을 좌표평면 위에 나타낸다.

② y절편은 $\boxed{}$이므로 점 $\boxed{}$을 좌표평면 위에 나타낸다.

③ 두 점을 $\boxed{}$으로 연결한다.

쌍둥이 문제

1-2

다음 일차함수의 그래프의 기울기, x절편, y절편을 각각 구하시오.

(1) $y=-3x+6$ (2) $y=2x-8$

(3) $y=-\dfrac{1}{2}x+1$ (4) $y=\dfrac{1}{3}x+2$

2-2

다음 두 점을 지나는 일차함수의 그래프의 기울기를 구하시오.

(1) $(1, 3), (3, -1)$

(2) $(3, -1), (-2, 2)$

(3) $(3, -2), (0, -4)$

3-2

오른쪽 좌표평면 위에 일차함수 $y=\dfrac{2}{3}x-2$의 그래프를 기울기와 y절편을 이용하여 그리시오.

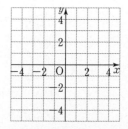

대표 유형 ❶ 일차함수의 그래프의 x절편, y절편 유형 해결의 법칙 중 2-1 137쪽, 138쪽

일차함수 $y=ax+b\,(a\neq0)$의 그래프에서

① x절편 ➡ $y=0$일 때 x의 값 ➡ $-\dfrac{b}{a}$

② y절편 ➡ $x=0$일 때 y의 값 ➡ b

1-1 일차함수 $y=-x+k$의 그래프에서 x절편이 -2일 때, y절편을 구하시오. (단, k는 상수)

풀이 x절편이 -2이므로

$y=-x+k$에 $x=-2$, $y=0$을 대입하면

$0=2+k$ ∴ $k=-2$

따라서 일차함수 $y=-x-2$의 그래프에서 y절편은 -2이다.

답 -2

쌍둥이 1-2

일차함수 $y=-\dfrac{1}{2}x+8$의 그래프에서 x절편을 a, y절편을 b라 할 때, $a-b$의 값을 구하시오.

쌍둥이 1-3

일차함수 $y=3x+k-1$의 그래프의 y절편이 6일 때, 상수 k의 값을 구하시오.

대표 유형 ❷ 일차함수의 그래프의 기울기 유형 해결의 법칙 중 2-1 138쪽

일차함수 $y=ax+b$의 그래프에서

$(\text{기울기})=\dfrac{(y의\ 값의\ 증가량)}{(x의\ 값의\ 증가량)}=a$

2-1 일차함수 $y=-\dfrac{2}{3}x+3$의 그래프에서 x의 값이 6만큼 증가할 때, y의 값은 얼마만큼 증가하는지 구하시오.

풀이 $(\text{기울기})=\dfrac{(y의\ 값의\ 증가량)}{6}=-\dfrac{2}{3}$이므로

$(y의\ 값의\ 증가량)=-4$

답 -4

쌍둥이 2-2

일차함수 $y=-\dfrac{3}{4}x+1$의 그래프에서 x의 값이 -1에서 7까지 증가할 때, y의 값의 증가량을 구하시오.

쌍둥이 2-3

다음 일차함수의 그래프 중 x의 값이 2만큼 증가할 때, y의 값이 4만큼 감소하는 것은?

① $y=2x-1$ ② $y=2x-4$

③ $y=-2x+1$ ④ $y=-4x+2$

⑤ $y=-\dfrac{1}{2}x+1$

대표 유형 **3** 두 점을 지나는 일차함수의 그래프의 기울기

유형 해결의 법칙 중 2-1 139쪽

두 점 (x_1, y_1), (x_2, y_2)를 지나는 일차함수의 그래프의 기울기 (단, $x_1 \neq x_2$)

➡ (기울기)$= \dfrac{(y\text{의 값의 증가량})}{(x\text{의 값의 증가량})} = \dfrac{y_2 - y_1}{x_2 - x_1} = \dfrac{y_1 - y_2}{x_1 - x_2}$

3-1 두 점 $(3, 2)$, $(-1, k)$를 지나는 일차함수의 그래프의 기울기가 -4일 때, k의 값을 구하시오.

풀이 (기울기)$= \dfrac{k-2}{-1-3} = -4$이므로

$\dfrac{k-2}{-4} = -4$, $k-2 = 16$

$\therefore k = 18$

답 18

쌍둥이 3-2

두 점 $(2, 3)$, $(4, k)$를 지나는 일차함수의 그래프의 기울기가 $-\dfrac{3}{2}$일 때, k의 값을 구하시오.

쌍둥이 3-3

두 점 $(-1, 4)$, $(1, 5)$를 지나는 일차함수의 그래프에서 x의 값이 0에서 4까지 증가할 때, y의 값의 증가량을 구하시오.

대표 유형 **4** 세 점이 한 직선 위에 있을 조건

유형 해결의 법칙 중 2-1 139쪽

서로 다른 세 점 A, B, C가 한 직선 위에 있을 때

(두 점 A, B를 지나는 직선의 기울기)$=$(두 점 A, C를 지나는 직선의 기울기)

$=$(두 점 B, C를 지나는 직선의 기울기)

4-1 세 점 $A(3, 7)$, $B(-2, -8)$, $C(2, k)$가 한 직선 위에 있을 때, 다음 물음에 답하시오.

(1) 두 점 A, B를 지나는 직선의 기울기를 구하시오.

(2) 두 점 B, C를 지나는 직선의 기울기를 k의 식으로 나타내시오.

(3) k의 값을 구하시오.

풀이 (1) (기울기)$= \dfrac{-8-7}{-2-3} = \dfrac{-15}{-5} = 3$

(2) (기울기)$= \dfrac{k-(-8)}{2-(-2)} = \dfrac{k+8}{4}$

(3) $\dfrac{k+8}{4} = 3$에서 $k+8 = 12$ $\therefore k = 4$

답 (1) 3 (2) $\dfrac{k+8}{4}$ (3) 4

쌍둥이 4-2

세 점 $(-1, 7)$, $(2, -5)$, $(k, -1)$이 한 직선 위에 있을 때, k의 값을 구하시오.

쌍둥이 4-3

세 점 $(-1, 4)$, $(2, -2)$, $(k, k-2)$가 한 직선 위에 있도록 하는 k의 값을 구하시오.

대표 유형 **5** 일차함수의 그래프 그리기

유형 해결의 법칙 중 2-1 140쪽

일차함수 $y=ax+b$의 그래프는 다음과 같은 방법으로 그릴 수 있다.

방법1 x절편 $-\dfrac{b}{a}$와 y절편 b를 이용한다.　　**방법2** 기울기 a와 y절편 b를 이용한다.

5-1 다음 중 일차함수 $y=3x-9$의 그래프는?

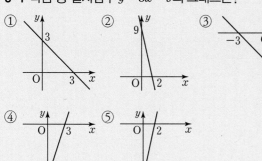

쌍둥이 5-2

다음 중 일차함수 $y=2x+8$의 그래프는?

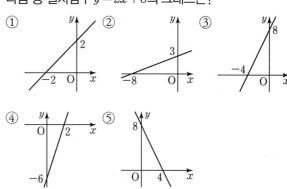

풀이 $y=3x-9$에 $y=0$을 대입하면 $0=3x-9$ $\quad \therefore x=3$

　　　$y=3x-9$에 $x=0$을 대입하면 $y=-9$

　　　따라서 x절편이 3, y절편이 -9이므로 그 그래프는 ④와 같다.

답 ④

대표 유형 **6** 일차함수의 그래프와 좌표축으로 둘러싸인 도형의 넓이

유형 해결의 법칙 중 2-1 141쪽

일차함수 $y=ax+b$의 그래프와 x축, y축으로 둘러싸인 도형의 넓이

$\Rightarrow \dfrac{1}{2} \times |x\text{절편}| \times |y\text{절편}| = \dfrac{1}{2} \times \left| -\dfrac{b}{a} \right| \times |b|$

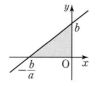

6-1 오른쪽 그림과 같이 일차함수 $y=\dfrac{1}{2}x-3$의 그래프가 x축, y축과 만나는 점을 각각 A, B라 할 때, 삼각형 AOB의 넓이를 구하시오.

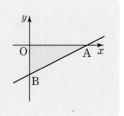

풀이 $y=\dfrac{1}{2}x-3$에 $y=0$을 대입하면 $0=\dfrac{1}{2}x-3$ $\quad \therefore x=6$

　　　$y=\dfrac{1}{2}x-3$에 $x=0$을 대입하면 $y=-3$

　　　따라서 x절편이 6, y절편이 -3이므로 두 점 A, B의 좌표는 각각

　　　$(6, 0)$, $(0, -3)$이다.

　　　$\therefore$ (삼각형 AOB의 넓이)$=\dfrac{1}{2} \times 6 \times 3 = 9$

답 9

쌍둥이 6-2

일차함수 $y=-\dfrac{4}{3}x+4$의 그래프에 대하여 다음 물음에 답하시오.

(1) $y=-\dfrac{4}{3}x+4$의 그래프의 x절편과 y절편을 각각 구하시오.

(2) $y=-\dfrac{4}{3}x+4$의 그래프를 좌표평면 위에 그렸을 때, 그 그래프와 x축 및 y축으로 둘러싸인 삼각형의 넓이를 구하시오.

7 일차함수와 그래프 (1)

x절편, y절편, 기울기

> (1) 일차함수 $y=ax+b$의 그래프에서
>
> ① x절편 ➡ x축과 만나는 점의 x좌표 ➡ $-\dfrac{b}{a}$
>   └➤ y좌표는 0
>
> ② y절편 ➡ y축과 만나는 점의 y좌표 ➡ ❶
>   └➤ x좌표는 0
>
> ③ (기울기) $=\dfrac{(y\text{의 값의 증가량})}{(x\text{의 값의 증가량})}=$ ❷
>
> (2) 두 점 (x_1, y_1), (x_2, y_2)를 지나는 일차함수의 그래프의 기울기 (단, $x_1 \neq x_2$)
>
> ➡ $\dfrac{(y\text{의 값의 증가량})}{(x\text{의 값의 증가량})}=\dfrac{y_2-y_1}{x_2-x_1}=\dfrac{y_1-y_2}{\boxed{❸}}$

답 ❶b ❷a ❸x_1-x_2

01

일차함수 $y=4x$의 그래프를 y축의 방향으로 3만큼 평행이동한 그래프의 x절편을 a, y절편을 b라 할 때, $8a+3b$의 값을 구하시오.

★ 02

일차함수 $y=\dfrac{1}{3}x-k$의 그래프의 x절편이 -6일 때, y절편을 구하시오. (단, k는 상수)

03

일차함수 $y=\dfrac{2}{3}x-4$의 그래프에서 x의 값이 9만큼 증가할 때, y의 값의 증가량은?

① 6   ② 5   ③ 4
④ 3   ⑤ 2

04

오른쪽 그림과 같은 일차함수의 그래프에서 기울기를 a, y절편을 b라 할 때, $a+b$의 값을 구하시오.

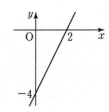

05

두 점 $(2, 10)$, $(-2, -6)$을 지나는 일차함수의 그래프의 기울기를 구하시오.

06

두 점 $(0, 2)$, $(3, a+1)$을 지나는 직선의 기울기가 5일 때, a의 값을 구하시오.

★ 07

서술형

세 점 $(2, a)$, $(3, 4)$, $(-1, -2a)$가 한 직선 위에 있을 때, a의 값을 구하시오.

일차함수의 그래프 그리기

일차함수 $y=ax+b$의 그래프는 다음과 같은 두 가지 방법으로 그릴 수 있다.

① x절편 $-\dfrac{b}{a}$와 y절편 b를 이용한다.

② 기울기 **❶** 와 y절편 b를 이용한다.

답 ❶ a

08

다음 중 일차함수 $y=-\dfrac{3}{4}x-\dfrac{1}{2}$의 그래프를 그린 것으로 옳은 것은?

①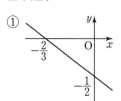

②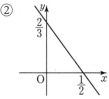

③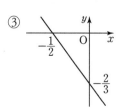

④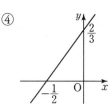

⑤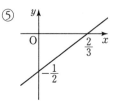

09

융합형

일차함수 $y=\dfrac{1}{2}x-1$의 그래프가 지나지 <u>않는</u> 사분면을 구하시오.

10

 창의 융합

다음은 가연이와 은기가 어떤 일차함수의 그래프에 대하여 설명한 것이다. 이 일차함수의 그래프로 옳은 것은?

> 가연: 이 그래프는 x의 값이 2만큼 증가할 때 y의 값은 4만큼 증가하는 직선이야.
>
> 은기: 이 그래프는 일차함수 $y=-\dfrac{3}{2}x+3$의 그래프와 x절편이 같아.

①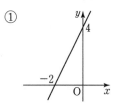

②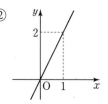

③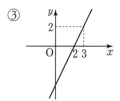

④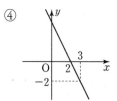

⑤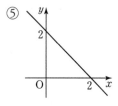

★ 11

서술형

일차함수 $y=2x+6$의 그래프가 오른쪽 그림과 같을 때, 다음 물음에 답하시오.

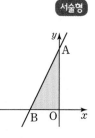

(1) 두 점 A, B의 좌표를 각각 구하시오.

(2) 삼각형 ABO의 넓이를 구하시오.

8 일차함수와 그래프 (2)

학습 목표

- 일차함수의 그래프의 성질을 이해한다.
- 주어진 조건을 이용하여 일차함수의 식을 구할 수 있다.
- 일차함수의 그래프의 성질을 활용하여 문제를 해결할 수 있다.

1 일차함수의 그래프의 성질

개념 ① 정비례 관계 $y=ax(a \neq 0)$의 그래프의 성질

(1) 정비례 관계 $y=ax(a \neq 0)$의 그래프는 원점을 지나는 직선이다.

(2)

	$a>0$일 때	$a<0$일 때
그래프		
성질	① 오른쪽 위로 향하는 직선이다. ② x의 값이 증가하면 y의 값도 증가한다. ③ 제 1, 3사분면을 지난다.	① 오른쪽 아래로 향하는 직선이다. ② x의 값이 증가하면 y의 값은 감소한다. ③ 제 2, 4사분면을 지난다.

> 중학교 1학년 때 정비례 관계 $y=ax(a \neq 0)$의 그래프에 대해 공부했어.

(3) 정비례 관계 $y=ax(a \neq 0)$의 그래프는 a의 절댓값이 클수록 y축에 가깝다.

설명 정비례 관계 $y=ax(a \neq 0)$의 그래프와 a의 값 사이의 관계

오른쪽 그림에서

① $a>0$일 때, 그래프가 y축에 가까운 순서대로 a의 값을 나열하면

$$2, 1, \frac{1}{2}$$

② $a<0$일 때, 그래프가 y축에 가까운 순서대로 a의 값을 나열하면

$$-2, -1, -\frac{1}{2}$$

따라서 a의 절댓값이 클수록 그래프가 y축에 가깝다.

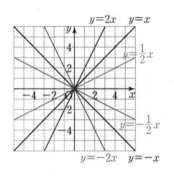

‖ 개념 확인 ‖ **1** 다음 중 정비례 관계 $y=-\dfrac{3}{2}x$의 그래프에 대한 설명으로 옳은 것은 ○표, 옳지 않은 것은 ×표를 ( ) 안에 써넣으시오.

(1) 점 $\left(1, -\dfrac{2}{3}\right)$를 지난다. ( )

(2) 점 $(2, -3)$을 지난다. ( )

(3) 원점을 지나는 직선이다. ( )

(4) 제2사분면과 제4사분면을 지난다. ( )

(5) $y=2x$의 그래프보다 y축에 더 가깝다. ( )

개념 ② 일차함수 $y=ax+b(a\neq0)$의 그래프의 성질

일차함수 $y=ax+b(a\neq0)$의 그래프에서 a는 기울기, b는 y절편을 나타낸다.

$a>0$일 때	$a<0$일 때
① 오른쪽 위로 향하는 직선이다.	① 오른쪽 아래로 향하는 직선이다.
② x의 값이 증가하면 y의 값도 증가한다.	② x의 값이 증가하면 y의 값은 감소한다.

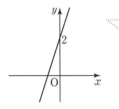

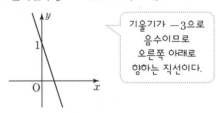

참고 일차함수 $y=ax+b(a\neq0)$의 그래프에서 $b=0$이면 원점을 지난다.

보기

(1) 일차함수 $y=3x+2$의 그래프

> 기울기가 3으로 양수이므로 오른쪽 위로 향하는 직선이다.

(2) 일차함수 $y=-3x+1$의 그래프

> 기울기가 -3으로 음수이므로 오른쪽 아래로 향하는 직선이다.

• Lecture •

● 일차함수 $y=ax+b$의 그래프에서 $a>0$이다.

⇔ 기울기가 양수이다.

⇔ 오른쪽 위로 향하는 직선이다.

⇔ x의 값이 증가하면 y의 값도 증가한다.

● 일차함수 $y=ax+b$의 그래프에서 $a<0$이다.

⇔ 기울기가 음수이다.

⇔ 오른쪽 아래로 향하는 직선이다.

⇔ x의 값이 증가하면 y의 값은 감소한다.

개념 확인 2

다음 조건을 만족하는 일차함수를 보기에서 모두 고르시오.

보기

㉠ $y=-\dfrac{2}{3}x+2$　　㉡ $y=2x-7$　　㉢ $y=\dfrac{1}{4}x-9$

㉣ $y=-5x-2$　　㉤ $y=x+1$　　㉥ $y=4x$

(1) 그래프가 오른쪽 위로 향하는 직선

(2) 그래프가 오른쪽 아래로 향하는 직선

(3) 그래프가 x의 값이 증가하면 y의 값도 증가하는 직선

(4) 그래프가 x의 값이 증가하면 y의 값은 감소하는 직선

개념 3 일차함수 $y=ax+b(a\neq0)$의 그래프의 모양

개념 동영상

일차함수 $y=ax+b$의 그래프의 모양을 보고 기울기 a의 부호와 y절편 b의 부호를 알 수 있다.

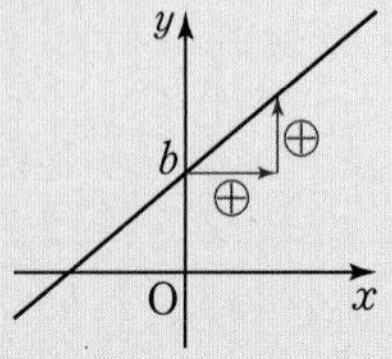	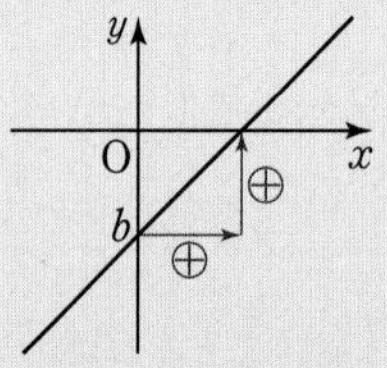	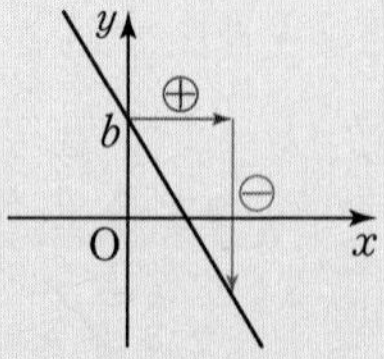	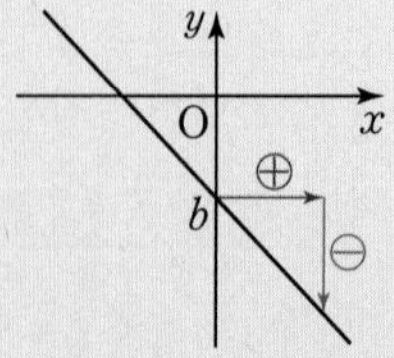
$a>0,\ b>0$ 제1, 2, 3사분면을 지난다.	$a>0,\ b<0$ 제1, 3, 4사분면을 지난다.	$a<0,\ b>0$ 제1, 2, 4사분면을 지난다.	$a<0,\ b<0$ 제2, 3, 4사분면을 지난다.

보기 오른쪽 그림의 ㉠~㉥ 중 다음을 만족하는 일차함수 $y=ax+b(a\neq0)$의 그래프를 모두 찾아 보자.

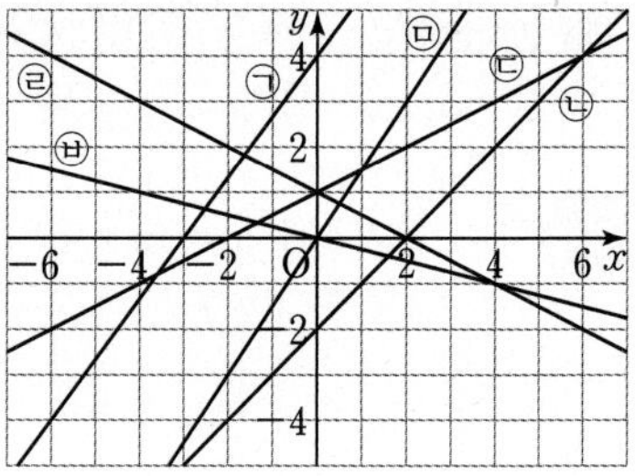

(1) $a>0$인 그래프 ⇨ ㉠, ㉡, ㉢, ㉤

(2) $a<0$인 그래프 ⇨ ㉣, ㉥

(3) $b>0$인 그래프 ⇨ ㉠, ㉢, ㉣

(4) $b<0$인 그래프 ⇨ ㉡

(5) $b=0$인 그래프 ⇨ ㉤, ㉥

Lecture

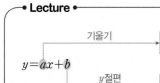

$y=ax+b$

- 기울기
  - ① 직선이 오른쪽 위로 향하면 $a>0$
  - ② 직선이 오른쪽 아래로 향하면 $a<0$
- y절편
  - ① 직선이 y축과 원점보다 위쪽에서 만나면 $b>0$
  - ② 직선이 y축과 원점보다 아래쪽에서 만나면 $b<0$

개념 확인 3 일차함수 $y=ax+b$의 그래프가 다음과 같을 때, □ 안에 알맞은 부등호를 써넣으시오.

(1) 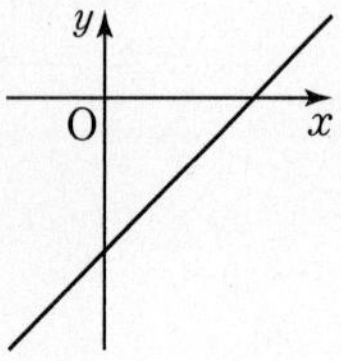

➡ a□0, b□0

(2) 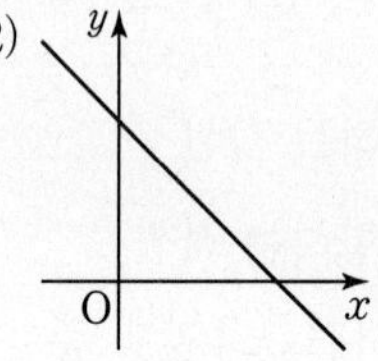

➡ a□0, b□0

(3) 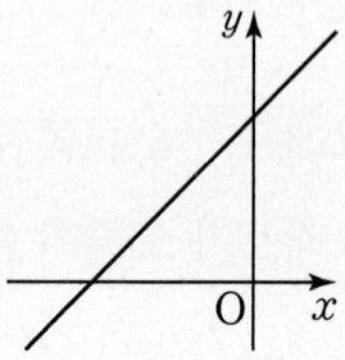

➡ a□0, b□0

(4) 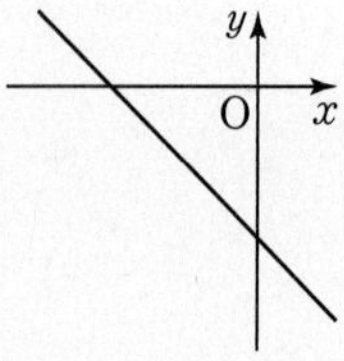

➡ a□0, b□0

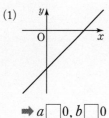

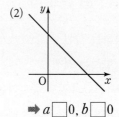

개념 ④ 일차함수의 그래프의 평행과 일치

(1) 기울기가 같은 두 일차함수의 그래프는 서로 평행하거나 일치한다.

평행	일치
기울기가 같고 y절편이 다르다.	기울기와 y절편이 각각 같다.
	그래프가 완전히 겹친다.

복습

- 평면에서 두 직선의 위치 관계
  ① 한 점에서 만난다.
  ② 평행하다. (만나지 않는다.)
  ③ 일치한다.

참고

- 두 일차함수의 그래프가 한 점에서 만나면 기울기가 다르다.

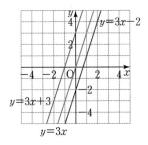

즉 두 일차함수 $y=ax+b$, $y=cx+d$의 그래프에 대하여

① $a=c, b\neq d$ ➡ 평행
  └ 기울기가 같고 y절편이 다르다.

② $a=c, b=d$ ➡ 일치
  └ 기울기와 y절편이 각각 같다.

(2) 서로 평행한 두 일차함수의 그래프의 기울기는 같다.

설명 두 일차함수 $y=3x+3$, $y=3x-2$의 그래프는 일차함수 $y=3x$의 그래프를 y축의 방향으로 각각 $3, -2$만큼 평행이동한 것이다. 따라서 세 일차함수 $y=3x$, $y=3x+3$, $y=3x-2$의 그래프는 서로 평행하고 그 기울기는 모두 같다.

• Lecture •

- 두 일차함수 $y=ax+b$, $y=cx+d$의 그래프의 평행과 일치

  (1) $a=c, b\neq d$ (기울기가 같고 y절편이 다르다.) ➡ 평행

  (2) $a=c, b=d$ (기울기와 y절편이 각각 같다.) ➡ 일치

┃ 개념 확인 ┃ **4** 아래 보기의 일차함수의 그래프에 대하여 다음 물음에 답하시오.

┌─ 보기 ─────────────────────────────────┐
$\bigcirc\!\!\!\!\!\!\ \ y=-\dfrac{1}{2}x+1$ 　　　$\bigcirc\!\!\!\!\!\!\ \ y=2(x+1)+3$ 　　　$\bigcirc\!\!\!\!\!\!\ \ y=2x+5$

$\textcircled{ㄹ}\ y=-\dfrac{1}{2}x+3$ 　　　$\textcircled{ㅁ}\ y=\dfrac{1}{2}x-1$ 　　　$\textcircled{ㅂ}\ y=\dfrac{3}{2}x+3$
└─────────────────────────────────────┘

(1) 서로 평행한 것끼리 짝 지으시오.

(2) 일치하는 것끼리 짝 지으시오.

개념 기초

1-1

다음 중 일차함수 $y=2x-5$의 그래프에 대한 설명으로 옳은 것에는 ○표, 옳지 않은 것에는 ×표를 ( ) 안에 써넣으시오.

(1) x축과의 교점의 좌표는 $(-5, 0)$이다.　　　( )

(2) y절편은 -5이다.　　　( )

(3) 제2사분면을 지난다.　　　( )

(4) x의 값이 2만큼 증가할 때, y의 값은 4만큼 증가한다.

　　　( )

연구 (x축과의 교점의 x좌표)=(□절편)

　　　　　 =(□=0일 때 x의 값)

　　　 (y축과의 교점의 y좌표)=(□절편)

　　　　　 =(□=0일 때 y의 값)

2-1

일차함수 $y=ax-b$의 그래프가 다음과 같을 때, □ 안에 알맞은 부등호를 써넣으시오.

(1)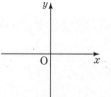

원점보다 아래쪽

오른쪽 위

(2)

➡ $a\square 0, b\square 0$　　　➡ $a\square 0, b\square 0$

연구 a의 부호 ➡ 그래프의 □ 결정

　　　 b의 부호 ➡ 그래프가 □축과 만나는 부분 결정

3-1

$a>0$, $b>0$일 때, 오른쪽 좌표평면 위에 일차함수 $y=ax+b$의 그래프의 대략적인 모양을 그리고, 그래프가 지나는 사분면을 말하시오.

연구 (기울기)=$a\square 0$이므로 그래프는 오른쪽 □로 향하는 직선이다.

　　　 (y절편)=$b\square 0$이므로 그래프는 y축과 원점보다 □쪽에서 만난다.

쌍둥이 문제

1-2

다음 중 일차함수 $y=-\dfrac{2}{3}x+4$의 그래프에 대한 설명으로 옳은 것에는 ○표, 옳지 않은 것에는 ×표를 ( ) 안에 써넣으시오.

(1) 오른쪽 위로 향하는 직선이다.　　　( )

(2) x절편은 6이다.　　　( )

(3) y절편은 4이다.　　　( )

(4) x의 값이 2만큼 증가할 때, y의 값은 3만큼 감소한다.

　　　( )

2-2

일차함수 $y=-ax+b$의 그래프가 다음과 같을 때, 상수 a, b의 부호를 정하시오.

(1) 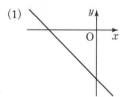　　　(2)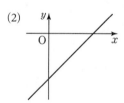

3-2

$a>0, b<0$일 때, 오른쪽 좌표평면 위에 일차함수 $y=-ax+b$의 그래프의 대략적인 모양을 그리고, 그래프가 지나는 사분면을 말하시오.

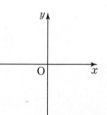

대표 유형 ❶ 일차함수 $y=ax+b$의 그래프의 성질   유형 해결의 법칙 중 2-1 153쪽

(1) ① $a>0$이면 ┌ 오른쪽 위로 향하는 직선이다.
               └ x의 값이 증가할 때, y의 값도 증가한다.

② $a<0$이면 ┌ 오른쪽 아래로 향하는 직선이다.
               └ x의 값이 증가할 때, y의 값은 감소한다.

(2) ① $b>0$이면 ┌ y축과 원점보다 위쪽에서 만난다.
               └ y절편은 양수이다.

② $b<0$이면 ┌ y축과 원점보다 아래쪽에서 만난다.
               └ y절편은 음수이다.

1-1 다음 중 일차함수 $y=-\dfrac{2}{3}x+5$의 그래프에 대한 설명으로 옳지 <u>않은</u> 것은?

① x의 값이 3만큼 증가할 때, y의 값은 2만큼 감소한다.

② 오른쪽 아래로 향하는 직선이다.

③ y절편은 5이다.

④ 일차함수 $y=-\dfrac{2}{3}x$의 그래프를 y축의 방향으로 5만큼 평행이동한 직선이다.

⑤ 제1, 3, 4사분면을 지난다.

풀이 ⑤ 그래프는 오른쪽 그림과 같은 모양이므로 제1, 2, 4사분면을 지난다.

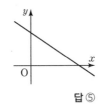

답 ⑤

쌍둥이 1-2

다음 중 일차함수 $y=\dfrac{4}{3}x-4$의 그래프에 대한 설명으로 옳은 것은?

① 점 $(-3, -4)$를 지난다.

② 제1, 2, 3사분면을 지난다.

③ x축과 만나는 점의 좌표는 $(4, 0)$이다.

④ x의 값이 6만큼 증가할 때, y의 값은 8만큼 증가한다.

⑤ 일차함수 $y=\dfrac{4}{3}x$의 그래프를 y축의 방향으로 4만큼 평행이동한 직선이다.

대표 유형 ❷ 일차함수 $y=ax+b$의 그래프와 a, b의 부호 (1)   유형 해결의 법칙 중 2-1 152쪽

① 그래프의 모양이 ┌ 오른쪽 위로 향하는 직선이면 $a>0$
                └ 오른쪽 아래로 향하는 직선이면 $a<0$

② y축과의 교점의 위치가 ┌ 원점보다 위쪽이면 $b>0$
                          └ 원점보다 아래쪽이면 $b<0$

2-1 일차함수 $y=-ax-b$의 그래프가 오른쪽 그림과 같을 때, 상수 a, b의 부호를 정하시오.

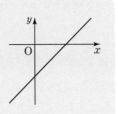

풀이 그래프가 오른쪽 위로 향하는 직선이므로 $-a>0$ ∴ $a<0$

y축과 원점보다 아래쪽에서 만나므로 $-b<0$ ∴ $b>0$

답 $a<0, b>0$

쌍둥이 2-2

일차함수 $y=ax-b$의 그래프가 오른쪽 그림과 같을 때, 상수 a, b의 부호를 정하시오.

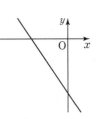

대표 유형 ❸   일차함수 $y=ax+b$의 그래프와 a, b의 부호 (2)

유형 해결의 법칙 중 2-1 152쪽

일차함수 $y=ax+b$의 그래프에서
- a의 부호: 그래프의 모양 결정
- b의 부호: 그래프가 y축과 만나는 부분 결정

3-1 일차함수 $y=ax+b$의 그래프가 오른쪽 그림과 같을 때, 일차함수 $y=bx+a$의 그래프가 지나지 <u>않는</u> 사분면을 구하시오. (단, a, b는 상수)

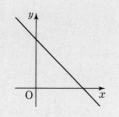

풀이   그래프가 오른쪽 아래로 향하는 직선이므로 $a<0$

y축과 원점보다 위쪽에서 만나므로 $b>0$

따라서 일차함수 $y=bx+a$의 그래프는 오른쪽 그림과 같은 모양이므로 그래프가 지나지 않는 사분면은 제2사분면이다.

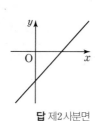

답 제2사분면

쌍둥이 3-2

일차함수 $y=ax-b$의 그래프가 오른쪽 그림과 같을 때, 일차함수 $y=bx-a$의 그래프가 지나지 <u>않는</u> 사분면을 구하시오. (단, a, b는 상수)

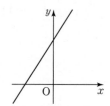

대표 유형 ❹   일차함수의 그래프의 평행과 일치

유형 해결의 법칙 중 2-1 152쪽

두 일차함수 $y=ax+b$와 $y=cx+d$의 그래프에서
① $a=c$, $b≠d$ ➡ 평행
② $a=c$, $b=d$ ➡ 일치

4-1 두 일차함수 $y=\dfrac{2}{3}x-b$와 $y=ax+\dfrac{3}{2}$의 그래프가 일치할 때, ab의 값을 구하시오. (단, a, b는 상수)

풀이   일치하는 두 일차함수의 그래프는 기울기와 y절편이 각각 같으므로

$\dfrac{2}{3}=a$, $-b=\dfrac{3}{2}$ $\therefore a=\dfrac{2}{3}$, $b=-\dfrac{3}{2}$

$\therefore ab=\dfrac{2}{3}\times\left(-\dfrac{3}{2}\right)=-1$

답 -1

쌍둥이 4-2

두 일차함수 $y=\dfrac{a}{2}x+1$과 $y=4x-1$의 그래프가 서로 평행할 때, 상수 a의 값을 구하시오.

쌍둥이 4-3

두 일차함수 $y=ax-3$과 $y=-2x+b$의 그래프가 일치할 때, $a+b$의 값을 구하시오. (단, a, b는 상수)

일차함수의 그래프의 성질

일차함수 $y=ax+b\,(a\neq0)$의 그래프에서

(1) $a>0$일 때

    x의 값이 증가하면 y의 값도 증가한다.

    ➡ 오른쪽 **①** 로 향하는 직선

(2) $a<0$일 때

    x의 값이 증가하면 y의 값은 감소한다.

    ➡ 오른쪽 **②** 로 향하는 직선

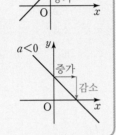

답 ① 위 **②** 아래

01

다음 보기의 일차함수의 그래프에 대한 설명으로 옳은 것은?

┌─ 보기 ─────────────────────────┐

㉠ $y=\dfrac{1}{2}x+3$ ㉡ $y=3x+3$

㉢ $y=-\dfrac{1}{2}x-1$ ㉣ $y=3x-5$

└──────────────────────────────┘

① 원점을 지나는 것은 ㉢, ㉣이다.

② x의 값이 증가할 때, y의 값은 감소하는 것은 ㉠, ㉢이다.

③ 제1, 2, 3사분면을 지나는 것은 ㉠, ㉡이다.

④ 오른쪽 위로 향하는 직선은 ㉠, ㉢이다.

⑤ 오른쪽 아래로 향하는 직선은 ㉡, ㉣이다.

★ 02

다음 중 일차함수 $y=-\dfrac{1}{2}x+1$의 그래프에 대한 설명으로 옳지 <u>않은</u> 것은?

① 기울기는 $-\dfrac{1}{2}$이다.

② x절편은 1이다.

③ y절편은 1이다.

④ 오른쪽 아래로 향하는 직선이다.

⑤ 제1, 2, 4사분면을 지나는 직선이다.

일차함수의 그래프의 모양

일차함수 $y=ax+b$의 그래프가

(1) ① 오른쪽 위로 향하는 직선이면 ➡ $a>0$

    ② 오른쪽 아래로 향하는 직선이면 ➡ a **①** 0

(2) ① y축과 원점보다 위쪽에서 만나면 ➡ b **②** 0

    ② y축과 원점보다 아래쪽에서 만나면 ➡ $b<0$

답 ① < **②** >

★ 03

일차함수 $y=-ax+b$의 그래프가 오른쪽 그림과 같을 때, 상수 a, b의 부호는?

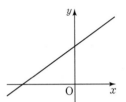

① $a<0, b<0$

② $a<0, b=0$

③ $a<0, b>0$

④ $a>0, b<0$

⑤ $a>0, b>0$

04

$a<0, b<0$일 때, 다음 중 일차함수 $y=abx+(a+b)$의 그래프의 모양으로 알맞은 것은? (단, a, b는 상수)

①   ②   ③

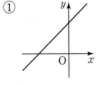

④   ⑤

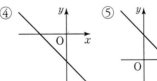

05

서술형 + 융합형

일차함수 $y=ax+ab$의 그래프가 오른쪽 그림과 같을 때, 다음 물음에 답하시오.

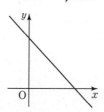

(1) 상수 a, b의 부호를 정하시오.

(2) 일차함수 $y=-bx+a$의 그래프가 지나지 <u>않는</u> 사분면을 구하시오.

일차함수의 그래프의 평행과 일치

(1) 두 일차함수 $y=ax+b$, $y=cx+d$의 그래프가 서로 평행하면

   ➡ $a=c$, b ❶⬛ d → 기울기가 같고 y절편이 다르다.

(2) 두 일차함수 $y=ax+b$, $y=cx+d$의 그래프가 일치하면

   ➡ $a=c$, b ❷⬛ d → 기울기가 같고 y절편도 같다.

답 ❶ $\neq$ ❷ $=$

06

다음 일차함수 중에서 그 그래프가 서로 평행한 것끼리 짝 지은 것은?

┌─ 보기 ────────────────────────┐

  ㄱ $y=-3x+1$ ㄴ $y=\dfrac{2}{5}x+1$

  ㄷ $y=-3x+2$ ㄹ $y=\dfrac{2}{5}x+2$

  ㅁ $y=3x+\dfrac{2}{5}$

└──────────────────────────────┘

① ㄱ과 ㄴ, ㄷ과 ㄹ   ② ㄱ과 ㄷ, ㄴ과 ㄹ

③ ㄱ과 ㄴ, ㄷ과 ㄹ과 ㅁ   ④ ㄱ과 ㄴ과 ㅁ, ㄷ과 ㄹ

⑤ ㄱ과 ㄷ과 ㅁ, ㄴ과 ㄹ

07

⭐

다음 일차함수의 그래프 중 오른쪽 그림의 그래프와 평행한 것은?

① $y=-2x+2$

② $y=-2x+1$

③ $y=-x+1$

④ $y=-x+2$

⑤ $y=-\dfrac{1}{2}x+3$

08

두 일차함수 $y=\dfrac{2}{3}x+b$와 $y=ax+3$의 그래프가 서로 평행할 때, 다음 중 상수 a, b의 조건으로 옳은 것은?

① $a=\dfrac{2}{3}$, $b\neq 3$ ② $a=\dfrac{2}{3}$, $b=3$

③ $a\neq\dfrac{2}{3}$, $b=3$ ④ $a\neq\dfrac{2}{3}$, $b\neq 3$

⑤ $a\geq\dfrac{2}{3}$, $b\leq 3$

09

두 일차함수 $y=ax+4$와 $y=2x+b$의 그래프가 서로 일치할 때, $a-b$의 값을 구하시오. (단, a, b는 상수)

2 일차함수의 식

개념 ① 일차함수의 식 구하기 (1)

(1) **기울기와 y절편이 주어질 때**

기울기가 a이고 y절편이 b인 직선을 그래프로 하는 일차함수의 식

➡ $y=ax+b$

예 기울기가 2이고 y절편이 -1인 직선을 그래프로 하는 일차함수의 식은 $y=2x-1$

(2) **기울기와 한 점의 좌표가 주어질 때**

기울기가 a이고 한 점 (x_1, y_1)을 지나는 직선을 그래프로 하는 일차함수의 식은 다음과 같은 순서로 구한다.

① 일차함수의 식을 $y=ax+b$로 놓는다.

② $x=x_1,\ y=y_1$을 $y=ax+b$에 대입하여 b의 값을 구한다.

 보기 기울기가 2이고 점 $(1, 5)$를 지나는 직선을 그래프로 하는 일차함수의 식을 구해 보자.

① 일차함수의 식을 $y=2x+b$로 놓는다.

② $x=1,\ y=5$를 $y=2x+b$에 대입하면

$5=2\times1+b$ ∴ $b=3$

따라서 구하는 일차함수의 식은 $y=2x+3$

> 일차함수 $y=ax+b$의 그래프가 점 $(●, ▲)$를 지난다.
> ➡ $x=●$일 때 $y=▲$이다.
> ➡ $y=ax+b$에 $x=●,\ y=▲$를 대입하면 등식이 성립한다.
> 즉 $▲=a\times●+b$

• Lecture •

● 기울기와 y절편이 주어질 때 일차함수의 식 구하기

➡ $y=(\text{기울기})x+(y\text{절편})$

● 기울기와 한 점의 좌표가 주어질 때 일차함수의 식 구하기

➡ $y=(\text{기울기})x+b$에 주어진 점의 좌표를 대입하여 b의 값을 구한다.

‖ 개념 확인 ‖ 1 다음 직선을 그래프로 하는 일차함수의 식을 구하시오.

(1) 기울기가 3이고 y절편이 1인 직선

(2) 기울기가 $\dfrac{1}{2}$이고 점 $(0, 4)$를 지나는 직선

‖ 개념 확인 ‖ 2 다음 직선을 그래프로 하는 일차함수의 식을 구하시오.

(1) 기울기가 -1이고 점 $(2, 4)$를 지나는 직선

(2) 기울기가 $\dfrac{1}{3}$이고 점 $(3, -3)$을 지나는 직선

개념 ❷ 일차함수의 식 구하기 (2)

서로 다른 두 점의 좌표가 주어질 때

서로 다른 두 점 $(x_1, y_1), (x_2, y_2)$를 지나는 직선을 그래프로 하는 일차함수의 식은 다음과 같은 순서로 구한다.

$$(단, x_1 \neq x_2)$$

① $(기울기) = \dfrac{y_2 - y_1}{x_2 - x_1} = \dfrac{y_1 - y_2}{x_1 - x_2} = a$를 구한다.

② 일차함수의 식을 $y = ax + b$로 놓는다.

③ 두 점 중 한 점의 좌표를 $y = ax + b$에 대입하여 b의 값을 구한다.

 두 점 $(1, 2), (3, 8)$을 지나는 직선을 그래프로 하는 일차함수의 식을 구해 보자.

① $(기울기) = \dfrac{8 - 2}{3 - 1} = 3$

② 일차함수의 식을 $y = 3x + b$로 놓는다.

③ $x = 1, y = 2$를 $y = 3x + b$에 대입하면

$2 = 3 \times 1 + b \qquad \therefore b = -1$

따라서 구하는 일차함수의 식은 $y = 3x - 1$

> 점 $(1, 2)$ 대신 점 $(3, 8)$의 좌표를 대입해도 돼.

참고 두 점을 지나는 직선을 그래프로 하는 일차함수의 식은 두 점의 좌표를 $y = ax + b$에 각각 대입하여 얻은 a, b에 대한 연립방정식을 풀어서 구할 수도 있다.

• **Lecture** •

● 서로 다른 두 점의 좌표가 주어질 때 일차함수의 식 구하기

➡ $y = \dfrac{(y의 \ 값의 \ 증가량)}{(x의 \ 값의 \ 증가량)} x + b$에 한 점의 좌표를 대입하여 b의 값을 구한다.

┃개념 확인┃ **3** 다음 두 점을 지나는 직선을 그래프로 하는 일차함수의 식을 구하시오.

(1) $(-1, 6), (3, 2)$

(2) $(-3, 10), (2, -5)$

개념 ③ 일차함수의 식 구하기 (3)

x절편과 y절편이 주어질 때

x절편이 m, y절편이 n인 직선은 두 점 $(m, 0)$, $(0, n)$을 지나는 직선과 같으므로 x절편이 m, y절편이 n인 직선을 그래프로 하는 일차함수의 식은 다음과 같은 순서로 구한다. (단, $m \neq 0$)

① (기울기)$= \dfrac{n-0}{0-m} = -\dfrac{n}{m}$을 구한다.

② 기울기가 $-\dfrac{n}{m}$이고 y절편이 n인 직선을 그래프로 하는 일차함수의 식

➡ $y = -\dfrac{n}{m}x + n$

보기 x절편이 3, y절편이 -1인 직선을 그래프로 하는 일차함수의 식을 구해 보자.

두 점 $(3, 0)$, $(0, -1)$을 지나므로

(기울기)$= \dfrac{-1-0}{0-3} = \dfrac{1}{3}$

따라서 기울기가 $\dfrac{1}{3}$, y절편이 -1이므로 구하는 일차함수의 식은

$y = \dfrac{1}{3}x - 1$

• **Lecture** •

● x절편이 m, y절편이 n일 때 일차함수의 식 구하기

➡ $y = -\dfrac{n}{m}x + n$

| 개념 확인 | **4**   다음 직선을 그래프로 하는 일차함수의 식을 구하시오.

(1) x절편이 2, y절편이 -4인 직선

(2) x절편이 -6, y절편이 -3인 직선

개념 기초

1-1

다음 직선을 그래프로 하는 일차함수의 식을 구하시오.

(1) 기울기가 2이고 y절편이 5인 직선

(2) 일차함수 $y=-2x+1$의 그래프와 평행하고, 점 $(3, -4)$를 지나는 직선

연구 (2) $y=-2x+1$의 그래프와 평행하므로 기울기는 □

$y=$ □ $x+b$로 놓고 $x=3, y=-4$를 대입하면 $b=$ □

따라서 구하는 일차함수의 식은 □

2-1

다음 직선을 그래프로 하는 일차함수의 식을 구하시오.

(1) 두 점 $(-1, 5), (2, -4)$를 지나는 직선

(2) x절편이 2, y절편이 -5인 직선

(3) 두 점 $(1, 0), (0, -2)$를 지나는 직선

연구 두 점 $(x_1, y_1), (x_2, y_2)$를 지나는 직선에서

$$(\text{기울기})=\frac{\boxed{}}{x_2-x_1}$$

➡ 일차함수의 식을 $y=ax+b$로 놓고 두 점 중 한 점의 좌표를 대입하여 b의 값을 구한다.

3-1

오른쪽 그림과 같은 직선을 그래프로 하는 일차함수의 식을 구하려고 한다. 직선이 지나는 두 점을 이용하여 다음을 구하시오.

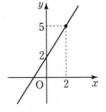

(1) 기울기

(2) 일차함수의 식

연구 (1) 두 점 $(0, \boxed{}), (2, \boxed{})$를 지나므로

$$(\text{기울기})=\frac{\boxed{}-\boxed{}}{2-0}=\boxed{}$$

(2) 기울기가 □이고 y절편은 □이므로

구하는 일차함수의 식은 □

쌍둥이 문제

1-2

다음 직선을 그래프로 하는 일차함수의 식을 구하시오.

(1) x의 값이 3만큼 증가할 때 y의 값은 9만큼 감소하고, y절편이 -1인 직선

(2) 일차함수 $y=\dfrac{3}{5}x-2$의 그래프와 평행하고, 점 $(-5, -2)$를 지나는 직선

2-2

다음 직선을 그래프로 하는 일차함수의 식을 구하시오.

(1) 두 점 $(-3, 10), (2, -5)$를 지나는 직선

(2) x절편이 -3, y절편이 3인 직선

(3) 두 점 $(-2, 0), (0, -6)$을 지나는 직선

3-2

오른쪽 그림과 같은 직선을 그래프로 하는 일차함수의 식을 구하려고 한다. x절편, y절편을 이용하여 다음을 구하시오.

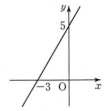

(1) 기울기

(2) 일차함수의 식

대표 유형 ① 일차함수의 식 구하기 (1) – 기울기와 y절편이 주어질 때   유형 해결의 법칙 중 2-1 154쪽

기울기가 a이고 y절편이 b일 때, 일차함수의 식은 $y=ax+b$이다.

1-1 기울기가 $\dfrac{1}{3}$이고, 일차함수 $y=-x+\dfrac{1}{2}$의 그래프와 y축 위에서 만나는 직선을 그래프로 하는 일차함수의 식을 구하시오.

풀이 기울기가 $\dfrac{1}{3}$이고, y절편이 $\dfrac{1}{2}$이므로

구하는 일차함수의 식은 $y=\dfrac{1}{3}x+\dfrac{1}{2}$

$$답\ y=\dfrac{1}{3}x+\dfrac{1}{2}$$

쌍둥이 1-2

다음 직선을 그래프로 하는 일차함수의 식을 구하시오.

(1) 일차함수 $y=4x+1$의 그래프와 평행하고 y절편이 -3인 직선

(2) 일차함수 $y=-\dfrac{1}{2}x-1$의 그래프와 평행하고, 한 점 $(0, -5)$를 지나는 직선

쌍둥이 1-3

일차함수 $y=-\dfrac{2}{3}x+1$의 그래프와 기울기가 같고, 일차함수 $y=4x-5$의 그래프와 y절편이 같은 직선을 그래프로 하는 일차함수의 식을 구하시오.

대표 유형 ② 일차함수의 식 구하기 (2) – 기울기와 한 점의 좌표가 주어질 때   유형 해결의 법칙 중 2-1 155쪽

기울기가 a이고 한 점 (x_1, y_1)을 지날 때
① 일차함수의 식을 $y=ax+b$로 놓는다.
② $x=x_1, y=y_1$을 $y=ax+b$에 대입하여 b의 값을 구한다.

2-1 기울기가 -3이고 점 $(2, -4)$를 지나는 직선이 점 $(a, -2)$를 지날 때, a의 값을 구하시오.

풀이 기울기가 -3이므로 $y=-3x+b$로 놓고

$x=2, y=-4$를 대입하면

$-4=-3\times2+b$ $\therefore b=2$

따라서 주어진 직선을 그래프로 하는 일차함수의 식은

$y=-3x+2$

이 식에 $x=a, y=-2$를 대입하면

$-2=-3a+2, 3a=4$ $\therefore a=\dfrac{4}{3}$

$$답\ \dfrac{4}{3}$$

쌍둥이 2-2

일차함수 $y=-\dfrac{2}{3}x-5$의 그래프와 평행하고, 점 $(6, -1)$을 지나는 직선을 그래프로 하는 일차함수의 식을 구하시오.

쌍둥이 2-3

오른쪽 그림의 직선과 평행하고 점 $(-2, 2)$를 지나는 직선을 그래프로 하는 일차함수의 식을 구하시오.

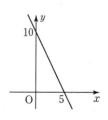

대표 유형 **3**   일차함수의 식 구하기 (3) − 서로 다른 두 점의 좌표가 주어질 때

유형 해결의 법칙 중 2−1 155쪽

서로 다른 두 점 (x_1, y_1), (x_2, y_2)를 지날 때 (단, $x_1 \neq x_2$)

① (기울기)$= \dfrac{y_2 - y_1}{x_2 - x_1} = \dfrac{y_1 - y_2}{x_1 - x_2} = a$를 구한다.

② 일차함수의 식을 $y = ax + b$로 놓는다.

③ 두 점 중 한 점의 좌표를 $y = ax + b$에 대입하여 b의 값을 구한다.

3-1 두 점 $(-4, 4)$, $(2, 1)$을 지나는 직선을 그래프로 하는 일차함수의 식을 $y = ax + b$라 할 때, $a + b$의 값을 구하시오. (단, a, b는 상수)

풀이 $a = (\text{기울기}) = \dfrac{1-4}{2-(-4)} = \dfrac{-3}{6} = -\dfrac{1}{2}$

$y = -\dfrac{1}{2}x + b$에 $x = 2, y = 1$을 대입하면

$1 = -\dfrac{1}{2} \times 2 + b$ $\therefore b = 2$

$\therefore a + b = -\dfrac{1}{2} + 2 = \dfrac{3}{2}$

답 $\dfrac{3}{2}$

쌍둥이 3-2

오른쪽 그림과 같은 직선을 그래프로 하는 일차함수의 식을 구하시오.

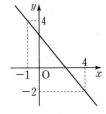

대표 유형 **4**   일차함수의 식 구하기 (4) − x절편과 y절편이 주어질 때

유형 해결의 법칙 중 2−1 157쪽

x절편이 m, y절편이 n일 때, 일차함수의 식은 $y = -\dfrac{n}{m}x + n$이다. (단, $m \neq 0$)

4-1 오른쪽 그림과 같은 직선을 그래프로 하는 일차함수의 식을 $y = ax + b$라 할 때, ab의 값을 구하시오.

(단, a, b는 상수)

풀이   주어진 그래프가 두 점 $(3, 0)$, $(0, -5)$를 지나므로

$a = (\text{기울기}) = \dfrac{-5-0}{0-3} = \dfrac{5}{3}$

y절편이 -5이므로 $b = (y\text{절편}) = -5$

$\therefore ab = \dfrac{5}{3} \times (-5) = -\dfrac{25}{3}$

답 $-\dfrac{25}{3}$

쌍둥이 4-2

x절편이 8, y절편이 -4인 직선 위에 점 $(2k, 2-3k)$가 있을 때, k의 값을 구하시오.

STEP **3** 개념 뛰어넘기

일차함수의 식 구하기 (1)

(1) 기울기가 a이고 y절편이 b일 때
  ➡ 일차함수의 식은 $y=ax+$ ❶

(2) 기울기가 a이고 한 점 (x_1, y_1)을 지날 때
  ➡ 일차함수의 식을 $y=ax+b$로 놓고
  $x=$ ❷ , $y=y_1$을 대입하여 b의 값을 구한다.

🔑 ❶ b ❷ x_1

01

일차함수 $y=3x-1$의 그래프와 평행하고 y절편이 2인 직선을 그래프로 하는 일차함수의 식은?

① $y=3x+1$ 　　　 ② $y=3x+2$

③ $y=-x+2$ 　　　 ④ $y=-3x+1$

⑤ $y=-3x+2$

★ 02

기울기가 $\dfrac{3}{4}$이고 y절편이 -2인 직선이 점 $(-4, a)$를 지날 때, a의 값을 구하시오.

03

일차함수 $y=-4x+1$의 그래프와 평행하고, 일차함수 $y=-\dfrac{2}{3}x+5$의 그래프와 y절편이 같은 직선을 그래프로 하는 일차함수의 식은?

① $y=-4x-\dfrac{2}{3}$ 　　　 ② $y=-4x+5$

③ $y=-4x+6$ 　　　 ④ $y=-\dfrac{2}{3}x-4$

⑤ $y=-\dfrac{2}{3}x+1$

04

오른쪽 그림과 같은 일차함수의 그래프와 평행하고 x절편이 -1인 직선을 그래프로 하는 일차함수의 식을 구하시오.

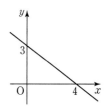

05

기울기가 -2이고 점 $(1, 3)$을 지나는 직선의 x절편은?

① -5 　　　 ② $\dfrac{1}{2}$ 　　　 ③ $\dfrac{3}{2}$

④ $\dfrac{5}{2}$ 　　　 ⑤ 5

일차함수의 식 구하기 (2), (3)

(1) 서로 다른 두 점 (x_1, y_1), (x_2, y_2)를 지날 때
  (단, $x_1 \neq x_2$)
  ➡ (기울기) $= \dfrac{y_2-y_1}{\boxed{❶}-x_1} = \dfrac{y_1-\boxed{❷}}{x_1-x_2}$ 를 구한다.
  ➡ $y=$ (기울기) $x+b$에 한 점의 좌표를 대입하여 b의 값을 구한다.

(2) x절편이 m, y절편이 n일 때 (단, $m \neq 0$)
  ➡ 일차함수의 식은 $y=-\dfrac{n}{m}x+$ ❸

🔑 ❶ x_2 ❷ y_2 ❸ n

06 　　　　　 [서술형]

오른쪽 그림과 같은 일차함수의 그래프의 x절편을 구하시오.

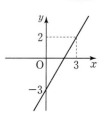

⭐
07

두 점 $(-1, a)$, $(2, 3a)$를 지나는 직선을 그래프로 하는 일차함수의 식을 $y = 2x + b$라 할 때, ab의 값을 구하시오.

(단, a, b는 상수)

08

다음 중 두 점 $(1, 2)$, $(5, -2)$를 지나는 일차함수의 그래프 위의 점이 <u>아닌</u> 것은?

① $(0, 4)$ ② $(2, 1)$ ③ $(4, -1)$

④ $(6, -3)$ ⑤ $(10, -7)$

09 `창의력`

세 점 $(2, 3)$, $(-2, 5)$, $(a, 6)$이 한 직선 위에 있을 때, 그 직선을 그래프로 하는 일차함수의 식과 a의 값을 차례로 구하시오.

10

일차함수 $y = -\dfrac{2}{3}x + 2$의 그래프와 x축 위에서 만나고, 일차함수 $y = 4x - 3$의 그래프와 y축 위에서 만나는 직선을 그래프로 하는 일차함수의 식은 $y = ax + b$이다. 이때 $a - b$의 값은?

(단, a, b는 상수)

① -4 ② -2 ③ 0

④ 2 ⑤ 4

⭐
11

다음 중 오른쪽 그림과 같은 일차함수의 그래프에 대한 설명으로 옳은 것은?

① 기울기는 $-\dfrac{3}{2}$이다.

② 점 $(-1, 1)$을 지난다.

③ x절편은 3, y절편은 -2이다.

④ 일차함수 $y = \dfrac{3}{2}x - 2$의 그래프와 서로 평행하다.

⑤ x의 값이 증가하면 y의 값은 감소한다.

12

두 점 $(-1, 0)$, $(0, 3)$을 지나는 직선을 y축의 방향으로 -2만큼 평행이동한 직선을 그래프로 하는 일차함수의 식은?

① $y = 3x - 1$ ② $y = 3x + 1$

③ $y = 3x + 3$ ④ $y = -3x + 1$

⑤ $y = -3x + 3$

13 `창의` `융합`

다음 그림은 운동을 하기 위하여 경사를 조절한 윗몸일으키기 운동 기구의 측면을 좌표평면 위에 나타낸 것이다. 직선 모양의 판의 윗부분이 나타내는 직선을 그래프로 하는 일차함수의 식은?

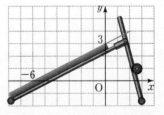

① $y = -\dfrac{1}{2}x + 3$ ② $y = -\dfrac{1}{3}x + 2$

③ $y = \dfrac{1}{3}x + 2$ ④ $y = \dfrac{1}{2}x + 3$

⑤ $y = 2x - 6$

3 일차함수의 활용

개념 ① 일차함수의 활용 문제 풀이 순서

① **변수 정하기**   문제의 뜻을 파악하여 변화하는 두 양을 변수 x, y로 놓는다.

② **관계식 세우기** x와 y 사이의 관계를 일차함수의 식으로 나타낸다.

③ **답 구하기**   일차함수의 식을 이용하여 답을 구한다.

④ **확인하기**   구한 답이 문제의 뜻에 맞는지 확인한다.

보기 공기 중에서 소리의 속력은 기온이 0 ℃일 때 초속 331 m이고, 기온이 1 ℃씩 올라갈 때마다 초속 0.6 m씩 증가한다고 한다. 소리의 속력이 초속 340 m일 때, 기온을 구해 보자.

① **변수 정하기**   기온이 x ℃일 때, 소리의 속력을 초속 y m라 하자.

② **관계식 구하기**   기온이 0 ℃일 때 소리의 속력은 초속 331 m이고

기온이 x ℃ 올라갈 때 소리의 속력은 초속 $0.6x$ m 증가하므로

x와 y 사이의 관계식은 $y=0.6x+331$

③ **답 구하기** $y=0.6x+331$에 $y=340$을 대입하면

$$340=0.6x+331 \qquad \therefore x=15$$

④ **확인하기**   기온이 15 ℃일 때, 소리의 속력은 초속 $0.6 \times 15+331=340$ (m)이다.

따라서 소리의 속력이 초속 340 m일 때, 기온은 15 ℃이다.

• **Lecture** •

● 일차함수의 활용 문제 풀이 순서

변수 정하기 ➡ 관계식 세우기 ➡ 답 구하기 ➡ 확인하기

| 개념 확인 | **1**   다음은 길이가 10 cm인 용수철에 추를 매달았을 때 용수철이 늘어난 길이를 나타낸 표이다. 매단 추의 개수를 x개, 용수철의 길이를 y cm라 할 때, 물음에 답하시오.

추의 개수(개)	1	2	3	4	⋯
늘어난 길이(cm)	4	8	12	16	⋯

(1) x와 y 사이의 관계식을 구하시오.

(2) 추를 15개 매달았을 때, 용수철의 길이를 구하시오.

(3) 용수철의 길이가 42 cm일 때, 매단 추의 개수를 구하시오.

STEP **1** 기초 개념 드릴

개념 기초

1-1

50 L의 물이 들어 있는 물통에서 1분에 5 L씩 물이 흘러나온다. 물이 흘러나오기 시작한 지 x분 후 물통 속에 남아 있는 물의 양을 y L라 할 때, 다음 물음에 답하시오.

(1) x와 y 사이의 관계식을 구하시오.

(2) 5분 후 물통 속에 남아 있는 물의 양을 구하시오.

(3) 물이 다 흘러나와 물통이 비게 되는 것은 물이 흘러나오기 시작한 지 몇 분 후인지 구하시오.

> 연구 (1) 처음 물의 양이 50 L이고 x분 동안 흘러나오는 물의 양은 ☐ L이므로 x와 y 사이의 관계식은 $y=$ ☐ 이다.
> (2) (1)의 식에 $x=$ ☐ 를 대입한다.
> (3) (1)의 식에 $y=$ ☐ 을 대입한다.

2-1

다음은 길이가 40 mm인 용수철의 아래쪽에 추를 매달고 그 길이를 재어 표로 나타낸 것이다. 추의 무게를 x g, 용수철의 길이를 y mm라 할 때, 물음에 답하시오.

추의 무게(g)	0	1	2	3	…
길이(mm)	40	40.4	40.8	41.2	…

(1) x와 y 사이의 관계식을 구하시오.

(2) 무게가 10 g인 추를 달았을 때, 용수철의 길이를 구하시오.

> 연구 (1) 추의 무게가 1 g씩 늘어날 때마다 용수철의 길이는 ☐ mm씩 늘어나므로 추의 무게가 x g 늘어날 때 용수철의 길이는 ☐ mm만큼 늘어난다.
> 이때 처음 용수철의 길이가 40 mm이므로 x와 y 사이의 관계식은 $y=$ ☐

쌍둥이 문제

1-2

주전자에 온도가 96 ℃인 물이 들어 있다. 물의 온도가 1분에 2 ℃씩 내려간다고 할 때, 다음 물음에 답하시오.

(1) x분 후에 물의 온도를 y ℃라 할 때, x와 y 사이의 관계식을 구하시오.

(2) 물의 온도가 6 ℃가 되려면 몇 분이 지나야 하는지 구하시오.

2-2

다음은 기온을 섭씨온도와 화씨온도로 나타낸 표이다. 섭씨온도를 x ℃, 화씨온도를 y ℉라 할 때, 물음에 답하시오.

기온 (℃)	0	10	20	30	40	…
기온 (℉)	32	50	68	86	104	…

(1) x와 y 사이의 관계식을 구하시오.

(2) 섭씨온도가 35 ℃일 때의 화씨온도를 구하시오.

대표 유형 1 일차함수의 활용 (1) 유형 해결의 법칙 중 2-1 157쪽, 158쪽

① 변수 x, y를 정한다.

② x와 y 사이의 관계를 일차함수 $y=ax+b$로 나타낸다.

③ 답을 구하고 문제의 뜻에 맞는지 확인한다.

1-1 지면으로부터 10 km 높이 이내에서는 높이가 100 m 높아질 때마다 기온이 0.6 °C씩 내려간다고 한다. 지면의 온도가 20 °C일 때, 기온이 −4 °C인 지점의 지면으로부터의 높이는 몇 km인지 구하시오.

풀이 높이가 100 m 높아질 때마다 기온이 0.6 °C씩 내려가므로 높이가 1 km 높아질 때마다 기온이 6 °C씩 내려간다.

이때 지면의 온도가 20 °C일 때, 지면으로부터의 높이가 x km인 곳의 기온을 y °C라 하면 x와 y 사이의 관계식은

$y=-6x+20 \ (0 \le x \le 10)$

$y=-6x+20$에 $y=-4$를 대입하면

$-4=-6x+20$

$6x=24$ ∴ $x=4$

따라서 기온이 −4 °C인 지점의 지면으로부터의 높이는 4 km이다.

답 4 km

쌍둥이 1-2

휘발유 1 L로 15 km를 달릴 수 있는 자동차에 40 L의 휘발유를 채우고 출발하였다. 자동차가 x km를 달린 후 남아 있는 휘발유의 양을 y L라 할 때, 다음 물음에 답하시오.

(1) x와 y 사이의 관계식을 구하시오.

(2) 자동차가 270 km를 달린 후 남아 있는 휘발유의 양을 구하시오.

쌍둥이 1-3

다음 표는 주전자의 물을 가열한 시간에 따른 물의 온도를 조사하여 나타낸 것이다. 가열한 시간에 따라 물의 온도가 일정하게 올라간다고 할 때, 물의 온도가 78 °C가 되려면 몇 분 동안 가열하면 되는지 구하시오.

시간(분)	0	2	4	6	8	50
온도 (°C)	8	22	36	50	64	122

대표 유형 **2** 일차함수의 활용 (2)

유형 해결의 법칙 중 2-1 159쪽

매초 a cm씩 움직인다.

➡ 1초에 a cm씩 움직이므로 x초 동안 ax cm만큼 움직인다.

2-1 오른쪽 그림과 같은 직사각형 ABCD에서 점 P가 점 A를 출발하여 $\overline{AB}$를 따라 매초 1 cm씩 점 B까지 움직인다. 출발한 지 x초 후의 삼각형 PBD의 넓이를 y cm²라 할 때, 삼각형 PBD의 넓이가 15 cm²가 되는 것은 점 P가 점 A를 출발한 지 몇 초 후인지 구하시오.

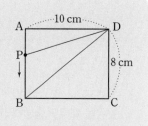

풀이 x초 후에 $\overline{AP}=x$ cm이므로 x와 y 사이의 관계식은

$y=\dfrac{1}{2}\times(8-x)\times10 \qquad \therefore y=40-5x$

즉 $y=40-5x$에 $y=15$를 대입하면

$15=40-5x,\ 5x=25 \qquad \therefore x=5$

따라서 삼각형 PBD의 넓이가 15 cm²가 되는 것은 점 P가 점 A를 출발한 지 5초 후이다. **답** 5초 후

쌍둥이 2-2

오른쪽 그림과 같은 직사각형 ABCD에서 점 P가 점 B를 출발하여 $\overline{BC}$를 따라 매초 2 cm씩 점 C까지 움직인다. 출발한 지 x초 후의 사다리꼴 APCD의 넓이를 y cm²라 할 때, 다음 물음에 답하시오.

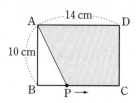

(1) x와 y 사이의 관계식을 구하시오.

(2) 사다리꼴 APCD의 넓이가 90 cm²가 되는 것은 점 P가 점 B를 출발한 지 몇 초 후인지 구하시오.

대표 유형 **3** 그래프를 이용한 일차함수의 활용

유형 해결의 법칙 중 2-1 160쪽

그래프가 지나는 두 점의 좌표를 이용하여 일차함수의 식을 구한다.

3-1 오른쪽 그림은 길이가 30 cm인 양초에 불을 붙인 지 x시간 후에 남은 양초의 길이를 y cm라 할 때, x와 y 사이의 관계를 그래프로 나타낸 것이다. 불을 붙인 지 40분 후에 남은 양초의 길이를 구하시오.

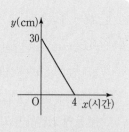

풀이 그래프가 두 점 $(4,0)$, $(0,30)$을 지나므로

$(기울기)=\dfrac{30-0}{0-4}=-\dfrac{15}{2}$

또, y절편은 30이므로 x와 y 사이의 관계식은

$y=-\dfrac{15}{2}x+30$

이 식에 $x=\dfrac{40}{60}=\dfrac{2}{3}$를 대입하면 $y=-\dfrac{15}{2}\times\dfrac{2}{3}+30=25$

따라서 남은 양초의 길이는 25 cm이다. **답** 25 cm

쌍둥이 3-2

오른쪽 그림은 길이가 10 cm인 용수철의 아래 끝에 매단 추의 무게가 x g일 때의 용수철의 길이를 y cm라 할 때, x와 y 사이의 관계를 그래프로 나타낸 것이다. 이 용수철에 무게가 30 g인 추를 매달 때, 용수철의 길이를 구하시오.

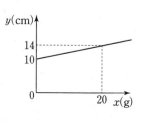

STEP **3** 개념 뛰어넘기

일차함수의 활용

일차함수의 활용 문제 풀이 순서

① 변수 x, y 정하기: 문제의 뜻을 파악하여 변화하는 두 양을 변수 x, y로 놓는다.

② 관계식 세우기: x와 y 사이의 관계식을 일차함수 $y = ax + \boxed{\textbf{①}}$ 의 꼴로 나타낸다.

③ 답 구하기: ②에서 세운 관계식을 이용하여 주어진 조건에 맞는 답을 구한다.

④ 확인하기: 구한 답이 문제의 뜻에 맞는지 확인한다.

답 **①** b

★ 01

길이가 20 cm인 양초가 있다. 불을 붙이면 3분마다 1 cm씩 짧아진다고 할 때, 이 양초의 길이가 8 cm가 되는 것은 불을 붙인 지 몇 분 후인가?

① 36분 후   ② 40분 후   ③ 42분 후

④ 45분 후   ⑤ 50분 후

02

초속 2 m로 내려오는 어떤 엘리베이터가 있다. 지면으로부터 60 m의 높이에서 출발하여 내려오는 이 엘리베이터의 x초 후의 높이를 y m라 할 때, 다음 물음에 답하시오.

(1) x와 y 사이의 관계식을 구하시오.

(2) 엘리베이터가 지면으로부터 10 m의 높이에 도착하는 것은 출발한 지 몇 초 후인지 구하시오.

03

승민이는 5 km 단축마라톤 대회에 참가하여 분속 150 m로 달리고 있다. 출발한 지 x분 후에 승민이의 위치에서 결승점까지의 거리를 y km라 할 때, 다음 물음에 답하시오.

(1) x와 y 사이의 관계식을 구하시오.

(2) 결승점까지 남은 거리가 2 km가 되는 것은 승민이가 출발한 지 몇 분 후인지 구하시오.

04

서술형

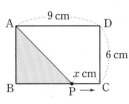

오른쪽 그림과 같은 직사각형 ABCD에서 점 P는 꼭짓점 B에서 출발하여 변 BC를 따라 꼭짓점 C까지 움직인다. 선분 PC의 길이를 x cm, 삼각형 ABP의 넓이를 y cm^{2}라 할 때, 다음 물음에 답하시오.

(1) x와 y 사이의 관계식을 구하시오.

(2) $x = 4$일 때, 삼각형 ABP의 넓이를 구하시오.

★ 05

서술형

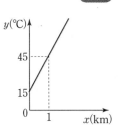

오른쪽 그래프는 어느 한 지점에서 지표면으로부터의 깊이 x km에 따라 일정하게 변하는 땅속의 온도 y ℃를 나타낸 것이다. 이 지점에서 지표면으로부터의 깊이가 5 km인 땅속의 온도를 구하시오.

9 일차함수와 일차방정식

학습 목표

• 일차함수와 미지수가 2개인 일차방정식의 관계를 이해한다.
• 방정식 $x=p$, $y=q$의 그래프를 이해한다.
• 두 일차함수의 그래프와 연립일차방정식의 관계를 이해한다.
• 연립일차방정식의 해는 두 일차방정식의 그래프에서 교점의 좌표와 같음을 안다.

개념 ❶ 미지수가 2개인 일차방정식의 그래프

미지수가 2개인 일차방정식의 그래프   미지수가 2개인 일차방정식의 해의 순서쌍을 좌표평면 위에 나타낸 것

① x, y의 값의 범위가 자연수 또는 정수일 때: 그래프는 점으로 나타난다.

② x, y의 값의 범위가 수 전체일 때: 해가 무수히 많고 그래프는 직선이 된다.

 일차방정식 $2x-y+1=0$에서 x의 값에 따른 y의 값을 구하여 표로 나타내면 다음과 같다.

x	$\cdots$	-2	-1	0	1	2	$\cdots$
y	$\cdots$	-3	-1	1	3	5	$\cdots$

위의 표에서 x, y의 값의 순서쌍 (x, y)를 좌표로 하는 점을 좌표평면 위에 나타내면 [그림 1]과 같다. 이때 x의 값의 간격을 점점 좁게 하여 얻어지는 순서쌍들을 좌표평면 위에 나타내면 [그림 2]와 같이 직선에 가까워짐을 알 수 있다. 따라서 x의 값의 범위가 수 전체일 때, 일차방정식 $2x-y+1=0$의 그래프는 [그림 3]과 같이 직선이 된다.

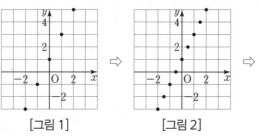

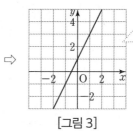

[그림 1]   [그림 2]   [그림 3]

[그림 3]의 직선을 일차방 정식 $2x-y+1=0$의 그 래프라 한다.

⇨ 이 직선은 기울기가 2이고 y절편이 1이므로 일차함수 $y=2x+1$의 그래프와 같다.

┃개념 확인┃ **1**   **일차방정식 $x+2y-4=0$에 대하여 다음 물음에 답하시오.**

(1) 아래 표를 완성하시오.

x	$\cdots$	-4	-2	0	2	4	$\cdots$
y	$\cdots$						$\cdots$

(2) x, y의 값의 범위가 수 전체일 때, 위의 표를 이용하여 그래프를 그리시오.

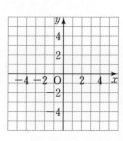

정답과 해설 p.75

개념 2 일차함수와 일차방정식의 관계

미지수가 2개인 일차방정식 $ax+by+c=0$ $(a, b, c$는 상수, $a \neq 0, b \neq 0)$의 그래프는

일차함수 $y=-\dfrac{a}{b}x-\dfrac{c}{b}$의 그래프와 같다.

 일차방정식 $x-y+2=0$의 그래프를 그려 보자.

① $x-y+2=0$에서 y를 x의 식으로 나타낸다.

$\Rightarrow y=x+2$

② $y=x+2$의 그래프의 기울기, x절편, y절편을 구한다.

$\Rightarrow$ 그래프의 기울기는 1, x절편은 -2, y절편은 2이다.

③ 그래프의 기울기와 y절편 또는 x절편과 y절편을 이용하여 그래프를 그린다.

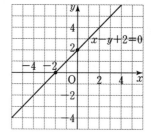

• **Lecture** •

일차방정식 $ax+by+c=0$ $(a \neq 0, b \neq 0)$ $\xrightarrow{\text{함수의 식}}$ 일차함수 $y=-\dfrac{a}{b}x-\dfrac{c}{b}$ $\xleftarrow{\text{방정식}}$

| 개념 확인 | **2** 다음 일차방정식을 일차함수 $y=ax+b$의 꼴로 나타내고 기울기, x절편, y절편을 각각 구하시오.

또, 그 그래프를 그리시오.

(1) $3x-y+3=0 \Rightarrow y=$ _____

① 기울기: _____

② x절편: _____

③ y절편: _____

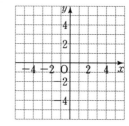

(2) $x+2y+4=0 \Rightarrow y=$ _____

① 기울기: _____

② x절편: _____

③ y절편: _____

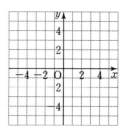

9 — 일차함수와 일차방정식

개념 ③ 좌표축에 평행한 직선

방정식 $x=p, y=q$의 그래프 (단, $p \neq 0, q \neq 0$)

(1) 방정식 $x=p(p \neq 0)$의 그래프	(2) 방정식 $y=q(q \neq 0)$의 그래프
점 $(p, 0)$을 지나고 y축에 평행한(x축에 수직인) 직선	점 $(0, q)$를 지나고 x축에 평행한(y축에 수직인) 직선

참고 $x=0$의 그래프 ➡ y축, $y=0$의 그래프 ➡ x축

보기 방정식 $x+3=0, 2y-4=0$의 그래프를 각각 그려 보자.

(1) $x+3=0$은 $x=-3$이므로 $x+3=0$의 그래프는 오른쪽 그림과 같이 점 $(-3, 0)$을 지나고 y축에 평행한 직선이 된다.

(2) $2y-4=0$은 $y=2$이므로 $2y-4=0$의 그래프는 오른쪽 그림과 같이 점 $(0, 2)$를 지나고 x축에 평행한 직선이 된다.

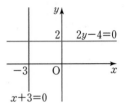

• Lecture •

● 방정식 $x=p$의 그래프는 x좌표가 항상 p로 일정하다.

　➡ x의 값에 대응하는 y의 값은 없거나 무수히 많다. ➡ 함수가 아니다.

● 방정식 $y=q$의 그래프는 y좌표가 항상 q로 일정하다.

　➡ x의 값에 대응하는 y의 값은 한 개뿐이다. ➡ 함수이다. 하지만 y는 x에 대한 일차함수가 아니다.

│개념 확인│ 3 방정식 $x=3$에 대하여 다음 물음에 답하시오.

(1) 아래 표를 완성하시오.

x	···					···
y	···	-4	-2	0	2	4	···

(2) x, y의 값의 범위가 수 전체일 때, 위의 표를 이용하여 그래프를 그리시오.

(3) 그래프는 점 $(\boxed{}, 0)$을 지나고 $\boxed{}$축에 평행한 직선이다.

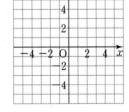

│개념 확인│ 4 방정식 $y=-3$에 대하여 다음 물음에 답하시오.

(1) 아래 표를 완성하시오.

x	···	-4	-2	0	2	4	···
y	···						···

(2) x, y의 값의 범위가 수 전체일 때, 위의 표를 이용하여 그래프를 그리시오.

(3) 그래프는 점 $(0, \boxed{})$을 지나고 $\boxed{}$축에 평행한 직선이다.

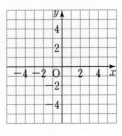

교과서 속 원리 알아보기　　**직선의 방정식**

x, y의 값의 범위가 수 전체일 때, 일차방정식

$$ax+by+c=0 \ (a, b, c는 상수, a \neq 0 \ 또는 \ b \neq 0)$$

의 해는 무수히 많고, 이 해를 좌표평면 위에 나타내면 직선이 된다.

이때 일차방정식 $ax+by+c=0$을 직선의 방정식이라 한다.

직선의 방정식은 다음 세 가지 꼴 중의 하나이다.

❶ $a \neq 0, b=0$인 경우 ➡ y축에 평행한 그래프

방정식 $x=2$를 $ax+by+c=0$의 꼴로 나타내면

$$x+0 \times y-2=0$$

이고, 이 방정식의 y에 어떤 값을 대입하여도 x의 값은 항상 2이다.

따라서 $x=2$의 그래프는 오른쪽 그림과 같이 점 $(2, 0)$을 지나고 y축에 평행한 직선이 된다.

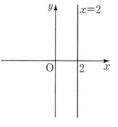

❷ $a=0, b \neq 0$인 경우 ➡ x축에 평행한 그래프

방정식 $y=-2$를 $ax+by+c=0$의 꼴로 나타내면

$$0 \times x+y+2=0$$

이고, 이 방정식의 x에 어떤 값을 대입하여도 y의 값은 항상 -2이다.

따라서 $y=-2$의 그래프는 오른쪽 그림과 같이 점 $(0, -2)$를 지나고 x축에 평행한 직선이 된다.

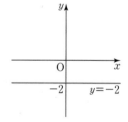

❸ $a \neq 0, b \neq 0$인 경우 ➡ 일차함수의 그래프

일차방정식 $x+y-1=0$의 그래프는 일차함수 $y=-x+1$의 그래프와 같으므로 기울기가 -1이고 y절편이 1인 직선이 된다.

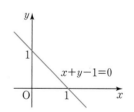

│개념 확인│ **5**　다음 직선의 방정식이 나타내는 그래프를 오른쪽 좌표평면 위에 그리시오.

(1) $2x-y-2=0$

(2) $5x+10=0$

(3) $3y-9=0$

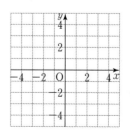

1-1

다음 일차방정식을 $y=ax+b$의 꼴로 나타내고, ① 기울기, ② x절편, ③ y절편을 각각 구하시오.

(1) $2x-y+3=0 \Rightarrow y=$ _____

    ① _____ ② _____ ③ _____

(2) $\dfrac{x}{3}-\dfrac{y}{2}+1=0 \Rightarrow y=$ _____

    ① _____ ② _____ ③ _____

(3) $x+3y-3=0 \Rightarrow y=$ _____

    ① _____ ② _____ ③ _____

(4) $-4x-2y+3=0 \Rightarrow y=$ _____

    ① _____ ② _____ ③ _____

연구 일차방정식 $ax+by+c=0\,(a,b,c$는 상수, $a\neq0, b\neq0)$에서 y를 x의 식으로 나타내면 $y=\boxed{}$이다.

1-2

다음 일차방정식을 $y=ax+b$의 꼴로 나타내고, ① 기울기, ② x절편, ③ y절편을 각각 구하시오.

(1) $3x-2y-4=0 \Rightarrow y=$ _____

    ① _____ ② _____ ③ _____

(2) $x+y=3 \Rightarrow y=$ _____

    ① _____ ② _____ ③ _____

(3) $4x-2y+1=0 \Rightarrow y=$ _____

    ① _____ ② _____ ③ _____

(4) $\dfrac{x}{6}-\dfrac{y}{4}+2=0 \Rightarrow y=$ _____

    ① _____ ② _____ ③ _____

2-1

그래프가 다음 그림과 같은 직선의 방정식을 구하시오.

(1) 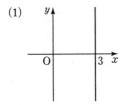   (2)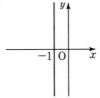

(3) 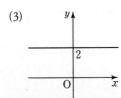   (4)

연구 점 $(p,0)$을 지나고 y축에 평행한 직선은 $\boxed{}$이고, 점 $(0,q)$를 지나고 x축에 평행한 직선은 $\boxed{}$이다.

2-2

다음 조건을 만족하는 직선의 방정식을 구하시오.

(1) 점 $(2,3)$을 지나고 x축에 평행한 직선

(2) 점 $(-2,5)$를 지나고 y축에 평행한 직선

(3) 점 $(1,-3)$을 지나고 x축에 수직인 직선

(4) 점 $(4,-2)$를 지나고 y축에 수직인 직선

대표 유형 ❶ 일차함수와 일차방정식

유형 해결의 법칙 중 2-1 171쪽

$$ax+by+c=0\,(a\neq0,\,b\neq0) \underset{\text{일차방정식}}{\overset{\text{일차함수}}{\rightleftarrows}} y=-\frac{a}{b}x-\frac{c}{b}$$

1-1 다음 중 일차방정식 $8x+2y-6=0$의 그래프에 대한 설명으로 옳은 것은?

① 점 $(4, -10)$을 지난다.

② 제1, 2, 3사분면을 지난다.

③ x절편은 4이고 y절편은 -6이다.

④ 일차함수 $y=-4x+5$의 그래프와 평행하다.

⑤ x의 값이 2만큼 증가할 때, y의 값은 8만큼 증가한다.

풀이 $8x+2y-6=0$에서 y를 x의 식으로 나타내면

$y=-4x+3$

① 점 $(4, -13)$을 지난다.

② 제1, 2, 4사분면을 지난다.

③ x절편은 $\frac{3}{4}$이고 y절편은 3이다.

⑤ x의 값이 2만큼 증가할 때, y의 값은 8만큼 감소한다.

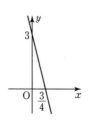

답 ④

쌍둥이 1-2

일차방정식 $2x-3y+1=0$의 그래프가 일차함수 $y=\frac{a}{3}x+b$의 그래프와 같을 때, $a+b$의 값을 구하시오.

(단, a, b는 상수)

쌍둥이 1-3

일차방정식 $4x-3y+12=0$의 그래프의 기울기를 a, x절편을 b, y절편을 c라 할 때, abc의 값을 구하시오.

대표 유형 ❷ 일차방정식의 그래프 위의 점

유형 해결의 법칙 중 2-1 172쪽

일차방정식 $ax+by+c=0$의 그래프가 점 (m, n)을 지난다.

➡ $ax+by+c=0$에 $x=m$, $y=n$을 대입하면 등식이 성립한다.

2-1 일차방정식 $ax-y-3=0$의 그래프가 점 $(1, -2)$를 지날 때, 상수 a의 값을 구하시오.

풀이 $ax-y-3=0$에 $x=1$, $y=-2$를 대입하면

$a-(-2)-3=0$ ∴ $a=1$

답 1

쌍둥이 2-2

다음 중 일차방정식 $2x-y-5=0$의 그래프 위의 점이 **아닌** 것은?

① $\left(\frac{1}{2}, -4\right)$ ② $\left(-\frac{1}{2}, 6\right)$ ③ $(0, -5)$

④ $(-1, -7)$ ⑤ $(3, 1)$

쌍둥이 2-3

일차방정식 $x-2y+6=0$의 그래프가 두 점 $(3, a)$, $(b, -2)$를 지날 때, ab의 값을 구하시오.

대표 유형 ❸ 일차방정식의 그래프와 계수의 부호

유형 해결의 법칙 중 2–1 173쪽

일차방정식 $ax+by+c=0\,(a\neq0,\,b\neq0)$을 $y=-\dfrac{a}{b}x-\dfrac{c}{b}$의 꼴로 바꾼다.

➡ $\begin{cases} -\dfrac{a}{b} \text{의 부호} ➡ \text{그래프의 모양 결정} \\[2mm] -\dfrac{c}{b} \text{의 부호} ➡ \text{그래프가 } y \text{축과 만나는 부분 결정} \end{cases}$

3-1 일차방정식 $ax+y+b=0$의 그래프가 오른쪽 그림과 같을 때, 다음 중 상수 a, b의 부호로 옳은 것은?

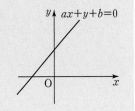

① $a>0,\,b>0$
② $a>0,\,b<0$
③ $a<0,\,b>0$
④ $a<0,\,b<0$
⑤ $a<0,\,b=0$

풀이 $ax+y+b=0$에서 y를 x의 식으로 나타내면 $y=-ax-b$
그래프가 오른쪽 위로 향하는 직선이므로 $-a>0$ ∴ $a<0$
y축과 원점보다 위쪽에서 만나므로 $-b>0$ ∴ $b<0$

답 ④

쌍둥이 3-2

일차방정식 $ax-y-b=0$의 그래프가 오른쪽 그림과 같을 때, 상수 a, b의 부호를 각각 정하시오.

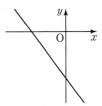

쌍둥이 3-3

$a<0,\,b>0$일 때, 직선 $ax+by+2=0$이 지나는 사분면을 모두 구하시오.

대표 유형 ❹ 좌표축에 평행한 직선의 방정식

유형 해결의 법칙 중 2–1 172쪽

(1) 직선 위의 두 점의 x좌표가 같다. ➡ y축에 평행 ➡ $x=p\,(p\neq0)$의 꼴
(2) 직선 위의 두 점의 y좌표가 같다. ➡ x축에 평행 ➡ $y=q\,(q\neq0)$의 꼴

4-1 두 점 $(4,\,-a+5),\,(-1,\,2a+3)$을 지나는 직선이 x축에 평행할 때, a의 값을 구하시오.

풀이 x축에 평행한 직선 위의 두 점의 y좌표는 같으므로
$-a+5=2a+3,\,-3a=-2$
∴ $a=\dfrac{2}{3}$

답 $\dfrac{2}{3}$

쌍둥이 4-2

다음 조건을 만족하는 직선의 방정식을 구하시오.
(1) 두 점 $(3,\,-2),\,(-3,\,-2)$를 지나는 직선

(2) 두 점 $(6,\,-1),\,(6,\,5)$를 지나는 직선

쌍둥이 4-3

두 점 $(a-2,\,-2),\,(2a-7,\,1)$을 지나는 직선이 x축에 수직일 때, a의 값을 구하시오.

일차함수와 일차방정식의 관계

미지수가 2개인 일차방정식 $ax+by+c=0$ (a, b, c는 상수, $a \neq 0$, $b \neq 0$)의 그래프는 일차함수 $y=-\dfrac{a}{b}x-\dfrac{c}{b}$의 그래프와 같다. 즉

$$ax+by+c=0 \ (a \neq 0, \ b \neq 0)$$

일차함수 ↕ 일차방정식

$$y=-\dfrac{a}{b}x-\dfrac{c}{b}$$

01

일차방정식 $6x+5y-7=0$의 그래프가 일차함수 $y=ax+b$의 그래프와 같을 때, $a+b$의 값은? (단, a, b는 상수)

① 1
② $\dfrac{1}{5}$
③ 0

④ $-\dfrac{1}{5}$
⑤ -1

★ 02

다음 중 일차방정식 $2x-3y-6=0$의 그래프에 대한 설명으로 옳은 것은?

① 점 $(-3, 3)$을 지난다.

② 제2, 3, 4사분면을 지난다.

③ x절편과 y절편의 합은 1이다.

④ 일차함수 $y=-\dfrac{2}{3}x+1$의 그래프와 평행하다.

⑤ x의 값이 증가할 때, y의 값은 감소한다.

03

다음 중 직선 $-x+2y+1=0$과 평행하고 점 $(0, 3)$을 지나는 직선의 방정식은?

① $x-2y-6=0$
② $x-2y+6=0$

③ $x+2y-6=0$
④ $x+2y+3=0$

⑤ $x+3y-6=0$

★ 04

다음 중 보기에서 서로 평행한 직선끼리 짝 지어진 것은?

─ 보기 ─

㉠ $y=\dfrac{1}{2}x+5$
㉡ $y=-2x+3$

㉢ $y=2x+2$
㉣ $2x-y+5=0$

㉤ $\dfrac{1}{2}y=x+2$
㉥ $-2x+y=7$

① ㉠, ㉡, ㉢, ㉣
② ㉠, ㉢, ㉤, ㉥

③ ㉡, ㉢, ㉣, ㉤
④ ㉡, ㉣, ㉤, ㉥

⑤ ㉢, ㉣, ㉤, ㉥

05

일차방정식 $-2x+ay+3=0$의 그래프가 점 $(-1, -5)$를 지날 때, 상수 a의 값을 구하시오.

06

오른쪽 그림은 일차방정식 $y-ax+b=0$의 그래프이다. 이때 a, b의 부호는? (단, a, b는 상수)

① $a<0, b<0$

② $a<0, b>0$

③ $a>0, b<0$

④ $a>0, b>0$

⑤ $a>0, b=0$

07

서술형

일차방정식 $x+y-2=0$의 그래프를 y축의 방향으로 -5만큼 평행이동한 그래프의 x절편을 m, y절편을 n이라 할 때, $m+n$의 값을 구하시오.

08

일차방정식 $2x-y+4=0$의 그래프와 x축 및 y축으로 둘러싸인 도형의 넓이를 구하시오.

09

창의력

$a>0, b<0$일 때, 일차방정식 $ax-by-1=0$의 그래프가 지나지 <u>않는</u> 사분면을 모두 구하시오.

좌표축에 평행한 직선

(1) 점 $(p, 0)$을 지나고 y축에 평행한(x축에 수직인) 직선의 방정식 ➡ $x=$ ❶

(2) 점 $(0, q)$를 지나고 x축에 평행한(y축에 수직인) 직선의 방정식 ➡ $y=$ ❷

답 ❶ p ❷ q

★ 10

직선 $x=-3$에 수직이고, 점 $(-5, 5)$를 지나는 직선의 방정식은?

① $x=-5$ ② $x=5$ ③ $y=-5$

④ $y=-3$ ⑤ $y=5$

11

다음 중 x축에 평행한 직선의 방정식을 모두 고르면?

(정답 2개)

① $3x-2y+1=0$ ② $y=7$

③ $2x-3=0$ ④ $3x=0$

⑤ $5y+2=0$

12

서술형

두 점 $(k, -1)$, $(3k-2, 5)$를 지나는 직선이 y축에 평행할 때, 다음 물음에 답하시오.

(1) k의 값을 구하시오.

(2) 두 점을 지나는 직선의 방정식을 구하시오.

★ 13

창의력

다음 네 직선으로 둘러싸인 도형의 넓이를 구하시오.

$$2x-8=0, \quad -3y+9=0, \quad y=0, \quad \frac{1}{3}x=0$$

2 연립방정식의 해와 그래프

개념 1 연립방정식의 해와 그래프

연립방정식 $\begin{cases} ax+by+c=0 \\ a'x+b'y+c'=0 \end{cases}$ 의 해는 두 일차방정식 $ax+by+c=0$,

$a'x+b'y+c'=0$의 그래프의 교점의 좌표와 같다.

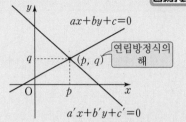

연립방정식의 해 $x=p, y=q$	⟷	두 일차방정식의 그래프의 교점의 좌표 (p, q)

보기 두 일차방정식 $2x+y-4=0$과 $-3x+y+1=0$의 그래프를 좌표평면 위에 나타내면 오른쪽 그림과 같다. 두 그래프의 교점의 좌표가 $(1, 2)$이므로

연립방정식 $\begin{cases} 2x+y-4=0 \\ -3x+y+1=0 \end{cases}$ 의 해는 $x=1, y=2$이다.

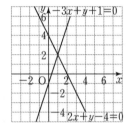

• **Lecture** •
● 연립방정식의 해는 두 일차방정식의 그래프의 교점의 좌표와 같다.

|개념 확인| **1** 다음은 연립방정식에서 두 일차방정식의 그래프를 그린 것이다. 이때 연립방정식의 해를 구하시오.

(1) $\begin{cases} x+y=6 \\ 7x-3y=2 \end{cases}$

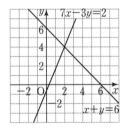

(2) $\begin{cases} x+2y+3=0 \\ 3x-y+2=0 \end{cases}$

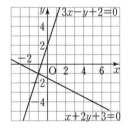

|개념 확인| **2** 연립방정식 $\begin{cases} ax-y=-4 \\ x+y=1 \end{cases}$ 의 해를 구하기 위해 두 일차방정식의 그래프를 그렸더니 오른쪽 그림과 같았다. 이때 상수 a의 값을 구하시오.

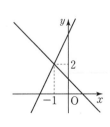

개념 **2** 연립방정식의 해의 개수와 두 직선의 위치 관계

연립방정식 $\begin{cases} ax+by+c=0 \\ a'x+b'y+c'=0 \end{cases}$ 의 해의 개수는

두 일차방정식 $ax+by+c=0$, $a'x+b'y+c'=0$의 그래프의 교점의 개수와 같다.

두 직선의 위치 관계			
	한 점에서 만난다.	평행하다.	일치한다.
두 직선의 교점의 개수	1개	없다.	무수히 많다.
연립방정식의 해의 개수	한 쌍의 해를 가진다.	해가 없다.	해가 무수히 많다.
기울기와 y절편	기울기가 다르다.	기울기는 같고 y절편이 다르다.	기울기와 y절편이 각각 같다.
	$\dfrac{a}{a'} \neq \dfrac{b}{b'}$	$\dfrac{a}{a'} = \dfrac{b}{b'} \neq \dfrac{c}{c'}$	$\dfrac{a}{a'} = \dfrac{b}{b'} = \dfrac{c}{c'}$

참고 두 직선 $y=ax+b$, $y=a'x+b'$에서

① $a \neq a'$ ➡ 한 점에서 만난다.　② $a=a'$, $b \neq b'$ ➡ 평행하다.　③ $a=a'$, $b=b'$ ➡ 일치한다.

설명 연립방정식 $\begin{cases} ax+by+c=0 \\ a'x+b'y+c'=0 \end{cases}$ 에서 y를 x의 식으로 나타내면 $\begin{cases} y=-\dfrac{a}{b}x-\dfrac{c}{b} \\ y=-\dfrac{a'}{b'}x-\dfrac{c'}{b'} \end{cases}$

일차함수의 식에서 기울기와 y절편을 비교하면

① 기울기가 같다. ⇨ $-\dfrac{a}{b}=-\dfrac{a'}{b'}$, $\dfrac{a}{b}=\dfrac{a'}{b'}$　∴ $\dfrac{a}{a'}=\dfrac{b}{b'}$

② y절편이 같다. ⇨ $-\dfrac{c}{b}=-\dfrac{c'}{b'}$, $\dfrac{c}{b}=\dfrac{c'}{b'}$　∴ $\dfrac{b}{b'}=\dfrac{c}{c'}$

• Lecture •

● 연립방정식의 해의 개수는 두 일차방정식의 그래프의 교점의 개수와 같다.

| 개념 확인 | 3 아래 보기의 연립방정식에서 두 일차방정식의 그래프의 교점의 개수가 다음과 같은 것을 모두 고르시오.

보기

ㄱ $\begin{cases} 2x+3y=4 \\ 3x-2y=5 \end{cases}$　ㄴ $\begin{cases} x+3y=4 \\ 2x+6y=-8 \end{cases}$　ㄷ $\begin{cases} 4x-2y=-6 \\ 2x-y=-3 \end{cases}$　ㄹ $\begin{cases} 3x+y=2 \\ 3x-y=-2 \end{cases}$

(1) 교점이 한 개인 것

(2) 교점이 없는 것

(3) 교점이 무수히 많은 것

1-1

아래 좌표평면 위에 연립방정식 $\begin{cases} x+y-5=0 \\ 2x-y-4=0 \end{cases}$ 의 각 일차방

정식의 그래프를 그리고, 그 그래프를 이용하여 연립방정식의

해를 구하시오.

 $\begin{cases} x+y-5=0 \\ 2x-y-4=0 \end{cases}$

y를 x의 식으로 나타내면

$\begin{cases} y= \boxed{} \\ y= \boxed{} \end{cases}$

➡ 교점의 좌표는 ($\boxed{}$, $\boxed{}$)이다.

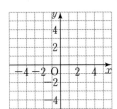

2-1

연립방정식 $\begin{cases} x+y=3b & \cdots \text{㉠} \\ 2x-3y=2a & \cdots \text{㉡} \end{cases}$

의 그래프가 오른쪽 그림과 같을 때,

상수 a, b의 값을 각각 구하시오.

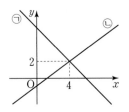

연구 두 직선의 교점의 좌표는 $(4, \boxed{})$이므로

㉠에 $x=4$, $y=\boxed{}$를 대입하면

$4+\boxed{}=3b$ $\therefore b=\boxed{}$

㉡에 $x=4$, $y=\boxed{}$를 대입하면

$2 \times 4 - 3 \times \boxed{} = 2a$ $\therefore a = \boxed{}$

3-1

다음 연립방정식에서 두 일차방정식의 그래프를 좌표평면 위

에 그리고, 연립방정식의 해를 구하시오.

(1) $\begin{cases} 2x-y+1=0 \\ 2x-y-\dfrac{3}{2}=0 \end{cases}$ (2) $\begin{cases} 2x+3y-2=0 \\ -4x-6y+4=0 \end{cases}$

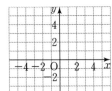   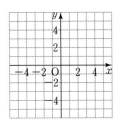

1-2

다음 연립방정식에서 두 일차방정식의 그래프를 좌표평면 위

에 그리고, 그 그래프를 이용하여 연립방정식의 해를 구하시오.

(1) $\begin{cases} 2x+y=4 \\ -3x+y=-1 \end{cases}$ (2) $\begin{cases} 3x-y=-2 \\ 2x-3y=8 \end{cases}$

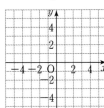   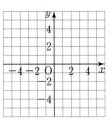

2-2

연립방정식 $\begin{cases} ax-y=-6 \\ 3x+by=-4 \end{cases}$ 의 해를 구

하기 위해 두 일차방정식의 그래프를 그

렸더니 오른쪽 그림과 같았다. 이때 상수

a, b의 값을 각각 구하시오.

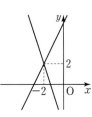

3-2

다음 연립방정식에서 두 일차방정식의 그래프를 좌표평면 위

에 그리고, 연립방정식의 해를 구하시오.

(1) $\begin{cases} 2x-y-1=0 \\ -x+y-2=0 \end{cases}$ (2) $\begin{cases} 3x+y-1=0 \\ -\dfrac{3}{2}x-\dfrac{1}{2}y+\dfrac{1}{2}=0 \end{cases}$

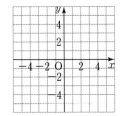   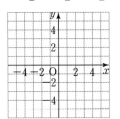

대표 유형 ① 연립방정식의 해와 그래프의 교점

유형 해결의 법칙 중 2-1 174쪽

> 두 일차방정식의 그래프의 교점의 좌표는 두 일차방정식으로 이루어진 연립방정식의 해와 같다.

1-1 오른쪽 그림은 연립방정식 $\begin{cases} x-ay=-1 \\ bx-y=3 \end{cases}$ 의 해를 구하기 위해 두 일차방정식의 그래프를 그린 것이다. 이때 $a+b$의 값을 구하시오. (단, a, b는 상수)

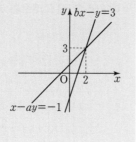

풀이 두 직선의 교점의 좌표가 $(2, 3)$이므로

$x-ay=-1$에 $x=2, y=3$을 대입하면

$2-3a=-1, -3a=-3$ ∴ $a=1$

$bx-y=3$에 $x=2, y=3$을 대입하면

$2b-3=3, 2b=6$ ∴ $b=3$

∴ $a+b=1+3=4$

답 4

쌍둥이 1-2

오른쪽 그림은 연립방정식 $\begin{cases} x-y=-5 \\ ax+4y=6 \end{cases}$ 의 해를 구하기 위해 두 일차방정식의 그래프를 그린 것이다. 이때 상수 a의 값을 구하시오.

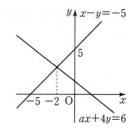

쌍둥이 1-3

두 직선 $y=2x-3, y=x+1$의 교점의 좌표가 (a, b)일 때, $a-b$의 값을 구하시오.

대표 유형 ② 두 직선의 교점을 지나는 직선의 방정식

유형 해결의 법칙 중 2-1 175쪽

> 두 직선의 교점의 좌표를 구한 후 조건에 맞는 직선의 방정식을 구한다.

2-1 두 직선 $3x+4y=1, 2x-3y=-5$의 교점을 지나고, x축에 평행한 직선의 방정식을 구하시오.

풀이 연립방정식 $\begin{cases} 3x+4y=1 \\ 2x-3y=-5 \end{cases}$ 를 풀면 $x=-1, y=1$이므로 두 직선의 교점의 좌표는 $(-1, 1)$이다.

따라서 점 $(-1, 1)$을 지나고 x축에 평행한 직선의 방정식은 $y=1$이다.

답 $y=1$

쌍둥이 2-2

두 직선 $2x+3y-3=0, x-y+1=0$의 교점을 지나고, 기울기가 3인 직선의 방정식을 구하시오.

쌍둥이 2-3

두 직선 $y=2x-3, y=-x+6$의 교점을 지나고, x축에 수직인 직선의 방정식을 구하시오.

대표 유형 ❸ 연립방정식의 해의 개수와 두 직선의 위치 관계

유형 해결의 법칙 중 2-1 176쪽

두 직선 $y=ax+b$, $y=a'x+b'$에서

① $a \neq a'$ ➡ 한 점에서 만난다.   ② $a=a'$, $b \neq b'$ ➡ 평행하다.   ③ $a=a'$, $b=b'$ ➡ 일치한다.
 ➡ 한 쌍의 해를 가진다.   ➡ 해가 없다.   ➡ 해가 무수히 많다.

3-1 연립방정식 $\begin{cases} 10x+2y=-6 \\ ax-5y=b \end{cases}$ 에 대하여 다음을 만족하는 상수 a, b의 조건을 각각 구하시오.

(1) 해가 한 쌍이다.   (2) 해가 없다.

(3) 해가 무수히 많다.

풀이 $10x+2y=-6$에서 $y=-5x-3$

$ax-5y=b$에서 $y=\dfrac{a}{5}x-\dfrac{b}{5}$

(1) $-5 \neq \dfrac{a}{5}$이어야 하므로 $a \neq -25$

(2) $-5=\dfrac{a}{5}$, $-3 \neq -\dfrac{b}{5}$이어야 하므로 $a=-25$, $b \neq 15$

(3) $-5=\dfrac{a}{5}$, $-3=-\dfrac{b}{5}$이어야 하므로 $a=-25$, $b=15$

답 (1) $a \neq -25$ (2) $a=-25$, $b \neq 15$ (3) $a=-25$, $b=15$

쌍둥이 3-2

연립방정식 $\begin{cases} 2x-4y=5 \\ -x+2y=a \end{cases}$ 의 해가 없을 때, 다음 중 상수 a의 값으로 옳지 <u>않은</u> 것은?

① $-\dfrac{5}{2}$ ② -1 ③ 0

④ $\dfrac{3}{2}$ ⑤ 2

쌍둥이 3-3

연립방정식 $\begin{cases} x-2y=b \\ ax+6y=9 \end{cases}$ 의 해가 무수히 많을 때, $a+b$의 값을 구하시오. (단, a, b는 상수)

대표 유형 ❹ 직선으로 둘러싸인 도형의 넓이

유형 해결의 법칙 중 2-1 177쪽

좌표평면 위에서 직선으로 둘러싸인 삼각형의 넓이는 다음을 이용하여 구한다.

(ⅰ) 연립방정식을 풀어 구한 두 직선의 교점의 좌표   (ⅱ) 직선의 x절편과 y절편

4-1 오른쪽 그림과 같이 두 직선 $2x-y+4=0$, $x+y-1=0$의 교점을 P, 두 직선이 x축과 만나는 점을 각각 A, B라 할 때, 삼각형 PAB의 넓이를 구하시오.

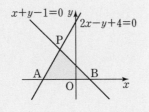

풀이 연립방정식 $\begin{cases} 2x-y+4=0 \\ x+y-1=0 \end{cases}$ 을 풀면

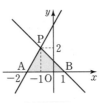

$x=-1$, $y=2$이므로 P$(-1, 2)$

직선 $2x-y+4=0$의 x절편은 -2이므로 A$(-2, 0)$

직선 $x+y-1=0$의 x절편은 1이므로 B$(1, 0)$

∴ (삼각형 PAB의 넓이)$=\dfrac{1}{2} \times \{1-(-2)\} \times 2=3$ **답** 3

쌍둥이 4-2

두 직선 $x-y=-4$, $y=-3x-8$과 y축으로 둘러싸인 도형의 넓이를 구하시오.

쌍둥이 4-3

두 직선 $x+y=4$, $3x-2y=3$과 x축으로 둘러싸인 삼각형의 넓이를 구하시오.

연립방정식의 해와 그래프

연립방정식 $\begin{cases} ax+by+c=0 \\ a'x+b'y+c'=0 \end{cases}$ 의 해가 $x=m, y=n$이다.

➡ 두 직선 $ax+by+c=0$, $a'x+b'y+c'=0$의 교점의 좌표는 $(m, \boxed{❶})$이다.

답 ❶ n

01

오른쪽 그림에서 연립방정식

$\begin{cases} x+y=-1 \\ x-3y=-1 \end{cases}$ 의 해를 나타내는 점

은?

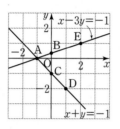

① A   ② B
③ C   ④ D
⑤ E

★ 02

오른쪽 그림은 연립방정식

$\begin{cases} x+ay=6 \\ bx-y=2 \end{cases}$ 의 해를 구하기 위해 두

일차방정식의 그래프를 그린 것이다.

이때 ab의 값을 구하시오.

(단, a, b는 상수)

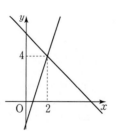

03

방정식 $x=-2$의 그래프가 두 직선 $y=ax+4$와

$y=-\dfrac{1}{2}x+1$의 교점을 지날 때, 상수 a의 값을 구하시오.

04

오른쪽 그림과 같이 두 직선 ㉠, ㉡이

점 $\mathrm{P}(a, b)$에서 만날 때, $a+2b$의

값은?

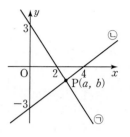

① $\dfrac{1}{2}$ ② $\dfrac{2}{3}$

③ 1 ④ $\dfrac{4}{3}$

⑤ $\dfrac{5}{2}$

05

융합형

물감이 엎질러져서 오른쪽 그림과

같이 그래프의 가운데 부분이 보이

지 않게 되었다. 두 직선 ㉠, ㉡의 교

점이 y축 위에 있고, 직선 ㉡이 점

$(-1, 5)$를 지날 때, 직선 ㉡의 기울

기는?

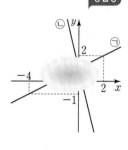

① -4 ② -3 ③ -2
④ 2 ⑤ 4

★ 06

서술형

세 직선 $2x-y-5=0$, $ax-y-2=0$, $x+2y+5=0$이 한

점에서 만날 때, 상수 a의 값을 구하시오.

07

두 직선 $3x+2y+1=0$, $2x-y+10=0$의 교점을 지나고 직선 $x+2y+2=0$에 평행한 직선의 방정식이 $y=ax+b$일 때, $a+b$의 값은? (단, a, b는 상수)

① 3   ② 2   ③ 1

④ -1 ⑤ -2

08

두 일차방정식 $x-y+2=0$, $2x+y+4=0$의 그래프와 y축으로 둘러싸인 삼각형의 넓이를 구하시오.

연립방정식의 해의 개수와 두 직선의 위치 관계

① 연립방정식의 해가 없다.
➡ 두 직선이 평행하다.
➡ 두 직선의 기울기는 같고 y절편이 다르다.

② 연립방정식의 해가 ❶ _____ .
➡ 두 직선이 일치한다.
➡ 두 직선의 기울기와 y절편이 각각 같다.

📝 ❶ 무수히 많다

09

다음 연립방정식을 그래프를 이용하여 풀 때, 해가 <u>없는</u> 것은?

① $\begin{cases} 2x+y=2 \\ 4x-2y=2 \end{cases}$ ② $\begin{cases} 2x+y=1 \\ 4x+2y=2 \end{cases}$

③ $\begin{cases} 2x+y=2 \\ 6x+3y=-6 \end{cases}$ ④ $\begin{cases} 3x-3y=-6 \\ -5x+5y=10 \end{cases}$

⑤ $\begin{cases} x+y=2 \\ 3x-4y=-3 \end{cases}$

10

연립방정식 $\begin{cases} 4x+5y=3 \\ ax-10y=b \end{cases}$ 의 해가 무수히 많을 때, $a+b$의 값은? (단, a, b는 상수)

① -18 ② -14 ③ -12

④ 2   ⑤ 6

11

두 직선 $ax+by-1=0$, $2x-3y-2=0$의 교점이 무수히 많을 때, ab의 값은? (단, a, b는 상수)

① $-\dfrac{3}{2}$ ② $-\dfrac{1}{2}$ ③ $\dfrac{1}{2}$

④ $\dfrac{2}{3}$ ⑤ 1

12

서술형

두 직선 $2x+ay=6$, $3x-2y=b$의 교점이 없을 때, 상수 a, b의 조건을 각각 구하시오. (단, $a \neq 0$)

9

일
차
함
수
와

일
차
방
정
식

개념 해결의 법칙
memo

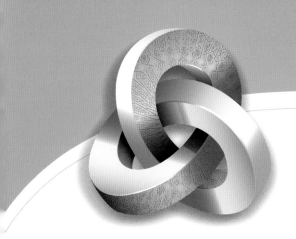

단원
종합 문제

2-1

개념 해결의
법칙

01

다음 중 순환소수의 순환마디를 바르게 구한 것은?

① $0.8333\cdots$ ➡ 순환마디: 33

② $0.454545\cdots$ ➡ 순환마디: 54

③ $0.15909090\cdots$ ➡ 순환마디: 90

④ $0.237237237\cdots$ ➡ 순환마디: 2372

⑤ $5.714285714285714285\cdots$ ➡ 순환마디: 571428

02

다음은 순환마디를 이용하여 순환소수를 간단히 나타낸 것이다. 옳지 <u>않은</u> 것은?

① $0.13434\cdots = 0.1\dot{3}\dot{4}$

② $1.231231\cdots = 1.\dot{2}3\dot{1}$

③ $3.013013\cdots = 3.\dot{0}1\dot{3}$

④ $2.020202\cdots = 2.\dot{0}$

⑤ $7.0111\cdots = 7.0\dot{1}$

03

서술형

분수 $\dfrac{3}{7}$ 을 소수로 나타내었을 때, 소수점 아래 50번째 자리의 숫자를 구하시오.

04

순환소수 $2.7\dot{5}\dot{3}$에서 소수점 아래 47번째 자리의 숫자는?

① 2　　　② 3　　　③ 4

④ 5　　　⑤ 7

05

다음은 분수 $\dfrac{3}{20}$ 을 유한소수로 나타내는 과정이다. ㉠에 알맞은 수는?

$$\frac{3}{20} = \frac{3}{2^2 \times 5} = \frac{3 \times \boxed{㉠}}{2^2 \times 5 \times \boxed{㉠}} = \frac{\boxed{}}{100} = \boxed{}$$

① 2　　　② 4　　　③ 5

④ 10　　　⑤ 25

06

다음 분수 중 유한소수로 나타낼 수 있는 것을 모두 고르면?

(정답 2개)

① $\dfrac{6}{2^2 \times 3^2}$　　　② $\dfrac{12}{3^2 \times 5}$　　　③ $\dfrac{3}{8}$

④ $\dfrac{7}{6}$　　　⑤ $\dfrac{14}{2^2 \times 5^3 \times 7}$

07

두 분수 $\dfrac{1}{5}$과 $\dfrac{3}{7}$ 사이에 있는 분수 중에서 분모가 70이고 유한소수로 나타낼 수 있는 분수는 모두 몇 개인가?

① 2개   ② 3개   ③ 4개

④ 5개   ⑤ 6개

08
서술형

$\dfrac{11}{60} \times a$를 소수로 나타내면 유한소수가 될 때, a의 값이 될 수 있는 가장 작은 자연수를 구하시오.

09

분수 $\dfrac{a}{2^2 \times 3^2 \times 5}$를 소수로 나타내면 유한소수가 될 때, 다음 중 a의 값이 될 수 <u>없는</u> 것은?

① 9   ② 12   ③ 18

④ 36   ⑤ 45

10

분수 $\dfrac{3}{8 \times a}$을 소수로 나타내면 유한소수가 될 때, 다음 중 a의 값이 될 수 있는 것을 모두 고르면? (정답 2개)

① 3   ② 6   ③ 7

④ 9   ⑤ 14

11
서술형

두 분수 $\dfrac{17}{102}$과 $\dfrac{7}{130}$에 어떤 자연수 a를 각각 곱하면 두 분수 모두 유한소수로 나타낼 수 있다고 한다. 이때 a의 값이 될 수 있는 가장 작은 자연수를 구하시오.

12

분수 $\dfrac{a}{120}$를 기약분수로 나타내면 $\dfrac{1}{b}$이 되고, 이것을 소수로 나타내면 유한소수가 된다. 이때 $a+b$의 값은?

(단, a, b는 **자연수**이고 $20 < a < 25$)

① 25   ② 26   ③ 27

④ 28   ⑤ 29

13

다음은 순환소수 $0.1\dot{5}\dot{2}$를 분수로 나타내는 과정이다. ㉠, ㉡에 알맞은 수를 써넣으시오.

$0.1\dot{5}\dot{2}$를 x로 놓으면
$x = 0.152152152\cdots$
$\boxed{㉠}\ x = 152.152152152\cdots$
$-)\quad\quad x = \quad 0.152152152\cdots$
$\boxed{㉡}\ x = 152$
$\therefore x = \dfrac{152}{\boxed{㉡}}$

14

다음 중 순환소수 $x=3.25\dot{7}$을 분수로 나타낼 때 가장 편리한 식은?

① $100x-x$ ② $1000x-x$ ③ $1000x-10x$
④ $1000x-100x$ ⑤ $10000x-x$

15

다음 중 순환소수 $x=1.7232323\cdots$에 대한 설명으로 옳은 것은?

① x는 유한소수이다.
② $1000x-10x=1551$
③ 순환마디는 723이다.
④ $1.72\dot{3}$으로 나타낼 수 있다.
⑤ 기약분수로 나타내면 $\dfrac{853}{495}$이다.

16

다음 중 순환소수를 분수로 나타낸 것으로 옳은 것은?

① $0.\dot{7}=\dfrac{7}{10}$ ② $0.\dot{1}\dot{4}=\dfrac{14}{90}$

③ $0.1\dot{2}\dot{3}=\dfrac{61}{495}$ ④ $1.4\dot{2}=\dfrac{69}{45}$

⑤ $0.9\dot{2}\dot{5}=\dfrac{925}{999}$

17

순환소수 $0.2\dot{4}$에 자연수 a를 곱하면 유한소수가 된다고 한다. 이때 a의 값이 될 수 있는 가장 작은 두 자리 자연수를 구하시오.

18

다음 중 가장 큰 수는?

① $0.1\dot{3}\dot{0}$ ② $0.\dot{1}3\dot{0}$ ③ $0.\dot{1}$
④ $0.1\dot{3}$ ⑤ 0.13

19

$\dfrac{17}{99}=x+0.0\dot{7}$일 때, x의 값을 순환소수로 나타내면?

① $0.0\dot{1}$ ② $0.\dot{1}\dot{0}$ ③ $0.\dot{1}$
④ $0.\dot{7}$ ⑤ $0.\dot{7}\dot{1}$

20

다음 중 옳지 않은 것은?

① 정수가 아닌 유리수는 유한소수 또는 순환소수로 나타낼 수 있다.
② 순환소수 중에는 유리수가 아닌 것도 있다.
③ 모든 유한소수는 유리수이다.
④ 무한소수 중에는 분수로 나타낼 수 없는 것도 있다.
⑤ π는 순환하지 않는 무한소수이다.

01

다음 중 옳은 것은?

① $a^2 \times a^3 = a^6$ ② $(a^2)^7 = a^3$

③ $x^8 \div x^5 = x^3$ ④ $(2a^5b)^3 = 6a^{15}b^3$

⑤ $\left(\dfrac{x^3}{y}\right)^3 = \dfrac{x^9}{y}$

02

$(x^2)^a \times (y^b)^3 \div x = x^{11}y^{12}$일 때, 자연수 a, b에 대하여 $a+b$의 값은?

① 7   ② 8   ③ 9

④ 10   ⑤ 11

03

$3^3 \times 3^3 \times 3^3 = 3^a$, $3^3 + 3^3 + 3^3 = 3^b$, $\{(3^3)^3\}^3 = 3^c$일 때, $a+b+c$의 값을 구하시오.

04

$A = 2^3$일 때, 64^3을 A를 사용하여 나타내면?

① $8A$ ② $64A$ ③ A^3

④ A^6 ⑤ A^{12}

05

$2^{10} \times 3 \times 5^8$이 n자리의 자연수일 때, n의 값을 구하시오.

06

다음 식을 간단히 하면?

$$6a^4b^2 \div 4a^2b^3 \times (-8ab^3)$$

① $-12a^3b^2$ ② $-6a^4b^3$ ③ $\dfrac{2}{3}a^4b$

④ $2a^5b^4$ ⑤ $8a^8b^7$

07

서술형

다음 $\boxed{}$ 안에 알맞은 식을 구하시오.

$$(-2a^2b^3)^2 \div (-3ab^4) \times \boxed{} = 4ab^5$$

08

$(-3x^2y)^A \div 6x^By \times 2x^5y^3 = Cx^2y^4$일 때, $A+B+C$의 값은? (단, A, B, C는 상수)

① 9   ② 10   ③ 11
④ 12   ⑤ 13

09

어떤 다항식 A에 $-\dfrac{2}{3}a^3b^2$을 곱해야 할 것을 잘못하여 나누었더니 그 결과가 $10ab$가 되었다. 바르게 계산한 식을 구하시오.

10

서술형

다음 그림에서 직사각형의 넓이와 삼각형의 넓이가 서로 같을 때, 삼각형의 높이를 구하시오.

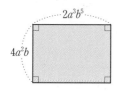 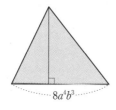

11

$\dfrac{a-3b}{5} + \dfrac{3a-5b}{3}$ 를 간단히 하면?

① $\dfrac{4}{5}a - 6b$ ② $\dfrac{4}{5}a - \dfrac{8}{5}b$

③ $\dfrac{14}{15}a - \dfrac{8}{15}b$ ④ $\dfrac{14}{15}a - 2b$

⑤ $\dfrac{6}{5}a - \dfrac{34}{15}b$

12

$(3x^2 + 2x - 2) - \left(x^2 - 3x - \dfrac{3}{2}\right)$을 간단히 하면?

① $x^2 + \dfrac{3}{2}x + 1$ ② $x^2 - \dfrac{3}{2}x + 1$

③ $2x^2 + 5x + \dfrac{1}{2}$ ④ $-2x^2 - 5x - 1$

⑤ $2x^2 + 5x - \dfrac{1}{2}$

13

$5b - [a + \{a - b - (3a - 2b)\}]$를 간단히 하시오.

14

서술형

어떤 식에서 $2x^2 - 3x + 5$를 빼야 할 것을 잘못하여 더하였더니 $7x^2 - x + 6$이 되었다. 이때 바르게 계산한 식을 구하시오.

15

$x(3y-2)-(4xy^2-8xy-6y^2)\div\dfrac{1}{2}y$를 계산하면?

① $11xy-18x-12y$ ② $-5xy+14x+12y$

③ $-5xy+14x-12y$ ④ $-5xy-18x+12y$

⑤ $-5xy-18x-12y$

16

$\dfrac{8x^2-12xy}{2x}-\dfrac{15xy+18y^2}{-3y}=Ax+By$일 때, $A+B$의 값은?

(단, A, B는 상수)

① 7   ② 8   ③ 9

④ 10   ⑤ 11

17

오른쪽 그림과 같은 직육면체의 부피가 $18x^2y-12xy^2$일 때, 이 직육면체의 높이는?

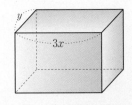

① $3xy$ ② $3x-2y$ ③ $-4x+6y$

④ $-6x+4y$ ⑤ $6x-4y$

18

$a=-3$, $b=2$일 때, 다음 식의 값은?

$$(3a^2+4ab)\div a-\frac{8ab-10b^2}{2b}$$

① -5 ② 7   ③ 12

④ 18   ⑤ 21

19

$A=2x-y$, $B=-x+3y$일 때, $2A-3(A-2B)-3B$를 x, y의 식으로 나타내면?

① $-5x+10y$ ② $-5x+8y$ ③ $-x+10y$

④ $-x+8y$ ⑤ $-x+3y$

20

$x=2y-1$일 때, $y+3x+1$을 y의 식으로 나타내시오.

01

다음 중 문장을 부등식으로 나타낸 것으로 옳지 <u>않은</u> 것은?

① 어떤 수 x의 3배는 x에서 6을 뺀 것보다 크다.

⇨ $3x > x - 6$

② 한 켤레에 x원인 양말 15켤레의 가격은 20000원 이하이다. ⇨ $15x \leq 20000$

③ 한 변의 길이가 x cm인 정삼각형의 둘레의 길이는 24 cm보다 길다. ⇨ $3x > 24$

④ 한 개에 300원인 볼펜 x개와 한 권에 500원인 연습장 4권의 전체 가격이 5000원보다 작지 않다.

⇨ $300x + 500 \times 4 \geq 5000$

⑤ 시속 3 km로 x시간 동안 걸은 거리는 10 km 이상이다.

⇨ $3x \leq 10$

02

다음 부등식 중 $x = 2$일 때, 참인 것은?

① $x - 3 \geq 0$ 　　② $3 - x \geq 2$

③ $2x - 1 \geq 4$ 　　④ $3x - 2 \geq 4$

⑤ $-x + 1 \geq 1$

03

$a < b$일 때, 다음 중 ☐ 안에 들어갈 부등호의 방향이 나머지 넷과 다른 하나는?

① $9a + 2$ ☐ $9b + 2$ 　　② $7 - a$ ☐ $7 - b$

③ $3a - 4$ ☐ $3b - 4$ 　　④ $\dfrac{6-a}{-5}$ ☐ $\dfrac{6-b}{-5}$

⑤ $\dfrac{a+6}{10}$ ☐ $\dfrac{b+6}{10}$

04

$-1 \leq x < 2$이고 $A = -2x + 3$일 때, A의 값의 범위는?

① $-5 < A \leq -1$ 　　② $-5 \leq A < -1$

③ $-1 < A \leq 5$ 　　④ $-1 \leq A < 5$

⑤ $1 < A \leq 5$

05

다음 중 일차부등식인 것은?

① $4 \leq 3x^2 + 1$ 　　② $x + 3 \leq 15$

③ $x(x-1) \geq -4x$ 　　④ $\dfrac{3}{x} > 5$

⑤ $6 + 5x < 5x + 10$

06

다음 중 부등식 $2x + 3 \leq 4x - 1$의 해를 수직선 위에 바르게 나타낸 것은?

① 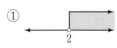 ②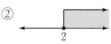

③ 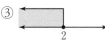 ④

⑤

07

일차부등식 $3x+2(4-x)<5$를 만족하는 x의 값 중 가장 큰 정수는?

① -4　　　② -3　　　③ -2

④ -1　　　⑤ 0

08　서술형

일차부등식 $0.5x-1.2<\dfrac{3}{10}x-\dfrac{1}{2}$을 만족하는 모든 자연수 x의 개수를 구하시오.

09

일차부등식 $\dfrac{x+1}{3}-\dfrac{2x-4}{5}<1$을 만족하는 x의 값 중 가장 작은 정수는?

① -21　　　② -9　　　③ 1

④ 3　　　⑤ 17

10

$a<0$일 때, x에 대한 일차부등식 $2-ax>-1$을 풀면?

① $x<-\dfrac{3}{a}$　　　② $x>-\dfrac{3}{a}$　　　③ $x<\dfrac{1}{a}$

④ $x<\dfrac{3}{a}$　　　⑤ $x>\dfrac{3}{a}$

11

$a>3$일 때, x에 대한 일차부등식 $3x-9<a(x-3)$의 해는?

① $x>3$　　　② $x<3$　　　③ $x<-2$

④ $x>-3$　　　⑤ $x<-3$

12

일차부등식 $5x-2>a$의 해를 수직선 위에 나타내면 오른쪽 그림과 같다. 이때 상수 a의 값은?

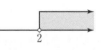

① -4　　　② -8　　　③ 2

④ 4　　　⑤ 8

13　서술형

두 일차부등식 $3(x-2)>2(2-x)$, $x+a-1<2(x-1)$의 해가 서로 같을 때, 상수 a의 값을 구하시오.

14

어떤 자연수의 4배에 1을 더한 수는 그 자연수에 4를 더한 후 3배한 수보다 작다. 다음 중 어떤 자연수가 될 수 <u>없는</u> 것은?

① 7   ② 8   ③ 9

④ 10   ⑤ 11

15

지우개 250원짜리와 연필 350원짜리를 합해서 18개 사고 전체 금액이 4200원 이하가 되도록 하려고 한다. 다음 중 지우개 수를 x개라 할 때, 지우개 수를 구하기 위한 일차부등식으로 옳은 것은?

① $250x+350(18-x)>4200$

② $250(18-x)+350x<4200$

③ $250x+350(18-x)<4200$

④ $250(18-x)+350x\leq4200$

⑤ $250x+350(18-x)\leq4200$

16

한 개에 2500원인 조각 케이크를 1200원짜리 상자에 포장하여 상품 전체의 가격을 20000원 이하가 되게 하려고 할 때, 조각 케이크를 최대 몇 개까지 넣을 수 있는가?

① 6개   ② 7개   ③ 8개

④ 9개   ⑤ 10개

17

현재 승우의 통장에는 30000원, 지우의 통장에는 45000원이 저금 되어 있다. 승우는 매월 5000원씩, 지우는 매월 3000원씩 저금할 때, 승우의 저금액이 지우의 저금액보다 많아지는 것은 몇 개월 후부터인가?

① 6개월 후   ② 7개월 후   ③ 8개월 후

④ 9개월 후   ⑤ 10개월 후

18

어느 미술 작품 전시회의 입장료가 5000원이고, 40명 이상의 단체일 경우에는 20 %를 할인하여 준다고 한다. 40명 미만인 단체가 40명의 단체 입장료보다 더 많은 입장료를 지불해야 하는 경우는 몇 명이 입장할 때부터인가?

① 31명   ② 33명   ③ 35명

④ 37명   ⑤ 39명

19

등산을 하는데 올라갈 때는 시속 3 km, 내려올 때는 같은 길을 시속 4 km로 걸어서 총 2시간 이내로 등산을 마치려고 한다. 최대 몇 km까지 올라갔다 내려올 수 있는지 구하시오.

01

다음 중 미지수가 2개인 일차방정식은?

① $x-y=0$

② $2xy+4=5$

③ $2(x+y)+4=2x$

④ $x^2-y=1$

⑤ $3x+y=1-(x-y)$

02

x, y가 자연수일 때, 일차방정식 $2x+4y=10$을 만족하는 해의 개수는?

① 1   ② 2   ③ 3

④ 4   ⑤ 5

03

다음 연립방정식 중 해가 $(4, 2)$인 것은?

① $\begin{cases} x-y=-2 \\ 2x+y=10 \end{cases}$ ② $\begin{cases} x+4y=12 \\ 2x-5y=-2 \end{cases}$

③ $\begin{cases} x+y=6 \\ x-y=-2 \end{cases}$ ④ $\begin{cases} x-y=2 \\ 5x-7y=4 \end{cases}$

⑤ $\begin{cases} 2x+3y=14 \\ 4x-3y=4 \end{cases}$

04

연립방정식 $\begin{cases} 2x+y=a \\ bx+3y=13 \end{cases}$ 의 해가 $(2, 3)$일 때, 상수 a, b의 값을 각각 구하시오.

05

연립방정식 $\begin{cases} y=7-3x & \cdots\cdots ㉠ \\ 2x-2y=10 & \cdots\cdots ㉡ \end{cases}$ 을 풀기 위하여 ㉠을 ㉡에 대입하였더니 $ax=24$가 되었다. 이때 상수 a의 값은?

① 2   ② 3   ③ 6

④ 8   ⑤ 12

06

연립방정식 $\begin{cases} 7x-3y=-15 & \cdots\cdots ㉠ \\ 5x+2y=19 & \cdots\cdots ㉡ \end{cases}$ 에서 x를 없애기 위해 다음 중 필요한 식은?

① ㉠$\times 2-$㉡$\times 3$ ② ㉠$\times 2+$㉡$\times 3$

③ ㉠$\times 4+$㉡$\times 3$ ④ ㉠$\times 5-$㉡$\times 7$

⑤ ㉠$\times 5+$㉡$\times 7$

07

연립방정식 $\begin{cases} 3x+4y=24 \\ 4x-3y=7 \end{cases}$ 을 만족하는 x, y에 대하여 $x-2y$의 값을 구하시오.

08 서술형

연립방정식 $\begin{cases} x-y=1 \\ ax+3y=3 \end{cases}$ 의 해가 일차방정식 $3x-2y=5$를 만족할 때, 상수 a의 값을 구하시오.

09

두 연립방정식 $\begin{cases} 2x-3y=a \\ x+2y=8 \end{cases}$, $\begin{cases} x-y=2 \\ x-by=6 \end{cases}$ 의 해가 서로 같을 때, $a+b$의 값은? (단, a, b는 상수)

① -3 ② -1 ③ 1

④ 3 ⑤ 5

10

연립방정식 $\begin{cases} 2(x+1)+3y=2 \\ 4x-5(y-2)=-12 \end{cases}$ 를 풀면?

① $x=-3, y=2$ ② $x=-2, y=3$

③ $x=2, y=-3$ ④ $x=3, y=-2$

⑤ $x=3, y=2$

11 서술형

연립방정식 $\begin{cases} -0.6x+0.2y=1 \\ \dfrac{1}{4}x-\dfrac{1}{3}y=-\dfrac{1}{6} \end{cases}$ 의 해를 $x=a, y=b$라 할 때, $a-b$의 값을 구하시오.

12

방정식 $2x+y-4=4x-y+2=3x+2y+7$의 해는?

① $x=-7, y=-4$ ② $x=-7, y=4$

③ $x=-4, y=-7$ ④ $x=-4, y=7$

⑤ $x=7, y=4$

13

연립방정식 $\begin{cases} ax+2y=b \\ 6x+4y=10 \end{cases}$ 의 해가 무수히 많을 때, $a+b$의 값은? (단, a, b는 상수)

① -4 ② -2 ③ 8

④ 13 ⑤ 16

14

다음 연립방정식 중 해가 나머지 넷과 다른 하나는?

① $\begin{cases} x-y=4 \\ -x+y=-4 \end{cases}$ ② $\begin{cases} 3x+4y=7 \\ 9x+12y=14 \end{cases}$

③ $\begin{cases} 5x+7y=-16 \\ -10x-14y=32 \end{cases}$ ④ $\begin{cases} -2x+3y=6 \\ 6x-9y=-18 \end{cases}$

⑤ $\begin{cases} 2x-y=3 \\ 4x-2y=6 \end{cases}$

15

500원짜리 과자와 300원짜리 사탕을 섞어서 7개를 사고 2700원을 냈다. 과자와 사탕의 개수를 각각 x, y라 할 때, 이것을 연립방정식으로 나타내면?

① $\begin{cases} x+y=27 \\ 5x+3y=7 \end{cases}$ ② $\begin{cases} x+y=7 \\ 5x-3y=27 \end{cases}$

③ $\begin{cases} x+y=7 \\ 5x+3y=27 \end{cases}$ ④ $\begin{cases} x-y=300 \\ 5x+3y=27 \end{cases}$

⑤ $\begin{cases} x+y=2700 \\ 5x+3y=7 \end{cases}$

16

두 자리 자연수가 있다. 각 자리의 숫자의 합은 8이고, 십의 자리의 숫자와 일의 자리의 숫자를 바꾼 수는 처음 수보다 36만큼 작다고 한다. 이때 처음 수를 구하시오.

17

서술형

작년에 A중학교의 학생은 모두 520명이었다. 올해는 작년에 비해 여학생 수는 10 % 감소하고, 남학생 수는 20 % 증가하여 전체 학생 수는 20명이 증가하였다. 올해의 여학생과 남학생 수를 각각 구하시오.

18

A, B 두 사람이 함께 일하면 8일 걸리는 일을 A가 4일 동안 일하고 B가 10일 동안 일해서 끝냈다. 같은 일을 B 혼자서 하면 며칠이 걸리는가?

① 10일   ② 12일   ③ 15일
④ 18일   ⑤ 24일

19

성진이는 집에서 4 km 떨어진 도서관에 가는데 처음에는 시속 3 km로 걷다가 도중에 시속 6 km로 달려서 총 1시간이 걸렸다. 다음 물음에 답하시오.

(1) 성진이가 걸어간 거리를 x km, 달려간 거리를 y km라 할 때, 연립방정식을 세우시오.

(2) (1)에서 세운 연립방정식을 풀어 성진이가 걸어간 거리를 구하시오.

20

5 %의 소금물과 10 %의 소금물을 섞어서 9 %의 소금물 500 g을 만들려고 한다. 이때 10 %의 소금물은 몇 g 섞어야 하는가?

① 100 g   ② 200 g   ③ 300 g
④ 400 g   ⑤ 450 g

01

다음 중 y가 x에 대한 일차함수인 것은?

① $y=2x-x^2$ ② $y=\dfrac{7}{x}$

③ $y=4-x$ ④ $y=2x(x-1)$

⑤ $y=(x-3)-x$

02

함수 $f(x)=-\dfrac{4}{x}$에 대하여 $f(a)=2$, $f(-4)=b$일 때, $a-b$의 값을 구하시오.

03

일차함수 $y=f(x)$에 대하여 $f(x)=\dfrac{1}{3}x-2$일 때, $f(0)+f(6)$의 값을 구하시오.

04

다음 중 일차함수 $y=-2x+1$의 그래프 위에 있는 점은?

① $(2,1)$ ② $(1,2)$ ③ $(0,2)$

④ $(-1,3)$ ⑤ $\left(\dfrac{3}{2},1\right)$

05

서술형

일차함수 $y=-\dfrac{1}{3}x+2$의 그래프를 y축의 방향으로 -3만큼 평행이동한 그래프가 점 $(a,-2)$를 지날 때, a의 값을 구하시오.

06

일차함수 $y=-3x+4$의 그래프의 x절편과 y절편을 각각 구하시오.

07

일차함수 $y=-\dfrac{1}{2}x-5$의 그래프에서 x의 값이 4만큼 증가할 때, y의 값의 증가량은?

① -5 ② -2 ③ -1

④ 2 ⑤ 4

08

세 점 $(-2,-5)$, $(2,1)$, $(6,2a-1)$이 한 직선 위에 있을 때, a의 값은?

① 2 ② 3 ③ 4

④ 5 ⑤ 6

09

일차함수 $y=3x+1$의 그래프가 지나지 <u>않는</u> 사분면은?

① 제1사분면 ② 제2사분면

③ 제3사분면 ④ 제4사분면

⑤ 제1사분면, 제3사분면

10

서술형

오른쪽 그림과 같이 일차함수

$y=\dfrac{2}{3}x-6$의 그래프가 x축, y축과

만나는 점을 각각 A, B라 할 때, 다음
물음에 답하시오.

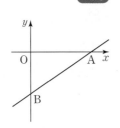

⑴ 두 점 A, B의 좌표를 각각 구하시오.

⑵ $y=\dfrac{2}{3}x-6$의 그래프와 x축 및 y축으로 둘러싸인 부분의 넓이를 구하시오.

11

다음 중 일차함수 $y=-\dfrac{3}{5}x+7$의 그래프에 대한 설명으로
옳지 <u>않은</u> 것은?

① 그래프는 점 $(10,\,1)$을 지난다.

② 오른쪽 아래로 향하는 그래프이다.

③ x의 값이 증가하면 y의 값은 감소한다.

④ 그래프는 제3사분면을 지나지 않는다.

⑤ x절편은 $-\dfrac{3}{5}$이고, y절편은 7이다.

12

일차함수 $y=ax-b$의 그래프가 오른
쪽 그림과 같을 때, 일차함수
$y=abx+b-a$의 그래프가 지나지
<u>않는</u> 사분면은? (단, $a,\,b$는 상수)

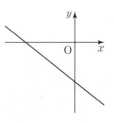

① 제1사분면 ② 제2사분면

③ 제3사분면 ④ 제4사분면

⑤ 제1사분면, 제3사분면

13

다음 보기의 일차함수 중에서 그 그래프가 서로 평행한 것끼리
짝 지은 것은?

보기

㉠ $y=-\dfrac{1}{2}x+4$ ㉡ $y=3x+4$

㉢ $y=-2x-1$ ㉣ $y=3x-(x+4)$

㉤ $y=-(2x-1)$ ㉥ $y=\dfrac{1}{2}x-4$

① ㉠과 ㉡ ② ㉠과 ㉥ ③ ㉡과 ㉣

④ ㉢과 ㉤ ⑤ ㉣과 ㉥

14

x의 값이 2만큼 증가할 때 y의 값은 8만큼 증가하고, y절편이
-2인 직선을 그래프로 하는 일차함수의 식은?

① $y=-4x+2$ ② $y=-2x-4$

③ $y=-2x+4$ ④ $y=2x-4$

⑤ $y=4x-2$

15

오른쪽 그림의 직선과 평행하고 x절
편이 -2인 일차함수의 그래프가 점
$(2, k)$를 지날 때, k의 값을 구하시오.

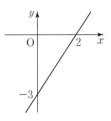

16

서술형

두 점 $(1, 2)$, $(3, -2)$를 지나는 직선을 그래프로 하는 일차
함수의 식을 구하려고 한다. 다음 물음에 답하시오.

(1) 두 점 $(1, 2)$, $(3, -2)$를 지나는 직선의 기울기를 구하
시오.

(2) 두 점 $(1, 2)$, $(3, -2)$를 지나는 직선을 그래프로 하는
일차함수의 식을 구하시오.

17

오른쪽 그림과 같은 일차함수의 그래
프에 대한 설명으로 옳지 <u>않은</u> 것은?

① $y=0$일 때, x의 값은 3이다.

② $x=0$일 때, y의 값은 -4이다.

③ 제1, 3, 4사분면을 지난다.

④ 일차함수의 식은 $y=5x-4$이다.

⑤ x의 값이 1만큼 증가하면 y의 값은 $\dfrac{4}{3}$만큼 증가한다.

18

처음 길이가 30 cm인 용수철이 있다. 이 용수철에 60 g짜리
추를 매달았더니 용수철의 길이가 42 cm가 되었다고 한다.
몇 g짜리 추를 매달 때, 용수철의 길이가 100 cm가 되는지 구
하시오.

19

오른쪽 그림과 같은 직사각형
ABCD에서 점 P가 점 B를 출
발하여 $\overline{BC}$를 따라 점 C까지 1초
에 1 cm씩 움직인다. 점 P가 점
B를 출발한 지 x초 후의 $\triangle APC$
의 넓이를 y cm²라 할 때, $\triangle APC$의 넓이가 9 cm²가 되는 것
은 점 P가 점 B를 출발한 지 몇 초 후인가?

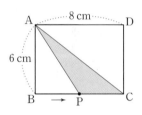

① 3초 후   ② 4초 후   ③ 5초 후

④ 6초 후   ⑤ 7초 후

20

일차방정식 $3x-2y-6=0$의 그래프와 평행하고 점 $(-2, 1)$
을 지나는 직선의 방정식을 $y=ax+b$라 할 때, ab의 값은?

(단, a, b는 상수)

① 10   ② 8   ③ 6

④ -6 ⑤ -8

21

점 $(1, 5)$를 지나고 x축에 평행한 직선의 방정식은?

① $x=5$ ② $y=5$ ③ $x=1$

④ $x+y=5$ ⑤ $y=x+5$

22

두 점 $(a-3, -1)$, $(3a+1, 4)$를 지나는 직선이 y축에 평행할 때, 두 점을 지나는 직선의 방정식은?

① $x=-2$ ② $x=-5$ ③ $y=-2$

④ $y=-5$ ⑤ $x+y=-5$

23

$a>0, b<0$일 때, 일차방정식 $ax+by+1=0$의 그래프가 지나지 않는 사분면을 구하시오.

24

오른쪽 그림은 연립방정식 $\begin{cases} x+y=4 \\ ax-y=-1 \end{cases}$ 의 해를 구하기 위해 두 일차방정식의 그래프를 그린 것이다. 이때 상수 a의 값을 구하시오.

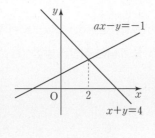

25

다음 중 일차방정식 $x-2y-4=0$의 그래프에 대한 설명으로 옳은 것은?

① x절편은 4이고, y절편은 2이다.
② 점 $(-2, 3)$을 지난다.
③ 제1, 2, 3사분면을 지난다.
④ x의 값이 4만큼 증가할 때, y의 값은 2만큼 감소한다.
⑤ 일차함수 $y=-x-5$의 그래프와 제3사분면 위의 한 점에서 만난다.

26

다음 연립방정식을 두 일차방정식의 그래프를 이용하여 풀 때, 해가 없는 것은?

① $\begin{cases} 2x+y=2 \\ 4x+2y=4 \end{cases}$ ② $\begin{cases} 3x-y=1 \\ 9x-3y=2 \end{cases}$

③ $\begin{cases} x+y=-3 \\ 6x+3y=-3 \end{cases}$ ④ $\begin{cases} 2x-3y=-2 \\ -4x+6y=4 \end{cases}$

⑤ $\begin{cases} x+2y=5 \\ x-4y=-3 \end{cases}$

27 서술형

세 일차방정식 $x+y=1$, $3x-y-3=0$, $x=0$의 그래프를 한 좌표평면 위에 나타내었을 때, 만들어지는 삼각형의 넓이를 구하시오.

개념 **해결**의
법칙

개념 해결의 법칙

정답과 해설

중학
수학 2-1

개념 해결의
법칙

1 유리수와 순환소수

1 순환소수

개념 확인

1 $-\dfrac{1}{4}$, 3.5

2 (1) 유 (2) 유 (3) 유 (4) 무

3 (1) 0.25, 유한소수 (2) 0.1666…, 무한소수
(3) 0.9090…, 무한소수 (4) 0.3125, 유한소수

4 (1) 순환마디: 7, $0.\dot{7}$ (2) 순환마디: 15, $0.\dot{1}\dot{5}$
(3) 순환마디: 369, $0.\dot{3}6\dot{9}$ (4) 순환마디: 13, $3.4\dot{1}\dot{3}$

5 (1) $1.\dot{3}$ (2) $0.85\dot{1}$ (3) $0.\dot{2}\dot{4}$ (4) $0.\dot{7}1428\dot{5}$

STEP ❶ 기초 개념 드릴

1-1 ㉠ 정수 ㉡ 양의 정수(자연수) ㉢ 0 ㉣ 음의 정수
㉤ 정수가 아닌 유리수

1-2 ㉠, ㉡, ㉤

2-1 (1) 0.375, 유 (2) 0.2, 유 (3) 0.222…, 무
(4) 0.5333…, 무

2-2 (1) 유 (2) 유 (3) 유 (4) 무

3-1 (1) 0.1666…, $0.1\dot{6}$ (2) 0.454545…, $0.\dot{4}\dot{5}$
(3) 0.054054054…, $0.\dot{0}5\dot{4}$ 연구 양 끝

3-2 (1) 0.333…, $0.\dot{3}$ (2) 1.8333…, $1.8\dot{3}$
(3) 0.857142857142…, $0.\dot{8}5714\dot{2}$
(4) 0.818181…, $0.\dot{8}\dot{1}$

STEP ❷ 대표 유형으로 개념 잡기

1-2 ② **1-3** ⑤ **2-2** 5 **2-3** 1

STEP ❸ 개념 뛰어넘기

01 ② **02** ③ **03** 3 **04** ③
05 6 **06** (1) 3 (2) 0

---

2 유리수의 소수 표현

개념 확인

1 (1) $\dfrac{1}{2}$, 소인수: 2 (2) $\dfrac{21}{50}$, 소인수: 2, 5
(3) $\dfrac{9}{40}$, 소인수: 2, 5 (4) $\dfrac{9}{125}$, 소인수: 5

2 (1) 2, 2, 14, 1.4 (2) 5^3, 5^3, 125, 0.125

3 (1) ○ (2) × (3) ○ (4) ×

4 (1) 2, 5, 있다 (2) 2, 3, 없다

STEP ❶ 기초 개념 드릴

1-1 (1) 5^3, 5^3 (2) 2^2, 2^2, 12, 0.12 연구 10

1-2 (1) 1.6 (2) 0.24 (3) 0.15

2-1 (1) × (2) ○ (3) ○ (4) × 연구 5

2-2 ㉡, ㉢

3-1 (1) $\dfrac{3}{10}$, $\dfrac{3}{2\times5}$, 유 (2) $\dfrac{1}{30}$, $\dfrac{1}{2\times3\times5}$, 순
(3) $\dfrac{3}{20}$, $\dfrac{3}{2^2\times5}$, 유 (4) $\dfrac{1}{6}$, $\dfrac{1}{2\times3}$, 순

3-2 (1) 유 (2) 순 (3) 유 (4) 순 (5) 유 (6) 유

STEP ❷ 대표 유형으로 개념 잡기

1-2 ④ **2-2** ②, ③ **2-3** ③ **3-2** (1) 7 (2) 9
3-3 12 **4-2** 1, 2, 4, 5, 7, 8 **4-3** ④
5-2 21 **5-3** 99 **6-2** (1) $x=14$, $y=2$ (2) 16

STEP ❸ 개념 뛰어넘기

01 40.35 **02** ④ **03** ㉡, ㉣, ㉤ **04** ④
05 ④ **06** ① **07** (1) 7 (2) 4개 **08** 18
09 ③ **10** ⑤ **11** 21 **12** 11

3 순환소수의 분수 표현

개념 확인   23쪽~25쪽

1 (1) $100, 99, 99, \dfrac{3}{11}$ (2) $100, 90, 90, \dfrac{71}{30}$

2 (1) $6, \dfrac{2}{3}$ (2) $42, \dfrac{14}{33}$ (3) $3, 35, \dfrac{7}{18}$

     (4) $1234, 12, 1222, \dfrac{611}{495}$

3 (1) × (2) × (3) ○ (4) × (5) × (6) ○

STEP 1 기초 개념 드릴   26쪽

1-1 $1000, 10, 990, 990, \dfrac{49}{66}$

1-2 $37.373737\cdots, 37, \dfrac{37}{99}$

2-1 (1) ㉠ (2) ㉢ (3) ㉡ (4) ㉣

2-2 (1) ㉡ (2) ㉠ (3) ㉢ (4) ㉣

3-1 $73, 990, 990, \dfrac{3634}{495}, 2, 1$

3-2 (1) $\dfrac{17}{30}$ (2) $\dfrac{371}{450}$ (3) $\dfrac{62}{45}$ (4) $\dfrac{1279}{495}$

STEP 2 대표 유형으로 개념 잡기   27쪽~29쪽

1-2 ④	**2-2** ③	**3-2** 33	**3-3** 15, 30, 45
4-2 ⑤	**5-2** $0.0\dot{1}$	**5-3** $0.\dot{5}$	**6-2** ⑤

STEP 3 개념 뛰어넘기   30쪽~31쪽

01 ① $246.464646\cdots$ ② 10 ③ 990 ④ 244 ⑤ 122

02 ③   **03** ⑤   **04** ①, ④   **05** 9

06 ③   **07** ②   **08** (1) $\dfrac{14}{3}$ (2) $4.\dot{6}$

09 ③   **10** ②, ③   **11** ⑤

12 수지: 유한소수는 모두 분수로 나타낼 수 있으므로 유리수
        이다.
       준성: 기약분수를 소수로 나타내면 유한소수 또는 순환소수
        이다.

---

2 단항식의 계산

1 지수법칙

개념 확인   34쪽~36쪽

1 (1) x^6 (2) 2^7 (3) $a^3 b^2$ (4) $x^6 y^3$

2 (1) 2^{12} (2) x^{28} (3) a^{10} (4) $x^{16} y^{15}$

3 (1) 2^2 (2) 3^3 (3) 1   (4) $\dfrac{1}{x^4}$

4 (1) a^{10} (2) $\dfrac{1}{x^2}$ (3) x (4) x^{10}

5 (1) $x^4 y^8$ (2) $a^6 b^6$ (3) a^8 (4) $-8a^6$

6 (1) $\dfrac{b^4}{a^8}$ (2) $\dfrac{x^6}{y^{15}}$ (3) $-\dfrac{a^{10}}{b^{15}}$ (4) $\dfrac{4y^2}{x^2}$

STEP 1 기초 개념 드릴   37쪽

1-1 (1) $3, 1, 5, 6$ (2) $4, 4, 8, 12$ **연구** $m+n, mn,$ 같은

1-2 (1) $x^{10} y^{12}$ (2) $a^6 b^6$ (3) 2^{28} (4) $a^7 b^3$

2-1 (1) $8, 5, 13, 13, 8, 5$ (2) $10, 5, 5, 8, 5, 3$
     연구 $>, <$

2-2 (1) x^3 (2) $\dfrac{1}{a^3}$ (3) x^5 (4) $\dfrac{1}{a^2}$

3-1 (1) $3, 3, -64x^9$ (2) $4, 4, 4, \dfrac{a^4}{b^8}$ **연구** m, m, m

3-2 (1) $9a^2 b^4$ (2) $a^4 b^8 c^{12}$ (3) $\dfrac{b^6}{8a^3}$ (4) $-\dfrac{27y^3}{8x^6}$

STEP 2 대표 유형으로 개념 잡기   38쪽~41쪽

1-2 ㉡, ㉣	**1-3** 7	**2-2** ㉠, ㉡, ㉣	**2-3** 5
3-2 ③, ⑤	**3-3** 2	**4-2** ④	**4-3** 7
5-2 8	**5-3** 3	**6-2** 5	**6-3** 27
7-2 A^3	**7-3** $8A^3$	**8-2** 6자리	**8-3** 14

STEP 3 개념 뛰어넘기   42쪽~43쪽

01 $a^5 b^3$	**02** 10	**03** ③	**04** ⑤
05 ④	**06** 9	**07** ②	**08** 2^{14}개
09 1	**10** ④	**11** ④	**12** ③
13 10			

2 단항식의 계산

개념 확인 ──────── 44쪽~46쪽

1 (1) $6x^3$ (2) $-10xy$ (3) $-6x^7$ (4) $4x^3y^4$

2 (1) $2x^3y$ (2) $-9x^4y^5$ (3) $24ab^4$ (4) $5x^6y^7$

3 (1) $2a^2$ (2) $3a^2$ (3) $\dfrac{24a}{b}$ (4) $-2a^2$

4 (1) $36a^2$ (2) $-10ab$ (3) $6a$ (4) $-2xy^2$

5 (1) $15x^5$ (2) $32x^2y^3$ (3) $4a^3b^3$ (4) $-3x^4y^4$

6 (1) $48x^2y^3$ (2) $20x^2y^4$ (3) $72x^2$ (4) $-16x^6y^4$

STEP 1 기초 개념 드릴 ──────── 47쪽

1-1 $y, x, \dfrac{1}{9}, x, y, 2x^3y^2$ 연구 계수, 문자

1-2 (1) $-9x^{18}y^{11}$ (2) $-\dfrac{1}{2}a^8$ (3) $-48x^8y^9$

2-1 $5, 2a^2b, \dfrac{5}{2}, -15ab$ 연구 곱셈

2-2 (1) $-20y$ (2) $\dfrac{b^2}{2a}$ (3) $-\dfrac{3x}{8y^4}$

3-1 $\dfrac{3}{x}, 3, x, -\dfrac{1}{2}x^2$

3-2 (1) $-54a^2b^2$ (2) $-\dfrac{1}{2}b$ (3) $-\dfrac{1}{5}x^2y$

STEP 2 대표 유형으로 개념 잡기 ──────── 48쪽~50쪽

1-2 (1) $-3a^5$ (2) $192x^9y^7$ (3) $54x^7y^{11}$

2-2 (1) $-\dfrac{y^2}{8x}$ (2) $-2y^3$ **2-3** 5

3-2 (1) $-6y^3$ (2) $\dfrac{4x^{12}}{y^3}$ **3-3** 8

4-2 (1) $2a$ (2) $\dfrac{2}{3xy}$ **4-3** (1) $\dfrac{3y^3}{4}$ (2) $6a^3b^2$

5-2 81 **5-3** $a=2, b=4$ **6-2** $7a^3b^2$

6-3 $8a^2b$

계산력 집중 연습 51쪽

1 (1) $12x^2y^3$ (2) $-9x^3y^6$ (3) $\dfrac{a^3b^5}{2}$ (4) $4a^6b^6$ (5) $18x^7y^5$

2 (1) $-9x^2y^2$ (2) $6a$ (3) $\dfrac{x^3}{4}$ (4) $-64a^5b$ (5) $\dfrac{2}{5x^2y^3}$

3 (1) $16a$ (2) $-8x^3y^6$ (3) $16x^8y^2$ (4) $-\dfrac{2}{3}xy$ (5) $\dfrac{16x^2}{9y}$

(6) $\dfrac{1}{36}x^4$ (7) $-\dfrac{5}{6}x^2y^5$ (8) $24a^3b^4$

STEP 3 개념 뛰어넘기 ──────── 52쪽~53쪽

01 ③ **02** ⑤ **03** $-27b^8$ **04** ④

05 ④ **06** (1) $18x^3y$ (2) $\dfrac{1}{xy}$ (3) $18x^2$ **07** $6xy^2$

08 $A=-8x^3y, B=8x^3y^2$ **09** 5 **10** 3

11 ③ **12** (1) $54a^4b^5$ (2) $9a^3b^2$

3 다항식의 계산

1 다항식의 덧셈과 뺄셈

개념 확인 ──────── 56쪽~57쪽

1 (1) $7x+3y$ (2) $-x+8y$ (3) $x-6y$ (4) $2x$

2 (1) ○ (2) × (3) × (4) ○

3 (1) x^2-4x+1 (2) $4x^2+3x-2$ (3) $-2x^2+7x+5$

(4) $-4x^2-2x-5$

STEP 1 기초 개념 드릴 ──────── 58쪽

1-1 (1) $7x+7y$ (2) $a+6b$ (3) $x+3y+1$

연구 동류항 (2) $4, a+6b$

1-2 (1) $7a+4b$ (2) $7a+b$ (3) $3x-7y+4$

2-1 $2, 4, -5x+10y$

2-2 (1) $9x+29y$ (2) $-4a+6b$ (3) $3x-7y+4$

3-1 (1) $-3x^2-11x+26$ (2) $-13x^2+26x-8$

(3) $9x^2+5x+5$

3-2 (1) $5x^2-2$ (2) $-x^2+4x+10$ (3) $-13x^2-33x+13$

STEP 2 대표 유형으로 개념 잡기 ——— 59쪽~60쪽

1-2 1

1-3 (1) $\dfrac{13}{6}x+\dfrac{5}{3}y$ (2) $-\dfrac{1}{6}x+\dfrac{17}{12}y$

2-2 ②, ⑤ **3-2** 16 **3-3** $10x^2-4x+3$

4-2 (1) $-8a^2+4a-3$ (2) $-11a^2+5a-8$

4-3 $5x+y-4$

계산력 집중 연습 ——— 61쪽

1 (1) $6x+5y$ (2) $-2x-3y+7$ (3) $-5x+3y$

(4) $-x-4y-8$ (5) $\dfrac{19x+y}{6}$ (6) $\dfrac{5x+y}{4}$ (7) $\dfrac{1}{12}x+\dfrac{4}{3}y$

(8) $-\dfrac{1}{6}x+\dfrac{2}{3}y$

2 (1) $4x^2+4x-6$ (2) $-x^2+5x-1$ (3) $4x^2-x-1$

(4) $-10x^2-3x-8$ (5) $5x+2y+2$ (6) $9x-9y$ (7) $x+3$

(8) $4x^2-6x-1$

STEP 3 개념 뛰어넘기 ——— 62쪽

01 ④ **02** $\dfrac{1}{4}$ **03** 1 **04** ③

05 ②, ⑤ **06** (1) $7x^2-6x+8$ (2) $13x^2-9x+16$

07 $a+11b$

2 단항식과 다항식의 계산

개념 확인 ——— 63쪽~66쪽

1 (1) $a,\ -3a,\ -3a^2+3ab$

(2) $-2x,\ -2x,\ -2x,\ -4x^2+2xy+6x$

2 (1) $10a^2-2ab$ (2) $-15x^2+6xy$ (3) $6x^2-4xy$

(4) $-3xy+6y^2-15y$

3 $-2x,\ -2x,\ -2x,\ -2x+3$

4 (1) $3a+1$ (2) $-2x+5$ (3) $15x-3$ (4) $-2xy+6$

5 (1) $9a-4b$ (2) $24xy-12x$ (3) $3ab+\dfrac{9}{2}b^2$ (4) $11x^2+23x$

6 (1) $-4x+18$ (2) $2x+4$

7 (1) $y+9$ (2) $y+13$

8 (1) $8x-17y$ (2) $-3x+7y$

STEP 1 기초 개념 드릴 ——— 67쪽

1-1 (1) $-2x^2+8xy-8x$ (2) $-8a^2+5ab^2$ (3) $9a^2+19ab$

1-2 (1) $-3a^2+15ab+6a$ (2) $3x^2y^2-2x^3$ (3) $2x^2+23xy$

2-1 $-\dfrac{2}{y},\ -\dfrac{2}{y},\ -\dfrac{2}{y},\ -6x+4$

2-2 (1) $-2x+1$ (2) $-20y^2+10xy-15$ (3) $-x+10y$

3-1 $3,2,3,2,2,-7,4$

3-2 (1) $-5x+21y$ (2) $-9x-22y$ (3) $18x-25y$

STEP 2 대표 유형으로 개념 잡기 ——— 68쪽~70쪽

1-2 ② **2-2** ② **3-2** 6 **3-3** 5

4-2 $5a-2b$ **5-2** $-\dfrac{1}{2}$ **5-3** 36 **6-2** $-4x+11$

6-3 $8x-18y$

계산력 집중 연습 ——— 71쪽

1 (1) $6x^2-18x$ (2) $-2xy-14y^2$ (3) $-a^3+2a^2-3a$

2 (1) $3x-4y$ (2) $6x-8$ (3) $-7x+21y$

3 (1) $6a^2+6b^2$ (2) $-5a^2+10a-2$ (3) $7x-y$ (4) -4

4 (1) $6x^2-12xy$ (2) x^2+3x-3 (3) a^2 (4) $-x^2+18xy^2-6y$

5 (1) $-9x+y$ (2) $22x-y$ (3) $-14x+3y$ (4) $-11x-6y$

STEP 3 개념 뛰어넘기 ——— 72쪽~73쪽

01 ⑤ **02** (나), $-6a+2$ **03** 2

04 ②

05 (1) $6x^2+12xy-3x$ (2) $18x^3+36x^2y-9x^2$

06 ①, ④ **07** -3 **08** ⑤ **09** $4ab^2-2b$

10 ⑤ **11** ⑤ **12** ①

13 $6x^2+12x-13$

4 일차부등식

1 부등식의 해와 그 성질

개념 확인 ──── 76쪽~78쪽

1 ㉠, ㉢, ㉥

2 (1) < (2) ≥ (3) ≤

3

x의 값	좌변	부등호	우변	참, 거짓 판별
-1	-1	<	3	참
0	1	<	3	참
1	3	=	3	거짓

따라서 주어진 부등식의 해는 -1, 0이다.

4 (1) 2, 3 (2) 2, 3, 4

5 (1) ≤ (2) ≤ (3) ≤ (4) ≥

STEP ❶ 기초 개념 드릴 ──── 79쪽

1-1 (1) > (2) > (3) < (4) < 연구 (3) <, <

1-2 (1) > (2) > (3) < (4) <

2-1 (1) > (2) ≥ (3) > 연구 (3) <, >

2-2 (1) > (2) ≥ (3) <

3-1 $-2x+3<-1$ 연구 <, <, <

3-2 (1) $x+2>5$ (2) $x-1>2$ (3) $3x-2>7$
(4) $-\dfrac{1}{2}x+1<-\dfrac{1}{2}$

STEP ❷ 대표 유형으로 개념 잡기 ──── 80쪽~81쪽

1-2 ⑤ **2-2** 1, 2 **2-3** ④ **3-2** ②

3-3 ② **4-2** $-1<2x+1≤5$ **4-3** 6, 10, 3, 5

STEP ❸ 개념 뛰어넘기 ──── 82쪽

01 ㉠, ㉣, ㉥ **02** ④ **03** ③ **04** 1, 2, 3

05 ⑤ **06** (1) $-6≤-3x<12$ (2) $-1≤A<17$

---

2 일차부등식의 풀이

개념 확인 ──── 83쪽~86쪽

1 (1) ○ (2) × (3) ○ (4) ×

2 (1) $x≥-2$ (2) $x<3$

3 (1) $x>3$,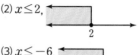

(2) $x≤2$,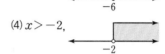

(3) $x≤-6$,

(4) $x>-2$,

4 (1) $x≥2$ (2) $x<3$ (3) $x≤9$ (4) $x<-8$

5 (1) $x>-4$ (2) $x≥-7$ (3) $x≥9$ (4) $x≤-4$

STEP ❶ 기초 개념 드릴 ──── 87쪽

1-1 $x<5$ 연구 6, 2, 10, $x<5$

1-2 (1) $x>4$ (2) $x≥-6$

2-1 $x>-3$ 연구 9, 2, 15, $x>-3$

2-2 (1) $x<-3$ (2) $x≤5$

3-1 $x>-6$ 연구 18, -18, -18, $x>-6$

3-2 (1) $x>\dfrac{3}{5}$ (2) $x≤2$

4-1 $x≤-\dfrac{5}{4}$ 연구 5, 5, -4, 5, $x≤-\dfrac{5}{4}$

4-2 (1) $x≤24$ (2) $x>\dfrac{29}{7}$

STEP ❷ 대표 유형으로 개념 잡기 ──── 88쪽~90쪽

1-2 ② **2-2** ④ **2-3** $x≤1$,

3-2 $x>-4$ **3-3** 5개 **4-2** (1) $x≥5$ (2) $x<-4$

5-2 $x≥-\dfrac{2}{a}$ **5-3** $x<2$ **6-2** 7 **6-3** -2

계산력 집중 연습　91쪽

1 (1) $x<-2$　(2) $x\geq2$　(3) $x<-1$　(4) $x\geq-4$　(5) $x\leq2$
　(6) $x\leq-10$　(7) $x<-1$　(8) $x>0$

2 (1) $x\leq3$　(2) $x\geq\dfrac{2}{3}$　(3) $x\geq\dfrac{7}{2}$　(4) $x<2$　(5) $x<-19$
　(6) $x\geq3$　(7) $x\leq6$　(8) $x\leq17$

STEP ③ 개념 뛰어넘기　92쪽~93쪽

01 ④, ⑤　　**02** ③　　**03** ②　　**04** ③
05 10　　**06** $x\geq4$,
07 $x<9$
08 ①　　**09** ②　　**10** ①
11 (1) $x\leq1$　(2) $x\leq-a+3$　(3) 2　　**12** 0
13 (1) $a+7$　(2) $a+7\leq1$　(3) $a\leq-6$

▼ 3 일차부등식의 활용

개념 확인　94쪽~95쪽

1 7

2 $50000+1000x$, $35000+3000x$, 8개월

3 12, 5, 700 g

STEP ① 기초 개념 드릴　96쪽

1-1 8자루　 연구 $15-x$, $500(15-x)$, $\leq$, $500(15-x)$, $\dfrac{25}{3}$, 8

1-2 (1) $2000x+1300(12-x)\leq21000$　(2) $x\leq\dfrac{54}{7}$　(3) 7개

2-1 $\dfrac{24}{7}$ km　 연구 x, $\dfrac{x}{3}$, $\dfrac{x}{4}$, $\dfrac{x}{3}$, $\dfrac{x}{4}$, $\dfrac{24}{7}$, $\dfrac{24}{7}$

2-2 (1) $\dfrac{x}{2}+\dfrac{x}{3}\leq2$　(2) $x\leq\dfrac{12}{5}$　(3) $\dfrac{12}{5}$ km

STEP ② 대표 유형으로 개념 잡기　97쪽~99쪽

1-2 17개　　**2-2** 11개　　**3-2** 28명　　**3-3** 48명
4-2 12 cm　　**4-3** 13 cm　　**5-2** 4 km　　**5-3** $\dfrac{4}{3}$ km
6-2 400 g

STEP ③ 개념 뛰어넘기　100쪽~101쪽

01 9　　**02** ⑤　　**03** 8자루　　**04** ④
05 ②　　**06** 74개
07 (1) $500x>7800$　(2) $x>\dfrac{78}{5}$　(3) 16곡　　**08** 17명
09 12 cm　　**10** 3 km　　**11** $\dfrac{9}{4}$ km　　**12** ②

5 연립방정식의 풀이

▼ 1 연립방정식

개념 확인　104쪽~106쪽

1 (1) ○　(2) ×　(3) ×　(4) ○

2 (1) $x+y=15$　(2) $700x+1200y=8100$

3

x	1	2	3	4
y	5	3	1	-1

$(1, 5), (2, 3), (3, 1)$

4 ㉡, ㉤

5 ㉠, ㉢

6 ㉠

x	1	2	3	4	5	6	7
y	10	7	4	1	-2	-5	-8

㉡

x	1	2	3	4	5	6	7
y	6	5	4	3	2	1	0

$(3, 4)$

STEP ① 기초 개념 드릴　107쪽

1-1 ㉡　 연구 $3y$, 1, 일차식

1-2 ㉠, ㉥

2-1

x	1	2	3	4	5
y	7	5	3	1	-1

$(1, 7), (2, 5), (3, 3), (4, 1)$　 연구 자연수

2-2 (1) $(1, 3), (2, 1)$　(2) $(1, 4), (3, 3), (5, 2), (7, 1)$
　(3) $(2, 6), (4, 3)$

3-1 ㉠

x	1	2	3	4	5	6
y	3	2	1	0	-1	-2

㉡

x	1	2	3	4	5	6
y	-1	0	1	2	3	4

$x=3$, $y=1$

3-2 (1) $x=5$, $y=1$　(2) $x=1$, $y=3$

1-2 ③　　**1-3** $(1, 7), (2, 4), (3, 1)$　　**2-2** -4
2-3 4　　**3-2** ④　　　**4-2** 3　　**4-3** 1

01 ④　　**02** ④　　**03** ④　　**04** -3
05 ②　　**06** -1

2 연립방정식의 풀이

1 (1) $x=-1, y=-2$　(2) $x=3, y=-4$　(3) $x=7, y=-1$
　(4) $x=7, y=-\dfrac{1}{3}$

2 (1) $x=-1, y=4$　(2) $x=4, y=-4$　(3) $x=\dfrac{1}{2}, y=-\dfrac{1}{3}$
　(4) $x=3, y=-1$

1-1 $x=-2, y=12$　연구 $-5x+2, -5x+2, -2, -2, 12$
1-2 (1) $x=5, y=2$　(2) $x=\dfrac{7}{2}, y=-6$
2-1 $x=1, y=-2$　연구 $-4, 8, -2, -2, -2, 1$
2-2 (1) $x=4, y=\dfrac{7}{2}$　(2) $x=2, y=-1$
3-1 $x=2, y=1$　연구 $25, 50, 2, 2, 2, 1$
3-2 (1) $x=2, y=2$　(2) $x=3, y=1$

1-2 11　　**1-3** (1) $x=2, y=-3$　(2) $x=1, y=-2$
2-2 ③　　**2-3** (1) $x-6, y=-2$　(2) $x=2, y=1$
3-2 11　　**4-2** 1　　　**4-3** $-\dfrac{1}{2}$
5-2 (1) $x=2, y=-1$　(2) 3　(3) -2　(4) -6　　**5-3** 3

01 5　　**02** ②　　**03** $x=2, y=-7$
04 ⑤　　**05** ④　　**06** ⑤　　**07** 1
08 -16　　**09** ②　　**10** 1
11 (1) $x=2, y=1$　(2) $\dfrac{3}{2}$　　**12** 4　　**13** $x=1, y=3$

3 여러 가지 연립방정식

1 (1) $x=2, y=-1$　(2) $x=3, y=-2$
2 (1) $x=2, y=1$　(2) $x=20, y=24$
3 (1) $x=6, y=1$　(2) $x=-3, y=1$
4 (1) $x=3, y=2$　(2) $x=-1, y=1$
5 (1) 해가 무수히 많다.　(2) 해가 없다.　(3) 해가 없다.
　(4) 해가 무수히 많다.

1-1 $x=10, y=12$
　연구 $6, 3x-2y=6, 20, 4x-5y=-20, 10, 12$
1-2 (1) $x=4, y=-2$　(2) $x=-4, y=4$
2-1 $x=-1, y=6$
　연구 $10, 4x+y=2, 10, 7x+2y=5, -1, 6$
2-2 $x=-8, y=-2$　　**2-3** $x=1, y=1$
3-1 (1) $4, -6$, 해가 무수히 많다.　(2) $4, 20$, 해가 없다.
　연구 무수히 많다, 없다
3-2 (1) 해가 없다.　(2) 해가 무수히 많다.

1-2 (1) $x=3, y=-2$　(2) $x=-2, y=3$
2-2 (1) $x=16, y=3$　(2) $x=1, y=-3$　　**2-3** 1
3-2 (1) $x=5, y=3$　(2) $x-\dfrac{1}{2}, y=\dfrac{3}{4}$　(3) $x=8, y=8$
4-2 (1) $x=6, y=-2$　(2) $x=-4, y=5$　(3) $x=-\dfrac{1}{2}, y=2$
5-2 ④　　**6-2** -6　　**6-3** 2

계산력 집중 연습 126쪽

1 (1) $x=-5$, $y=11$ (2) $x=2$, $y=1$ (3) $x=8$, $y=4$

(4) $x=1$, $y=-2$

2 (1) $x=3$, $y=1$ (2) $x=2$, $y=0$ (3) $x=2$, $y=-3$

(4) $x=3$, $y=-\dfrac{3}{2}$

3 (1) $x=5$, $y=3$ (2) $x=4$, $y=-1$ (3) $x=-4$, $y=8$

(4) $x=1$, $y=2$ (5) $x=1$, $y=1$ (6) $x=8$, $y=6$

4 (1) $x=2$, $y=1$ (2) $x=\dfrac{1}{2}$, $y=0$ (3) $x=3$, $y=2$

STEP ③ 개념 뛰어넘기 127쪽

01 ④   **02** 20   **03** ③   **04** 3

05 -3

06 해가 무수히 많다.

연립방정식의 해가 무수히 많을 수도 있는데 성준이는 해가 한 개뿐이라고 잘못 생각하였다.

⑥ 연립방정식의 활용

① 연립방정식의 활용

개념 확인 130쪽~132쪽

1 (1) $\begin{cases} y-x=22 \\ 3x-y=12 \end{cases}$ (2) 17, 39

2

	볼펜	연필
개수	x자루	y자루
금액	$1000x$원	$500y$원

볼펜: 3자루, 연필: 10자루

3 $\dfrac{x}{3}$, $\dfrac{y}{2}$, 7, $\dfrac{x}{3}$, $\dfrac{y}{2}$, 3

뛰어간 거리: 3 km, 걸어간 거리: 4 km

4 (1) 600, $\dfrac{8}{100} \times y$, $\dfrac{6}{100} \times 600$

(2) $\begin{cases} x+y=600 \\ \dfrac{5}{100}x+\dfrac{8}{100}y=36 \end{cases}$

(3) 5 %의 소금물: 400 g, 8 %의 소금물: 200 g

STEP ① 기초 개념 드릴 133쪽~134쪽

1-1 43

연구 $10x+y$, $10y+x$, 7, $10y+x$, 7, -1, 4, 3, 43

1-2 (1) $\begin{cases} x+y=10 \\ 10y+x=10x+y+36 \end{cases}$ (2) 37

2-1 아버지의 나이: 38세, 딸의 나이: 7세

연구 $x+24$, $y+24$, $x+y=45$, $x+24=2(y+24)$, 45, 2, 24, 38, 7, 38, 7

2-2 (1) $\begin{cases} x=5y \\ x+10=3(y+10)+6 \end{cases}$

(2) 할머니의 나이: 65세, 손자의 나이: 13세

3-1 올라간 거리: 2 km, 내려온 거리: 6 km

연구 8, $\dfrac{5}{2}$, 8, $\dfrac{5}{2}$, 8, 10, 2, 6, 2, 6

3-2 (1) $\begin{cases} x+y=13 \\ \dfrac{x}{2}+\dfrac{y}{4}=\dfrac{9}{2} \end{cases}$

(2) A 코스: 5 km, B 코스: 8 km

4-1 400 g

연구 500, 500, 500, 45, 500, 900, 100, 400, 400

4-2 (1) $x+y=300$ (2) $\dfrac{6}{100}x+\dfrac{12}{100}y=30$

(3) 6 %의 소금물: 100 g, 12 %의 소금물: 200 g

STEP ② 대표 유형으로 개념 잡기 135쪽~137쪽

1-2 어른: 4명, 어린이: 4명   **2-2** 3마리   **2-3** 9회

3-2 330상자   **4-2** 24일   **5-2** 7 km

6-2 5 %의 소금물: 200 g, 8 %의 소금물: 400 g

6-3 15 g

STEP ③ 개념 뛰어넘기 138쪽~139쪽

01 6   **02** ④   **03** 45세

04 (1) $\begin{cases} x+y=36 \\ 6000x+15000y=270000 \end{cases}$ (2) 30명   **05** 11골

06 13   **07** ②   **08** ①

09 고속국도: 140 km, 지방도: 60 km   **10** ③

11 300 g

7 일차함수와 그래프 (1)

1 함수의 뜻

개념 확인 ———————— 142쪽~143쪽

1 (1), (3)

2 (1) -2 (2) 6 (3) 3

3 (1) 10 (2) -1 (3) -1 (4) -1

STEP 1 기초 개념 드릴 ———————— 144쪽

1-1 (1)

x(시간)	1	2	3	4	…
y(km)	3	6	9	12	…

(2) $y=3x$ (3) y는 x의 함수이다.

연구 (1) 함수 (2) 아니다

1-2 (1)

x	1	2	3	4	…
y	1	1, 2	1, 3	1, 2, 4	…

(2) y는 x의 함수가 아니다.

2-1 (1) 1 (2) -8 (3) 8

2-2 (1) -1 (2) 3 (3) $f(1)=-\dfrac{1}{3}, f(-3)=1$

(4) $f(-1)=6, f(3)=-2$

3-1 -2 연구 $-5, 1, -5, 1, -2$

3-2 (1) -4 (2) 16 (3) 0

STEP 2 대표 유형으로 개념 잡기 ———————— 145쪽~146쪽

1-2 ① **2-2** (1) $f(x)=\dfrac{1200}{x}$ (2) 10 **3-2** -10

3-3 10 **4-2** (1) 18 (2) 6

STEP 3 개념 뛰어넘기 ———————— 147쪽~148쪽

01 ①, ④ **02** ⑤ **03** ④

04 (1)

x(cm)	1	2	3	4	…
y(cm)	5	10	15	20	…

(2) $y=5x$ (3) 50

05 (1) $f(x)=2x$ (2) $f(-1)=-2, f(0)=0, f(1)=2$

06 ㉠, ㉣ **07** -3 **08** $\dfrac{2}{3}$ **09** -3

10 ① **11** ⑤

2 일차함수의 뜻과 그래프

개념 확인 ———————— 149쪽~151쪽

1 (1) ◯ (2) ◯ (3) × (4) ×

2 (1) $y=10000x+2500$ (2) 일차함수이다.

3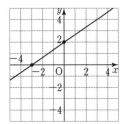

4 (1) -3 (2) $3x$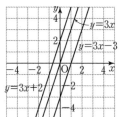

STEP 1 기초 개념 드릴 ———————— 152쪽

1-1 (1) $24-x$, ◯ (2) πx^2, ×

1-2 (1) $y=2x$, 일차함수이다.

(2) $y=x^2$, 일차함수가 아니다.

(3) $y=50-4x$, 일차함수이다.

(4) $y=\dfrac{20}{x}$, 일차함수가 아니다.

2-1 (1) 4 (2) $y, 2$ (3) $-2x-2$ 연구 b

2-2 (1) $y=x+3$ (2) $y=3x-7$ (3) $y=-2x+5$

(4) $y=-\dfrac{1}{4}x-6$

3-1 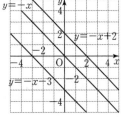 연구 $2, -3$

3-2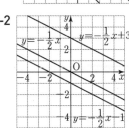

STEP 2 대표 유형으로 개념 잡기 ——————— 153쪽~154쪽

1-2 ②   **1-3** ②   **2-2** -1 **2-3** 5

3-2 ④   **3-3** 3   **4-2** ②   **4-3** $\dfrac{5}{4}$

STEP 3 개념 뛰어넘기 ——————— 155쪽~156쪽

01 ②, ③   **02** ②   **03** (1) 4 (2) -1

04 ①, 13   **05** -2 **06** ⑤   **07** -2

08 ②   **09** $\dfrac{1}{2}$ **10** 10   **11** 0

12 2

3 x절편, y절편, 기울기

개념 확인 ——————— 157쪽~159쪽

1

그래프	(1)	(2)	(3)	(4)
x축과의 교점의 좌표	$(2, 0)$	$(3, 0)$	$(-3, 0)$	$(-2, 0)$
x절편	2	3	-3	-2
y축과의 교점의 좌표	$(0, -1)$	$(0, 4)$	$(0, -3)$	$(0, 4)$
y절편	-1	4	-3	4

2 (1) x절편: -2, y절편: 2   (2) x절편: $-\dfrac{1}{4}$, y절편: -1

3 (1) 3, 3, 1   (2) -2, -2, $-\dfrac{1}{2}$

4 (1) 2 (2) -1 (3) 4 (4) $-\dfrac{1}{5}$

5 (1) x절편: -4, y절편: 3 (2)

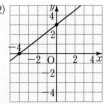

6 (1) 기울기: $-\dfrac{1}{3}$, y절편: 1 (2)

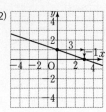

STEP 1 기초 개념 드릴 ——————— 160쪽

1-1 (1) 5 (2) $\dfrac{1}{5}$ (3) -1 연구 (2) 0, $\dfrac{1}{5}$ (3) x, -1

1-2 (1) 기울기: -3, x절편: 2, y절편: 6

     (2) 기울기: 2, x절편: 4, y절편: -8

     (3) 기울기: $-\dfrac{1}{2}$, x절편: 2, y절편: 1

     (4) 기울기: $\dfrac{1}{3}$, x절편: -6, y절편: 2

2-1 (1) $\dfrac{1}{3}$ (2) $\dfrac{1}{4}$ 연구 (1) 5, 4, 3, $\dfrac{1}{3}$ (2) -4, -5, 1, $\dfrac{1}{4}$

2-2 (1) -2 (2) $-\dfrac{3}{5}$ (3) $\dfrac{2}{3}$

3-1

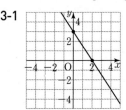

연구 ① 2, $(2, 0)$ ② 3, $(0, 3)$ ③ 직선

3-2

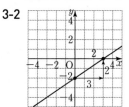

STEP 2 대표 유형으로 개념 잡기 ——————— 161쪽~163쪽

1-2 8   **1-3** 7   **2-2** -6 **2-3** ③

3-2 0   **3-3** 2   **4-2** 1   **4-3** $\dfrac{4}{3}$

5-2 ③   **6-2** (1) x절편: 3, y절편: 4 (2) 6

STEP 3 개념 뛰어넘기 ——————— 164쪽~165쪽

01 3   **02** 2   **03** ①   **04** -2

05 4   **06** 16   **07** 2   **08** ①

09 제2사분면   **10** ③

11 (1) A$(0, 6)$, B$(-3, 0)$ (2) 9

8 일차함수와 그래프 (2)

1 일차함수의 그래프의 성질

개념 확인 ——— 168쪽~171쪽

1 (1) × (2) ○ (3) ○ (4) ○ (5) ×

2 (1) ㉡, ㉢, ㉤, ㉥ (2) ㉠, ㉣ (3) ㉡, ㉢, ㉤, ㉥ (4) ㉠, ㉣

3 (1) >, < (2) <, > (3) >, > (4) <, <

4 (1) ㉠과 ㉣ (2) ㉡과 ㉢

STEP 1 기초 개념 드릴 ——— 172쪽

1-1 (1) × (2) ○ (3) × (4) ○ **연구** x, y, y, x

1-2 (1) × (2) ○ (3) ○ (4) ×

2-1 (1) >, > (2) <, < **연구** 모양, y

2-2 (1) $a>0, b<0$ (2) $a<0, b<0$

3-1 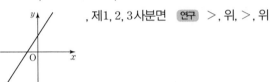 , 제1, 2, 3사분면 **연구** >, 위, >, 위

3-2 , 제2, 3, 4사분면

STEP 2 대표 유형으로 개념 잡기 ——— 173쪽~174쪽

1-2 ④ **2-2** $a<0, b>0$ **3-2** 제1사분면

4-2 8 **4-3** −5

STEP 3 개념 뛰어넘기 ——— 175쪽~176쪽

01 ③ **02** ② **03** ③ **04** ②

05 (1) $a<0, b<0$ (2) 제2사분면 **06** ②

07 ③ **08** ① **09** −2

2 일차함수의 식

개념 확인 ——— 177쪽~179쪽

1 (1) $y=3x+1$ (2) $y=\dfrac{1}{2}x+4$

2 (1) $y=-x+6$ (2) $y=\dfrac{1}{3}x-4$

3 (1) $y=-x+5$ (2) $y=-3x+1$

4 (1) $y=2x-4$ (2) $y=-\dfrac{1}{2}x-3$

STEP 1 기초 개념 드릴 ——— 180쪽

1-1 (1) $y=2x+5$ (2) $y=-2x+2$
연구 $-2, -2, 2, y=-2x+2$

1-2 (1) $y=-3x-1$ (2) $y=\dfrac{3}{5}x+1$

2-1 (1) $y=-3x+2$ (2) $y=\dfrac{5}{2}x-5$ (3) $y=2x-2$
연구 y_2-y_1

2-2 (1) $y=-3x+1$ (2) $y=x+3$ (3) $y=-3x-6$

3-1 (1) $\dfrac{3}{2}$ (2) $y=\dfrac{3}{2}x+2$
연구 (1) $2, 5, 5, 2, \dfrac{3}{2}$ (2) $\dfrac{3}{2}, 2, y=\dfrac{3}{2}x+2$

3-2 (1) $\dfrac{5}{3}$ (2) $y=\dfrac{5}{3}x+5$

STEP 2 대표 유형으로 개념 잡기 ——— 181쪽~182쪽

1-2 (1) $y=4x-3$ (2) $y=-\dfrac{1}{2}x-5$

1-3 $y=-\dfrac{2}{3}x-5$ **2-2** $y=-\dfrac{2}{3}x+3$

2-3 $y=-2x-2$ **3-2** $y=-\dfrac{6}{5}x+\dfrac{14}{5}$

4-2 $\dfrac{3}{2}$

STEP 3 개념 뛰어넘기 ——— 183쪽~184쪽

01 ② **02** −5 **03** ②

04 $y=-\dfrac{3}{4}x-\dfrac{3}{4}$ **05** ④ **06** $\dfrac{9}{5}$

07 15 **08** ① **09** $y=-\dfrac{1}{2}x+4, -4$

10 ⑤ **11** ④ **12** ② **13** ④

3 일차함수의 활용

개념 확인 ──────── 185쪽

1 (1) $y=4x+10$ (2) 70 cm (3) 8개

STEP 1 기초 개념 드릴 ──────── 186쪽

1-1 (1) $y=50-5x$ (2) 25 L (3) 10분 후
연구 (1) $5x, 50-5x$ (2) 5 (3) 0
1-2 (1) $y=96-2x$ (2) 45분
2-1 (1) $y=0.4x+40$ (2) 44 mm
연구 (1) 0.4, 0.4x, 0.4$x+40$
2-2 (1) $y=\dfrac{9}{5}x+32$ (2) 95 °F

STEP 2 대표 유형으로 개념 잡기 ──────── 187쪽~188쪽

1-2 (1) $y=40-\dfrac{1}{15}x$ (2) 22 L   **1-3** 10분
2-2 (1) $y=-10x+140$ (2) 5초 후   **3-2** 16 cm

STEP 3 개념 뛰어넘기 ──────── 189쪽

01 ①   **02** (1) $y=60-2x$ (2) 25초 후
03 (1) $y=5-0.15x$ (2) 20분 후
04 (1) $y=27-3x$ (2) 15 cm^2 **05** 165 °C

9 일차함수와 일차방정식

1 일차함수와 일차방정식

개념 확인 ──────── 192쪽~195쪽

1 (1)

x	…	-4	-2	0	2	4	…
y	…	4	3	2	1	0	…

(2)
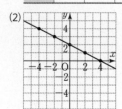

---

2 (1) $3x+3$
① 3
② -1
③ 3
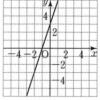

(2) $-\dfrac{1}{2}x-2$
① $-\dfrac{1}{2}$
② -4
③ -2
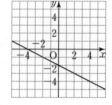

3 (1)

x	…	3	3	3	3	3	…
y	…	-4	-2	0	2	4	…

(2)
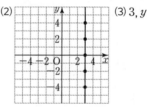
(3) 3, y

4 (1)

x	…	-4	-2	0	2	4	…
y	…	-3	-3	-3	-3	-3	…

(2)
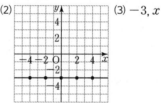
(3) -3, x

5
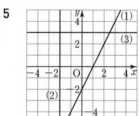

STEP 1 기초 개념 드릴 ──────── 196쪽

1-1 (1) $2x+3$ ① 2 ② $-\dfrac{3}{2}$ ③ 3

(2) $\dfrac{2}{3}x+2$ ① $\dfrac{2}{3}$ ② -3 ③ 2

(3) $-\dfrac{1}{3}x+1$ ① $-\dfrac{1}{3}$ ② 3 ③ 1

(4) $-2x+\dfrac{3}{2}$ ① -2 ② $\dfrac{3}{4}$ ③ $\dfrac{3}{2}$ **연구** $-\dfrac{a}{b}x-\dfrac{c}{b}$

1-2 (1) $\frac{3}{2}x-2$ ① $\frac{3}{2}$ ② $\frac{4}{3}$ ③ -2

(2) $-x+3$ ① -1 ② 3 ③ 3

(3) $2x+\frac{1}{2}$ ① 2 ② $-\frac{1}{4}$ ③ $\frac{1}{2}$

(4) $\frac{2}{3}x+8$ ① $\frac{2}{3}$ ② -12 ③ 8

2-1 (1) $x=3$ (2) $x=-1$ (3) $y=2$ (4) $y=-5$

연구 $x=p, y=q$

2-2 (1) $y=3$ (2) $x=-2$ (3) $x=1$ (4) $y=-2$

STEP 2 대표 유형으로 개념 잡기 ———— 197쪽~198쪽

1-2 $\frac{7}{3}$ 1-3 -16 2-2 ②   2-3 -45

3-2 $a<0, b>0$ 3-3 제1, 3, 4사분면

4-2 (1) $y=-2$ (2) $x=6$ 4-3 5

STEP 3 개념 뛰어넘기 ———— 199쪽~200쪽

01 ②   02 ③   03 ②   04 ⑤

05 1   06 ④   07 -6 08 4

09 제3사분면   10 ⑤   11 ②, ⑤

12 (1) 1 (2) $x=1$ 13 12

---

2 연립방정식의 해와 그래프

개념 확인 ———— 201쪽~202쪽

1 (1) $x=2, y=4$ (2) $x=-1, y=-1$

2 2

3 (1) ㄱ, ㄹ (2) ㄴ (3) ㄷ

STEP 1 기초 개념 드릴 ———— 203쪽

1-1 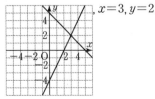, $x=3, y=2$

연구 $-x+5, 2x-4, 3, 2$

1-2 (1) 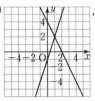, $x=1, y=2$

(2) 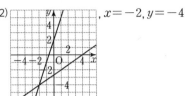, $x=-2, y=-4$

2-1 $a=1, b=2$ 연구 2, 2, 2, 2, 2, 2, 1

2-2 $a=2, b=1$

3-1 (1) 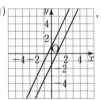, 해가 없다.

(2) 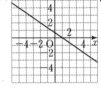, 해가 무수히 많다.

3-2 (1) 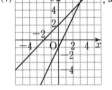, $x=3, y=5$

(2) , 해가 무수히 많다.

STEP 2 대표 유형으로 개념 잡기 ———— 204쪽~205쪽

1-2 3   1-3 -1 2-2 $y=3x+1$

2-3 $x=3$ 3-2 ①   3-3 -6 4-2 18

4-3 $\frac{27}{10}$

STEP ③ 개념 뛰어넘기

01 ①	02 3	03 1	04 ②
05 ①	06 −1	07 ②	08 6
09 ③	10 ②	11 ①	

12 $a=-\dfrac{4}{3}, b\neq 9$

단원 종합 문제

❶ 유리수와 순환소수

01 ③	02 ④	03 2	04 ②
05 ③	06 ③, ⑤	07 ①	08 3
09 ②	10 ①, ②	11 39	12 ⑤
13 ㉠ 1000 ㉡ 999		14 ④	15 ⑤
16 ③	17 18	18 ④	19 ②
20 ②			

❷ 단항식의 계산 ~ ❸ 다항식의 계산

01 ③	02 ④	03 40	04 ④
05 10	06 ①	07 $-\dfrac{3b^3}{a^2}$	08 ④
09 $\dfrac{40}{9}a^7b^5$	10 $2ab^3$	11 ⑤	12 ⑤
13 $a+4b$	14 $3x^2+5x-4$		15 ②
16 ③	17 ⑤	18 ⑤	19 ①
20 $7y-2$			

❹ 일차부등식

01 ⑤	02 ④	03 ②	04 ③
05 ②	06 ②	07 ①	08 3
09 ④	10 ⑤	11 ①	12 ②
13 1	14 ⑤	15 ⑤	16 ②
17 ③	18 ②	19 $\dfrac{24}{7}$ km	

❺ 연립방정식의 풀이 ~ ❻ 연립방정식의 활용

01 ①	02 ②	03 ②	04 $a=7, b=2$
05 ④	06 ④	07 −2	08 −1
09 ③	10 ①	11 −1	12 ①
13 ③	14 ②	15 ③	16 62

17 여학생: 252명, 남학생: 288명

18 ② 19 (1) $\begin{cases} x+y=4 \\ \dfrac{x}{3}+\dfrac{y}{6}=1 \end{cases}$ (2) 2 km 20 ④

❼ 일차함수와 그래프 (1) ~ ❾ 일차함수와 일차방정식

01 ③	02 −3	03 −2	04 ④
05 3	06 x절편: $\dfrac{4}{3}, y$절편 : 4		07 ②
08 ③	09 ④		

10 (1) A$(9, 0)$, B$(0, -6)$ (2) 27 11 ⑤

12 ③	13 ④	14 ⑤	15 6

16 (1) −2 (2) $y=-2x+4$ 17 ④ 18 350 g

19 ③	20 ③	21 ②	22 ②

23 제4사분면 24 $\dfrac{1}{2}$ 25 ⑤ 26 ②

27 2

정답과 해설

1. 유리수와 순환소수

1 순환소수

개념 확인

1. $-\dfrac{1}{4}$, 3.5

2. (1) 유 (2) 유 (3) 유 (4) 무

3. (1) 0.25, 유한소수 (2) 0.1666…, 무한소수

(3) 0.9090…, 무한소수 (4) 0.3125, 유한소수

4. (1) 순환마디: 7, $0.\dot{7}$ (2) 순환마디: 15, $0.\dot{1}\dot{5}$

(3) 순환마디: 369, $0.\dot{3}6\dot{9}$ (4) 순환마디: 13, $3.4\dot{1}\dot{3}$

5. (1) $1.\dot{3}$ (2) $0.8\dot{5}\dot{1}$ (3) $0.\dot{2}\dot{4}$ (4) $0.\dot{7}1428\dot{5}$

STEP 1

1-1. ㉠ 정수 ㉡ 양의 정수(자연수) ㉢ 0 ㉣ 음의 정수

㉤ 정수가 아닌 유리수

1-2. ㉠, ㉡, ㉤

2-1. (1) 0.375, 유 (2) 0.2, 유 (3) 0.222…, 무

(4) 0.5333…, 무

2-2. (1) 유 (2) 유 (3) 유 (4) 무

3-1. (1) 0.1666…, $0.1\dot{6}$ (2) 0.454545…, $0.\dot{4}\dot{5}$

(3) 0.054054054…, $0.\dot{0}5\dot{4}$ **연구** 양 끝

3-2. (1) 0.333…, $0.\dot{3}$ (2) 1.8333…, $1.8\dot{3}$

(3) 0.857142857142…, $0.\dot{8}5714\dot{2}$

(4) 0.818181…, $0.\dot{8}\dot{1}$

1-2 ㉣ $\dfrac{12}{4}=3$이므로 정수이다.

㉥ $-\dfrac{10}{5}=-2$이므로 정수이다.

따라서 정수가 아닌 유리수는 ㉠, ㉡, ㉤이다.

STEP 2

1-2. ②	**1-3.** ⑤
2-2. 5	**2-3.** 1

1-3 ① 1.212121…=$1.\dot{2}\dot{1}$ ② 0.535353…=$0.\dot{5}\dot{3}$

③ 0.14222…=$0.14\dot{2}$ ④ 3.162162162…=$3.\dot{1}6\dot{2}$

2-2 순환마디의 숫자는 6, 5, 2의 3개이다.

이때 50=3×16+2에서 소수점 아래 50번째 자리의 숫자는 순환마디의 2번째 숫자인 5이다.

2-3 $\dfrac{4}{7}=0.571428571428…=0.\dot{5}7142\dot{8}$이므로 순환마디의 숫자는 5, 7, 1, 4, 2, 8의 6개이다.

이때 33=6×5+3에서 소수점 아래 33번째 자리의 숫자는 순환마디의 3번째 숫자인 1이다.

STEP 3

01. ②	**02.** ③	**03.** 3	**04.** ③	**05.** 6
06. (1) 3 (2) 0				

---

01 ① $\dfrac{3}{150}=\dfrac{1}{50}=0.02$

② $\dfrac{1}{3}=0.333…$

③ $\dfrac{7}{20}=0.35$

④ $\dfrac{12}{5}=2.4$

⑤ $\dfrac{7}{2}=3.5$

따라서 무한소수인 것은 ②이다.

02 각 순환소수의 순환마디를 구하면

① 57 ② 48 ③ 134

④ 73 ⑤ 573

03 $\dfrac{1}{9}=0.\dot{1}$에서 순환마디의 숫자는 1의 1개이므로 $x=1$

$\dfrac{14}{11}=1.\dot{2}\dot{7}$에서 순환마디의 숫자는 2, 7의 2개이므로 $y=2$

$\therefore x+y=1+2=3$

04 ③ 0.505050…=$0.\dot{5}\dot{0}$

05 순환마디의 숫자는 5, 3, 8, 4, 6, 1의 6개이고

101=6×16+5이므로 소수점 아래 101번째 자리의 숫자는 순환마디의 5번째 숫자인 6이다.

06 (1) $\dfrac{5}{111}=0.045045045…=0.\dot{0}4\dot{5}$이므로 순환마디의 숫자는 0, 4, 5의 3개이다. ······ [40 %]

(2) 100=3×33+1이므로 소수점 아래 100번째 자리의 숫자는 순환마디의 1번째 숫자인 0이다. ······ [60 %]

---

2 유리수의 소수 표현

개념 확인 15쪽~16쪽

1. (1) $\frac{1}{2}$, 소인수: 2 (2) $\frac{21}{50}$, 소인수: 2, 5

(3) $\frac{9}{40}$, 소인수: 2, 5 (4) $\frac{9}{125}$, 소인수: 5

2. (1) 2, 2, 14, 1.4 (2) 5^3, 5^3, 125, 0.125

3. (1) ○ (2) × (3) ○ (4) ×

4. (1) 2, 5, 있다 (2) 2, 3, 없다

1 (1) $0.5 = \frac{5}{10} = \frac{1}{2}$

(2) $0.42 = \frac{42}{100} = \frac{21}{50} = \frac{21}{2 \times 5^2}$

(3) $0.225 = \frac{225}{1000} = \frac{9}{40} = \frac{9}{2^3 \times 5}$

(4) $0.072 = \frac{72}{1000} = \frac{9}{125} = \frac{9}{5^3}$

3 (2) $\frac{3}{3^2 \times 5} = \frac{1}{3 \times 5}$

➡ 분모의 소인수 중에 3이 있으므로 유한소수로 나타낼 수 없다.

(3) $\frac{21}{2 \times 7} = \frac{3}{2}$

➡ 분모의 소인수가 2뿐이므로 유한소수로 나타낼 수 있다.

(4) $\frac{15}{2^2 \times 3 \times 7} = \frac{5}{2^2 \times 7}$

➡ 분모의 소인수 중에 7이 있으므로 유한소수로 나타낼 수 없다.

STEP 1 17쪽

1-1. (1) 5^3, 5^3 (2) 2^2, 2^2, 12, 0.12 **연구** 10

1-2. (1) 1.6 (2) 0.24 (3) 0.15

2-1. (1) × (2) ○ (3) ○ (4) × **연구** 5

2-2. ㉡, ㉢

3-1. (1) $\frac{3}{10}$, $\frac{3}{2 \times 5}$, 유 (2) $\frac{1}{30}$, $\frac{1}{2 \times 3 \times 5}$, 순

(3) $\frac{3}{20}$, $\frac{3}{2^2 \times 5}$, 유 (4) $\frac{1}{6}$, $\frac{1}{2 \times 3}$, 순

3-2. (1) 유 (2) 순 (3) 유 (4) 순 (5) 유 (6) 유

1-2 (1) $\frac{8}{5} = \frac{8 \times 2}{5 \times 2} = \frac{16}{10} = 1.6$

(2) $\frac{6}{25} = \frac{6}{5^2} = \frac{6 \times 2^2}{5^2 \times 2^2} = \frac{24}{100} = 0.24$

(3) $\frac{6}{40} = \frac{3}{20} = \frac{3}{2^2 \times 5} = \frac{3 \times 5}{2^2 \times 5^2} = \frac{15}{100} = 0.15$

2-1 (1) $\frac{3}{2^3 \times 3^2} = \frac{1}{2^3 \times 3}$

➡ 분모의 소인수 중에 3이 있으므로 유한소수로 나타낼 수 없다.

(2) $\frac{22}{2^2 \times 5 \times 11} = \frac{1}{2 \times 5}$

➡ 분모의 소인수가 2와 5뿐이므로 유한소수로 나타낼 수 있다.

(3) $\frac{9}{2^2 \times 3 \times 5} = \frac{3}{2^2 \times 5}$

➡ 분모의 소인수가 2와 5뿐이므로 유한소수로 나타낼 수 있다.

(4) $\frac{35}{2^3 \times 3 \times 7} = \frac{5}{2^3 \times 3}$

➡ 분모의 소인수 중에 3이 있으므로 유한소수로 나타낼 수 없다.

2-2 ㉠ $\frac{3}{2^2 \times 5}$

➡ 분모의 소인수가 2와 5뿐이므로 유한소수로 나타낼 수 있다.

㉡ $\frac{3}{2 \times 7}$

➡ 분모의 소인수 중에 7이 있으므로 순환소수로만 나타낼 수 있다.

㉢ $\frac{7}{3^2 \times 5}$

➡ 분모의 소인수 중에 3이 있으므로 순환소수로만 나타낼 수 있다.

㉣ $\frac{12}{2 \times 3 \times 5} = \frac{2}{5}$

➡ 분모의 소인수가 5뿐이므로 유한소수로 나타낼 수 있다.

따라서 순환소수로만 나타낼 수 있는 것은 ㉡, ㉢이다.

3-2 (1) $\frac{11}{20} = \frac{11}{2^2 \times 5}$

➡ 분모의 소인수가 2와 5뿐이므로 유한소수로 나타낼 수 있다.

(2) $\frac{7}{18} = \frac{7}{2 \times 3^2}$

➡ 분모의 소인수 중에 3이 있으므로 순환소수로만 나타낼 수 있다.

(3) $\dfrac{21}{70}=\dfrac{3}{10}=\dfrac{3}{2\times5}$

➡ 분모의 소인수가 2와 5뿐이므로 유한소수로 나타낼 수 있다.

(4) $\dfrac{7}{45}=\dfrac{7}{3^2\times5}$

➡ 분모의 소인수 중에 3이 있으므로 순환소수로만 나타낼 수 있다.

(5) $\dfrac{6}{30}=\dfrac{1}{5}$

➡ 분모의 소인수가 5뿐이므로 유한소수로 나타낼 수 있다.

(6) $\dfrac{3}{125}=\dfrac{3}{5^3}$

➡ 분모의 소인수가 5뿐이므로 유한소수로 나타낼 수 있다.

STEP 2

1-2. ④

2-2. ②, ③　　　　　　**2-3.** ③

3-2. (1) 7 (2) 9　　　　　**3-3.** 12

4-2. 1, 2, 4, 5, 7, 8　　　**4-3.** ④

5-2. 21　　　　　　　　**5-3.** 99

6-2. (1) $x=14$, $y=2$ (2) 16

1-2 $\dfrac{7}{40}=\dfrac{7}{2^3\times5}=\dfrac{7\times5^2}{2^3\times5\times5^2}=\dfrac{175}{1000}=0.175$

④ 1000

2-2 ① $\dfrac{11}{50}=\dfrac{11}{2\times5^2}$

② $\dfrac{3}{51}=\dfrac{1}{17}$

③ $\dfrac{1}{12}=\dfrac{1}{2^2\times3}$

④ $\dfrac{21}{120}=\dfrac{7}{40}=\dfrac{7}{2^3\times5}$

⑤ $\dfrac{49}{140}=\dfrac{7}{20}=\dfrac{7}{2^2\times5}$

따라서 유한소수로 나타낼 수 없는 것은 ②, ③이다.

2-3 ① $\dfrac{7}{12}=\dfrac{7}{2^2\times3}$

② $\dfrac{3}{18}=\dfrac{1}{6}=\dfrac{1}{2\times3}$

③ $\dfrac{9}{40}=\dfrac{9}{2^3\times5}$

④ $\dfrac{4}{2\times3\times5}=\dfrac{2}{3\times5}$

⑤ $\dfrac{21}{2\times3^2\times7}=\dfrac{1}{2\times3}$

따라서 유한소수로 나타낼 수 있는 것은 ③이다.

3-2 (1) $\dfrac{1}{2^3\times7}\times\square$가 유한소수가 되려면 $\square$는 7의 배수이어야 한다.

따라서 $\square$ 안에 들어갈 가장 작은 자연수는 7이다.

(2) $\dfrac{2}{3^2\times5}\times\square$가 유한소수가 되려면 $\square$는 $3^2=9$의 배수이어야 한다.

따라서 $\square$ 안에 들어갈 가장 작은 자연수는 9이다.

3-3 $\dfrac{a}{2\times3\times5^3}$가 유한소수가 되려면 a는 3의 배수이어야 한다.

따라서 a의 값이 될 수 있는 가장 작은 두 자리 자연수는 12이다.

4-2 $\dfrac{7}{2^2\times5^2\times a}$이 유한소수가 되려면 a는 7의 약수이거나 소인수가 2 또는 5뿐인 수이거나 이들의 곱으로 이루어진 수이다.

따라서 a의 값이 될 수 있는 10보다 작은 자연수는 1, 2, 4, 5, 7, 8이다.

4-3 $\dfrac{12}{x}$가 유한소수가 되려면 x는 12의 약수이거나 소인수가 2 또는 5뿐인 수이거나 이들의 곱으로 이루어진 수이다.

따라서 보기 중 x의 값이 될 수 있는 것은 ④이다.

5-2 $\dfrac{a}{6}=\dfrac{a}{2\times3}$, $\dfrac{a}{140}=\dfrac{a}{2^2\times5\times7}$가 모두 유한소수가 되려면 a는 3과 7의 공배수이어야 한다.

따라서 a의 값이 될 수 있는 가장 작은 자연수는 3과 7의 최소공배수이므로 21이다.

5-3 $\dfrac{5}{22}=\dfrac{5}{2\times11}$, $\dfrac{11}{45}=\dfrac{11}{3^2\times5}$이므로 $\dfrac{5}{22}\times n$, $\dfrac{11}{45}\times n$을 모두 유한소수로 나타낼 수 있으려면 n은 11과 9의 공배수이어야 한다.

따라서 n의 값이 될 수 있는 가장 작은 자연수는 11과 9의 최소공배수이므로 99이다.

6-2 (1) $\dfrac{x}{28}=\dfrac{x}{2^2\times7}$가 유한소수가 되려면 x는 7의 배수이어야 한다.

이때 $10<x<25$이므로 $x=14$ 또는 $x=21$이다.

(i) $x=14$일 때, $\dfrac{14}{2^2\times7}=\dfrac{1}{2}$ (○)

---

18 • 정답과 해설

(ii) $x=21$일 때, $\dfrac{21}{2^2 \times 7} = \dfrac{3}{2^2}$ (×)

(i), (ii)에서 $x=14$, $y=2$

(2) $x+y=14+2=16$

STEP 3 21쪽~22쪽

01. 40.35	**02.** ④	**03.** ㉡, ㉣, ㉤	**04.** ④
05. ④	**06.** ①	**07.** (1) 7 (2) 4개	**08.** 18
09. ③	**10.** ⑤	**11.** 21	**12.** 11

01 $\dfrac{7}{20} = \dfrac{7}{2^2 \times 5} = \dfrac{7 \times 5}{2^2 \times 5 \times 5} = \dfrac{35}{100} = 0.35$

따라서 $A=5$, $B=35$, $C=0.35$이므로

$A+B+C = 5+35+0.35$

$\qquad\qquad = 40.35$

02 ① $\dfrac{8}{12} = \dfrac{2}{3}$ ➡ 유한소수로 나타낼 수 없다.

② $\dfrac{7}{21} = \dfrac{1}{3}$ ➡ 유한소수로 나타낼 수 없다.

③ $\dfrac{16}{22} = \dfrac{8}{11}$ ➡ 유한소수로 나타낼 수 없다.

④ $\dfrac{21}{28} = \dfrac{3}{4} = \dfrac{3}{2^2}$ ➡ 유한소수로 나타낼 수 있다.

⑤ $\dfrac{25}{45} = \dfrac{5}{9} = \dfrac{5}{3^2}$ ➡ 유한소수로 나타낼 수 없다.

03 ㉠ $\dfrac{9}{20} = \dfrac{9}{2^2 \times 5}$ ➡ 유한소수로 나타낼 수 있다.

㉡ $\dfrac{6}{45} = \dfrac{2}{15} = \dfrac{2}{3 \times 5}$ ➡ 유한소수로 나타낼 수 없다.

㉢ $\dfrac{15}{48} = \dfrac{5}{16} = \dfrac{5}{2^4}$ ➡ 유한소수로 나타낼 수 있다.

㉣ $\dfrac{20}{5 \times 11} = \dfrac{4}{11}$ ➡ 유한소수로 나타낼 수 없다.

㉤ $\dfrac{30}{2^4 \times 3^2 \times 5} = \dfrac{1}{2^3 \times 3}$ ➡ 유한소수로 나타낼 수 없다.

따라서 유한소수로 나타낼 수 없는 것은 ㉡, ㉣, ㉤이다.

04 $10 \le a < 20$이므로

$\dfrac{1}{10}, \dfrac{1}{11}, \dfrac{1}{12}, \dfrac{1}{13}, \dfrac{1}{14}, \dfrac{1}{15}, \dfrac{1}{16}, \dfrac{1}{17}, \dfrac{1}{18}, \dfrac{1}{19}$ 중에서

유한소수로 나타낼 수 있는 것은 $\dfrac{1}{10}, \dfrac{1}{16}$이고

순환소수로만 나타낼 수 있는 것은

$\dfrac{1}{11}, \dfrac{1}{12}, \dfrac{1}{13}, \dfrac{1}{14}, \dfrac{1}{15}, \dfrac{1}{17}, \dfrac{1}{18}, \dfrac{1}{19}$이다.

따라서 구하는 a의 값의 개수는 8이다.

05 미로의 각 방에 쓰여진 분수 중 유한소수로 나타낼 수 있는 분수를 따라가면 다음과 같다.

출발 ➡ $\dfrac{1}{8} = \dfrac{1}{2^3}$ ➡ $\dfrac{1}{2}$ ➡ $\dfrac{7}{10} = \dfrac{7}{2 \times 5}$ ➡ $\dfrac{1}{5}$ ➡ $\dfrac{18}{36} = \dfrac{1}{2}$

$\qquad\qquad\qquad\qquad\qquad\qquad\qquad\qquad\qquad ➡$ D

따라서 민혁이는 D 출구로 나가게 된다.

06 $\dfrac{1}{6} = \dfrac{5}{30}$, $\dfrac{3}{10} = \dfrac{9}{30}$이므로 $\dfrac{1}{6}$과 $\dfrac{3}{10}$ 사이에 있는 분모가

30인 분수는 $\dfrac{6}{30}, \dfrac{7}{30}, \dfrac{8}{30}$이다.

이때 $\dfrac{6}{30} = \dfrac{1}{5}$, $\dfrac{7}{30} = \dfrac{7}{2 \times 3 \times 5}$, $\dfrac{8}{30} = \dfrac{4}{15} = \dfrac{4}{3 \times 5}$이다.

따라서 유한소수로 나타낼 수 있는 분수는 $\dfrac{6}{30}$의 1개이다.

07 (1) $\dfrac{3}{105} = \dfrac{1}{35} = \dfrac{1}{5 \times 7}$이므로

$\dfrac{3}{105} \times A = \dfrac{1}{5 \times 7} \times A$가 유한소수가 되려면 A는 7의

배수이어야 한다.

따라서 A의 값 중 가장 작은 자연수는 7이다.

$\qquad\qquad\qquad\qquad\qquad\qquad\qquad\qquad ……$ [50 %]

(2) A의 값 중 30보다 작은 자연수는 7, 14, 21, 28의 4개이

다. $\qquad\qquad\qquad\qquad\qquad\qquad\qquad ……$ [50 %]

08 $\dfrac{a}{2 \times 3^2 \times 5^2}$가 유한소수가 되려면 a는 9의 배수이어야 한다.

따라서 a의 값이 될 수 있는 가장 작은 두 자리 자연수는 18이다.

09 $\dfrac{a}{132} = \dfrac{a}{2^2 \times 3 \times 11}$

① $\dfrac{22}{132} = \dfrac{1}{2 \times 3}$ ➡ 순환소수로 나타낼 수 있다.

② $\dfrac{30}{132} = \dfrac{5}{2 \times 11}$ ➡ 순환소수로 나타낼 수 있다.

③ $\dfrac{33}{132} = \dfrac{1}{2^2}$ ➡ 유한소수로 나타낼 수 있다.

④ $\dfrac{42}{132} = \dfrac{7}{2 \times 11}$ ➡ 순환소수로 나타낼 수 있다.

⑤ $\dfrac{55}{132} = \dfrac{5}{2^2 \times 3}$ ➡ 순환소수로 나타낼 수 있다.

따라서 a의 값이 될 수 없는 것은 ③이다.

10 $\dfrac{12}{2^2 \times 5 \times a} = \dfrac{3}{5 \times a}$이 유한소수가 되려면 a는 3의 약수이거나는 소인수가 2 또는 5뿐인 수이거나 이들의 곱으로 이루어진 수이다.

따라서 a의 값이 될 수 없는 것은 ⑤이다.

11 $\dfrac{13}{42}=\dfrac{13}{2\times3\times7}$, $\dfrac{49}{60}=\dfrac{49}{2^2\times3\times5}$이므로 $\dfrac{13}{42}\times a$, $\dfrac{49}{60}\times a$

를 모두 유한소수로 나타낼 수 있으려면 a는 21과 3의 공배

수이어야 한다.　　　　　　　　　　　　　　 …… [50 %]

따라서 a의 값이 될 수 있는 가장 작은 자연수는 21과 3의

최소공배수이므로 21이다.　　　　　　　　 …… [50 %]

12 $\dfrac{a}{180}=\dfrac{a}{2^2\times3^2\times5}$가 유한소수가 되려면 a는 9의 배수이어

야 한다. 이때 a가 10 이하의 자연수이므로 $a=9$

$\dfrac{9}{2^2\times3^2\times5}=\dfrac{1}{2^2\times5}=\dfrac{1}{20}$　　$\therefore b=20$

$\therefore b-a=20-9=11$

3 순환소수의 분수 표현

23쪽~25쪽

개념 확인

1. (1) $100, 99, 99, \dfrac{3}{11}$　(2) $100, 90, 90, \dfrac{71}{30}$

2. (1) $6, \dfrac{2}{3}$　(2) $42, \dfrac{14}{33}$　(3) $3, 35, \dfrac{7}{18}$

　　(4) $1234, 12, 1222, \dfrac{611}{495}$

3. (1) × (2) × (3) ○ (4) × (5) × (6) ○

3 (1) 모든 유한소수는 유리수이다.

(2) 무한소수 중 순환하지 않는 무한소수는 분수로 나타낼
수 없으므로 유리수가 아니다.

(4) 모든 순환소수는 분수로 나타낼 수 있으므로 유리수이
다.

(5) 무한소수 중 순환소수는 분수로 나타낼 수 있다.

26쪽

STEP 1

1-1. $1000, 10, 990, 990, \dfrac{49}{66}$

1-2. $37.373737\cdots, 37, \dfrac{37}{99}$

2-1. (1) ㉠ (2) ㉢ (3) ㉡ (4) ㉣

2-2. (1) ㉡ (2) ㉠ (3) ㉢ (4) ㉣

3-1. $73, 990, 990, \dfrac{3634}{495}, 2, 1$

3-2. (1) $\dfrac{17}{30}$ (2) $\dfrac{371}{450}$ (3) $\dfrac{62}{45}$ (4) $\dfrac{1279}{495}$

3-2 (1) $0.5\dot{6}=\dfrac{56-5}{90}=\dfrac{51}{90}=\dfrac{17}{30}$

(2) $0.82\dot{4}=\dfrac{824-82}{900}=\dfrac{742}{900}=\dfrac{371}{450}$

(3) $1.3\dot{7}=\dfrac{137-13}{90}=\dfrac{124}{90}=\dfrac{62}{45}$

(4) $2.58\dot{3}=\dfrac{2583-25}{990}=\dfrac{2558}{990}=\dfrac{1279}{495}$

27쪽~29쪽

STEP 2

1-2. ④　　　　　　　　　**2-2.** ③

3-2. 33　　　　　　　　　**3-3.** 15, 30, 45

4-2. ⑤　　　　　　　　　**5-2.** $0.0\dot{1}$

5-3. $0.\dot{5}$　　　　　　　　 **6-2.** ⑤

1-2 ④ 66

2-2 ① $0.\dot{2}\dot{5}=\dfrac{25}{99}$

② $0.4\dot{8}=\dfrac{48-4}{90}=\dfrac{44}{90}=\dfrac{22}{45}$

③ $0.1\dot{8}=\dfrac{18-1}{90}=\dfrac{17}{90}$

④ $2.\dot{3}\dot{4}=\dfrac{234-2}{99}=\dfrac{232}{99}$

⑤ $1.02\dot{6}=\dfrac{1026-102}{900}=\dfrac{924}{900}=\dfrac{77}{75}$

따라서 옳지 않은 것은 ③이다.

3-2 $0.\dot{0}\dot{6}=\dfrac{6}{99}=\dfrac{2}{33}$

이때 $\dfrac{2}{33}\times a$가 자연수가 되려면 a는 33의 배수이어야 한다.

따라서 a의 값이 될 수 있는 가장 작은 자연수는 33이다.

3-3 $0.2\dot{6}=\dfrac{26-2}{90}=\dfrac{24}{90}=\dfrac{4}{15}$

이때 $\dfrac{4}{15}\times a$가 자연수가 되려면 a는 15의 배수이어야 한다.

따라서 a의 값이 될 수 있는 수를 작은 수부터 차례로 3개
를 구하면 15, 30, 45이다.

4-2 $6.\dot{6}=\dfrac{66-6}{9}=\dfrac{60}{9}=\dfrac{20}{3}$이고 예은이는 분모를 제대로 보
았으므로 처음의 기약분수의 분모는 3이다.

$2.\dot{4}=\dfrac{24-2}{9}=\dfrac{22}{9}$이고 우주는 분자를 제대로 보았으므로
처음의 기약분수의 분자는 22이다.

따라서 처음의 기약분수는 $\dfrac{22}{3}$이므로 $\dfrac{22}{3}$를 순환소수로
나타내면 $7.\dot{3}$이다.

5-2 $0.\dot{4}\dot{1}=\dfrac{41}{99}=41\times\dfrac{1}{99}$이므로 $\square=\dfrac{1}{99}=0.\dot{0}\dot{1}$

5-3 $0.0\dot{1}=\dfrac{1}{90}$이므로 $\dfrac{17}{30}=x+\dfrac{1}{90}$

$\therefore x=\dfrac{17}{30}-\dfrac{1}{90}=\dfrac{5}{9}$

따라서 $\dfrac{5}{9}$를 순환소수로 나타내면 $0.\dot{5}$이다.

6-2 ① 순환하지 않는 무한소수는 유리수가 아니다.
② 무한소수 중 순환하지 않는 무한소수는 분수로 나타낼 수 없다.
③ 유한소수는 모두 유리수이다.
④ 기약분수의 분모에 소인수가 2 또는 5뿐이면 유한소수로 나타낼 수 있다.

STEP 3 　　　　　　　　　　　　　30쪽~31쪽

01. ① 246.464646… ② 10 ③ 990 ④ 244 ⑤ 122
02. ③　　**03.** ⑤　　**04.** ①, ④　**05.** 9　　**06.** ③
07. ②　　**08.** (1) $\dfrac{14}{3}$ (2) $4.\dot{6}$　**09.** ③　　**10.** ②, ③
11. ⑤　　**12.** 풀이 참조

01 $x=0.2\dot{4}\dot{6}$으로 놓으면 $x=0.2464646\cdots$

$1000x=\boxed{① \ 246.464646\cdots}$ 　……㉠

$\boxed{② \ 10}x=2.464646\cdots$ 　……㉡

㉠$-$㉡을 하면 $\boxed{③ \ 990}x=\boxed{④ \ 244}$

$\therefore x=\dfrac{244}{990}=\dfrac{\boxed{⑤ \ 122}}{495}$

02 $x=1.2\dot{3}=1.2333\cdots$에서

$100x=123.333\cdots$ 　……㉠

$10x=12.333\cdots$ 　……㉡

㉠$-$㉡을 하면 $90x=111$ 　$\therefore x=\dfrac{111}{90}=\dfrac{37}{30}$

따라서 가장 편리한 식은 ③이다.

03 $1000x=125.252525\cdots$ 　……㉠

$10x=1.252525\cdots$ 　……㉡

㉠$-$㉡을 하면 $990x=124$

$\therefore x=\dfrac{124}{990}=\dfrac{62}{495}$

따라서 가장 편리한 식은 $1000x-10x$이다.

04 ① $0.\dot{7}=\dfrac{7}{9}$

② $0.5\dot{1}=\dfrac{51}{99}=\dfrac{17}{33}$

③ $0.1\dot{3}\dot{8}=\dfrac{138-1}{990}=\dfrac{137}{990}$

④ $1.5\dot{3}\dot{4}=\dfrac{16-1}{90}=\dfrac{1534-15}{990}=\dfrac{1519}{990}$

⑤ $0.1\dot{6}=\dfrac{16-1}{90}=\dfrac{15}{90}=\dfrac{1}{6}$

따라서 옳지 않은 것은 ①, ④이다.

05 $0.\dot{6}=\dfrac{6}{9}=\dfrac{2}{3}$이므로 $a=\dfrac{3}{2}$

$0.1\dot{3}=\dfrac{13-1}{90}=\dfrac{12}{90}=\dfrac{2}{15}$이므로 $b=\dfrac{15}{2}$

$\therefore a+b=\dfrac{3}{2}+\dfrac{15}{2}=9$

06 $0.\dot{8}\dot{1}=\dfrac{81}{99}=\dfrac{9}{11}$

이때 $\dfrac{9}{11}\times a$가 자연수가 되려면 a는 11의 배수이어야 한다.
따라서 a의 값이 될 수 있는 수는 ③이다.

07 $0.\dot{4}\dot{5}=\dfrac{45}{99}=\dfrac{5}{11}$이고 수혁이는 분모를 제대로 보았으므로 기약분수 A의 분모는 11이다.

$0.5\dot{3}=\dfrac{53-5}{90}=\dfrac{48}{90}=\dfrac{8}{15}$이고 아름이는 분자를 제대로 보았으므로 기약분수 A의 분자는 8이다.

따라서 $A=\dfrac{8}{11}$이므로 $\dfrac{8}{11}$을 순환소수로 나타내면 $0.\dot{7}\dot{2}$이다.

08 (1) $0.\dot{3}=\dfrac{3}{9}=\dfrac{1}{3}$, $3.\dot{5}=\dfrac{35-3}{9}=\dfrac{32}{9}$이므로

$\dfrac{1}{3}x+2=\dfrac{32}{9}$ 　……[40 %]

$\dfrac{1}{3}x=\dfrac{14}{9}$ 　$\therefore x=\dfrac{14}{3}$ 　……[30 %]

(2) $\dfrac{14}{3}$를 순환소수로 나타내면 $4.\dot{6}$이다. 　……[30 %]

09 ③ $0.5\dot{4}=0.5444\cdots$, $0.\dot{5}\dot{4}=0.545454\cdots$이므로
$0.5\dot{4}<0.\dot{5}\dot{4}$

10 ① 모든 정수는 유리수이다.
④ 순환소수는 모두 분수로 나타낼 수 있다.
⑤ 기약분수를 소수로 나타내면 유한소수 또는 순환소수이다.

11 ⑤ π는 순환하지 않는 무한소수이다.

12 수지: 유한소수는 모두 분수로 나타낼 수 있으므로 유리수이다.

준성: 기약분수를 소수로 나타내면 유한소수 또는 순환소수이다.

2. 단항식의 계산

1 지수법칙

개념 확인

1. (1) x^6 (2) 2^7 (3) a^3b^2 (4) x^6y^3

2. (1) 2^{12} (2) x^{28} (3) a^{10} (4) $x^{16}y^{15}$

3. (1) 2^2 (2) 3^3 (3) 1 (4) $\dfrac{1}{x^4}$

4. (1) a^{10} (2) $\dfrac{1}{x^2}$ (3) x (4) x^{10}

5. (1) x^4y^8 (2) a^6b^6 (3) a^8 (4) $-8a^6$

6. (1) $\dfrac{b^4}{a^8}$ (2) $\dfrac{x^6}{y^{15}}$ (3) $-\dfrac{a^{10}}{b^{15}}$ (4) $\dfrac{4y^2}{x^2}$

1 (1) $x^2 \times x^4 = x^{2+4} = x^6$

(2) $2^3 \times 2 \times 2^3 = 2^{3+1+3} = 2^7$

(3) $a^2 \times a \times b \times b = a^{2+1} \times b^{1+1} = a^3b^2$

(4) $x^4 \times x^2 \times y^2 \times y = x^{4+2} \times y^{2+1} = x^6y^3$

2 (1) $(2^3)^4 = 2^{3 \times 4} = 2^{12}$

(2) $(x^4)^7 = x^{4 \times 7} = x^{28}$

(3) $(a^2)^3 \times a^4 = a^{2 \times 3} \times a^4 = a^6 \times a^4 = a^{6+4} = a^{10}$

(4) $(x^8)^2 \times (y^3)^5 = x^{8 \times 2} \times y^{3 \times 5} = x^{16}y^{15}$

3 (1) $2^5 \div 2^3 = 2^{5-3} = 2^2$

(2) $3^6 \div 3^3 = 3^{6-3} = 3^3$

(3) $x^{10} \div x^{10} = 1$

(4) $x^2 \div x^6 = \dfrac{1}{x^{6-2}} = \dfrac{1}{x^4}$

4 (1) $a^{16} \div (a^3)^2 = a^{16} \div a^6 = a^{16-6} = a^{10}$

(2) $(x^2)^5 \div (x^3)^4 = x^{10} \div x^{12} = \dfrac{1}{x^{12-10}} = \dfrac{1}{x^2}$

(3) $x^5 \div x \div x^3 = x^{5-1} \div x^3 = x^4 \div x^3 = x^{4-3} = x$

(4) $x^3 \div x \times x^8 = x^{3-1} \times x^8 = x^2 \times x^8 = x^{2+8} = x^{10}$

5 (1) $(xy^2)^4 = x^4 \times (y^2)^4 = x^4y^8$

(2) $(a^2b^2)^3 = (a^2)^3 \times (b^2)^3 = a^6b^6$

(3) $(-a^2)^4 = (-1)^4 \times (a^2)^4 = a^8$

(4) $(-2a^2)^3 = (-2)^3 \times (a^2)^3 = -8a^6$

6 (1) $\left(\dfrac{b}{a^2}\right)^4 = \dfrac{b^4}{(a^2)^4} = \dfrac{b^4}{a^{2 \times 4}} = \dfrac{b^4}{a^8}$

(2) $\left(\dfrac{x^2}{y^5}\right)^3 = \dfrac{(x^2)^3}{(y^5)^3} = \dfrac{x^{2 \times 3}}{y^{5 \times 3}} = \dfrac{x^6}{y^{15}}$

(3) $\left(-\dfrac{a^2}{b^3}\right)^5 = (-1)^5 \times \dfrac{(a^2)^5}{(b^3)^5} = (-1) \times \dfrac{a^{2 \times 5}}{b^{3 \times 5}} = -\dfrac{a^{10}}{b^{15}}$

(4) $\left(-\dfrac{2y}{x}\right)^2 = (-1)^2 \times \dfrac{(2y)^2}{x^2} = \dfrac{2^2 \times y^2}{x^2} = \dfrac{4y^2}{x^2}$

STEP 1

1-1. (1) $3, 1, 5, 6$ (2) $4, 4, 8, 12$ **연구** $m+n$, mn, 같은

1-2. (1) $x^{10}y^{12}$ (2) a^6b^6 (3) 2^{28} (4) a^7b^3

2-1. (1) $8, 5, 13, 13, 8, 5$ (2) $10, 5, 5, 8, 5, 3$

연구 $>, <$

2-2. (1) x^3 (2) $\dfrac{1}{a^3}$ (3) x^5 (4) $\dfrac{1}{a^2}$

3-1. (1) $3, 3, -64x^9$ (2) $4, 4, 4, \dfrac{a^4}{b^8}$ **연구** m, m, m

3-2. (1) $9a^2b^4$ (2) $a^4b^8c^{12}$ (3) $\dfrac{b^6}{8a^3}$ (4) $-\dfrac{27y^3}{8x^6}$

1-2 (1) $x^3 \times x^7 \times y^2 \times y^{10} = x^{3+7} \times y^{2+10} = x^{10}y^{12}$

(2) $a^4 \times b^5 \times a^2 \times b = a^4 \times a^2 \times b^5 \times b$
$= a^{4+2} \times b^{5+1} = a^6b^6$

(3) $(2^2)^4 \times 2^5 \times (2^3)^5 = 2^{2 \times 4} \times 2^5 \times 2^{3 \times 5}$
$= 2^8 \times 2^5 \times 2^{15}$
$= 2^{8+5+15} = 2^{28}$

(4) $a \times (a^3)^2 \times b^3 = a \times a^{3 \times 2} \times b^3$
$= a \times a^6 \times b^3$
$= a^{1+6} \times b^3 = a^7b^3$

2-2 (1) $x^8 \div x^2 \div x^3 = x^{8-2} \div x^3$
$= x^6 \div x^3 = x^{6-3} = x^3$

(2) $a^{12} \div a^4 \div a^{11} = a^{12-4} \div a^{11}$
$= a^8 \div a^{11} = \dfrac{1}{a^{11-8}} = \dfrac{1}{a^3}$

(3) $x^4 \times x^6 \div x^5 = x^{4+6} \div x^5$
$= x^{10} \div x^5 = x^{10-5} = x^5$

(4) $a^2 \div a^5 \times a = \dfrac{1}{a^{5-2}} \times a$
$= \dfrac{1}{a^3} \times a = \dfrac{1}{a^2}$

3-2 (1) $(-3ab^2)^2 = (-3)^2 \times a^2 \times (b^2)^2 = 9 \times a^2 \times b^{2 \times 2} = 9a^2b^4$

(2) $(ab^2c^3)^4 = a^4 \times (b^2)^4 \times (c^3)^4 = a^4 \times b^{2 \times 4} \times c^{3 \times 4} = a^4b^8c^{12}$

(3) $\left(\dfrac{b^2}{2a}\right)^3 = \dfrac{(b^2)^3}{(2a)^3} = \dfrac{b^{2 \times 3}}{2^3 \times a^3} = \dfrac{b^6}{8a^3}$

(4) $\left(-\dfrac{3y}{2x^2}\right)^3 = (-1)^3 \times \dfrac{(3y)^3}{(2x^2)^3} = (-1) \times \dfrac{3^3 \times y^3}{2^3 \times x^{2 \times 3}}$
$= -\dfrac{27y^3}{8x^6}$

STEP 2

1-2. ㉡, ㉣	**1-3.** 7
2-2. ㉠, ㉡, ㉣	**2-3.** 5
3-2. ③, ⑤	**3-3.** 2
4-2. ④	**4-3.** 7
5-2. 8	**5-3.** 3
6-2. 5	**6-3.** 27
7-2. A^3	**7-3.** $8A^3$
8-2. 6자리	**8-3.** 14

1-2 ㉠ $x^4 \times x^5 = x^{4+5} = x^9$

㉡ $a^2 \times a^3 = a^{2+3} = a^5$

㉢ $x \times x^2 \times x^4 = x^{1+2+4} = x^7$

㉣ $3 \times 3^2 = 3^{1+2} = 3^3$

㉤ $2^{10} \times 2^2 = 2^{10+2} = 2^{12}$

따라서 옳은 것은 ㉡, ㉣이다.

1-3 $3^2 \times 3^a \times 3 = 3^{2+a+1} = 3^{a+3} = 3^{10}$에서

$a+3=10$　　$\therefore a=7$

2-2 ㉠ $(2^3)^2 = 2^{3 \times 2} = 2^6$

㉡ $(a^3)^3 = a^{3 \times 3} = a^9$

㉢ $(5^4)^x = 5^{4 \times x} = 5^{4x}$

㉣ $(a^5)^2 \times a = a^{5 \times 2} \times a = a^{10+1} = a^{11}$

㉤ $(a^3)^x = a^{3 \times x} = a^{x \times 3} = (a^x)^3$

따라서 옳지 않은 것은 ㉠, ㉡, ㉣이다.

2-3 $(x^3)^a \times x^6 = x^{3a} \times x^6 = x^{3a+6} = x^{21}$에서

$3a+6=21$　　$\therefore a=5$

3-2 ① $a^8 \div a^2 = a^{8-2} = a^6$

② $a^2 \div a^2 = 1$

③ $a \div a^5 = \dfrac{1}{a^{5-1}} = \dfrac{1}{a^4}$

④ $a^3 \div a^2 \div a^3 = a^{3-2} \div a^3 = a \div a^3 = \dfrac{1}{a^{3-1}} = \dfrac{1}{a^2}$

⑤ $(a^2)^3 \div (a^3)^2 = a^6 \div a^6 = 1$

따라서 옳은 것은 ③, ⑤이다.

3-3 $6^7 \div 6^5 \div 6^x = 6^{7-5} \div 6^x = 6^2 \div 6^x = 1$에서 $x=2$

4-2 ① $(a^2b)^5 = a^{2 \times 5} \times b^5 = a^{10}b^5$

② $(2xy^3)^5 = 2^5 \times x^5 \times y^{3 \times 5} = 32x^5y^{15}$

③ $\left(\dfrac{1}{b^2}\right)^4 = \dfrac{1}{b^{2 \times 4}} = \dfrac{1}{b^8}$

④ $\left(-\dfrac{x}{2}\right)^3 = (-1)^3 \times \dfrac{x^3}{2^3} = -\dfrac{x^3}{8}$

⑤ $\left(-\dfrac{b^2}{3a}\right)^3 = (-1)^3 \times \dfrac{b^{2 \times 3}}{3^3 \times a^3} = -\dfrac{b^6}{27a^3}$

4-3 $\left(\dfrac{x^{2a}}{2y^b}\right)^3 = \dfrac{x^{2a \times 3}}{2^3 \times y^{b \times 3}} = \dfrac{x^{6a}}{8y^{3b}}$

즉 $\dfrac{x^{6a}}{8y^{3b}} = \dfrac{x^{24}}{8y^9}$이므로

$6a=24$에서 $a=4$, $3b=9$에서 $b=3$

$\therefore a+b=4+3=7$

5-2 $4 \times 64 = 2^x$에서

$2^2 \times 2^6 = 2^x$, $2^{2+6} = 2^x$

따라서 $2+6=x$이므로 $x=8$

5-3 $4^x \times 32 \div 16 = (2^2)^x \times 2^5 \div 2^4$

$= 2^{2x+5} \div 2^4$

$= 2^{2x+5-4}$

$= 2^{2x+1} = 2^7$

따라서 $2x+1=7$이므로 $2x=6$　　$\therefore x=3$

6-2 $3^4 + 3^4 + 3^4 = 3^4 \times 3 = 3^{4+1} = 3^5$

$\therefore a=5$

6-3 $2^5 + 2^5 + 2^5 + 2^5 = 2^5 \times 4 = 2^5 \times 2^2 = 2^{5+2} = 2^7$

$\therefore a=7$

$2^5 \times 2^5 \times 2^5 \times 2^5 = 2^{5+5+5+5} = 2^{20}$

$\therefore b=20$

$\therefore a+b=7+20=27$

7-2 $27^4 = (3^3)^4 = (3^4)^3 = A^3$

7-3 $8^{x+1} = 8^x \times 8 = (2^3)^x \times 8$

$= (2^x)^3 \times 8 = 8A^3$

8-2 $2^8 \times 5^5 = 2^{5+3} \times 5^5$

$= (2^5 \times 2^3) \times 5^5$

$= (2^5 \times 5^5) \times 2^3$

$= (2 \times 5)^5 \times 8$

$= 8 \times 10^5$

$= 800000$

따라서 $2^8 \times 5^5$은 6자리 자연수이다.

8-3 $2^{16} \times 5^{12} \times 3 = 2^{12+4} \times 5^{12} \times 3$

$= (2^{12} \times 2^4) \times 5^{12} \times 3$

$= (2^{12} \times 5^{12}) \times 2^4 \times 3$

$= (2 \times 5)^{12} \times 16 \times 3$

$= 48 \times 10^{12}$

$= 48000000000000$

따라서 $2^{16} \times 5^{12} \times 3$은 14자리 자연수이므로 $n=14$

01. a^5b^3　**02.** 10　**03.** ③　**04.** ⑤　**05.** ④

06. 9　**07.** ②　**08.** 2^{14}개　**09.** 1　**10.** ④

11. ④　**12.** ③　**13.** 10

01
$$a^2 \times b \times a^3 \times b^2 = a^2 \times a^3 \times b \times b^2$$
$$= a^{2+3} \times b^{1+2}$$
$$= a^5b^3$$

02
$$a^5 \times b^3 \times a^x \times b^4 = a^5 \times a^x \times b^3 \times b^4$$
$$= a^{5+x} \times b^{3+4}$$
$$= a^{5+x}b^7 = a^8b^y$$
이때 $a^{5+x} = a^8$에서 $5+x=8$　∴ $x=3$
$b^7 = b^y$에서 $y=7$
∴ $x+y = 3+7 = 10$

03
① $a^\square \times a^3 = a^{\square+3} = a^5$에서
　$\square+3=5$　∴ $\square=2$
② $(a^\square)^5 = a^{\square \times 5} = a^{20}$에서
　$\square \times 5 = 20$　∴ $\square=4$
③ $(a^3)^2 \times a = a^6 \times a = a^7$에서
　$\square=7$
④ $(a^3)^\square = a^{3 \times \square} = a^{15}$에서
　$3 \times \square = 15$　∴ $\square=5$
⑤ $a^\square \times a^2 \times a = a^{\square+2+1} = a^{\square+3} = a^6$에서
　$\square+3=6$　∴ $\square=3$
따라서 $\square$ 안에 들어갈 수가 가장 큰 것은 ③이다.

04
$$a^{11} \div a^4 \div a^2 = a^{11-4-2} = a^5$$
① $a^{11} \times (a^4 \div a^2) = a^{11} \times a^{4-2} = a^{11} \times a^2$
　$= a^{11+2} = a^{13}$
② $a^{11} \div a^4 \times a^2 = a^{11-4} \times a^2 = a^7 \times a^2$
　$= a^{7+2} = a^9$
③ $a^{11} \div (a^4 \div a^2) = a^{11} \div a^{4-2} = a^{11} \div a^2$
　$= a^{11-2} = a^9$
④ $a^{11} \times a^4 \div a^2 = a^{11+4} \div a^2 = a^{15} \div a^2$
　$= a^{15-2} = a^{13}$
⑤ $a^{11} \div (a^4 \times a^2) = a^{11} \div a^{4+2} = a^{11} \div a^6$
　$= a^{11-6} = a^5$
따라서 주어진 식과 계산 결과가 같은 것은 ⑤이다.

05
① $(a^2)^3 \div a^3 \times (b^5)^2 = a^6 \div a^3 \times b^{10}$
　$= a^{6-3} \times b^{10} = a^3b^{10}$

② $(x^2)^5 \times y^3 \div (y^3)^4 = x^{10} \times y^3 \div y^{12}$
　$= x^{10} \times \dfrac{1}{y^{12-3}} = \dfrac{x^{10}}{y^9}$

③ $(3x)^3 = 3^3 \times x^3 = 27x^3$

④ $\left(-\dfrac{3y}{x^3}\right)^2 = (-1)^2 \times \dfrac{(3y)^2}{(x^3)^2} = \dfrac{9y^2}{x^6}$

⑤ $\left(-\dfrac{2}{y}\right)^5 = (-1)^5 \times \dfrac{2^5}{y^5} = -\dfrac{32}{y^5}$

따라서 옳지 않은 것은 ④이다.

06
$$\left(\dfrac{2x^2}{y^a}\right)^b = \dfrac{2^b \times x^{2b}}{y^{ab}} = \dfrac{4x^c}{y^6}$$
이때 $2^b = 4 = 2^2$에서 $b=2$　　　　$\cdots\cdots$ [30 %]
$x^{2b} = x^c$에서 $2b=c$, $2 \times 2 = c$　∴ $c=4$　$\cdots\cdots$ [30 %]
$y^{ab} = y^6$에서 $ab=6$, $2a=6$　∴ $a=3$　$\cdots\cdots$ [30 %]
∴ $a+b+c = 3+2+4 = 9$　　　　　$\cdots\cdots$ [10 %]

07
$$9^{10} \div 3^3 = (3^2)^{10} \div 3^3 = 3^{20} \div 3^3 = 3^{20-3} = 3^{17}$$
∴ $x=17$

08
1 MB $= 2^{10}$ KB이고 1 GB $= 2^{10}$ MB이므로
1 GB $= 2^{10}$ MB $= (2^{10} \times 2^{10})$ KB $= 2^{20}$ KB
이때 64 KB $= 2^6$ KB이므로
$2^{20} \div 2^6 = 2^{14}$
따라서 용량이 1 GB인 휴대용 저장 장치에 용량이 64 KB
인 자료는 최대 2^{14}개까지 저장할 수 있다.

09
$2^3 + 2^3 = 2^3 \times 2 = 2^{3+1} = 2^4$　　　∴ $a=4$
$3^2 + 3^2 + 3^2 = 3^2 \times 3 = 3^{2+1} = 3^3$　　∴ $b=3$
∴ $a-b = 4-3 = 1$

10
$$2^{20} + 2^{20} + 2^{20} + 2^{20} = 2^{20} \times 4 = 2^{20} \times 2^2$$
$$= 2^{20+2} = 2^{22}$$

11
$9^6 = (3^2)^6 = 3^{12} = (3^3)^4 = a^4$

12
$64^x = (4^3)^x = (4^x)^3 = a^3$

13
$$2^{10} \times 5^8 \times 7 = 2^{8+2} \times 5^8 \times 7$$
$$= (2^8 \times 2^2) \times 5^8 \times 7$$
$$= (2^8 \times 5^8) \times 2^2 \times 7$$
$$= (2 \times 5)^8 \times 4 \times 7$$
$$= 28 \times 10^8$$
$$= 2800000000　　　\cdots\cdots \text{[60 %]}$$
따라서 $2^{10} \times 5^8 \times 7$은 10자리 자연수이므로 $n=10$
　　　　　　　　　　　　　　　$\cdots\cdots$ [40 %]

2 단항식의 계산

개념 확인

1. (1) $6x^3$ (2) $-10xy$ (3) $-6x^7$ (4) $4x^3y^4$

2. (1) $2x^3y$ (2) $-9x^4y^5$ (3) $24ab^4$ (4) $5x^6y^7$

3. (1) $2a^2$ (2) $3a^2$ (3) $\dfrac{24a}{b}$ (4) $-2a^2$

4. (1) $36a^2$ (2) $-10ab$ (3) $6a$ (4) $-2xy^2$

5. (1) $15x^5$ (2) $32x^2y^3$ (3) $4a^3b^3$ (4) $-3x^4y^4$

6. (1) $48x^2y^3$ (2) $20x^2y^4$ (3) $72x^2$ (4) $-16x^6y^4$

1 (3) $-4x^3 \times \dfrac{3}{2}x^4 = -4 \times \dfrac{3}{2} \times x^3 \times x^4$
$$= -6x^7$$

(4) $\dfrac{1}{2}x^2y^3 \times 8xy = \dfrac{1}{2} \times 8 \times x^2 \times x \times y^3 \times y$
$$= 4x^3y^4$$

2 (1) $(-x)^2 \times 2xy = x^2 \times 2xy$
$$= 2 \times x^2 \times x \times y$$
$$= 2x^3y$$

(2) $-x^2y^3 \times (3xy)^2 = -x^2y^3 \times 9x^2y^2$
$$= -1 \times 9 \times x^2 \times x^2 \times y^3 \times y^2$$
$$= -9x^4y^5$$

(3) $-3ab \times (-2b)^3 = -3ab \times (-8b^3)$
$$= -3 \times (-8) \times a \times b \times b^3$$
$$= 24ab^4$$

(4) $5x^2y \times (x^2y^3)^2 = 5x^2y \times x^4y^6$
$$= 5 \times x^2 \times x^4 \times y \times y^6$$
$$= 5x^6y^7$$

3 (1) $8a^3 \div 4a = \dfrac{8a^3}{4a} = 2a^2$

(2) $6a^3b \div 2ab = \dfrac{6a^3b}{2ab} = 3a^2$

(3) $24a^3b \div (ab)^2 = 24a^3b \div a^2b^2$
$$= \dfrac{24a^3b}{a^2b^2} = \dfrac{24a}{b}$$

(4) $8a^4b^3 \div (-4a^2b^3) = \dfrac{8a^4b^3}{-4a^2b^3} = -2a^2$

4 (1) $12a^3 \div \dfrac{a}{3} = 12a^3 \times \dfrac{3}{a} = 36a^2$

(2) $6a^3b^2 \div \left(-\dfrac{3}{5}a^2b\right) = 6a^3b^2 \times \left(-\dfrac{5}{3a^2b}\right) = -10ab$

(3) $2a^2b \div \dfrac{ab}{3} = 2a^2b \times \dfrac{3}{ab} = 6a$

(4) $-x^2y^4 \div \dfrac{1}{2}xy^2 = -x^2y^4 \times \dfrac{2}{xy^2} = -2xy^2$

5 (1) $12x^3 \div 4x^2 \times 5x^4 = 12x^3 \times \dfrac{1}{4x^2} \times 5x^4$
$$= 15x^5$$

(2) $18x^3 \times (-4y^2)^2 \div 9xy = 18x^3 \times 16y^4 \times \dfrac{1}{9xy}$
$$= 32x^2y^3$$

(3) $a^4b^3 \times 8b \div 2ab = a^4b^3 \times 8b \times \dfrac{1}{2ab}$
$$= 4a^3b^3$$

(4) $6xy^3 \div (-2xy) \times (x^2y)^2 = 6xy^3 \times \left(-\dfrac{1}{2xy}\right) \times x^4y^2$
$$= -3x^4y^4$$

6 (1) $3x^2y \div \dfrac{1}{2}x \times 8xy^2 = 3x^2y \times \dfrac{2}{x} \times 8xy^2$
$$= 48x^2y^3$$

(2) $x^3y^4 \div \dfrac{1}{5}xy^2 \times (-2y)^2 = x^3y^4 \times \dfrac{5}{xy^2} \times 4y^2$
$$= 20x^2y^4$$

(3) $4x^2y \div \dfrac{1}{3}xy^2 \times 6xy = 4x^2y \times \dfrac{3}{xy^2} \times 6xy$
$$= 72x^2$$

(4) $(2x^2y)^3 \times (-3xy^2) \div \dfrac{3}{2}xy = 8x^6y^3 \times (-3xy^2) \times \dfrac{2}{3xy}$
$$= -16x^6y^4$$

STEP 1

1-1. $y, x, \dfrac{1}{9}, x, y, 2x^3y^2$ 연구 계수, 문자

1-2. (1) $-9x^{18}y^{11}$ (2) $-\dfrac{1}{2}a^8$ (3) $-48x^8y^9$

2-1. $5, 2a^2b, \dfrac{5}{2}, -15ab$ 연구 곱셈

2-2. (1) $-20y$ (2) $\dfrac{b^2}{2a}$ (3) $-\dfrac{3x}{8y^4}$

3-1. $\dfrac{3}{x}, 3, x, -\dfrac{1}{2}x^2$

3-2. (1) $-54a^2b^2$ (2) $-\dfrac{1}{2}b$ (3) $-\dfrac{1}{5}x^2y$

1-2 (1) $(3x^3y)^2 \times (-x^4y^3)^3 = 9x^6y^2 \times (-x^{12}y^9)$
$$= 9 \times (-1) \times x^6 \times x^{12} \times y^2 \times y^9$$
$$= -9x^{18}y^{11}$$

(2) $(2a)^2 \times \left(-\dfrac{1}{2}a^2\right)^3 = 4a^2 \times \left(-\dfrac{1}{8}a^6\right)$

$\qquad\qquad\qquad\qquad = 4 \times \left(-\dfrac{1}{8}\right) \times a^2 \times a^6$

$\qquad\qquad\qquad\qquad = -\dfrac{1}{2}a^8$

(3) $\dfrac{2}{3}xy \times (-3x^2y)^2 \times (-2xy^2)^3$

$\qquad = \dfrac{2}{3}xy \times 9x^4y^2 \times (-8x^3y^6)$

$\qquad = \dfrac{2}{3} \times 9 \times (-8) \times x \times x^4 \times x^3 \times y \times y^2 \times y^6$

$\qquad = -48x^8y^9$

2-2 (1) $5x^3y^2 \div \left(-\dfrac{1}{4}x^3y\right) = 5x^3y^2 \times \left(-\dfrac{4}{x^3y}\right)$

$\qquad\qquad\qquad\qquad\qquad = 5 \times (-4) \times x^3y^2 \times \dfrac{1}{x^3y}$

$\qquad\qquad\qquad\qquad\qquad = -20y$

(2) $\left(-\dfrac{3}{4}ab^2\right)^2 \div \dfrac{9}{8}a^3b^2 = \dfrac{9}{16}a^2b^4 \times \dfrac{8}{9a^3b^2}$

$\qquad\qquad\qquad\qquad\qquad = \dfrac{9}{16} \times \dfrac{8}{9} \times a^2b^4 \times \dfrac{1}{a^3b^2}$

$\qquad\qquad\qquad\qquad\qquad = \dfrac{b^2}{2a}$

(3) $\left(\dfrac{1}{3}x^2y\right)^2 \div \left(-\dfrac{2}{3}xy^2\right)^3 = \dfrac{1}{9}x^4y^2 \div \left(-\dfrac{8}{27}x^3y^6\right)$

$\qquad\qquad\qquad\qquad\qquad = \dfrac{1}{9}x^4y^2 \times \left(-\dfrac{27}{8x^3y^6}\right)$

$\qquad\qquad\qquad\qquad\qquad = \dfrac{1}{9} \times \left(-\dfrac{27}{8}\right) \times x^4y^2 \times \dfrac{1}{x^3y^6}$

$\qquad\qquad\qquad\qquad\qquad = -\dfrac{3x}{8y^4}$

3-2 (1) $12a^3b^5 \div (-2ab)^3 \times (-6a)^2$

$\qquad = 12a^3b^5 \div (-8a^3b^3) \times 36a^2$

$\qquad = 12a^3b^5 \times \left(-\dfrac{1}{8a^3b^3}\right) \times 36a^2$

$\qquad = 12 \times \left(-\dfrac{1}{8}\right) \times 36 \times a^3b^5 \times \dfrac{1}{a^3b^3} \times a^2$

$\qquad = -54a^2b^2$

(2) $\left(-\dfrac{3}{2}ab\right)^2 \div \left(-\dfrac{9}{8}a^3b^2\right) \times \dfrac{1}{4}ab$

$\qquad = \dfrac{9}{4}a^2b^2 \div \left(-\dfrac{9}{8}a^3b^2\right) \times \dfrac{1}{4}ab$

$\qquad = \dfrac{9}{4}a^2b^2 \times \left(-\dfrac{8}{9a^3b^2}\right) \times \dfrac{1}{4}ab$

$\qquad = \dfrac{9}{4} \times \left(-\dfrac{8}{9}\right) \times \dfrac{1}{4} \times a^2b^2 \times \dfrac{1}{a^3b^2} \times ab$

$\qquad = -\dfrac{1}{2}b$

(3) $-\dfrac{2}{3}xy^2 \times \left(-\dfrac{1}{2}x\right)^2 \div \dfrac{5}{6}xy$

$\qquad = -\dfrac{2}{3}xy^2 \times \dfrac{1}{4}x^2 \div \dfrac{5}{6}xy$

$= -\dfrac{2}{3}xy^2 \times \dfrac{1}{4}x^2 \times \dfrac{6}{5xy}$

$= -\dfrac{2}{3} \times \dfrac{1}{4} \times \dfrac{6}{5} \times xy^2 \times x^2 \times \dfrac{1}{xy}$

$= -\dfrac{1}{5}x^2y$

48쪽~50쪽

STEP ❷

1-2. (1) $-3a^5$ (2) $192x^9y^7$ (3) $54x^7y^{11}$

2-2. (1) $-\dfrac{y^2}{8x}$ (2) $-2y^3$ **2-3.** 5

3-2. (1) $-6y^3$ (2) $\dfrac{4x^{12}}{y^3}$ **3-3.** 8

4-2. (1) $2a$ (2) $\dfrac{2}{3xy}$ **4-3.** (1) $\dfrac{3y^3}{4}$ (2) $6a^3b^2$

5-2. 81 **5-3.** $a=2,\ b=4$

6-2. $7a^3b^2$ **6-3.** $8a^2b$

1-2 (1) $6a^2 \times \left(-\dfrac{1}{2}a^3\right) = 6 \times \left(-\dfrac{1}{2}\right) \times a^2 \times a^3$

$\qquad\qquad\qquad\qquad = -3a^5$

(2) $-x^2y \times 3xy^3 \times (-4x^2y)^3$

$\qquad = -x^2y \times 3xy^3 \times (-64x^6y^3)$

$\qquad = -1 \times 3 \times (-64) \times x^2y \times xy^3 \times x^6y^3$

$\qquad = 192x^9y^7$

(3) $2xy^2 \times (-3xy^2)^3 \times (-x^3y^3)$

$\qquad = 2xy^2 \times (-27x^3y^6) \times (-x^3y^3)$

$\qquad = 2 \times (-27) \times (-1) \times xy^2 \times x^3y^6 \times x^3y^3$

$\qquad = 54x^7y^{11}$

2-2 (1) $\left(-\dfrac{1}{2}xy^2\right)^2 \div (-2x^3y^2) = \dfrac{1}{4}x^2y^4 \div (-2x^3y^2)$

$\qquad\qquad\qquad\qquad\qquad = \dfrac{1}{4}x^2y^4 \times \left(-\dfrac{1}{2x^3y^2}\right)$

$\qquad\qquad\qquad\qquad\qquad = \dfrac{1}{4} \times \left(-\dfrac{1}{2}\right) \times x^2y^4 \times \dfrac{1}{x^3y^2}$

$\qquad\qquad\qquad\qquad\qquad = -\dfrac{y^2}{8x}$

(2) $24y^6 \div 3y^2 \div (-4y) = 24y^6 \times \dfrac{1}{3y^2} \times \left(-\dfrac{1}{4y}\right)$

$\qquad\qquad\qquad\qquad\qquad = 24 \times \dfrac{1}{3} \times \left(-\dfrac{1}{4}\right) \times y^6 \times \dfrac{1}{y^2} \times \dfrac{1}{y}$

$\qquad\qquad\qquad\qquad\qquad = -2y^3$

2-3 $(3x^2y^3)^2 \div (xy^3)^3 = 9x^4y^6 \div x^3y^9$

$\qquad\qquad\qquad\qquad\quad = \dfrac{9x^4y^6}{x^3y^9} = \dfrac{9x}{y^3}$

따라서 $a=9,\ b=1,\ c=3$이므로

$a-b-c = 9-1-3 = 5$

3-2 (1) $(-3xy)^2 \times 4xy^2 \div (-6x^3y)$

$\qquad = 9x^2y^2 \times 4xy^2 \div (-6x^3y)$

$\qquad = 9x^2y^2 \times 4xy^2 \times \left(-\dfrac{1}{6x^3y}\right)$

$\qquad = 9 \times 4 \times \left(-\dfrac{1}{6}\right) \times x^2y^2 \times xy^2 \times \dfrac{1}{x^3y}$

$\qquad = -6y^3$

(2) $18x^4y^2 \div \left(\dfrac{2y^3}{x^2}\right)^3 \times \left(\dfrac{4}{3}xy^2\right)^2$

$\qquad = 18x^4y^2 \div \dfrac{8y^9}{x^6} \times \dfrac{16}{9}x^2y^4$

$\qquad = 18x^4y^2 \times \dfrac{x^6}{8y^9} \times \dfrac{16}{9}x^2y^4$

$\qquad = 18 \times \dfrac{1}{8} \times \dfrac{16}{9} \times x^4y^2 \times \dfrac{x^6}{y^9} \times x^2y^4$

$\qquad = \dfrac{4x^{12}}{y^3}$

3-3 $(-6x^3y)^2 \div 4x^5y \times xy^2 = 36x^6y^2 \div 4x^5y \times xy^2$

$\qquad = 36x^6y^2 \times \dfrac{1}{4x^5y} \times xy^2$

$\qquad = 36 \times \dfrac{1}{4} \times x^6y^2 \times \dfrac{1}{x^5y} \times xy^2$

$\qquad = 9x^2y^3$

따라서 $a=9,\ b=2,\ c=3$이므로

$a+b-c=9+2-3=8$

4-2 (1) $2a^3b \times \boxed{} = 4a^4b$에서

$\qquad \boxed{} = 4a^4b \div 2a^3b = \dfrac{4a^4b}{2a^3b} = 2a$

(2) $2xy^2 \div \boxed{} = 3x^2y^3$에서

$\qquad 2xy^2 \times \dfrac{1}{\boxed{}} = 3x^2y^3$

$\qquad \therefore \boxed{} = 2xy^2 \div 3x^2y^3 = \dfrac{2xy^2}{3x^2y^3} = \dfrac{2}{3xy}$

4-3 (1) $\boxed{} \times (-2x)^2 \div 3x^2y^3 = 1$에서

$\qquad \boxed{} \times 4x^2 \times \dfrac{1}{3x^2y^3} = 1$

$\qquad \boxed{} \times \dfrac{4}{3y^3} = 1 \qquad \therefore \boxed{} = \dfrac{3y^3}{4}$

(2) $3ab^3 \times 4a^2b \div \boxed{} = 2b^2$에서

$\qquad 3ab^3 \times 4a^2b \times \dfrac{1}{\boxed{}} = 2b^2$

$\qquad 12a^3b^4 \times \dfrac{1}{\boxed{}} = 2b^2$

$\qquad \therefore \boxed{} = 12a^3b^4 \div 2b^2 = \dfrac{12a^3b^4}{2b^2} = 6a^3b^2$

5-2 $(-6xy^3)^a \times 2x^3y = (-6)^a \times x^ay^{3a} \times 2x^3y$

$\qquad\qquad = (-6)^a \times 2 \times x^ay^{3a} \times x^3y$

$\qquad\qquad = 2 \times (-6)^a \times x^{a+3}y^{3a+1}$

$\qquad\qquad = bx^5y^c$

이때 $x^{a+3}=x^5$에서 $a+3=5$ $\quad\therefore a=2$

$2 \times (-6)^a = b$에서 $b = 2 \times (-6)^2 = 72$

$y^{3a+1} = y^c$에서 $3a+1 = c$ $\quad\therefore c = 3 \times 2 + 1 = 7$

$\therefore a+b+c = 2+72+7 = 81$

5-3 $(2xy^a)^3 \div (3x^by^2)^2 = 8x^3y^{3a} \div 9x^{2b}y^4$

$\qquad\qquad = 8x^3y^{3a} \times \dfrac{1}{9x^{2b}y^4}$

$\qquad\qquad = 8 \times \dfrac{1}{9} \times x^3y^{3a} \times \dfrac{1}{x^{2b}y^4} = \dfrac{8y^2}{9x^5}$

이때 $\dfrac{y^{3a}}{y^4} = y^2$에서 $3a-4=2$ $\quad\therefore a=2$

$\dfrac{x^3}{x^{2b}} = \dfrac{1}{x^5}$에서 $2b-3=5$ $\quad\therefore b=4$

6-2 (직사각형의 넓이)$=$(가로의 길이)$\times$(세로의 길이)이므로

$28a^5b^5 = $(가로의 길이)$\times 4a^2b^3$

$\therefore$ (가로의 길이)$= 28a^5b^5 \div 4a^2b^3 = \dfrac{28a^5b^5}{4a^2b^3} = 7a^3b^2$

6-3 (원기둥의 부피)$=$(밑넓이)$\times$(높이)이므로

$8\pi a^8b^3 = \pi \times (a^3b)^2 \times ($높이$)$

$8\pi a^8b^3 = \pi \times a^6b^2 \times ($높이$)$

$\therefore ($높이$) = 8\pi a^8b^3 \div \pi a^6b^2 = \dfrac{8\pi a^8b^3}{\pi a^6b^2} = 8a^2b$

계산력 집중 연습 51쪽

1. (1) $12x^2y^3$ (2) $-9x^3y^6$ (3) $\dfrac{a^3b^5}{2}$ (4) $4a^6b^6$ (5) $18x^7y^5$

2. (1) $-9x^2y^2$ (2) $6a$ (3) $\dfrac{x^3}{4}$ (4) $-64a^5b$ (5) $\dfrac{2}{5x^2y^3}$

3. (1) $16a$ (2) $-8x^3y^6$ (3) $16x^8y^2$ (4) $-\dfrac{2}{3}xy$ (5) $\dfrac{16x^2}{9y}$

$\quad$ (6) $\dfrac{1}{36}x^4$ (7) $-\dfrac{5}{6}x^2y^5$ (8) $24a^3b^4$

1 (3) $(-2a^3b)^2 \times \left(\dfrac{b}{2a}\right)^3 = 4a^6b^2 \times \dfrac{b^3}{8a^3}$

$\qquad\qquad = \dfrac{a^3b^5}{2}$

(4) $\left(-\dfrac{1}{5}a\right)^2 \times (-10a^2b^3)^2 = \dfrac{1}{25}a^2 \times 100a^4b^6$

$\qquad\qquad = 4a^6b^6$

(5) $-2x^2y \times (-3xy^2)^2 \times (-x^3)$

$\qquad = -2x^2y \times 9x^2y^4 \times (-x^3)$

$\qquad = 18x^7y^5$

2

(1) $(-3xy)^3 \div 3xy = -27x^3y^3 \div 3xy$
$$= \frac{-27x^3y^3}{3xy}$$
$$= -9x^2y^2$$

(2) $2a^2b \div \frac{ab}{3} = 2a^2b \times \frac{3}{ab}$
$$= 6a$$

(3) $x^5y^4 \div (-2xy^2)^2 = x^5y^4 \div 4x^2y^4$
$$= \frac{x^5y^4}{4x^2y^4} = \frac{x^3}{4}$$

(4) $16a^3b^4 \div \left(-\frac{b^3}{4a^2}\right) = 16a^3b^4 \times \left(-\frac{4a^2}{b^3}\right)$
$$= -64a^5b$$

(5) $(-10x^2y)^2 \div (5xy)^3 \div 2x^3y^2$
$$= 100x^4y^2 \div 125x^3y^3 \div 2x^3y^2$$
$$= 100x^4y^2 \times \frac{1}{125x^3y^3} \times \frac{1}{2x^3y^2}$$
$$= \frac{2}{5x^2y^3}$$

3

(1) $36ab^4 \times 4a^2 \div 9a^2b^4$
$$= 36ab^4 \times 4a^2 \times \frac{1}{9a^2b^4}$$
$$= 16a$$

(2) $12x^2y^5 \times 2x^4y^2 \div (-3x^3y)$
$$= 12x^2y^5 \times 2x^4y^2 \times \left(-\frac{1}{3x^3y}\right)$$
$$= -8x^3y^6$$

(3) $(xy^2)^2 \div (-x^3y)^2 \times (-2x^3)^4$
$$= x^2y^4 \div x^6y^2 \times 16x^{12}$$
$$= x^2y^4 \times \frac{1}{x^6y^2} \times 16x^{12}$$
$$= 16x^8y^2$$

(4) $6x^2 \div (-9xy^2) \times y^3$
$$= 6x^2 \times \left(-\frac{1}{9xy^2}\right) \times y^3$$
$$= -\frac{2}{3}xy$$

(5) $(8x^3)^2 \times 4x^2y \div (-12x^3y)^2$
$$= 64x^6 \times 4x^2y \div 144x^6y^2$$
$$= 64x^6 \times 4x^2y \times \frac{1}{144x^6y^2}$$
$$= \frac{16x^2}{9y}$$

(6) $\left(-\frac{1}{2}x\right)^3 \times \left(-\frac{4}{3}xy\right) \div 6y$
$$= -\frac{1}{8}x^3 \times \left(-\frac{4}{3}xy\right) \times \frac{1}{6y}$$
$$= \frac{1}{36}x^4$$

(7) $2x^2y^4 \div \left(-\frac{3}{5}y\right) \times \left(-\frac{1}{2}y\right)^2$
$$= 2x^2y^4 \div \left(-\frac{3}{5}y\right) \times \frac{1}{4}y^2$$
$$= 2x^2y^4 \times \left(-\frac{5}{3y}\right) \times \frac{1}{4}y^2$$
$$= -\frac{5}{6}x^2y^5$$

(8) $(-2ab^3)^3 \times \frac{a^3}{b^4} \div \left(-\frac{1}{3}a^3b\right)$
$$= -8a^3b^9 \times \frac{a^3}{b^4} \div \left(-\frac{1}{3}a^3b\right)$$
$$= -8a^3b^9 \times \frac{a^3}{b^4} \times \left(-\frac{3}{a^3b}\right)$$
$$= 24a^3b^4$$

52쪽~53쪽

STEP 3

01. ③   **02.** ⑤   **03.** $-27b^8$ **04.** ④   **05.** ④

06. (1) $18x^3y$ (2) $\frac{1}{xy}$ (3) $18x^2$ **07.** $6xy^2$

08. $A = -8x^3y$, $B = 8x^3y^2$ **09.** 5   **10.** 3

11. ③   **12.** (1) $54a^4b^5$ (2) $9a^3b^2$

---

01 ① $-3x \times 4y = -3 \times 4 \times x \times y = -12xy$

② $2ab \times 5a = 2 \times 5 \times a \times a \times b = 10a^2b$

③ $ab \times 5a^2b = 5 \times a \times a^2 \times b \times b = 5a^3b^2$

④ $-x^2 \div 3x^3 = \frac{-x^2}{3x^3} = -\frac{1}{3x}$

⑤ $8x^2 \div (-2x^2) = \frac{8x^2}{-2x^2} = -4$

따라서 옳은 것은 ③이다.

02 $2x^2y^3 \times (3x^5y^2)^2 = 2x^2y^3 \times 9x^{10}y^4$
$$= 2 \times 9 \times x^2y^3 \times x^{10}y^4$$
$$= 18x^{12}y^7$$

03 $\left(-\frac{3}{2}ab^3\right)^3 \div \frac{1}{8}a^3b = -\frac{27}{8}a^3b^9 \div \frac{1}{8}a^3b$
$$= -\frac{27}{8}a^3b^9 \times \frac{8}{a^3b}$$
$$= -27b^8$$

04 $12x^2y^4 \div \frac{1}{2}xy \times \frac{3y^2}{2x} = 12x^2y^4 \times \frac{2}{xy} \times \frac{3y^2}{2x}$
$$= 12 \times 2 \times \frac{3}{2} \times x^2y^4 \times \frac{1}{xy} \times \frac{y^2}{x}$$
$$= 36y^5$$

05 ① $x^2 \times y \div (-xy) = x^2 \times y \times \left(-\frac{1}{xy}\right) = -x$

② $-12x^3y^2 \div 3x \times 2y = -12x^3y^2 \times \dfrac{1}{3x} \times 2y$

$= -12 \times \dfrac{1}{3} \times 2 \times x^3y^2 \times \dfrac{1}{x} \times y$

$= -8x^2y^3$

③ $12x^4 \div 4x \div \dfrac{x^2}{3} = 12x^4 \times \dfrac{1}{4x} \times \dfrac{3}{x^2}$

$= 12 \times \dfrac{1}{4} \times 3 \times x^4 \times \dfrac{1}{x} \times \dfrac{1}{x^2}$

$= 9x$

④ $x^2y^2 \times 4x \div (-2xy)^2 = x^2y^2 \times 4x \div 4x^2y^2$

$= x^2y^2 \times 4x \times \dfrac{1}{4x^2y^2}$

$= 4 \times \dfrac{1}{4} \times x^2y^2 \times x \times \dfrac{1}{x^2y^2}$

$= x$

⑤ $6x^4y^2 \div 3x^2y^3 = \dfrac{6x^4y^2}{3x^2y^3} = \dfrac{2x^2}{y}$

따라서 옳지 않은 것은 ④이다.

06 (1) $A = 3x^2 \times 6xy$

$= 3 \times 6 \times x^2 \times xy$

$= 18x^3y$ ...... [40 %]

(2) $B = 4x^2y \div 3y^2 \div \dfrac{4}{3}x^3$

$= 4x^2y \times \dfrac{1}{3y^2} \times \dfrac{3}{4x^3}$

$= 4 \times \dfrac{1}{3} \times \dfrac{3}{4} \times x^2y \times \dfrac{1}{y^2} \times \dfrac{1}{x^3}$

$= \dfrac{1}{xy}$ ...... [40 %]

(3) $AB = 18x^3y \times \dfrac{1}{xy} = 18x^2$ ...... [20 %]

07 $(-2xy^2)^2 \times \boxed{} \div (-x^2y^3)^2 = \dfrac{24}{x}$ 에서

$4x^2y^4 \times \boxed{} \times \dfrac{1}{x^4y^6} = \dfrac{24}{x}$

$\dfrac{4}{x^2y^2} \times \boxed{} = \dfrac{24}{x}$

$\therefore \boxed{} = \dfrac{24}{x} \div \dfrac{4}{x^2y^2}$

$= \dfrac{24}{x} \times \dfrac{x^2y^2}{4} = 6xy^2$

08 $B \div 4x^2y = 2xy$ 에서

$B = 2xy \times 4x^2y$

$= 2 \times 4 \times xy \times x^2y$

$= 8x^3y^2$

$A \times (-y) = 8x^3y^2$ 에서

$A = 8x^3y^2 \div (-y)$

$= \dfrac{8x^3y^2}{-y} = -8x^3y$

09 $2x^ay \times (xy)^2 = 2x^ay \times x^2y^2 = 2x^{a+2}y^3 = bx^5y^3$

이때 $x^{a+2} = x^5$ 에서 $a+2 = 5$ $\therefore a = 3$

$b = 2$

$\therefore a+b = 3+2 = 5$

10 $x^2y^3 \times (-4x^3y^A) \div 2x^By$

$= x^2y^3 \times (-4x^3y^A) \times \dfrac{1}{2x^By}$

$= -4 \times \dfrac{1}{2} \times x^2y^3 \times x^3y^A \times \dfrac{1}{x^By}$

$= -2x^{5-B}y^{2+A}$

$= Cx^4y^6$

이때 $y^{2+A} = y^6$ 에서 $2+A = 6$ $\therefore A = 4$

$x^{5-B} = x^4$ 에서 $5-B = 4$ $\therefore B = 1$

$C = -2$

$\therefore 2A - 3B + C = 2 \times 4 - 3 \times 1 + (-2) = 3$

11 (선물 상자의 부피) = (가로의 길이) × (세로의 길이) × (높이)

이므로

선물 상자의 높이를 $\boxed{}$ cm라 하면

$60a^3b^2 = 4a \times 3b \times \boxed{}$

$60a^3b^2 = 12ab \times \boxed{}$

$\therefore \boxed{} = 60a^3b^2 \div 12ab$

$= \dfrac{60a^3b^2}{12ab} = 5a^2b$

따라서 선물 상자의 높이는 $5a^2b$ cm이다.

12 (1) (넓이) $= 9a^2b^2 \times 6a^2b^3$

$= 9 \times 6 \times a^2b^2 \times a^2b^3$

$= 54a^4b^5$ ...... [40 %]

(2) 삼각형의 넓이는 직사각형의 넓이와 같으므로 $54a^4b^5$ 이다.

삼각형의 높이를 $\boxed{}$ 라 하면

$\dfrac{1}{2} \times 12ab^3 \times \boxed{} = 54a^4b^5$ ...... [30 %]

$6ab^3 \times \boxed{} = 54a^4b^5$

$\therefore \boxed{} = 54a^4b^5 \div 6ab^3$

$= \dfrac{54a^4b^5}{6ab^3} = 9a^3b^2$

따라서 삼각형의 높이는 $9a^3b^2$ 이다. ...... [30 %]

3. 다항식의 계산

1 다항식의 덧셈과 뺄셈

개념 확인

1. (1) $7x+3y$ (2) $-x+8y$ (3) $x-6y$ (4) $2x$

2. (1) ○ (2) × (3) × (4) ○

3. (1) x^2-4x+1 (2) $4x^2+3x-2$ (3) $-2x^2+7x+5$

 (4) $-4x^2-2x-5$

1 (1) $(2x+7y)+(5x-4y)=2x+7y+5x-4y$
$$=7x+3y$$
(2) $(2x+3y)+(-3x+5y)=2x+3y-3x+5y$
$$=-x+8y$$
(3) $(3x-y)-(2x+5y)=3x-y-2x-5y$
$$=x-6y$$
(4) $(4x-3y)-(2x-3y)=4x-3y-2x+3y$
$$=2x$$

2 (3) $x^2-(x^2+2x)-1=x^2-x^2-2x-1$
$$=-2x-1$$
➡ 다항식의 차수가 1이므로 이차식이 아니다.
(4) $2x^2-2(x+1)=2x^2-2x-2$
➡ 다항식의 차수가 2이므로 이차식이다.

3 (1) $(2x^2-7x+1)+(-x^2+3x)$
$$=2x^2-7x+1-x^2+3x$$
$$=x^2-4x+1$$
(2) $(x^2+5x-7)+(3x^2-2x+5)$
$$=x^2+5x-7+3x^2-2x+5$$
$$=4x^2+3x-2$$
(3) $(3x^2+5x-1)-(5x^2-2x-6)$
$$=3x^2+5x-1-5x^2+2x+6$$
$$=-2x^2+7x+5$$
(4) $(2x^2-4x-5)-(6x^2-2x)$
$$=2x^2-4x-5-6x^2+2x$$
$$=-4x^2-2x-5$$

STEP 1

1-1. (1) $7x+7y$ (2) $a+6b$ (3) $x+3y+1$

 연구 동류항 (2) $4, a+6b$

1-2. (1) $7a+4b$ (2) $7a+b$ (3) $3x-7y+4$

2-1. $2, 4, -5x+10y$

2-2. (1) $9x+29y$ (2) $-4a+6b$ (3) $3x-7y+4$

3-1. (1) $-3x^2-11x+26$ (2) $-13x^2+26x-8$

 (3) $9x^2+5x+5$

3-2. (1) $5x^2-2$ (2) $-x^2+4x+10$ (3) $-13x^2-33x+13$

1-1 (3) $(3x+2y-1)-(2x-y-2)$
$$=3x+2y-1-2x+y+2$$
$$=x+3y+1$$

1-2 (2) $(14a-9b)-(7a-10b)=14a-9b-7a+10b$
$$=7a+b$$
(3) $(2x-5y+1)-(-x+2y-3)$
$$=2x-5y+1+x-2y+3$$
$$=3x-7y+4$$

2-2 (1) $2(2x-3y)+5(x+7y)=4x-6y+5x+35y$
$$=9x+29y$$
(2) $2(a-3b)-6(a-2b)=2a-6b-6a+12b$
$$=-4a+6b$$
(3) $(2x-5y+1)-(-x+2y-3)$
$$=2x-5y+1+x-2y+3$$
$$=3x-7y+4$$

3-1 (1) $(5x^2-3x-2)+4(-2x^2-2x+7)$
$$=5x^2-3x-2-8x^2-8x+28$$
$$=-3x^2-11x+26$$
(2) $(2x^2+x-3)-5(3x^2-5x+1)$
$$=2x^2+x-3-15x^2+25x-5$$
$$=-13x^2+26x-8$$
(3) $2(x^2-x+6)+7(x^2+x-1)$
$$=2x^2-2x+12+7x^2+7x-7$$
$$=9x^2+5x+5$$

3-2 (1) $2(x^2-2x)+(3x^2+4x-2)$
$$=2x^2-4x+3x^2+4x-2$$
$$=5x^2-2$$
(2) $(5x^2-2x+7)-3(2x^2-2x-1)$
$$=5x^2-2x+7-6x^2+6x+3$$
$$=-x^2+4x+10$$

(3) $3(4x^2-x+1)-5(5x^2+6x-2)$
$=12x^2-3x+3-25x^2-30x+10$
$=-13x^2-33x+13$

59쪽~60쪽

STEP ②

1-2. 1

1-3. (1) $\dfrac{13}{6}x+\dfrac{5}{3}y$ (2) $-\dfrac{1}{6}x+\dfrac{17}{12}y$

2-2. ②, ⑤

3-2. 16　　　　　　　　**3-3.** $10x^2-4x+3$

4-2. (1) $-8a^2+4a-3$ (2) $-11a^2+5a-8$

4-3. $5x+y-4$

1-2 $\dfrac{3}{2}x+\dfrac{1}{2}y-\left(\dfrac{1}{3}x+\dfrac{2}{3}y\right)$

$=\dfrac{3}{2}x+\dfrac{1}{2}y-\dfrac{1}{3}x-\dfrac{2}{3}y$

$=\dfrac{7}{6}x-\dfrac{1}{6}y$

따라서 $a=\dfrac{7}{6}$, $b=-\dfrac{1}{6}$이므로

$a+b=\dfrac{7}{6}+\left(-\dfrac{1}{6}\right)=1$

1-3 (1) $\dfrac{3x+4y}{2}+\dfrac{2x-y}{3}=\dfrac{3(3x+4y)+2(2x-y)}{6}$

$=\dfrac{9x+12y+4x-2y}{6}$

$=\dfrac{13x+10y}{6}=\dfrac{13}{6}x+\dfrac{5}{3}y$

(2) $\dfrac{x+5y}{3}-\dfrac{2x+y}{4}=\dfrac{4(x+5y)-3(2x+y)}{12}$

$=\dfrac{4x+20y-6x-3y}{12}$

$=\dfrac{-2x+17y}{12}$

$=-\dfrac{1}{6}x+\dfrac{17}{12}y$

2-2 ① $(2x^2-4)+(x^2-x+2)=3x^2-x-2$

② $(2x^2-x-2)-(x^2-2x-5)$
$=2x^2-x-2-x^2+2x+5$
$=x^2+x+3$

③ $(x^2+x+2)+(x^2-2x+1)=2x^2-x+3$

④ $(3x^2+2x-4)-(2x^2-2x+3)$
$=3x^2+2x-4-2x^2+2x-3$
$=x^2+4x-7$

⑤ $(-x^2+x-3)-(4x^2-2x-1)$
$=-x^2+x-3-4x^2+2x+1$
$=-5x^2+3x-2$

따라서 옳지 않은 것은 ②, ⑤이다.

3-2 $3x+7y-\{4y-(-x+5y)\}=3x+7y-(4y+x-5y)$
$=3x+7y-(x-y)$
$=3x+7y-x+y$
$=2x+8y$

따라서 $a=2$, $b=8$이므로
$ab=2\times8=16$

3-3 $4x^2-[2x-\{6x^2-(2x-3)\}]$
$=4x^2-\{2x-(6x^2-2x+3)\}$
$=4x^2-(2x-6x^2+2x-3)$
$=4x^2-(-6x^2+4x-3)$
$=4x^2+6x^2-4x+3$
$=10x^2-4x+3$

4-2 (1) 어떤 식을 ☐라 하면

$☐+(3a^2-a+5)=-5a^2+3a+2$

$\therefore ☐=-5a^2+3a+2-(3a^2-a+5)$
$=-5a^2+3a+2-3a^2+a-5$
$=-8a^2+4a-3$

(2) 바르게 계산한 식은
$-8a^2+4a-3-(3a^2-a+5)$
$=-8a^2+4a-3-3a^2+a-5$
$=-11a^2+5a-8$

4-3 어떤 식을 ☐라 하면

$☐-(5x+2y-3)=-5x-3y+2$

$\therefore ☐=-5x-3y+2+(5x+2y-3)=-y-1$

따라서 바르게 계산한 식은
$-y-1+(5x+2y-3)=5x+y-4$

계산력 집중 연습

61쪽

1. (1) $6x+5y$ (2) $-2x-3y+7$ (3) $-5x+3y$

(4) $-x-4y-8$ (5) $\dfrac{19x+y}{6}$ (6) $\dfrac{5x+y}{4}$ (7) $\dfrac{1}{12}x+\dfrac{4}{3}y$

(8) $-\dfrac{1}{6}x+\dfrac{2}{3}y$

2. (1) $4x^2+4x-6$ (2) $-x^2+5x-1$ (3) $4x^2-x-1$

(4) $-10x^2-3x-8$ (5) $5x+2y+2$ (6) $9x-9y$ (7) $x+3$

(8) $4x^2-6x-1$

1

(1) $(4x-y)+(2x+6y)=4x-y+2x+6y$
$\qquad\qquad\qquad\quad=6x+5y$

(2) $(x-y+2)+(-3x-2y+5)$
$\quad=x-y+2-3x-2y+5$
$\quad=-2x-3y+7$

(3) $(-4x+7y)-(x+4y)=-4x+7y-x-4y$
$\qquad\qquad\qquad\qquad=-5x+3y$

(4) $3(x+2y-2)-2(2x+5y+1)$
$\quad=3x+6y-6-4x-10y-2$
$\quad=-x-4y-8$

(5) $\dfrac{5x+8y}{3}+\dfrac{3x-5y}{2}=\dfrac{2(5x+8y)+3(3x-5y)}{6}$
$\qquad\qquad\qquad\qquad=\dfrac{10x+16y+9x-15y}{6}$
$\qquad\qquad\qquad\qquad=\dfrac{19x+y}{6}$

(6) $\dfrac{2x-y}{2}+\dfrac{x+3y}{4}=\dfrac{2(2x-y)+x+3y}{4}$
$\qquad\qquad\qquad\qquad=\dfrac{4x-2y+x+3y}{4}$
$\qquad\qquad\qquad\qquad=\dfrac{5x+y}{4}$

(7) $\dfrac{x+2y}{4}-\dfrac{x-5y}{6}=\dfrac{3(x+2y)-2(x-5y)}{12}$
$\qquad\qquad\qquad\qquad=\dfrac{3x+6y-2x+10y}{12}$
$\qquad\qquad\qquad\qquad=\dfrac{x+16y}{12}=\dfrac{1}{12}x+\dfrac{4}{3}y$

(8) $\dfrac{x-y}{3}-\dfrac{x-2y}{2}=\dfrac{2(x-y)-3(x-2y)}{6}$
$\qquad\qquad\qquad\qquad=\dfrac{2x-2y-3x+6y}{6}$
$\qquad\qquad\qquad\qquad=\dfrac{-x+4y}{6}$
$\qquad\qquad\qquad\qquad=-\dfrac{1}{6}x+\dfrac{2}{3}y$

2

(1) $(3x^2-x+1)+(x^2+5x-7)$
$\quad=3x^2-x+1+x^2+5x-7$
$\quad=4x^2+4x-6$

(2) $(2x^2-7)+(-3x^2+5x+6)$
$\quad=2x^2-7-3x^2+5x+6$
$\quad=-x^2+5x-1$

(3) $(3x^2-4x+1)-(-x^2-3x+2)$
$\quad=3x^2-4x+1+x^2+3x-2$
$\quad=4x^2-x-1$

(4) $3(x-2x^2)-2(2x^2+3x+4)$
$\quad=3x-6x^2-4x^2-6x-8$
$\quad=-10x^2-3x-8$

(5) $2x-[3x-\{2y-(5-6x)+7\}]$
$\quad=2x-\{3x-(2y-5+6x+7)\}$
$\quad=2x-\{3x-(2y+6x+2)\}$
$\quad=2x-(3x-2y-6x-2)$
$\quad=2x-(-3x-2y-2)$
$\quad=2x+3x+2y+2$
$\quad=5x+2y+2$

(6) $7x-[2x-\{x-5y+(3x-4y)\}]$
$\quad=7x-\{2x-(x-5y+3x-4y)\}$
$\quad=7x-\{2x-(4x-9y)\}$
$\quad=7x-(2x-4x+9y)$
$\quad=7x-(-2x+9y)$
$\quad=7x+2x-9y$
$\quad=9x-9y$

(7) $-2x^2+2-\{3x^2-1-(5x^2+x)\}$
$\quad=-2x^2+2-(3x^2-1-5x^2-x)$
$\quad=-2x^2+2-(-2x^2-x-1)$
$\quad=-2x^2+2+2x^2+x+1$
$\quad=x+3$

(8) $x^2-[2x-\{3x^2-(4x-5)\}+6]$
$\quad=x^2-\{2x-(3x^2-4x+5)+6\}$
$\quad=x^2-(2x-3x^2+4x-5+6)$
$\quad=x^2-(-3x^2+6x+1)$
$\quad=x^2+3x^2-6x-1$
$\quad=4x^2-6x-1$

STEP ❸ 62쪽

01. ④ **02.** $\dfrac{1}{4}$ **03.** 1 **04.** ③ **05.** ②, ⑤

06. (1) $7x^2-6x+8$ (2) $13x^2-9x+16$ **07.** $a+11b$

---

01 ④ $(2a+3b)+(3a-4b)=2a+3b+3a-4b$
$\qquad\qquad\qquad\qquad\quad=5a-b$

따라서 옳지 않은 것은 ④이다.

02 $\dfrac{2x-3y}{4}-\dfrac{3x+y}{2}=\dfrac{2x-3y-2(3x+y)}{4}$
$\qquad\qquad\qquad\quad=\dfrac{2x-3y-6x-2y}{4}$
$\qquad\qquad\qquad\quad=\dfrac{-4x-5y}{4}$
$\qquad\qquad\qquad\quad=-x-\dfrac{5}{4}y$

따라서 $a=-1$, $b=-\dfrac{5}{4}$이므로

$a-b=-1-\left(-\dfrac{5}{4}\right)=\dfrac{1}{4}$

03 $x-[7y-3x-\{2x-(x-3y)\}]$
$=x-\{7y-3x-(2x-x+3y)\}$
$=x-\{7y-3x-(x+3y)\}$
$=x-(7y-3x-x-3y)$
$=x-(-4x+4y)$
$=x+4x-4y$
$=5x-4y$
따라서 $a=5, b=-4$이므로
$a+b=5+(-4)=1$

04 $(2x^2+x-4)-(5x^2-6x+3)$
$=2x^2+x-4-5x^2+6x-3$
$=-3x^2+7x-7$
이때 x의 계수는 7, 상수항은 -7이므로
구하는 합은 $7+(-7)=0$

05 ① $-10x+5$
➡ 가장 큰 차수가 1이므로 일차식이다.
② $1-3x-\dfrac{1}{2}x^2$
➡ 가장 큰 차수가 2이므로 이차식이다.
③ $3x^3+12x^2-11$
➡ 가장 큰 차수가 3이므로 이차식이 아니다.
④ $-2(x^2+x)+2x^2=-2x^2-2x+2x^2=-2x$
➡ 가장 큰 차수가 1이므로 일차식이다.
⑤ $2(5x^2+1)-7=10x^2+2-7=10x^2-5$
➡ 가장 큰 차수가 2이므로 이차식이다.
따라서 이차식인 것은 ②, ⑤이다.

06 (1) 어떤 식을 $\boxed{}$라 하면
$\boxed{}-(6x^2-3x+8)=x^2-3x$
$\therefore \boxed{}=x^2-3x+(6x^2-3x+8)$
$=7x^2-6x+8$ …… [60 %]
(2) 바르게 계산한 식은
$7x^2-6x+8+(6x^2-3x+8)=13x^2-9x+16$
…… [40 %]

07 주어진 전개도를 접으면
오른쪽 그림과 같으므로
$(3a+5b)+(2a+8b)$
$=A+(4a+2b)$에서
$5a+13b=A+(4a+2b)$
$\therefore A=5a+13b-(4a+2b)$
$=5a+13b-4a-2b$
$=a+11b$

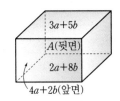

2 단항식과 다항식의 계산

개념 확인

63쪽~66쪽

1. (1) $a, -3a, -3a^2+3ab$
 (2) $-2x, -2x, -2x, -4x^2+2xy+6x$
2. (1) $10a^2-2ab$ (2) $-15x^2+6xy$ (3) $6x^2-4xy$
 (4) $-3xy+6y^2-15y$
3. $-2x, -2x, -2x, -2x+3$
4. (1) $3a+1$ (2) $-2x+5$ (3) $15x-3$ (4) $-2xy+6$
5. (1) $9a-4b$ (2) $24xy-12x$ (3) $3ab+\dfrac{9}{2}b^2$ (4) $11x^2+23x$
6. (1) $-4x+18$ (2) $2x+4$
7. (1) $y+9$ (2) $y+13$
8. (1) $8x-17y$ (2) $-3x+7y$

2 (1) $2a(5a-b)=2a\times 5a-2a\times b$
$=10a^2-2ab$
(2) $-3x(5x-2y)=-3x\times 5x-(-3x)\times 2y$
$=-15x^2+6xy$
(3) $(15x-10y)\times\dfrac{2}{5}x=15x\times\dfrac{2}{5}x-10y\times\dfrac{2}{5}x$
$=6x^2-4xy$
(4) $(-x+2y-5)\times 3y$
$=-x\times 3y+2y\times 3y-5\times 3y$
$=-3xy+6y^2-15y$

4 (1) $(15a^2+5a)\div 5a=\dfrac{15a^2+5a}{5a}$
$=\dfrac{15a^2}{5a}+\dfrac{5a}{5a}$
$=3a+1$
(2) $(6xy-15y)\div(-3y)=\dfrac{6xy-15y}{-3y}$
$=\dfrac{6xy}{-3y}-\dfrac{15y}{-3y}$
$=-2x+5$
(3) $(10x^2-2x)\div\dfrac{2}{3}x=(10x^2-2x)\times\dfrac{3}{2x}$
$=10x^2\times\dfrac{3}{2x}-2x\times\dfrac{3}{2x}$
$=15x-3$
(4) $(xy^2-3y)\div\left(-\dfrac{1}{2}y\right)=(xy^2-3y)\times\left(-\dfrac{2}{y}\right)$
$=xy^2\times\left(-\dfrac{2}{y}\right)-3y\times\left(-\dfrac{2}{y}\right)$
$=-2xy+6$

5 (1) $2(3a-b)+(9ab-6b^2)\div 3b$

$=6a-2b+\dfrac{9ab-6b^2}{3b}$

$=6a-2b+\dfrac{9ab}{3b}-\dfrac{6b^2}{3b}$

$=6a-2b+3a-2b$

$=9a-4b$

(2) $(8xy^2-4xy)\div(xy)^2\times 3x^2y$

$=(8xy^2-4xy)\div x^2y^2\times 3x^2y$

$=(8xy^2-4xy)\times\dfrac{1}{x^2y^2}\times 3x^2y$

$=(8xy^2-4xy)\times\dfrac{3}{y}$

$=8xy^2\times\dfrac{3}{y}-4xy\times\dfrac{3}{y}$

$=24xy-12x$

(3) $(-4a^2b-6ab^2)\div(-2ab)^3\times 6a^2b^3$

$=(-4a^2b-6ab^2)\div(-8a^3b^3)\times 6a^2b^3$

$=(-4a^2b-6ab^2)\times\left(-\dfrac{1}{8a^3b^3}\right)\times 6a^2b^3$

$=(-4a^2b-6ab^2)\times\left(-\dfrac{3}{4a}\right)$

$=-4a^2b\times\left(-\dfrac{3}{4a}\right)-6ab^2\times\left(-\dfrac{3}{4a}\right)$

$=3ab+\dfrac{9}{2}b^2$

(4) $(2x^2y+5xy)\div\dfrac{1}{4}y+3x(x+1)$

$=(2x^2y+5xy)\times\dfrac{4}{y}+3x^2+3x$

$=2x^2y\times\dfrac{4}{y}+5xy\times\dfrac{4}{y}+3x^2+3x$

$=8x^2+20x+3x^2+3x$

$=11x^2+23x$

6 (1) $2x-6y=2x-6(x-3)$

$=2x-6x+18$

$=-4x+18$

(2) $3x-y+1=3x-(x-3)+1$

$=3x-x+3+1$

$=2x+4$

7 (1) $3x-5y=3(2y+3)-5y$

$=6y+9-5y$

$=y+9$

(2) $2x-3y+7=2(2y+3)-3y+7$

$=4y+6-3y+7$

$=y+13$

8 (1) $3A+5B=3(x+y)+5(x-4y)$

$=3x+3y+5x-20y$

$=8x-17y$

(2) $A-2(A+B)=A-2A-2B=-A-2B$

$=-(x+y)-2(x-4y)$

$=-x-y-2x+8y$

$=-3x+7y$

67쪽

STEP **1**

1-1. (1) $-2x^2+8xy-8x$ (2) $-8a^2+5ab^2$ (3) $9a^2+19ab$

1-2. (1) $-3a^2+15ab+6a$ (2) $3x^2y^2-2x^3$ (3) $2x^2+23xy$

2-1. $-\dfrac{2}{y},\ -\dfrac{2}{y},\ -\dfrac{2}{y},\ -6x+4$

2-2. (1) $-2x+1$ (2) $-20y^2+10xy-15$ (3) $-x+10y$

3-1. $3, 2, 3, 2, 2, -7, 4$

3-2. (1) $-5x+21y$ (2) $-9x-22y$ (3) $18x-25y$

1-1 (1) $-2x(x-4y+4)$

$=-2x\times x-(-2x)\times 4y+(-2x)\times 4$

$=-2x^2+8xy-8x$

(2) $(16a-10b^2)\times\left(-\dfrac{1}{2}a\right)$

$=16a\times\left(-\dfrac{1}{2}a\right)-10b^2\times\left(-\dfrac{1}{2}a\right)$

$=-8a^2+5ab^2$

(3) $5a(2a+3b)+a(-a+4b)$

$=5a\times 2a+5a\times 3b+a\times(-a)+a\times 4b$

$=10a^2+15ab-a^2+4ab$

$=9a^2+19ab$

1-2 (1) $(a-5b-2)\times(-3a)$

$=a\times(-3a)-5b\times(-3a)-2\times(-3a)$

$=-3a^2+15ab+6a$

(2) $\dfrac{1}{2}x(6xy^2-4x^2)=\dfrac{1}{2}x\times 6xy^2-\dfrac{1}{2}x\times 4x^2$

$=3x^2y^2-2x^3$

(3) $5x(x+y)-3x(x-6y)$

$=5x\times x+5x\times y+(-3x)\times x+(-3x)\times(-6y)$

$=5x^2+5xy-3x^2+18xy$

$=2x^2+23xy$

2-2 (1) $(6x^2y-3xy)\div(-3xy)=\dfrac{6x^2y-3xy}{-3xy}$

$=\dfrac{6x^2y}{-3xy}-\dfrac{3xy}{-3xy}$

$=-2x+1$

(2) $(8xy^2-4x^2y+6x)\div\left(-\dfrac{2}{5}x\right)$

$\quad=(8xy^2-4x^2y+6x)\times\left(-\dfrac{5}{2x}\right)$

$\quad=8xy^2\times\left(-\dfrac{5}{2x}\right)-4x^2y\times\left(-\dfrac{5}{2x}\right)+6x\times\left(-\dfrac{5}{2x}\right)$

$\quad=-20y^2+10xy-15$

(3) $(20x^2-15xy)\div(-5x)+(28y^2+12xy)\div4y$

$\quad=\dfrac{20x^2-15xy}{-5x}+\dfrac{28y^2+12xy}{4y}$

$\quad=\dfrac{20x^2}{-5x}-\dfrac{15xy}{-5x}+\dfrac{28y^2}{4y}+\dfrac{12xy}{4y}$

$\quad=-4x+3y+7y+3x$

$\quad=-x+10y$

3-2 (1) $-2A+3B=-2(4x-3y)+3(x+5y)$

$\qquad\qquad\qquad=-8x+6y+3x+15y$

$\qquad\qquad\qquad=-5x+21y$

(2) $-A-5B=-(4x-3y)-5(x+5y)$

$\qquad\qquad\quad=-4x+3y-5x-25y$

$\qquad\qquad\quad=-9x-22y$

(3) $3A-2(B-A)=3A-2B+2A$

$\qquad\qquad\qquad\quad=5A-2B$

$\qquad\qquad\qquad\quad=5(4x-3y)-2(x+5y)$

$\qquad\qquad\qquad\quad=20x-15y-2x-10y$

$\qquad\qquad\qquad\quad=18x-25y$

STEP ②   68쪽~70쪽

1-2. ②	**2-2.** ②
3-2. 6	**3-3.** 5
4-2. $5a-2b$	
5-2. $-\dfrac{1}{2}$	**5-3.** 36
6-2. $-4x+11$	**6-3.** $8x-18y$

1-2 ① $xy(x^2-3y^2)=xy\times x^2-xy\times3y^2$

$\qquad\qquad\qquad\ =x^3y-3xy^3$

② $-5x(2xy+y)=-5x\times2xy+(-5x)\times y$

$\qquad\qquad\qquad\quad=-10x^2y-5xy$

③ $2x^2(x^2+x-1)=2x^2\times x^2+2x^2\times x-2x^2\times1$

$\qquad\qquad\qquad\qquad=2x^4+2x^3-2x^2$

④ $-2y(3x+2y-1)$

$\quad=-2y\times3x+(-2y)\times2y-(-2y)\times1$

$\quad=-6xy-4y^2+2y$

---

⑤ $2x(x-1)=2x\times x-2x\times1$

$\qquad\qquad\ =2x^2-2x$

따라서 옳은 것은 ②이다.

2-2 ① $(4a^2+3ab)\div a=\dfrac{4a^2+3ab}{a}$

$\qquad\qquad\qquad\quad=\dfrac{4a^2}{a}+\dfrac{3ab}{a}$

$\qquad\qquad\qquad\quad=4a+3b$

② $(8a^2-4ab)\div\dfrac{1}{2}a=(8a^2-4ab)\times\dfrac{2}{a}$

$\qquad\qquad\qquad\qquad\quad=8a^2\times\dfrac{2}{a}-4ab\times\dfrac{2}{a}$

$\qquad\qquad\qquad\qquad\quad=16a-8b$

③ $(12x^2y-4xy)\div4xy=\dfrac{12x^2y-4xy}{4xy}$

$\qquad\qquad\qquad\qquad\qquad=\dfrac{12x^2y}{4xy}-\dfrac{4xy}{4xy}$

$\qquad\qquad\qquad\qquad\qquad=3x-1$

④ $(4x^2+6xy)\div(-2x)=\dfrac{4x^2+6xy}{-2x}$

$\qquad\qquad\qquad\qquad\qquad=\dfrac{4x^2}{-2x}+\dfrac{6xy}{-2x}$

$\qquad\qquad\qquad\qquad\qquad=-2x-3y$

⑤ $(-8x^2+24xy)\div(-4x)=\dfrac{-8x^2+24xy}{-4x}$

$\qquad\qquad\qquad\qquad\qquad\quad=\dfrac{-8x^2}{-4x}+\dfrac{24xy}{-4x}$

$\qquad\qquad\qquad\qquad\qquad\quad=2x-6y$

따라서 옳지 않은 것은 ②이다.

3-2 $(15x^2-6xy)\div3x-(20xy-35y^2)\times\dfrac{1}{5y}$

$\quad=\dfrac{15x^2-6xy}{3x}-(4x-7y)$

$\quad=5x-2y-4x+7y$

$\quad=x+5y$

따라서 x의 계수는 1, y의 계수는 5이므로
구하는 합은 $1+5=6$

3-3 $\dfrac{20x^2-5xy}{5x}-\dfrac{16xy-8y^2}{-4y}=4x-y-(-4x+2y)$

$\qquad\qquad\qquad\qquad\qquad\quad=4x-y+4x-2y$

$\qquad\qquad\qquad\qquad\qquad\quad=8x-3y$

따라서 $A=8$, $B=-3$이므로
$A+B=8+(-3)=5$

4-2 (원기둥의 부피)=(밑넓이)×(높이)이므로
$45\pi a^3-18\pi a^2b=\pi\times(3a)^2\times$(높이)

$\therefore$ (높이)$=\dfrac{45\pi a^3-18\pi a^2b}{9\pi a^2}$

$\qquad\qquad\ =5a-2b$

5-2 $3a(2a-5b)-2(a^2-3ab)=6a^2-15ab-2a^2+6ab$
$$=4a^2-9ab$$

$4a^2-9ab$에 $a=\dfrac{1}{2}$, $b=\dfrac{1}{3}$을 대입하면

$$4a^2-9ab=4\times\left(\dfrac{1}{2}\right)^2-9\times\dfrac{1}{2}\times\dfrac{1}{3}$$
$$=1-\dfrac{3}{2}=-\dfrac{1}{2}$$

5-3 $\dfrac{4a^3-6a^2b}{2a}-\dfrac{9b^3+6ab^2}{3b}=2a^2-3ab-(3b^2+2ab)$
$$=2a^2-3ab-3b^2-2ab$$
$$=2a^2-3b^2-5ab$$

$2a^2-3b^2-5ab$에 $a=-3$, $b=2$를 대입하면
$2a^2-3b^2-5ab=2\times(-3)^2-3\times2^2-5\times(-3)\times2$
$$=18-12+30$$
$$=36$$

6-2 $2x-3y+2=2x-3(2x-3)+2$
$$=2x-6x+9+2$$
$$=-4x+11$$

6-3 $3(A-B)+4B=3A-3B+4B$
$$=3A+B$$
$$=3(x-4y)+5x-6y$$
$$=3x-12y+5x-6y$$
$$=8x-18y$$

계산력 **집중 연습** ——— 71쪽

1. (1) $6x^2-18x$ (2) $-2xy-14y^2$ (3) $-a^3+2a^2-3a$

2. (1) $3x-4y$ (2) $6x-8$ (3) $-7x+21y$

3. (1) $6a^2+6b^2$ (2) $-5a^2+10a-2$ (3) $7x-y$ (4) -4

4. (1) $6x^2-12xy$ (2) x^2+3x-3 (3) a^2

  (4) $-x^2+18xy^2-6y$

5. (1) $-9x+y$ (2) $22x-y$ (3) $-14x+3y$ (4) $-11x-6y$

---

1 (1) $-3x(-2x+6)=-3x\times(-2x)+(-3x)\times6$
$$=6x^2-18x$$

(2) $(x+7y)\times(-2y)=x\times(-2y)+7y\times(-2y)$
$$=-2xy-14y^2$$

(3) $-\dfrac{1}{4}a(4a^2-8a+12)$

$$=-\dfrac{1}{4}a\times4a^2-\left(-\dfrac{1}{4}a\right)\times8a+\left(-\dfrac{1}{4}a\right)\times12$$
$$=-a^3+2a^2-3a$$

---

2 (1) $(-6x^2y+8xy^2)\div(-2xy)$

$$=\dfrac{-6x^2y+8xy^2}{-2xy}$$
$$=\dfrac{-6x^2y}{-2xy}+\dfrac{8xy^2}{-2xy}$$
$$=3x-4y$$

(2) $(15x^2-20x)\div\dfrac{5}{2}x$

$$=(15x^2-20x)\times\dfrac{2}{5x}$$
$$=15x^2\times\dfrac{2}{5x}-20x\times\dfrac{2}{5x}$$
$$=6x-8$$

(3) $(2x^2y-6xy^2)\div\left(-\dfrac{2}{7}xy\right)$

$$=(2x^2y-6xy^2)\times\left(-\dfrac{7}{2xy}\right)$$
$$=2x^2y\times\left(-\dfrac{7}{2xy}\right)-6xy^2\times\left(-\dfrac{7}{2xy}\right)$$
$$=-7x+21y$$

3 (1) $2a(6b+3a)-3b(4a-2b)$
$$=12ab+6a^2-12ab+6b^2$$
$$=6a^2+6b^2$$

(2) $2(-2a^2+3a-1)-a(a-4)$
$$=-4a^2+6a-2-a^2+4a$$
$$=-5a^2+10a-2$$

(3) $\dfrac{8x^2+6xy}{2x}-\dfrac{12y^2-9xy}{3y}$
$$=4x+3y-(4y-3x)$$
$$=4x+3y-4y+3x$$
$$=7x-y$$

(4) $(3a^2+2a)\div(-a)+(6a^2-4a)\div2a$
$$=\dfrac{3a^2+2a}{-a}+\dfrac{6a^2-4a}{2a}$$
$$=-3a-2+3a-2$$
$$=-4$$

4 (1) $(4x^3-8x^2y)\div(-2xy)^2\times6xy^2$
$$=(4x^3-8x^2y)\div4x^2y^2\times6xy^2$$
$$=(4x^3-8x^2y)\times\dfrac{1}{4x^2y^2}\times6xy^2$$
$$=(4x^3-8x^2y)\times\dfrac{3}{2x}$$
$$=6x^2-12xy$$

(2) $x(-x+3)+(4x^3-6x)\div2x$
$$=-x^2+3x+\dfrac{4x^3-6x}{2x}$$
$$=-x^2+3x+2x^2-3$$
$$=x^2+3x-3$$

(3) $a(2a-3)-(2a^3b-6a^2b)\div 2ab$

$\quad =2a^2-3a-\dfrac{2a^3b-6a^2b}{2ab}$

$\quad =2a^2-3a-(a^2-3a)$

$\quad =2a^2-3a-a^2+3a=a^2$

(4) $(6x^2y+12xy^3-9y^2)\div\dfrac{3}{2}y-5x(x-2y^2)$

$\quad =(6x^2y+12xy^3-9y^2)\times\dfrac{2}{3y}-5x^2+10xy^2$

$\quad =4x^2+8xy^2-6y-5x^2+10xy^2$

$\quad =-x^2+18xy^2-6y$

5 (1) $A-2B=-x+3y-2(4x+y)$

$\qquad\qquad\quad =-x+3y-8x-2y$

$\qquad\qquad\quad =-9x+y$

(2) $-2A+5B=-2(-x+3y)+5(4x+y)$

$\qquad\qquad\qquad =2x-6y+20x+5y$

$\qquad\qquad\qquad =22x-y$

(3) $\dfrac{1}{2}(4A-6B)=2A-3B$

$\qquad\qquad\qquad =2(-x+3y)-3(4x+y)$

$\qquad\qquad\qquad =-2x+6y-12x-3y$

$\qquad\qquad\qquad =-14x+3y$

(4) $2A-3(A+B)=2A-3A-3B$

$\qquad\qquad\qquad =-A-3B$

$\qquad\qquad\qquad =-(-x+3y)-3(4x+y)$

$\qquad\qquad\qquad =x-3y-12x-3y$

$\qquad\qquad\qquad =-11x-6y$

STEP ❸ 72쪽~73쪽

01. ⑤	**02.** ㈏, $-6a+2$	**03.** 2	**04.** ②
05. (1) $6x^2+12xy-3x$ (2) $18x^3+36x^2y-9x^2$			
06. ①, ④	**07.** -3	**08.** ⑤	**09.** $4ab^2-2b$
10. ⑤	**11.** ⑤	**12.** ①	**13.** $6x^2+12x-13$

01 $3a(a-3b)+2a(-a+5b)=3a^2-9ab-2a^2+10ab$

$\qquad\qquad\qquad\qquad\qquad =a^2+ab$

02 $(18a^2-6a)\div(-3a)=\dfrac{18a^2-6a}{-3a}$

$\qquad\qquad\qquad\qquad =\dfrac{18a^2}{-3a}-\dfrac{6a}{-3a}$

$\qquad\qquad\qquad\qquad =-6a+2$ ······ [60 %]

따라서 처음으로 잘못된 부분은 ㈏이다. ······ [40 %]

03 $(9x^2-6xy)\div\dfrac{3}{2}x=(9x^2-6xy)\times\dfrac{2}{3x}$

$\qquad\qquad\qquad\qquad\quad =6x-4y$

따라서 $a=6,\ b=-4$이므로

$a+b=6+(-4)=2$

04 $A\times\dfrac{1}{4}ab=-\dfrac{1}{4}a^2b-ab^2+3ab$

$\therefore A=\left(-\dfrac{1}{4}a^2b-ab^2+3ab\right)\div\dfrac{1}{4}ab$

$\qquad =\left(-\dfrac{1}{4}a^2b-ab^2+3ab\right)\times\dfrac{4}{ab}$

$\qquad =-a-4b+12$

05 (1) 어떤 다항식을 ☐라 하면

$\quad$ ☐$\div 3x=2x+4y-1$ ······ [30 %]

$\quad \therefore$ ☐$=(2x+4y-1)\times 3x$

$\qquad\qquad =6x^2+12xy-3x$ ······ [30 %]

(2) 바르게 계산한 식은

$\quad (6x^2+12xy-3x)\times 3x$

$\quad =18x^3+36x^2y-9x^2$ ······ [40 %]

06 ② $(-9x^2+21xy)\div(-3x)$

$\quad =\dfrac{-9x^2+21xy}{-3x}$

$\quad =3x-7y$

③ $-2x(2x-4)+2(2x^2+6)$

$\quad =-4x^2+8x+4x^2+12$

$\quad =8x+12$

④ $\dfrac{4x^2-6xy}{2x}-\dfrac{xy-5y^2}{y}$

$\quad =2x-3y-(x-5y)$

$\quad =2x-3y-x+5y$

$\quad =x+2y$

⑤ $(12x^2-15xy)\div 3x-2(x-y)$

$\quad =\dfrac{12x^2-15xy}{3x}-2x+2y$

$\quad =4x-5y-2x+2y$

$\quad =2x-3y$

따라서 옳은 것은 ①, ④이다.

07 $\dfrac{5xy^2-3x^2y}{xy}-\dfrac{xy-4x^2}{x}=5y-3x-(y-4x)$

$\qquad\qquad\qquad\qquad\quad =5y-3x-y+4x$

$\qquad\qquad\qquad\qquad\quad =x+4y$

따라서 $A=1,\ B=4$이므로

$A-B=1-4=-3$

08 $-3x(4x-6y)+(18x^2y^2-12x^3y)\div 6xy$

$=-12x^2+18xy+\dfrac{18x^2y^2-12x^3y}{6xy}$

$=-12x^2+18xy+3xy-2x^2$

$=-14x^2+21xy$

따라서 xy의 계수는 21이다.

09 (삼각기둥의 부피)=(밑넓이)×(높이)이므로

$16a^2b^3-8ab^2=\dfrac{1}{2}\times 4a\times 2b\times(높이)$

$16a^2b^3-8ab^2=4ab\times(높이)$

$\therefore (높이)=(16a^2b^3-8ab^2)\div 4ab$

$=\dfrac{16a^2b^3-8ab^2}{4ab}=4ab^2-2b$

10

주어진 그림에서 색칠한 부분의 넓이는

$\dfrac{1}{2}\times(3a-b)\times 4b+\dfrac{1}{2}\times b\times\dfrac{2}{3}b$

$=2b(3a-b)+\dfrac{1}{3}b^2$

$=6ab-2b^2+\dfrac{1}{3}b^2$

$=6ab-\dfrac{5}{3}b^2$

11 $3x(x-2y)-2y(x+y)$

$=3x^2-6xy-2xy-2y^2$

$=3x^2-8xy-2y^2$

$3x^2-8xy-2y^2$에 $x=-1, y=1$을 대입하면

$3x^2-8xy-2y^2=3\times(-1)^2-8\times(-1)\times 1-2\times 1^2$

$=3+8-2=9$

12 $4A-3B=4(2x+y)-3(5x-3y)$

$=8x+4y-15x+9y$

$=-7x+13y$

13 $2A-\{B-2(A+B)\}$

$=2A-(B-2A-2B)$

$=2A-(-2A-B)$

$=2A+2A+B$

$=4A+B$ ...... [50 %]

$=4(x^2+3x-3)+(2x^2-1)$

$=4x^2+12x-12+2x^2-1$

$=6x^2+12x-13$ ...... [50 %]

---

4. 일차부등식

1 부등식의 해와 그 성질

개념 확인

1. ㉠, ㉢, ㉥

2. (1) $<$ (2) $\geq$ (3) $\leq$

3.

x의 값	좌변	부등호	우변	참, 거짓 판별
-1	-1	$<$	3	참
0	1	$<$	3	참
1	3	$=$	3	거짓

따라서 주어진 부등식의 해는 $-1, 0$이다.

4. (1) 2, 3 (2) 2, 3, 4

5. (1) $\leq$ (2) $\leq$ (3) $\leq$ (4) $\geq$

STEP 1

1-1. (1) $>$ (2) $>$ (3) $<$ (4) $<$ 연구 (3) $<, <$

1-2. (1) $>$ (2) $>$ (3) $<$ (4) $<$

2-1. (1) $>$ (2) $\geq$ (3) $>$ 연구 (3) $<, >$

2-2. (1) $>$ (2) $\geq$ (3) $<$

3-1. $-2x+3<-1$ 연구 $<, <, <$

3-2. (1) $x+2>5$ (2) $x-1>2$ (3) $3x-2>7$

(4) $-\dfrac{1}{2}x+1<-\dfrac{1}{2}$

1-1 (4) $\qquad\qquad a>b$

$\qquad -\dfrac{2}{5}a<-\dfrac{2}{5}b$ $\quad$ 양변에 $-\dfrac{2}{5}$를 곱한다.

$\qquad$ 양변에 1을 더한다.

$\therefore -\dfrac{2}{5}a+1<-\dfrac{2}{5}b+1$

1-2 (1) $a>b$에서 $7a>7b$ $\quad\therefore 7a-2>7b-2$

(2) $a>b$에서 $\dfrac{a}{4}>\dfrac{b}{4}$ $\quad\therefore \dfrac{a}{4}+3>\dfrac{b}{4}+3$

(3) $a>b$에서 $-a<-b$

$\therefore -a+6<-b+6$

(4) $a>b$에서 $a-2>b-2$

$\therefore -3(a-2)<-3(b-2)$

2-2 (1) $a-\dfrac{1}{3}>b-\dfrac{1}{3}$ ⟩ 양변에 $\dfrac{1}{3}$ 을 더한다.

$$a>b$$

(2) $-\dfrac{a}{4}\leq-\dfrac{b}{4}$ ⟩ 양변에 -4를 곱한다.

$$a\geq b$$

(3) $3-5a>3-5b$ ⟩ 양변에서 3을 뺀다.

$-5a>-5b$ ⟩ 양변을 -5로 나눈다.

$$a<b$$

3-2 (1) $x>3$에서 $x+2>5$

(2) $x>3$에서 $x-1>2$

(3) $x>3$에서 $3x>9$ $\therefore 3x-2>7$

(4) $x>3$에서 $-\dfrac{1}{2}x<-\dfrac{3}{2}$

$$\therefore -\dfrac{1}{2}x+1<-\dfrac{1}{2}$$

STEP ② 80쪽~81쪽

1-2. ⑤

2-2. 1, 2   **2-3.** ④

3-2. ②   **3-3.** ②

4-2. $-1<2x+1\leq 5$ **4-3.** 6, 10, 3, 5

1-2 ① $x-3>-1$

② $5x+7>10$

③ $x+10\leq170$

④ $2x\geq30$

2-2 $x=-1$일 때, $4\times(-1)-3>0$ (거짓)

$x=0$일 때, $4\times0-3>0$ (거짓)

$x=1$일 때, $4\times1-3>0$ (참)

$x=2$일 때, $4\times2-3>0$ (참)

따라서 부등식의 해는 1, 2이다.

2-3 ④ $-3\times1+2\leq-5$ (거짓)

3-2 ①, ③, ④, ⑤ $>$

② $<$

3-3 $-3a>-3b$에서 $a<b$

② $a<b$에서 $-a>-b$

$$\therefore -a+3>-b+3$$

4-2 $-1<x\leq2$에서 $-2<2x\leq4$

$$\therefore -1<2x+1\leq5$$

4-3 $3\leq2x-3<7$

$6\leq\ \ 2x\ \ <10$ ⟩ 양변에 3을 더한다.

$\therefore 3\leq\ \ x\ \ <5$ ⟩ 양변을 2로 나눈다.

STEP ③ 82쪽

01. ㉠, ㉣, ㉻   **02.** ④   **03.** ③   **04.** 1, 2, 3   **05.** ⑤

06. (1) $-6\leq-3x<12$ (2) $-1\leq A<17$

01 ㉠, ㉣, ㉻ 부등식

㉡, ㉢ 등식

㉤ 다항식

02 (넘지 않는다.)=(작거나 같다.)이므로

④ $x\leq5.5$

03 ① $2\times0+1<0$ (거짓)

② $3>3\times3-2$ (거짓)

③ $2\times6-3>7$ (참)

④ $1-3\times(-1)\geq5$ (거짓)

⑤ $2-3\times(-2)\leq2-(-2)$ (거짓)

따라서 [ ] 안의 수가 부등식의 해인 것은 ③이다.

04 $x=1, 2, 3, 4, \cdots$를 부등식에 대입하면

$x=1$일 때, $-3\times1+2>-10$ (참)

$x=2$일 때, $-3\times2+2>-10$ (참)

$x=3$일 때, $-3\times3+2>-10$ (참)

$x=4$일 때, $-3\times4+2>-10$ (거짓)

$\vdots$

따라서 부등식의 해는 1, 2, 3이다.

05 ⑤ $a<b$에서 $-\dfrac{a}{3}>-\dfrac{b}{3}$

$$\therefore 2-\dfrac{a}{3}>2-\dfrac{b}{3}$$

06 (1) $-4<x\leq2$에서 $-6\leq-3x<12$ ······ [50 %]

(2) $-6\leq-3x<12$에서

$-1\leq-3x+5<17$

$\therefore -1\leq A<17$ ······ [50 %]

2 일차부등식의 풀이

83쪽~86쪽

개념 확인

1. (1) ◯ (2) × (3) ◯ (4) ×

2. (1) $x \geq -2$ (2) $x < 3$

3. (1) $x > 3$,

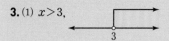

(2) $x \leq 2$,

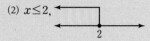

(3) $x \leq -6$,

(4) $x > -2$,

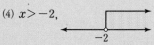

4. (1) $x \geq 2$ (2) $x < 3$ (3) $x \leq 9$ (4) $x < -8$

5. (1) $x > -4$ (2) $x \geq -7$ (3) $x \geq 9$ (4) $x \leq -4$

---

1 (1) $6x+2 > 5$에서 $6x-3 > 0$ ➡ 일차부등식이다.

(2) $x^2 \leq 3x+2$에서 $x^2-3x-2 \leq 0$ ➡ 일차부등식이 아니다.

(3) $2x-3 \geq 5x+6$에서 $-3x-9 \geq 0$ ➡ 일차부등식이다.

(4) $x+2 < x-5$에서 $7 < 0$ ➡ 일차부등식이 아니다.

3 (1) $x-2 > 1$의 양변에 2를 더하면

$x-2+2 > 1+2$

$\therefore x > 3$

이 해를 수직선 위에 나타내면
오른쪽과 같다.

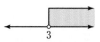

(2) $3x+1 \leq 7$의 양변에서 1을 빼면

$3x+1-1 \leq 7-1$, $3x \leq 6$

양변을 3으로 나누면 $\dfrac{3x}{3} \leq \dfrac{6}{3}$

$\therefore x \leq 2$

이 해를 수직선 위에 나타내면
오른쪽과 같다.

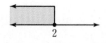

(3) $-\dfrac{3}{2}x \geq 9$의 양변을 $-\dfrac{3}{2}$으로 나누면

$-\dfrac{3}{2}x \div \left(-\dfrac{3}{2}\right) \leq 9 \div \left(-\dfrac{3}{2}\right)$

$\therefore x \leq -6$

이 해를 수직선 위에 나타내면
오른쪽과 같다.

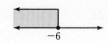

(4) $-5x-6 < 4$의 양변에 6을 더하면

$-5x-6+6 < 4+6$, $-5x < 10$

양변을 -5로 나누면 $\dfrac{-5x}{-5} > \dfrac{10}{-5}$

$\therefore x > -2$

이 해를 수직선 위에 나타내면
오른쪽과 같다.

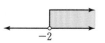

4 (1) $2x-5 \geq -x+1$에서

$2x+x \geq 1+5$, $3x \geq 6$　$\therefore x \geq 2$

(2) $1-4x > -8-x$에서

$-4x+x > -8-1$, $-3x > -9$

$\therefore x < 3$

(3) $2x+6 \geq 4(x-3)$에서

$2x+6 \geq 4x-12$, $2x-4x \geq -12-6$

$-2x \geq -18$　$\therefore x \leq 9$

(4) $3(x-1)+5 < 2(x-3)$에서

$3x-3+5 < 2x-6$, $3x-2x < -6-2$

$\therefore x < -8$

5 (1) $0.3x-1.2 < 0.6x$의 양변에 10을 곱하면

$3x-12 < 6x$, $-3x < 12$

$\therefore x > -4$

(2) $0.9x+0.8 \geq 0.5x-2$의 양변에 10을 곱하면

$9x+8 \geq 5x-20$, $4x \geq -28$

$\therefore x \geq -7$

(3) $\dfrac{1}{3}x+\dfrac{3}{4} \leq \dfrac{5}{12}x$의 양변에 12를 곱하면

$4x+9 \leq 5x$, $-x \leq -9$　$\therefore x \geq 9$

(4) $\dfrac{1}{2}x-1 \geq \dfrac{5}{4}x+2$의 양변에 4를 곱하면

$2x-4 \geq 5x+8$, $-3x \geq 12$

$\therefore x \leq -4$

STEP 1

87쪽

1-1. $x < 5$　연구 $6, 2, 10, x < 5$

1-2. (1) $x > 4$　(2) $x \geq -6$

2-1. $x > -3$　연구 $9, 2, 15, x > -3$

2-2. (1) $x < -3$　(2) $x \leq 5$

3-1. $x > -6$　연구 $18, -18, -18, x > -6$

3-2. (1) $x > \dfrac{3}{5}$　(2) $x \leq 2$

4-1. $x \leq -\dfrac{5}{4}$　연구 $5, 5, -4, 5, x \leq -\dfrac{5}{4}$

4-2. (1) $x \leq 24$　(2) $x > \dfrac{29}{7}$

1-2 (1) $4x-5>x+7$에서 $3x>12$ $\therefore x>4$

(2) $2x+2\leq3x+8$에서 $-x\leq6$ $\therefore x\geq-6$

2-2 (1) $3(x+1)>5x+9$에서

$3x+3>5x+9$, $-2x>6$

$\therefore x<-3$

(2) $2x-(5x-4)\geq-11$에서

$2x-5x+4\geq-11$, $-3x\geq-15$

$\therefore x\leq5$

3-2 (1) $0.5x+0.2<x-0.1$의 양변에 10을 곱하면

$5x+2<10x-1$, $-5x<-3$

$\therefore x>\dfrac{3}{5}$

(2) $3.6x-1.4\leq2.4x+1$의 양변에 10을 곱하면

$36x-14\leq24x+10$, $12x\leq24$

$\therefore x\leq2$

4-2 (1) $\dfrac{x}{3}+1\geq\dfrac{2}{5}x-\dfrac{3}{5}$의 양변에 15를 곱하면

$5x+15\geq6x-9$, $-x\geq-24$

$\therefore x\leq24$

(2) $\dfrac{4-2x}{3}<\dfrac{x-7}{2}$의 양변에 6을 곱하면

$2(4-2x)<3(x-7)$, $8-4x<3x-21$

$-7x<-29$ $\therefore x>\dfrac{29}{7}$

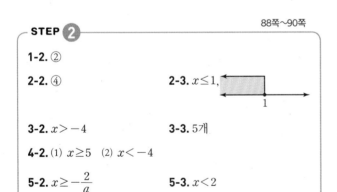

STEP 2

88쪽~90쪽

1-2. ②

2-2. ④   **2-3.** $x\leq1$,

3-2. $x>-4$ **3-3.** 5개

4-2. (1) $x\geq5$ (2) $x<-4$

5-2. $x\geq-\dfrac{2}{a}$ **5-3.** $x<2$

6-2. 7   **6-3.** -2

1-2 ① 방정식

③ $2x-1<13+2x$에서 $-14<0$

④ $5x-2\leq x^2$에서 $-x^2+5x-2\leq0$

⑤ $x^2-2x+1=x^2-3$에서 $-2x+4=0$ ➡ 방정식

따라서 일차부등식인 것은 ②이다.

2-2 ① $x-1>-1$에서 $x>0$

② $-2x>-4$에서 $x<2$

③ $2x+1>3x-1$에서 $-x>-2$

$\therefore x<2$

④ $2x-5>-x+1$에서 $3x>6$

$\therefore x>2$

⑤ $1-4x>-8-x$에서 $-3x>-9$

$\therefore x<3$

따라서 해가 $x>2$인 것은 ④이다.

2-3 $x+1\geq5x-3$에서 $-4x\geq-4$ $\therefore x\leq1$

따라서 부등식의 해를 수직선 위에 나타내면 오른쪽 그림과 같다.

3-2 $2(x+3)<10+3x$에서 $2x+6<10+3x$

$-x<4$ $\therefore x>-4$

3-3 $7-3(x-1)\geq-x$에서 $7-3x+3\geq-x$

$-2x\geq-10$ $\therefore x\leq5$

따라서 주어진 일차부등식을 만족하는 자연수 x는 1, 2, 3, 4, 5의 5개이다.

4-2 (1) $\dfrac{5}{6}x+\dfrac{1}{3}\leq1.5x-3$에서

$\dfrac{5}{6}x+\dfrac{1}{3}\leq\dfrac{3}{2}x-3$

양변에 6을 곱하면

$5x+2\leq9x-18$

$-4x\leq-20$ $\therefore x\geq5$

(2) $\dfrac{2-x}{5}>0.2(x+10)$에서

$\dfrac{2-x}{5}>\dfrac{1}{5}(x+10)$

양변에 5를 곱하면

$2-x>x+10$

$-2x>8$ $\therefore x<-4$

5-2 $ax+5\leq3$에서 $ax\leq-2$

이때 $a<0$이므로 양변을 a로 나누면 부등호의 방향이 바뀐다.

$\therefore x\geq-\dfrac{2}{a}$

5-3 $a(x+3)>5a$에서 $ax+3a>5a$

$ax>2a$

이때 $a<0$이므로 양변을 a로 나누면 부등호의 방향이 바뀐다.

$\therefore x<2$

다른 풀이 $a(x+3)>5a$에서 $a<0$이므로 양변을 a로 나누면 부등호의 방향이 바뀐다. 즉

$x+3<5$ $\therefore x<2$

6-2 $3x-8\leq-2x+a$에서 $5x\leq a+8$

$\therefore x\leq\dfrac{a+8}{5}$

이때 일차부등식의 해가 $x\leq3$이므로

$\dfrac{a+8}{5}=3$, $a+8=15$

$\therefore a=7$

6-3 $ax+4<0$에서 $ax<-4$

이때 일차부등식의 해가 $x>2$이므로 $a<0$

따라서 $x>-\dfrac{4}{a}$이므로 $-\dfrac{4}{a}=2$

$\therefore a=-2$

계산력 **집중 연습** 91쪽

1. (1) $x<-2$ (2) $x\geq2$ (3) $x<-1$ (4) $x\geq-4$

(5) $x\leq2$ (6) $x\leq-10$ (7) $x<-1$ (8) $x>0$

2. (1) $x\leq3$ (2) $x\geq\dfrac{2}{3}$ (3) $x\geq\dfrac{7}{2}$ (4) $x<2$

(5) $x<-19$ (6) $x\geq3$ (7) $x\leq6$ (8) $x\leq17$

---

1 (5) $7x-2(x-3)\leq16$에서

$7x-2x+6\leq16$, $5x\leq10$

$\therefore x\leq2$

(6) $2(1-x)\geq12-x$에서

$2-2x\geq12-x$, $-x\geq10$

$\therefore x\leq-10$

(7) $-5>1-2(2-x)$에서

$-5>1-4+2x$, $-2x>2$

$\therefore x<-1$

(8) $3(x+2)<2(x+3)+5x$에서

$3x+6<2x+6+5x$, $-4x<0$

$\therefore x>0$

2 (1) $0.3x-0.5\geq0.8x-2$의 양변에 10을 곱하면

$3x-5\geq8x-20$, $-5x\geq-15$

$\therefore x\leq3$

(2) $2-0.6x\leq2.4x$의 양변에 10을 곱하면

$20-6x\leq24x$, $-30x\leq-20$

$\therefore x\geq\dfrac{2}{3}$

(3) $-0.3(2x-1)\geq0.2(5-4x)$의 양변에 10을 곱하면

$-3(2x-1)\geq2(5-4x)$, $-6x+3\geq10-8x$,

$2x\geq7$ $\therefore x\geq\dfrac{7}{2}$

(4) $\dfrac{1}{2}x+\dfrac{5-x}{3}<2$의 양변에 6을 곱하면

$3x+2(5-x)<12$

$3x+10-2x<12$

$\therefore x<2$

(5) $\dfrac{3x+4}{2}+2<\dfrac{5x-3}{4}$의 양변에 4를 곱하면

$2(3x+4)+8<5x-3$

$6x+8+8<5x-3$

$\therefore x<-19$

(6) $2-\dfrac{x-1}{6}\leq\dfrac{2x-1}{3}$의 양변에 6을 곱하면

$12-(x-1)\leq2(2x-1)$

$12-x+1\leq4x-2$

$-5x\leq-15$ $\therefore x\geq3$

(7) $0.2x+1\geq\dfrac{1}{5}(2x-1)$의 양변에 5를 곱하면

$x+5\geq2x-1$, $-x\geq-6$

$\therefore x\leq6$

(8) $\dfrac{3}{5}x+1.2\geq0.7x-\dfrac{1}{2}$의 양변에 10을 곱하면

$6x+12\geq7x-5$, $-x\geq-17$

$\therefore x\leq17$

STEP **3** 92쪽~93쪽

01. ④, ⑤ **02.** ③ **03.** ② **04.** ③ **05.** 10

06. $x\geq4$,

07. $x<9$ **08.** ①

09. ② **10.** ①

11. (1) $x\leq1$ (2) $x\leq-a+3$ (3) 2 **12.** 0

13. (1) $a+7$ (2) $a+7\leq1$ (3) $a\leq-6$

---

01 ① $x-4<x+3$에서 $-7<0$

② $\dfrac{1}{x}-4<3$에서 $\dfrac{1}{x}-7<0$

③ $2x^2+1\geq3$에서 $2x^2-2\geq0$

---

④ $x^2+3x+1 \leq x^2+4$에서 $3x-3 \leq 0$

⑤ $x-5>0$

따라서 일차부등식인 것은 ④, ⑤이다.

02 ① $3x=9$ ➡ 일차부등식이 아니다.

② $9 \times 2 > 4 \times 3$ ➡ 일차부등식이 아니다.

③ $x-4>2x$, $-x-4>0$ ➡ 일차부등식이다.

④ $2(x-3)<2x$, $-6<0$ ➡ 일차부등식이 아니다.

⑤ $x^2 \leq 10$, $x^2-10 \leq 0$ ➡ 일차부등식이 아니다.

따라서 일차부등식인 것은 ③이다.

03 $5x-3<12$에서 $5x<15$ ∴ $x<3$

① $2x<10$에서 $x<5$

② $x+2>2x-1$에서 $-x>-3$

   ∴ $x<3$

③ $4x+1>4+3x$에서 $x>3$

④ $-2x-2>x+7$에서 $-3x>9$

   ∴ $x<-3$

⑤ $-5x>-2x-18$에서 $-3x>-18$

   ∴ $x<6$

따라서 $5x-3<12$와 해가 같은 것은 ②이다.

04 주어진 수직선에서 $x<4$

① $-2x>8$에서 $x<-4$

② $\frac{1}{2}x>2$에서 $x>4$

③ $3x-8<x$에서 $2x<8$

   ∴ $x<4$

④ $3x>x+16$에서 $2x>16$

   ∴ $x>8$

⑤ $4x-8<6x+4$에서 $-2x<12$

   ∴ $x>-6$

05 $4(x-3)<x+1$에서 $4x-12<x+1$

$3x<13$ ∴ $x<\frac{13}{3}=4\frac{1}{3}$

따라서 주어진 일차부등식을 만족하는 자연수 x의 값은 1, 2, 3, 4이므로 그 합은 $1+2+3+4=10$

06 $\frac{x-1}{3}-\frac{x+2}{2} \leq -2$의 양변에 6을 곱하면

$2(x-1)-3(x+2) \leq -12$

$2x-2-3x-6 \leq -12$

$-x \leq -4$ ∴ $x \geq 4$ ⋯⋯ [70 %]

따라서 부등식의 해를 수직선 위에 나타내면 오른쪽 그림과 같다.

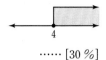

⋯⋯ [30 %]

07 $0.8x-\frac{1}{2}<0.3x+4$의 양변에 10을 곱하면

$8x-5<3x+40$, $5x<45$

∴ $x<9$

08 $-1+ax \geq 0$에서 $ax \geq 1$

이때 $a<0$이므로 양변을 a로 나누면 부등호의 방향이 바뀐다.

∴ $x \leq \frac{1}{a}$

09 $(a-3)x \geq 3a-9$에서 $(a-3)x \geq 3(a-3)$

이때 $a<3$이므로 $a-3<0$

따라서 $x \leq \frac{3(a-3)}{a-3}$이므로 $x \leq 3$

10 $8(2x+8)<7(x+a)$에서

$16x+64<7x+7a$

$9x<7a-64$ ∴ $x<\frac{7a-64}{9}$

이때 일차부등식의 해가 $x<-4$이므로

$\frac{7a-64}{9}=-4$, $7a-64=-36$

$7a=28$ ∴ $a=4$

11 (1) $3-x \leq 4-2x$에서 $x \leq 1$ ⋯⋯ [40 %]

(2) $3-2a \geq x-a$에서 $-x \geq a-3$

   ∴ $x \leq -a+3$ ⋯⋯ [40 %]

(3) 두 일차부등식의 해가 서로 같으므로

   $1=-a+3$ ∴ $a=2$ ⋯⋯ [20 %]

12 $(a-5)x+7 \geq -8$에서 $(a-5)x \geq -15$

이때 일차부등식의 해가 $x \leq 3$이므로

$a-5<0$

따라서 $x \leq -\frac{15}{a-5}$이므로 $-\frac{15}{a-5}=3$

$-15=3a-15$ ∴ $a=0$

13 (1) $x-a<7$에서 $x<a+7$

(2) 자연수 x의 값이 존재하지 않으므로 $a+7$은 1보다 작거나 같아야 한다.

   $a+7 \leq 1$

(3) $a+7 \leq 1$에서 $a \leq -6$

3 일차부등식의 활용

1. 7

2. $50000+1000x$, $35000+3000x$, 8개월

3. 12, 5, 700 g

1 어떤 정수를 x라 하면

$3(x+2)\leq27$, $3x+6\leq27$

$3x\leq21$ ∴ $x\leq7$

따라서 정수 x 중에서 가장 큰 수는 7이다.

2 $50000+1000x<35000+3000x$

$-2000x<-15000$ ∴ $x>\dfrac{15}{2}$

이때 개월 수는 자연수이므로 동생의 예금액이 형의 예금액

보다 많아지는 것은 8개월 후부터이다.

3 물을 x g 더 넣는다고 하면

$\dfrac{12}{100}\times500\leq\dfrac{5}{100}\times(500+x)$

$6000\leq5(500+x)$, $6000\leq2500+5x$

$-5x\leq-3500$ ∴ $x\geq700$

따라서 최소 700 g의 물을 더 넣어야 한다.

1-1. 8자루   [연구] $15-x$, $500(15-x)$, ≤, $500(15-x)$, $\dfrac{25}{3}$, 8

1-2. (1) $2000x+1300(12-x)\leq21000$ (2) $x\leq\dfrac{54}{7}$ (3) 7개

2-1. $\dfrac{24}{7}$ km   [연구] x, $\dfrac{x}{3}$, $\dfrac{x}{4}$, $\dfrac{x}{3}$, $\dfrac{x}{4}$, $\dfrac{24}{7}$, $\dfrac{24}{7}$

2-2. (1) $\dfrac{x}{2}+\dfrac{x}{3}\leq2$ (2) $x\leq\dfrac{12}{5}$ (3) $\dfrac{12}{5}$ km

1-2 (1) 오렌지의 개수는 $(12-x)$개이므로

$2000x+1300(12-x)\leq21000$

(2) $2000x+1300(12-x)\leq21000$에서

$2000x+15600-1300x\leq21000$

$700x\leq5400$ ∴ $x\leq\dfrac{54}{7}$

(3) 사과의 개수는 자연수이므로 최대 7개까지 살 수 있다.

2-2 (1) 내려올 때 걸은 거리도 x km이므로 $\dfrac{x}{2}+\dfrac{x}{3}\leq2$

(2) $\dfrac{x}{2}+\dfrac{x}{3}\leq2$에서

$3x+2x\leq12$, $5x\leq12$

∴ $x\leq\dfrac{12}{5}$

(3) 올라갈 수 있는 거리는 최대 $\dfrac{12}{5}$ km이다.

1-2. 17개   **2-2.** 11개

3-2. 28명   **3-3.** 48명

4-2. 12 cm   **4-3.** 13 cm

5-2. 4 km   **5-3.** $\dfrac{4}{3}$ km

6-2. 400 g

1-2 물건의 개수를 x개라 하면

$200x+500\leq4000$

$200x\leq3500$ ∴ $x\leq\dfrac{35}{2}$

이때 물건의 개수는 자연수이므로 물건은 최대 17개까지

담을 수 있다.

2-2 과자를 x개 산다고 하면

	동네 가게	할인 매장
과자 가격(원)	$2000x$	$1800x$
교통비(원)	0	2100

$1800x+2100<2000x$

$-200x<-2100$ ∴ $x>\dfrac{21}{2}$

이때 과자의 개수는 자연수이므로 11개 이상 사는 경우에

할인 매장에 가는 것이 더 유리하다.

3-2 입장하는 사람 수를 x명이라 하면

$2000x>\left(2000\times\dfrac{90}{100}\right)\times30$

$2000x>54000$ ∴ $x>27$

이때 사람 수는 자연수이므로 28명 이상일 때 30명의 단체

입장권을 사는 것이 유리하다.

3-3 입장하는 사람 수를 x명이라 하면

$10000x>9500\times50$

$10000x>475000$ ∴ $x>\dfrac{95}{2}$

이때 사람 수는 자연수이므로 48명 이상일 때 50명의 단체

입장권을 사는 것이 유리하다.

4-2 가로의 길이를 x cm라 하면 세로의 길이는 $(x+2)$ cm이 므로
$2 \times \{x+(x+2)\} \geq 52,\ 4x+4 \geq 52$
$4x \geq 48$ $\therefore x \geq 12$
따라서 가로의 길이는 12 cm 이상이어야 한다.

4-3 사다리꼴의 아랫변의 길이를 x cm라 하면
(사다리꼴의 넓이)
$= \dfrac{1}{2} \times \{(윗변의 길이)+(아랫변의 길이)\} \times (높이)$이므로
$\dfrac{1}{2} \times (7+x) \times 4 \geq 40,\ 14+2x \geq 40$
$2x \geq 26$ $\therefore x \geq 13$
따라서 사다리꼴의 아랫변의 길이는 13 cm 이상이어야 한다.

5-2 자전거를 타고 간 거리를 x km라 하면 걸어간 거리는
$(5-x)$ km이므로
$\dfrac{x}{8}+\dfrac{5-x}{2} \leq 1$
$x+4(5-x) \leq 8$
$x+20-4x \leq 8,\ -3x \leq -12$ $\therefore x \geq 4$
따라서 자전거를 타고 간 거리는 최소 4 km이다.

5-3 역에서 상점까지의 거리를 x km라 하면
$\dfrac{x}{4}+\dfrac{20}{60}+\dfrac{x}{4} \leq 1$
$3x+4+3x \leq 12$
$6x \leq 8$ $\therefore x \leq \dfrac{4}{3}$
따라서 역에서 $\dfrac{4}{3}$ km 이내에 있는 상점을 이용해야 한다.

6-2 15 %의 소금물을 x g 섞는다고 하면
$\dfrac{9}{100} \times 200+\dfrac{15}{100} \times x \geq \dfrac{13}{100} \times (200+x)$
$1800+15x \geq 2600+13x$
$2x \geq 800$ $\therefore x \geq 400$
따라서 15 %의 소금물을 400 g 이상 섞어야 한다.

STEP ③   100쪽~101쪽

01. 9	**02.** ⑤	**03.** 8자루 **04.** ④	**05.** ②
06. 74개	**07.** (1) $500x>7800$ (2) $x>\dfrac{78}{5}$ (3) 16곡		
08. 17명	**09.** 12 cm **10.** 3 km **11.** $\dfrac{9}{4}$ km **12.** ②		

---

01 어떤 자연수를 x라 하면
$3x-6>2x+2$ $\therefore x>8$
따라서 조건을 만족하는 가장 작은 자연수는 9이다.

02 x개월 후에 혜진이의 예금액이 미선이의 예금액의 2배보다 많아진다고 하면
$6000+9000x>2(12000+3000x)$
$6000+9000x>24000+6000x$
$3000x>18000$ $\therefore x>6$
이때 개월 수는 자연수이므로 혜진이의 예금액이 미선이의 예금액의 2배보다 많아지는 것은 7개월 후부터이다.

03 볼펜을 x자루 산다고 하면   …… [20 %]
$500 \times 4+1000x \leq 10000$ …… [40 %]
$2000+1000x \leq 10000$
$1000x \leq 8000$ $\therefore x \leq 8$ …… [30 %]
따라서 볼펜은 최대 8자루까지 살 수 있다.   …… [10 %]

04 x분 동안 주차한다고 하면
$1000+50(x-30) \leq 5000$
$1000+50x-1500 \leq 5000$
$50x \leq 5500$ $\therefore x \leq 110$
따라서 최대 110분 동안 주차할 수 있다.

05 한 번에 운반할 수 있는 짐을 x개라 하면
$75 \times 5+170x \leq 3000$
$375+170x \leq 3000$
$170x \leq 2625$ $\therefore x \leq \dfrac{525}{34}$
이때 짐의 개수는 자연수이므로 한 번에 운반할 수 있는 짐은 최대 15개이다.

06 정삼각형을 x개 만들 때 필요한 성냥개비의 개수는
$3+2(x-1)=2x+1$(개)이므로
$2x+1 \leq 150$
$2x \leq 149$ $\therefore x \leq \dfrac{149}{2}$
이때 정삼각형의 개수는 자연수이므로 최대 74개까지 만들 수 있다.

07 (1) 한 달에 x곡을 내려받는다고 하면
$500x>7800$ …… [50 %]

(2) $500x>7800$에서 $x>\dfrac{78}{5}$ …… [30 %]

(3) 곡 수는 자연수이므로 한 달에 16곡 이상 내려받을 때 정액제를 이용하는 것이 유리하다. ······ [20 %]

08 관람하는 학생 수를 x명이라 하면

$8000x > \left(8000 \times \dfrac{80}{100}\right) \times 20$

$8000x > 128000$ ∴ $x > 16$

이때 학생 수는 자연수이므로 17명 이상이면 20명의 단체 요금을 내는 것이 유리하다.

09 삼각형의 밑변의 길이를 x cm라 하면

$\dfrac{1}{2} \times x \times 12 \leq 72$, $6x \leq 72$ ∴ $x \leq 12$

따라서 밑변의 길이는 12 cm 이하이어야 한다.

10 초이가 뛴 거리를 x m라 하면 4.5 km=4500 m이므로 걸어간 거리는 $(4500-x)$ m이다.

$\dfrac{x}{150} + \dfrac{4500-x}{60} \leq 45$

$2x + 5(4500-x) \leq 13500$

$2x + 22500 - 5x \leq 13500$

$-3x \leq -9000$ ∴ $x \geq 3000$

따라서 초이가 뛴 거리는 최소 3000 m, 즉 3 km이다.

11 역에서 상점까지의 거리를 x km라 하면

$\dfrac{x}{3} + \dfrac{15}{60} + \dfrac{x}{3} \leq 1\dfrac{45}{60}$

$4x + 3 + 4x \leq 21$

$8x \leq 18$ ∴ $x \leq \dfrac{9}{4}$

따라서 역에서 $\dfrac{9}{4}$ km 이내의 상점까지 다녀올 수 있다.

12 물을 x g 증발시킨다고 하면

$\dfrac{5}{100} \times 200 \geq \dfrac{8}{100} \times (200-x)$

$1000 \geq 8(200-x)$, $1000 \geq 1600 - 8x$

$8x \geq 600$ ∴ $x \geq 75$

따라서 물을 75 g 이상 증발시켜야 한다.

---

5. 연립방정식의 풀이

1 연립방정식

104쪽~106쪽

개념 확인

1. (1) ◯ (2) × (3) × (4) ◯

2. (1) $x+y=15$ (2) $700x+1200y=8100$

3.

x	1	2	3	4
y	5	3	1	-1

$(1, 5), (2, 3), (3, 1)$

4. ㉡, ㉢

5. ㉠, ㉢

6. ㉠

x	1	2	3	4	5	6	7
y	10	7	4	1	-2	-5	-8

㉡

x	1	2	3	4	5	6	7
y	6	5	4	3	2	1	0

$(3, 4)$

1 (1) $x-y=0$

　➡ 미지수가 2개인 일차방정식이다.

(2) $2y = -\dfrac{3}{x} + 2$에서 $\dfrac{3}{x} + 2y - 2 = 0$

　➡ 미지수가 분모에 있으므로 일차방정식이 아니다.

(3) $xy+3y=2x-4$에서 $xy-2x+3y+4=0$

　➡ xy항이 있으므로 일차방정식이 아니다.

(4) $x^2-x=x^2+y+2$에서 $-x-y-2=0$

　➡ 미지수가 2개인 일차방정식이다.

2 (2) 700원짜리 초콜릿 x개의 값은 $700x$원이고 1200원짜리 과자 y개의 값은 $1200y$원이다.

　∴ $700x+1200y=8100$

5 연립방정식의 해가 $(1, 2)$이면 $x=1$, $y=2$를 두 일차방정식에 각각 대입했을 때 등식이 모두 성립해야 한다.

㉠ $1+2=3$, $1-2=-1$

㉡ $1+2\times2 \neq 4$, $3\times1+2=5$

㉢ $2\times1+3\times2=8$, $2\times1-2=0$

㉣ $5\times1+3\times2 \neq 13$, $2\times1+3\times2=8$

따라서 연립방정식의 해가 $(1, 2)$인 것은 ㉠, ㉢이다.

STEP 1 107쪽

1-1. ㉡ 연구 $3y$, 1, 일차식

1-2. ㉠, ㉥

2-1.

x	1	2	3	4	5
y	7	5	3	1	-1

(1, 7), (2, 5), (3, 3), (4, 1) 연구 자연수

2-2. (1) (1, 3), (2, 1)

(2) (1, 4), (3, 3), (5, 2), (7, 1)

(3) (2, 6), (4, 3)

3-1. ㉠

x	1	2	3	4	5	6
y	3	2	1	0	-1	-2

㉡

x	1	2	3	4	5	6
y	-1	0	1	2	3	4

$x=3$, $y=1$

3-2. (1) $x=5$, $y=1$ (2) $x=1$, $y=3$

1-2 ㉡ $2x-3y+1=2x-y$에서 $-2y+1=0$

➡ 미지수가 1개인 일차방정식이다.

㉢ xy항이 있으므로 일차방정식이 아니다.

㉣ 분모에 x가 있으므로 일차방정식이 아니다.

㉤ 미지수가 2개인 일차식이다.

㉥ $x(x-1)=x^2+y+3$에서 $-x-y-3=0$

➡ 미지수가 2개인 일차방정식이다.

2-2 (1)

x	1	2	3
y	3	1	-1

∴ (1, 3), (2, 1)

(2)

x	1	2	3	4	5	6	7	8
y	4	$\frac{7}{2}$	3	$\frac{5}{2}$	2	$\frac{3}{2}$	1	$\frac{1}{2}$

∴ (1, 4), (3, 3), (5, 2), (7, 1)

(3)

x	1	2	3	4	5	6
y	$\frac{15}{2}$	6	$\frac{9}{2}$	3	$\frac{3}{2}$	0

∴ (2, 6), (4, 3)

3-2 (1) $\begin{cases} 4x+y=21 & \cdots\cdots ㉠ \\ 2x-y=9 & \cdots\cdots ㉡ \end{cases}$

㉠

x	1	2	3	4	5	6
y	17	13	9	5	1	-3

㉡

x	1	2	3	4	5	6
y	-7	-5	-3	-1	1	3

따라서 연립방정식의 해는 $x=5$, $y=1$이다.

(2) $\begin{cases} x+2y=7 & \cdots\cdots ㉠ \\ 3x-y=0 & \cdots\cdots ㉡ \end{cases}$

㉠

x	1	2	3	4	5	6	7
y	3	$\frac{5}{2}$	2	$\frac{3}{2}$	1	$\frac{1}{2}$	0

㉡

x	1	2	3	4	5	6	7
y	3	6	9	12	15	18	21

따라서 연립방정식의 해는 $x=1$, $y=3$이다.

STEP 2 108쪽~109쪽

1-2. ③ **1-3.** (1, 7), (2, 4), (3, 1)

2-2. -4 **2-3.** 4

3-2. ④

4-2. 3 **4-3.** 1

1-2 $x+3y=18$에 x, y의 값을 각각 대입하면

① $15+3\times1=18$ ② $12+3\times2=18$

③ $10+3\times3\neq18$ ④ $6+3\times4=18$

⑤ $3+3\times5=18$

따라서 일차방정식 $x+3y=18$을 만족하는 순서쌍 (x, y)가 아닌 것은 ③이다.

1-3 $x=1, 2, 3, \cdots$을 $3x+y=10$에 대입하여 y의 값을 구하면 다음과 같다.

x	1	2	3	4
y	7	4	1	-2

x, y가 자연수일 때, 일차방정식 $3x+y=10$의 해는 (1, 7), (2, 4), (3, 1)이다.

2-2 $2x-3y=10$에 $x=-1$, $y=a$를 대입하면

$-2-3a=10$, $-3a=12$ ∴ $a=-4$

2-3 $3x-ay=1$에 $x=3$, $y=2$를 대입하면

$9-2a=1$, $-2a=-8$ ∴ $a=4$

3-2 $x=2$, $y=0$을 두 일차방정식에 각각 대입하면

④ $2\times2-0=4$, $3\times2+0=6$

따라서 연립방정식의 해가 (2, 0)인 것은 ④이다.

4-2 $x=2, y=-1$을 $ax+y=1$에 대입하면

$2a-1=1, 2a=2$ $\therefore a=1$

$x=2, y=-1$을 $-x-by=1$에 대입하면

$-2+b=1$ $\therefore b=3$

$\therefore ab=1\times3=3$

4-3 $x=2, y=a$를 $2x-3y=7$에 대입하면

$4-3a=7, -3a=3$ $\therefore a=-1$

$x=2, y=-1$을 $2x-by=2$에 대입하면

$4+b=2$ $\therefore b=-2$

$\therefore a-b=-1-(-2)=1$

110쪽

STEP ③

01. ④   **02.** ④   **03.** ④   **04.** -3 **05.** ②

06. -1

01 ① 미지수가 2개인 일차식이다.

② $5(x+2)=x+3$에서 $4x+7=0$

➡ 미지수가 1개인 일차방정식이다.

③ x^2이 있으므로 일차방정식이 아니다.

⑤ $x+2y+2=2(x+y)$에서 $-x+2=0$

➡ 미지수가 1개인 일차방정식이다.

02 ④ $2\times3+4\neq9$

03 $x=1, 2, 3, \cdots$을 $4x+y=20$에 대입하여 y의 값을 구하면 다음과 같다.

x	1	2	3	4	5
y	16	12	8	4	0

x, y가 자연수일 때, 일차방정식 $4x+y=20$을 만족하는 순서쌍 (x, y)는 $(1, 16), (2, 12), (3, 8), (4, 4)$의 4개이다.

04 $x=a, y=-1$을 $x-3y=-1$에 대입하면

$a+3=-1$ $\therefore a=-4$ ······ [40 %]

$x=2, y=b$를 $x-3y=-1$에 대입하면

$2-3b=-1, -3b=-3$ $\therefore b=1$ ······ [40 %]

$\therefore a+b=-4+1=-3$ ······ [20 %]

05 $x=2, y=3$을 두 일차방정식에 각각 대입하면

② $2+3=5, 2\times2-3=1$

06 $x=4, y=-3$을 $ax+y=5$에 대입하면

$4a-3=5, 4a=8$ $\therefore a=2$

$x=4, y=-3$을 $x-by=13$에 대입하면

$4+3b=13, 3b=9$ $\therefore b=3$

$\therefore a-b=2-3=-1$

2 연립방정식의 풀이

개념 확인 111쪽~112쪽

1. (1) $x=-1, y=-2$ (2) $x=3, y=-4$

  (3) $x=7, y=-1$ (4) $x=7, y=-\dfrac{1}{3}$

2. (1) $x=-1, y=4$ (2) $x=4, y=-4$

  (3) $x=\dfrac{1}{2}, y=-\dfrac{1}{3}$ (4) $x=3, y=-1$

1 (1) $\begin{cases} y=3x+1 & \cdots\cdots ⊙ \\ 3x-2y=1 & \cdots\cdots ⓛ \end{cases}$

⊙을 ⓛ에 대입하면

$3x-2(3x+1)=1, -3x=3$ $\therefore x=-1$

$x=-1$을 ⊙에 대입하면

$y=3\times(-1)+1=-2$

(2) $\begin{cases} y=2x-10 & \cdots\cdots ⊙ \\ 2x+y=2 & \cdots\cdots ⓛ \end{cases}$

⊙을 ⓛ에 대입하면

$2x+(2x-10)=2, 4x=12$ $\therefore x=3$

$x=3$을 ⊙에 대입하면

$y=2\times3-10=-4$

(3) $\begin{cases} 2x+5y=9 & \cdots\cdots ⊙ \\ x=-2y+5 & \cdots\cdots ⓛ \end{cases}$

ⓛ을 ⊙에 대입하면

$2(-2y+5)+5y=9$ $\therefore y=-1$

$y=-1$을 ⓛ에 대입하면

$x=-2\times(-1)+5=7$

(4) $\begin{cases} 2x-3y=15 & \cdots\cdots ⊙ \\ x=-3y+6 & \cdots\cdots ⓛ \end{cases}$

ⓛ을 ⊙에 대입하면

$2(-3y+6)-3y=15, -9y=3$ $\therefore y=-\dfrac{1}{3}$

$y=-\dfrac{1}{3}$을 ⓛ에 대입하면

$x=-3\times\left(-\dfrac{1}{3}\right)+6=7$

2 (1) $\begin{cases} x+y=3 & \cdots\cdots ⊙ \\ x+2y=7 & \cdots\cdots ⓛ \end{cases}$

⊙$-$ⓛ을 하면 $-y=-4$ $\therefore y=4$

$y=4$를 ⊙에 대입하면 $x+4=3$ $\therefore x=-1$

(2) $\begin{cases} 2x+y=4 & \cdots\cdots ⊙ \\ x+y=0 & \cdots\cdots ⓛ \end{cases}$

⊙$-$ⓛ을 하면 $x=4$

$x=4$를 ㉡에 대입하면 $4+y=0$ $\therefore y=-4$

(3) $\begin{cases} 2x-3y=2 & \cdots\cdots ㉠ \\ 4x+6y=0 & \cdots\cdots ㉡ \end{cases}$

㉠$\times2+$㉡을 하면 $8x=4$ $\therefore x=\dfrac{1}{2}$

$x=\dfrac{1}{2}$을 ㉠에 대입하면 $1-3y=2$ $\therefore y=-\dfrac{1}{3}$

(4) $\begin{cases} 5x-2y=17 & \cdots\cdots ㉠ \\ 3x+y=8 & \cdots\cdots ㉡ \end{cases}$

㉠$+$㉡$\times2$를 하면 $11x=33$ $\therefore x=3$

$x=3$을 ㉡에 대입하면 $9+y=8$ $\therefore y=-1$

STEP ❶
113쪽

1-1. $x=-2, y=12$ 연구 $-5x+2, -5x+2, -2, -2, 12$

1-2. (1) $x=5, y=2$ (2) $x=\dfrac{7}{2}, y=-6$

2-1. $x=1, y=-2$ 연구 $-4, 8, -2, -2, -2, 1$

2-2. (1) $x=4, y=\dfrac{7}{2}$ (2) $x=2, y=-1$

3-1. $x=2, y=1$ 연구 $25, 50, 2, 2, 2, 1$

3-2. (1) $x=2, y=2$ (2) $x=3, y=1$

1-2 (1) $\begin{cases} 4x+2y=24 & \cdots\cdots ㉠ \\ x=2y+1 & \cdots\cdots ㉡ \end{cases}$

㉡을 ㉠에 대입하면

$4(2y+1)+2y=24, 10y=20$ $\therefore y=2$

$y=2$를 ㉡에 대입하면

$x=2\times2+1=5$

(2) $\begin{cases} 4x+3y=-4 & \cdots\cdots ㉠ \\ 2x+y=1 & \cdots\cdots ㉡ \end{cases}$

㉡을 y에 대하여 풀면

$y=-2x+1$ $\cdots\cdots ㉢$

㉢을 ㉠에 대입하면

$4x+3(-2x+1)=-4, -2x=-7$

$\therefore x=\dfrac{7}{2}$

$x=\dfrac{7}{2}$을 ㉢에 대입하면

$y=-2\times\dfrac{7}{2}+1=-6$

2-2 (1) $\begin{cases} x+2y=11 & \cdots\cdots ㉠ \\ 3x-2y=5 & \cdots\cdots ㉡ \end{cases}$

㉠$+$㉡을 하면 $4x=16$ $\therefore x=4$

$x=4$를 ㉠에 대입하면

$4+2y=11, 2y=7$ $\therefore y=\dfrac{7}{2}$

---

(2) $\begin{cases} 3x-y=7 & \cdots\cdots ㉠ \\ x-y=3 & \cdots\cdots ㉡ \end{cases}$

㉠$-$㉡을 하면 $2x=4$ $\therefore x=2$

$x=2$를 ㉡에 대입하면 $2-y=3$ $\therefore y=-1$

3-2 (1) $\begin{cases} 4x-3y=2 & \cdots\cdots ㉠ \\ 3x-y=4 & \cdots\cdots ㉡ \end{cases}$

㉠$-$㉡$\times3$을 하면 $-5x=-10$ $\therefore x=2$

$x=2$를 ㉡에 대입하면 $6-y=4$ $\therefore y=2$

(2) $\begin{cases} 5x-3y=12 & \cdots\cdots ㉠ \\ 2x-5y=1 & \cdots\cdots ㉡ \end{cases}$

㉠$\times2-$㉡$\times5$를 하면 $19y=19$ $\therefore y=1$

$y=1$을 ㉡에 대입하면

$2x-5=1, 2x=6$ $\therefore x=3$

STEP ❷
114쪽~116쪽

1-2. 11

1-3. (1) $x=2, y=-3$ (2) $x=1, y=-2$

2-2. ③

2-3. (1) $x=6, y=-2$ (2) $x=-2, y=1$

3-2. 11

4-2. 1   **4-3.** $-\dfrac{1}{2}$

5-2. (1) $x=2, y=-1$ (2) 3   (3) -2 (4) -6

5-3. 3

1-2 ㉡을 ㉠에 대입하면

$x+4(2x-1)=7, 9x=11$

$\therefore a=11$

1-3 (1) $\begin{cases} x=y+5 & \cdots\cdots ㉠ \\ 5x+2y=4 & \cdots\cdots ㉡ \end{cases}$

㉠을 ㉡에 대입하면

$5(y+5)+2y=4, 7y=-21$ $\therefore y=-3$

$y=-3$을 ㉠에 대입하면 $x=-3+5=2$

(2) $\begin{cases} 2x-3y=8 & \cdots\cdots ㉠ \\ 3x+y=1 & \cdots\cdots ㉡ \end{cases}$

㉡을 y에 대하여 풀면

$y=-3x+1$ $\cdots\cdots ㉢$

㉢을 ㉠에 대입하면

$2x-3(-3x+1)=8, 11x=11$ $\therefore x=1$

$x=1$을 ㉢에 대입하면

$y=-3\times1+1=-2$

2-3 (1) $\begin{cases} 2x-y=14 & \cdots\cdots\ \text{㉠} \\ x+2y=2 & \cdots\cdots\ \text{㉡} \end{cases}$

㉠×2+㉡을 하면 $5x=30$ $\quad \therefore\ x=6$

$x=6$을 ㉡에 대입하면

$6+2y=2,\ 2y=-4$ $\quad \therefore\ y=-2$

(2) $\begin{cases} -3x+4y=10 & \cdots\cdots\ \text{㉠} \\ 2x-3y=-7 & \cdots\cdots\ \text{㉡} \end{cases}$

㉠×2+㉡×3을 하면 $-y=-1$ $\quad \therefore\ y=1$

$y=1$을 ㉡에 대입하면

$2x-3=-7,\ 2x=-4$ $\quad \therefore\ x=-2$

3-2 $x=2,\ y=1$을 주어진 두 일차방정식에 각각 대입하면

$\begin{cases} 2a+b=4 \\ 2b+a=-7 \end{cases} \Rightarrow \begin{cases} 2a+b=4 & \cdots\cdots\ \text{㉠} \\ a+2b=-7 & \cdots\cdots\ \text{㉡} \end{cases}$

㉠−㉡×2를 하면 $-3b=18$ $\quad \therefore\ b=-6$

$b=-6$을 ㉠에 대입하면

$2a-6=4,\ 2a=10$ $\quad \therefore\ a=5$

$\therefore\ a-b=5-(-6)=11$

4-2 y의 값이 x의 값의 3배이므로 $y=3x$

주어진 연립방정식의 해는 세 일차방정식을 모두 만족하므

로 연립방정식 $\begin{cases} x+y=8 & \cdots\cdots\ \text{㉠} \\ y=3x & \cdots\cdots\ \text{㉡} \end{cases}$의 해와 같다.

㉡을 ㉠에 대입하면 $4x=8$ $\quad \therefore\ x=2$

$x=2$를 ㉡에 대입하면 $y=3\times2=6$

$x=2,\ y=6$을 $4x-ay=2$에 대입하면

$8-6a=2,\ -6a=-6$ $\quad \therefore\ a=1$

4-3 주어진 연립방정식의 해는 세 일차방정식을 모두 만족하므

로 연립방정식 $\begin{cases} 2x+3y=8 & \cdots\cdots\ \text{㉠} \\ 2x-y=-4 & \cdots\cdots\ \text{㉡} \end{cases}$의 해와 같다.

㉠−㉡을 하면 $4y=12$ $\quad \therefore\ y=3$

$y=3$을 ㉡에 대입하면

$2x-3=-4,\ 2x=-1$ $\quad \therefore\ x=-\dfrac{1}{2}$

$x=-\dfrac{1}{2},\ y=3$을 $x+ay=-2$에 대입하면

$-\dfrac{1}{2}+3a=-2,\ 3a=-\dfrac{3}{2}$ $\quad \therefore\ a=-\dfrac{1}{2}$

5-2 (1) ㉡+㉢을 하면 $5x=10$ $\quad \therefore\ x=2$

$x=2$를 ㉢에 대입하면

$4-y=5$ $\quad \therefore\ y=-1$

(2) $x=2,\ y=-1$을 ㉣에 대입하면

$2a-2=4,\ 2a=6$ $\quad \therefore\ a=3$

(3) $x=2,\ y=-1$을 ㉠에 대입하면

$4-b=6$ $\quad \therefore\ b=-2$

(4) $ab=3\times(-2)=-6$

5-3 $a,\ b$가 없는 두 일차방정식으로 연립방정식을 세우면

$\begin{cases} 2x+y=5 & \cdots\cdots\ \text{㉠} \\ y=-x+1 & \cdots\cdots\ \text{㉣} \end{cases}$

㉣을 ㉠에 대입하면

$2x+(-x+1)=5$ $\quad \therefore\ x=4$

$x=4$를 ㉣에 대입하면

$y=-4+1=-3$

$x=4,\ y=-3$을 ㉡에 대입하면

$4a-9=3,\ 4a=12$ $\quad \therefore\ a=3$

$x=4,\ y=-3$을 ㉢에 대입하면

$12+3b=12,\ 3b=0$ $\quad \therefore\ b=0$

$\therefore\ a+b=3+0=3$

STEP **3**

㉠ 117쪽~118쪽

01. 5   **02.** ②   **03.** $x=2,\ y=-7$ **04.** ⑤

05. ④   **06.** ⑤   **07.** 1   **08.** -16 **09.** ②

10. 1   **11.** (1) $x=2,\ y=1$ (2) $\dfrac{3}{2}$

12. 4   **13.** $x=1,\ y=3$

01 ㉡을 ㉠에 대입하면

$5x-(x+3)=7,\ 4x=10,$ 즉 $2x=5$

$\therefore\ a=5$

02 $\begin{cases} x+2y=21 & \cdots\cdots\ \text{㉠} \\ x=3y-4 & \cdots\cdots\ \text{㉡} \end{cases}$

㉡을 ㉠에 대입하면

$(3y-4)+2y=21,\ 5y=25$ $\quad \therefore\ y=5$

$y=5$를 ㉡에 대입하면

$x=3\times5-4=11$

따라서 $a=11,\ b=5$이므로

$b-a=5-11=-6$

03 $\begin{cases} y=2x-11 & \cdots\cdots\ \text{㉠} \\ y=-2x-3 & \cdots\cdots\ \text{㉡} \end{cases}$

㉡을 ㉠에 대입하면

$-2x-3=2x-11,\ -4x=-8$ $\quad \therefore\ x=2$

$x=2$를 ㉠에 대입하면

$y=2\times2-11=-7$

04 $\begin{cases} 3x+4y=18 & \cdots\cdots\ \text{㉠} \\ x-4y=-10 & \cdots\cdots\ \text{㉡} \end{cases}$

㉠+㉡을 하면 $4x=8$ $\quad \therefore\ x=2$

$x=2$를 ㉡에 대입하면

$2-4y=-10,\ -4y=-12$ $\quad \therefore\ y=3$

따라서 $p=2$, $q=3$이므로

$p+q=2+3=5$

05 y를 없애기 위해서는 y의 계수의 절댓값이 같아야 하므로 필요한 식은 ㉠$\times 4+$㉡$\times 3$이다.

06 ①, ②, ③, ④ $x=1$, $y=-1$

⑤ $x=-3$, $y=9$

따라서 해가 나머지 넷과 다른 하나는 ⑤이다.

07 $x=1$, $y=b$를 $2x+5y=12$에 대입하면

$2+5b=12$, $5b=10$　∴ $b=2$　　　……[40 %]

$x=1$, $y=2$를 $3x+ay=4$에 대입하면

$3+2a=4$, $2a=1$　∴ $a=\dfrac{1}{2}$　　　……[40 %]

∴ $ab=\dfrac{1}{2}\times 2=1$　　　　　……[20 %]

08 $x=-2$, $y=1$을 주어진 두 일차방정식에 각각 대입하면

$\begin{cases} -2a+b=11 \\ -2b+a=5 \end{cases} \Rightarrow \begin{cases} -2a+b=11 & \cdots\cdots ㉠ \\ a-2b=5 & \cdots\cdots ㉡ \end{cases}$

㉠$+$㉡$\times 2$를 하면 $-3b=21$　∴ $b=-7$

$b=-7$을 ㉡에 대입하면 $a+14=5$　∴ $a=-9$

∴ $a+b=-9+(-7)=-16$

09 x의 값이 y의 값의 2배이므로

$x=2y$

주어진 연립방정식의 해는 세 일차방정식을 모두 만족하므로 연립방정식 $\begin{cases} 2x+y=-5 & \cdots\cdots ㉠ \\ x=2y & \cdots\cdots ㉡ \end{cases}$의 해와 같다.

㉡을 ㉠에 대입하면

$4y+y=-5$, $5y=-5$　∴ $y=-1$

$y=-1$을 ㉡에 대입하면 $x=-2$

$x=-2$, $y=-1$을 $x+2y=a$에 대입하면

$-2+2\times(-1)=a$　∴ $a=-4$

10 주어진 연립방정식의 해는 세 일차방정식을 모두 만족하므로 연립방정식 $\begin{cases} 2x+3y=9 & \cdots\cdots ㉠ \\ y=3x-8 & \cdots\cdots ㉡ \end{cases}$의 해와 같다.

㉡을 ㉠에 대입하면 $2x+3(3x-8)=9$

$11x=33$　∴ $x=3$

$x=3$을 ㉡에 대입하면 $y=3\times 3-8=1$

$x=3$, $y=1$을 $-x+4y=a$에 대입하면

$-3+4=a$　∴ $a=1$

11 (1) a, b가 없는 두 일차방정식으로 연립방정식을 세우면

$\begin{cases} x+2y=4 & \cdots\cdots ㉠ \\ 2x-y=3 & \cdots\cdots ㉡ \end{cases}$

㉠$\times 2-$㉡을 하면 $5y=5$　∴ $y=1$

$y=1$을 ㉠에 대입하면

$x+2=4$　∴ $x=2$　　　　……[50 %]

(2) $x=2$, $y=1$을 $2ax-y=1$에 대입하면

$4a-1=1$, $4a=2$　∴ $a=\dfrac{1}{2}$

$x=2$, $y=1$을 $x+2by=8$에 대입하면

$2+2b=8$, $2b=6$　∴ $b=3$

∴ $ab=\dfrac{1}{2}\times 3=\dfrac{3}{2}$　　　……[50 %]

12 ㉠은 올바른 식이므로 $x=-2$를 ㉠에 대입하면

$-4+3y=5$, $3y=9$　∴ $y=3$

잘못 본 연립방정식의 해는 $x=-2$, $y=3$이다.

㉡의 상수항 7을 a로 잘못 보았다고 하고

$x=-2$, $y=3$을 $x+2y=a$에 대입하면

$-2+2\times 3=a$　∴ $a=4$

따라서 상수항 7을 4로 잘못 보고 풀었다.

13 주어진 그림을 식으로 나타내면

$\begin{cases} 3x-2y=-3 & \cdots\cdots ㉠ \\ 2x+y=5 & \cdots\cdots ㉡ \end{cases}$

㉠$+$㉡$\times 2$를 하면 $7x=7$　∴ $x=1$

$x=1$을 ㉡에 대입하면 $2+y=5$　∴ $y=3$

3 여러 가지 연립방정식

개념 확인　　　　　　　　119쪽~121쪽

1. (1) $x=2$, $y=-1$ (2) $x=3$, $y=-2$

2. (1) $x=2$, $y=1$ (2) $x=20$, $y=24$

3. (1) $x=6$, $y=1$ (2) $x=-3$, $y=1$

4. (1) $x=3$, $y=2$ (2) $x=-1$, $y=1$

5. (1) 해가 무수히 많다. (2) 해가 없다. (3) 해가 없다.

(4) 해가 무수히 많다.

1 (1) $\begin{cases} 2(x-y)+3y=3 & \cdots\cdots ㉠ \\ x-2y=4 & \cdots\cdots ㉡ \end{cases}$

㉠을 간단히 하면 $2x+y=3$　∴ …… ㉢

㉢$-$㉡$\times 2$를 하면 $5y=-5$　∴ $y=-1$

$y=-1$을 ㉡에 대입하면

$x+2=4$　∴ $x=2$

(2)
$$\begin{cases} 2x+3y=0 & \cdots\cdots \text{㉠} \\ 6(y+2)-(2x+3y)=0 & \cdots\cdots \text{㉡} \end{cases}$$

㉡을 간단히 하면 $-2x+3y=-12$ $\cdots\cdots$ ㉢

㉠+㉢을 하면 $6y=-12$ $\quad\therefore y=-2$

$y=-2$를 ㉠에 대입하면 $2x-6=0$ $\quad\therefore x=3$

2 (1)
$$\begin{cases} \dfrac{1}{2}x-\dfrac{1}{3}y=\dfrac{2}{3} & \cdots\cdots \text{㉠} \\ \dfrac{1}{3}x+\dfrac{1}{6}y=\dfrac{5}{6} & \cdots\cdots \text{㉡} \end{cases}$$

㉠×6을 하면 $3x-2y=4$ $\cdots\cdots$ ㉢

㉡×6을 하면 $2x+y=5$ $\cdots\cdots$ ㉣

㉢+㉣×2를 하면 $7x=14$ $\quad\therefore x=2$

$x=2$를 ㉣에 대입하면 $4+y=5$ $\quad\therefore y=1$

(2)
$$\begin{cases} \dfrac{x}{4}-\dfrac{y}{6}=1 & \cdots\cdots \text{㉠} \\ \dfrac{x}{3}-\dfrac{y}{4}=\dfrac{2}{3} & \cdots\cdots \text{㉡} \end{cases}$$

㉠×12를 하면 $3x-2y=12$ $\cdots\cdots$ ㉢

㉡×12를 하면 $4x-3y=8$ $\cdots\cdots$ ㉣

㉢×3-㉣×2를 하면 $x=20$

$x=20$을 ㉢에 대입하면

$60-2y=12$, $-2y=-48$ $\quad\therefore y=24$

3 (1)
$$\begin{cases} 0.5x-y=2 & \cdots\cdots \text{㉠} \\ 0.3x-1.2y=0.6 & \cdots\cdots \text{㉡} \end{cases}$$

㉠×10을 하면 $5x-10y=20$ $\cdots\cdots$ ㉢

㉡×10을 하면 $3x-12y=6$ $\cdots\cdots$ ㉣

㉢×3-㉣×5를 하면 $30y=30$ $\quad\therefore y=1$

$y=1$을 ㉣에 대입하면

$3x-12=6$, $3x=18$ $\quad\therefore x=6$

(2)
$$\begin{cases} 0.02x+0.07y=0.01 & \cdots\cdots \text{㉠} \\ 0.5x+0.8y=-0.7 & \cdots\cdots \text{㉡} \end{cases}$$

㉠×100을 하면 $2x+7y=1$ $\cdots\cdots$ ㉢

㉡×10을 하면 $5x+8y=-7$ $\cdots\cdots$ ㉣

㉢×5-㉣×2를 하면 $19y=19$ $\quad\therefore y=1$

$y=1$을 ㉢에 대입하면

$2x+7=1$, $2x=-6$ $\quad\therefore x=-3$

4 (1) 주어진 방정식의 해는 다음 연립방정식의 해와 같다.
$$\begin{cases} 3x-4y=1 & \cdots\cdots \text{㉠} \\ 5x-7y=1 & \cdots\cdots \text{㉡} \end{cases}$$

㉠×5-㉡×3을 하면 $y=2$

$y=2$를 ㉠에 대입하면

$3x-8=1$, $3x=9$ $\quad\therefore x=3$

(2) 주어진 방정식의 해는 다음 연립방정식의 해와 같다.
$$\begin{cases} 3x+5y=4x+6 & \cdots\cdots \text{㉠} \\ 4x+6=x+y+2 & \cdots\cdots \text{㉡} \end{cases}$$

㉠을 간단히 하면 $x-5y=-6$ $\cdots\cdots$ ㉢

㉡을 간단히 하면 $3x-y=-4$ $\cdots\cdots$ ㉣

㉢×3-㉣을 하면 $-14y=-14$ $\quad\therefore y=1$

$y=1$을 ㉢에 대입하면 $x-5=-6$ $\quad\therefore x=-1$

5 (1)
$$\begin{cases} 3x+2y=6 & \cdots\cdots \text{㉠} \\ 6x+4y=12 & \cdots\cdots \text{㉡} \end{cases}$$

x의 계수가 같아지도록 ㉠×2를 하면

$6x+4y=12$ $\cdots\cdots$ ㉢

㉡과 ㉢에서 x, y의 계수와 상수항이 각각 같으므로 해가 무수히 많다.

(2)
$$\begin{cases} x-y=2 & \cdots\cdots \text{㉠} \\ 3x-3y=4 & \cdots\cdots \text{㉡} \end{cases}$$

x의 계수가 같아지도록 ㉠×3을 하면

$3x-3y=6$ $\cdots\cdots$ ㉢

㉡과 ㉢에서 x, y의 계수는 각각 같고 상수항은 다르므로 해가 없다.

(3)
$$\begin{cases} 2x-y=1 & \cdots\cdots \text{㉠} \\ 4x-2y=3 & \cdots\cdots \text{㉡} \end{cases}$$

x의 계수가 같아지도록 ㉠×2를 하면

$4x-2y=2$ $\cdots\cdots$ ㉢

㉡과 ㉢에서 x, y의 계수는 각각 같고 상수항은 다르므로 해가 없다.

(4)
$$\begin{cases} x-3y=1 & \cdots\cdots \text{㉠} \\ -2x+6y=-2 & \cdots\cdots \text{㉡} \end{cases}$$

x의 계수가 같아지도록 ㉠×(-2)를 하면

$-2x+6y=-2$ $\cdots\cdots$ ㉢

㉡과 ㉢에서 x, y의 계수와 상수항이 각각 같으므로 해가 무수히 많다.

STEP ①

1-1. $x=10$, $y=12$

연구 6, $3x-2y=6$, 20, $4x-5y=-20$, 10, 12

1-2. (1) $x=4$, $y=-2$ (2) $x=-4$, $y=4$

2-1. $x=-1$, $y=6$

연구 10, $4x+y=2$, 10, $7x+2y=5$, -1, 6

2-2. $x=-8$, $y=-2$ $\qquad$ **2-3.** $x=1$, $y=1$

3-1. (1) 4, -6, 해가 무수히 많다. (2) 4, 20, 해가 없다.

연구 무수히 많다, 없다

3-2. (1) 해가 없다. (2) 해가 무수히 많다.

1-1 ㉠의 양변에 분모의 최소공배수 6을 곱하면

$3x-2y=6$ ...... ㉢

㉡의 양변에 분모의 최소공배수 20을 곱하면

$4x-5y=-20$ ...... ㉣

㉢$\times4-$㉣$\times3$을 하면 $7y=84$ ∴ $y=12$

$y=12$를 ㉢에 대입하면

$3x-24=6, 3x=30$ ∴ $x=10$

1-2 (1) $\begin{cases} 3x-2(x+2y)=12 & \cdots\cdots ㉠ \\ 2(x-y)=2-5y & \cdots\cdots ㉡ \end{cases}$

㉠을 간단히 하면 $x-4y=12$ ...... ㉢

㉡을 간단히 하면 $2x+3y=2$ ...... ㉣

㉢$\times2-$㉣을 하면 $-11y=22$ ∴ $y=-2$

$y=-2$를 ㉢에 대입하면

$x+8=12$ ∴ $x=4$

(2) $\begin{cases} \dfrac{3}{10}x+\dfrac{4}{5}y=2 & \cdots\cdots ㉠ \\ \dfrac{x}{4}-\dfrac{y}{12}=-\dfrac{4}{3} & \cdots\cdots ㉡ \end{cases}$

㉠$\times10$을 하면 $3x+8y=20$ ...... ㉢

㉡$\times12$를 하면 $3x-y=-16$ ...... ㉣

㉢$-$㉣을 하면 $9y=36$ ∴ $y=4$

$y=4$를 ㉣에 대입하면

$3x-4=-16, 3x=-12$ ∴ $x=-4$

2-1 ㉠의 양변에 10을 곱하면

$4x+y=2$ ...... ㉢

㉡의 양변에 10을 곱하면

$7x+2y=5$ ...... ㉣

㉢$\times2-$㉣을 하면 $x=-1$

$x=-1$을 ㉢에 대입하면

$-4+y=2$ ∴ $y=6$

2-2 $\begin{cases} 0.2x-0.3y=-1 & \cdots\cdots ㉠ \\ 0.4x-5y=6.8 & \cdots\cdots ㉡ \end{cases}$

㉠$\times10$을 하면 $2x-3y=-10$ ...... ㉢

㉡$\times10$을 하면 $4x-50y=68$ ...... ㉣

㉢$\times2-$㉣을 하면 $44y=-88$ ∴ $y=-2$

$y=-2$를 ㉢에 대입하면

$2x+6=-10, 2x=-16$ ∴ $x=-8$

2-3 주어진 방정식의 해는 다음 연립방정식의 해와 같다.

$\begin{cases} 2x+y-3=x-y & \cdots\cdots ㉠ \\ 3x-5y+2=x-y & \cdots\cdots ㉡ \end{cases}$

㉠을 간단히 하면 $x+2y=3$ ...... ㉢

㉡을 간단히 하면 $2x-4y=-2$ ...... ㉣

㉢$\times2-$㉣을 하면 $8y=8$ ∴ $y=1$

$y=1$을 ㉢에 대입하면 $x+2=3$ ∴ $x=1$

3-2 (1) $\begin{cases} x+2y=5 \\ 3x+6y=7 \end{cases}$ ➡ $\begin{cases} 3x+6y=15 \\ 3x+6y=7 \end{cases}$

x, y의 계수는 각각 같고 상수항은 다르므로 해가 없다.

(2) $\begin{cases} -x+3y=1 \\ 4x-12y=-4 \end{cases}$ ➡ $\begin{cases} 4x-12y=-4 \\ 4x-12y=-4 \end{cases}$

x, y의 계수와 상수항이 각각 같으므로 해가 무수히 많다.

STEP 2 123쪽~125쪽

1-2. (1) $x=3, y=-2$ (2) $x=-2, y=3$

2-2. (1) $x=16, y=3$ (2) $x=1, y=-3$

2-3. 1

3-2. (1) $x=5, y=3$ (2) $x=-\dfrac{1}{2}, y=\dfrac{3}{4}$ (3) $x=8, y=8$

4-2. (1) $x=6, y=-2$ (2) $x=-4, y=5$ (3) $x=-\dfrac{1}{2}, y=2$

5-2. ④

6-2. -6　　　　　　　　**6-3.** 2

1-2 (1) $\begin{cases} 3x-y=11 & \cdots\cdots ㉠ \\ 2x+3(x-y)=21 & \cdots\cdots ㉡ \end{cases}$

㉡을 간단히 하면 $5x-3y=21$ ...... ㉢

㉠$\times3-$㉢을 하면 $4x=12$ ∴ $x=3$

$x=3$을 ㉠에 대입하면 $9-y=11$ ∴ $y=-2$

(2) $\begin{cases} 3(x+2y)-x=14 & \cdots\cdots ㉠ \\ x+2(2x+y)=-4 & \cdots\cdots ㉡ \end{cases}$

㉠을 간단히 하면 $2x+6y=14$ ...... ㉢

㉡을 간단히 하면 $5x+2y=-4$ ...... ㉣

㉢$-$㉣$\times3$을 하면 $-13x=26$ ∴ $x=-2$

$x=-2$를 ㉢에 대입하면

$-4+6y=14, 6y=18$ ∴ $y=3$

2-2 (1) $\begin{cases} \dfrac{1}{4}x+\dfrac{1}{3}y=5 & \cdots\cdots ㉠ \\ \dfrac{1}{2}x-y=5 & \cdots\cdots ㉡ \end{cases}$

㉠$\times12$를 하면 $3x+4y=60$ ...... ㉢

㉡$\times2$를 하면 $x-2y=10$ ...... ㉣

㉢$+$㉣$\times2$를 하면 $5x=80$ ∴ $x=16$

$x=16$을 ㉣에 대입하면

$16-2y=10, -2y=-6$ ∴ $y=3$

(2) $\begin{cases} \dfrac{x-1}{3}=\dfrac{y+3}{5} & \cdots\cdots ㉠ \\ 5x+6y=-13 & \cdots\cdots ㉡ \end{cases}$

$\bigcirc \times 15$를 하면 $5(x-1)=3(y+3)$

$5x-3y=14$ ...... $\bigcirc$

$\bigcirc - \bigcirc$을 하면 $9y=-27$ $\therefore y=-3$

$y=-3$을 $\bigcirc$에 대입하면

$5x+9=14,\ 5x=5$ $\therefore x=1$

2-3 $\begin{cases} x=2y+4 & \cdots\cdots \bigcirc \\ \dfrac{x-2}{3}=\dfrac{y+1}{2} & \cdots\cdots \bigcirc \end{cases}$

$\bigcirc \times 6$을 하면 $2(x-2)=3(y+1)$

$2x-3y=7$ ...... $\bigcirc$

$\bigcirc$을 $\bigcirc$에 대입하면

$2(2y+4)-3y=7$ $\therefore y=-1$

$y=-1$을 $\bigcirc$에 대입하면 $x=-2+4=2$

따라서 $a=2,\ b=-1$이므로

$a+b=2+(-1)=1$

3-2 (1) $\begin{cases} 0.2x-0.5y=-0.5 & \cdots\cdots \bigcirc \\ 0.7x-y=0.5 & \cdots\cdots \bigcirc \end{cases}$

$\bigcirc \times 10$을 하면 $2x-5y=-5$ ...... $\bigcirc$

$\bigcirc \times 10$을 하면 $7x-10y=5$ ...... $\bigcirc$

$\bigcirc \times 2 - \bigcirc$을 하면 $-3x=-15$ $\therefore x=5$

$x=5$를 $\bigcirc$에 대입하면

$10-5y=-5,\ -5y=-15$ $\therefore y=3$

(2) $\begin{cases} 0.07x-0.1y=-0.11 & \cdots\cdots \bigcirc \\ 0.3x+0.2y=0 & \cdots\cdots \bigcirc \end{cases}$

$\bigcirc \times 100$을 하면 $7x-10y=-11$ ...... $\bigcirc$

$\bigcirc \times 10$을 하면 $3x+2y=0$ ...... $\bigcirc$

$\bigcirc + \bigcirc \times 5$를 하면 $22x=-11$ $\therefore x=-\dfrac{1}{2}$

$x=-\dfrac{1}{2}$을 $\bigcirc$에 대입하면

$-\dfrac{3}{2}+2y=0$ $\therefore y=\dfrac{3}{4}$

(3) $\begin{cases} \dfrac{x}{4}-\dfrac{y}{5}=\dfrac{2}{5} & \cdots\cdots \bigcirc \\ 0.3x-0.2y=0.8 & \cdots\cdots \bigcirc \end{cases}$

$\bigcirc \times 20$을 하면 $5x-4y=8$ ...... $\bigcirc$

$\bigcirc \times 10$을 하면 $3x-2y=8$ ...... $\bigcirc$

$\bigcirc - \bigcirc \times 2$를 하면 $-x=-8$ $\therefore x=8$

$x=8$을 $\bigcirc$에 대입하면

$24-2y=8,\ -2y=-16$ $\therefore y=8$

4-2 (1) 주어진 방정식의 해는 다음 연립방정식의 해와 같다.

$\begin{cases} 2x+3y=6 & \cdots\cdots \bigcirc \\ -x-6y=6 & \cdots\cdots \bigcirc \end{cases}$

$\bigcirc + \bigcirc \times 2$를 하면 $-9y=18$ $\therefore y=-2$

$y=-2$를 $\bigcirc$에 대입하면

$-x+12=6$ $\therefore x=6$

(2) 주어진 방정식의 해는 다음 연립방정식의 해와 같다.

$\begin{cases} 2(x-y)+1=-3y-2 & \cdots\cdots \bigcirc \\ x-4y+7=-3y-2 & \cdots\cdots \bigcirc \end{cases}$

$\bigcirc$을 간단히 하면 $2x+y=-3$ ...... $\bigcirc$

$\bigcirc$을 간단히 하면 $x-y=-9$ ...... $\bigcirc$

$\bigcirc + \bigcirc$을 하면 $3x=-12$ $\therefore x=-4$

$x=-4$를 $\bigcirc$에 대입하면

$-4-y=-9$ $\therefore y=5$

(3) 주어진 방정식의 해는 다음 연립방정식의 해와 같다.

$\begin{cases} \dfrac{2x+y}{4}=\dfrac{5x+3y-3}{2} & \cdots\cdots \bigcirc \\ \dfrac{2x+y}{4}=\dfrac{x+4y-6}{6} & \cdots\cdots \bigcirc \end{cases}$

$\bigcirc \times 4$를 하면 $2x+y=2(5x+3y-3)$

$8x+5y=6$ ...... $\bigcirc$

$\bigcirc \times 12$를 하면 $3(2x+y)=2(x+4y-6)$

$4x-5y=-12$ ...... $\bigcirc$

$\bigcirc + \bigcirc$을 하면 $12x=-6$ $\therefore x=-\dfrac{1}{2}$

$x=-\dfrac{1}{2}$을 $\bigcirc$에 대입하면

$-4+5y=6,\ 5y=10$ $\therefore y=2$

5-2 ① $\begin{cases} x+2y=3 \\ 2x+4y=-6 \end{cases}$ 에서 $\begin{cases} 2x+4y=6 \\ 2x+4y=-6 \end{cases}$ 이므로 해가 없다.

② $x=\dfrac{1}{3},\ y=0$

③ $x=-2,\ y=1$

④ $\begin{cases} 2x-3y=2 \\ 4x-6y=4 \end{cases}$ 에서 $\begin{cases} 4x-6y=4 \\ 4x-6y=4 \end{cases}$ 이므로 해가 무수히 많다.

⑤ $\begin{cases} 3x+4y=5 \\ 6x+8y=-10 \end{cases}$ 에서 $\begin{cases} 6x+8y=10 \\ 6x+8y=-10 \end{cases}$ 이므로 해가 없다.

6-2 $\begin{cases} 3x+ay=12 & \cdots\cdots \bigcirc \\ x-2y=1 & \cdots\cdots \bigcirc \end{cases}$

x의 계수가 같아지도록 $\bigcirc \times 3$을 하면

$\begin{cases} 3x+ay=12 \\ 3x-6y=3 \end{cases}$

이때 이 연립방정식의 해가 없으므로 $a=-6$

6-3 $\begin{cases} 2x+4y=6 & \cdots\cdots \bigcirc \\ x+ay=3 & \cdots\cdots \bigcirc \end{cases}$

x의 계수가 같아지도록 $\bigcirc \times 2$를 하면

$\begin{cases} 2x+4y=6 \\ 2x+2ay=6 \end{cases}$

이때 이 연립방정식의 해가 무수히 많으므로

$4=2a$ $\therefore a=2$

계산력 집중 연습

1. (1) $x=-5, y=11$ (2) $x=2, y=1$ (3) $x=8, y=4$
(4) $x=1, y=-2$

2. (1) $x=3, y=1$ (2) $x=2, y=0$ (3) $x=2, y=-3$
(4) $x=3, y=-\dfrac{3}{2}$

3. (1) $x=5, y=3$ (2) $x=4, y=-1$ (3) $x=-4, y=8$
(4) $x=1, y=2$ (5) $x=1, y=1$ (6) $x=8, y=6$

4. (1) $x=2, y=1$ (2) $x=\dfrac{1}{2}, y=0$ (3) $x=3, y=2$

1 (1) $\begin{cases} x+2y=17 & \cdots\cdots ㉠ \\ y=6-x & \cdots\cdots ㉡ \end{cases}$

㉡을 ㉠에 대입하면 $x+2(6-x)=17$
$-x=5$ ∴ $x=-5$
$x=-5$를 ㉡에 대입하면
$y=6-(-5)=11$

(2) $\begin{cases} 2x+y=5 & \cdots\cdots ㉠ \\ 5x-3y=7 & \cdots\cdots ㉡ \end{cases}$

㉠에서 $y=-2x+5$ $\cdots\cdots ㉢$
㉢을 ㉡에 대입하면 $5x-3(-2x+5)=7$
$11x=22$ ∴ $x=2$
$x=2$를 ㉢에 대입하면 $y=-2\times2+5=1$

(3) $\begin{cases} 2x-3y=4 & \cdots\cdots ㉠ \\ -x+4y=8 & \cdots\cdots ㉡ \end{cases}$

㉡에서 $x=4y-8$ $\cdots\cdots ㉢$
㉢을 ㉠에 대입하면 $2(4y-8)-3y=4$
$5y=20$ ∴ $y=4$
$y=4$를 ㉢에 대입하면 $x=4\times4-8=8$

(4) $\begin{cases} 3x+5y=-7 & \cdots\cdots ㉠ \\ 7x-y=9 & \cdots\cdots ㉡ \end{cases}$

㉡에서 $y=7x-9$ $\cdots\cdots ㉢$
㉢을 ㉠에 대입하면 $3x+5(7x-9)=-7$
$38x=38$ ∴ $x=1$
$x=1$을 ㉢에 대입하면
$y=7\times1-9=-2$

2 (1) $\begin{cases} x-y=2 & \cdots\cdots ㉠ \\ x+y=4 & \cdots\cdots ㉡ \end{cases}$

㉠+㉡을 하면 $2x=6$ ∴ $x=3$
$x=3$을 ㉠에 대입하면 $3-y=2$ ∴ $y=1$

(2) $\begin{cases} 3x+2y=6 & \cdots\cdots ㉠ \\ 2x+3y=4 & \cdots\cdots ㉡ \end{cases}$

㉠×2−㉡×3을 하면 $-5y=0$ ∴ $y=0$
$y=0$을 ㉠에 대입하면 $3x=6$ ∴ $x=2$

(3) $\begin{cases} 7x+3y=5 & \cdots\cdots ㉠ \\ 3x-2y=12 & \cdots\cdots ㉡ \end{cases}$

㉠×2+㉡×3을 하면 $23x=46$ ∴ $x=2$
$x=2$를 ㉠에 대입하면
$14+3y=5, 3y=-9$ ∴ $y=-3$

(4) $\begin{cases} 3x+2y=6 & \cdots\cdots ㉠ \\ 5x+2y=12 & \cdots\cdots ㉡ \end{cases}$

㉠−㉡을 하면 $-2x=-6$ ∴ $x=3$
$x=3$을 ㉠에 대입하면
$9+2y=6, 2y=-3$ ∴ $y=-\dfrac{3}{2}$

3 (1) $\begin{cases} 2(x+y)=16 & \cdots\cdots ㉠ \\ 3x-(5y-2)=2 & \cdots\cdots ㉡ \end{cases}$

㉠을 간단히 하면 $x+y=8$ $\cdots\cdots ㉢$
㉡을 간단히 하면 $3x-5y=0$ $\cdots\cdots ㉣$
㉢×3−㉣을 하면 $8y=24$ ∴ $y=3$
$y=3$을 ㉢에 대입하면 $x+3=8$ ∴ $x=5$

(2) $\begin{cases} 3x-2(2x-y)=x-10 & \cdots\cdots ㉠ \\ 2(y-2x)+y=-7-3x & \cdots\cdots ㉡ \end{cases}$

㉠을 간단히 하면 $-2x+2y=-10$ $\cdots\cdots ㉢$
㉡을 간단히 하면 $-x+3y=-7$ $\cdots\cdots ㉣$
㉢−㉣×2를 하면 $-4y=4$ ∴ $y=-1$
$y=-1$을 ㉣에 대입하면 $-x-3=-7$ ∴ $x=4$

(3) $\begin{cases} \dfrac{3}{2}x+\dfrac{1}{8}y=-5 & \cdots\cdots ㉠ \\ \dfrac{1}{4}x+\dfrac{1}{6}y=\dfrac{1}{3} & \cdots\cdots ㉡ \end{cases}$

㉠×8을 하면 $12x+y=-40$ $\cdots\cdots ㉢$
㉡×12를 하면 $3x+2y=4$ $\cdots\cdots ㉣$
㉢×2−㉣을 하면 $21x=-84$ ∴ $x=-4$
$x=-4$를 ㉣에 대입하면
$-12+2y=4, 2y=16$ ∴ $y=8$

(4) $\begin{cases} 0.3x+0.2y=0.7 & \cdots\cdots ㉠ \\ 0.09x-0.1y=-0.11 & \cdots\cdots ㉡ \end{cases}$

㉠×10을 하면 $3x+2y=7$ $\cdots\cdots ㉢$
㉡×100을 하면 $9x-10y=-11$ $\cdots\cdots ㉣$
㉢×3−㉣을 하면 $16y=32$ ∴ $y=2$
$y=2$를 ㉢에 대입하면
$3x+4=7, 3x=3$ ∴ $x=1$

(5) $\begin{cases} \dfrac{1}{2}x+y=\dfrac{3}{2} & \cdots\cdots ㉠ \\ 0.5x-0.2y=0.3 & \cdots\cdots ㉡ \end{cases}$

㉠×2를 하면 $x+2y=3$ $\cdots\cdots ㉢$
㉡×10을 하면 $5x-2y=3$ $\cdots\cdots ㉣$
㉢+㉣을 하면 $6x=6$ ∴ $x=1$
$x=1$을 ㉢에 대입하면 $1+2y=3, 2y=2$ ∴ $y=1$

(6) $\begin{cases} \dfrac{x}{4}+\dfrac{2y}{3}=6 & \cdots\cdots \text{㉠} \\ 0.06x-0.05y=0.18 & \cdots\cdots \text{㉡} \end{cases}$

㉠$\times 12$를 하면 $3x+8y=72$ $\qquad\cdots\cdots$ ㉢

㉡$\times 100$을 하면 $6x-5y=18$ $\qquad\cdots\cdots$ ㉣

㉢$\times 2-$㉣을 하면 $21y=126$ $\quad\therefore y=6$

$y=6$을 ㉣에 대입하면

$6x-30=18,\ 6x=48$ $\quad\therefore x=8$

4 (1) 주어진 방정식의 해는 다음 연립방정식의 해와 같다.

$\begin{cases} 2x+y=5 & \cdots\cdots \text{㉠} \\ 3x-y=5 & \cdots\cdots \text{㉡} \end{cases}$

㉠$+$㉡을 하면 $5x=10$ $\quad\therefore x=2$

$x=2$를 ㉠에 대입하면 $4+y=5$ $\quad\therefore y=1$

(2) 주어진 방정식의 해는 다음 연립방정식의 해와 같다.

$\begin{cases} \dfrac{1-3y}{2}=x+2y & \cdots\cdots \text{㉠} \\ \dfrac{x+1}{3}=x+2y & \cdots\cdots \text{㉡} \end{cases}$

㉠$\times 2$를 하면 $1-3y=2(x+2y)$

$2x+7y=1$ $\qquad\cdots\cdots$ ㉢

㉡$\times 3$을 하면 $x+1=3(x+2y)$

$2x+6y=1$ $\qquad\cdots\cdots$ ㉣

㉢$-$㉣을 하면 $y=0$

$y=0$을 ㉢에 대입하면 $2x=1$ $\quad\therefore x=\dfrac{1}{2}$

(3) 주어진 방정식의 해는 다음 연립방정식의 해와 같다.

$\begin{cases} x+4y=4x-1 & \cdots\cdots \text{㉠} \\ 2(3x-y)-3=4x-1 & \cdots\cdots \text{㉡} \end{cases}$

㉠을 간단히 하면 $3x-4y=1$ $\qquad\cdots\cdots$ ㉢

㉡을 간단히 하면 $2x-2y=2$ $\qquad\cdots\cdots$ ㉣

㉢$-$㉣$\times 2$를 하면 $-x=-3$ $\quad\therefore x=3$

$x=3$을 ㉢에 대입하면

$9-4y=1,\ -4y=-8$ $\quad\therefore y=2$

STEP ③ 〈127쪽〉

01. ④ **02.** 20 **03.** ③ **04.** 3 **05.** -3

06. 해가 무수히 많다.

연립방정식의 해가 무수히 많을 수도 있는데 성준이는 해가 한 개뿐이라고 잘못 생각하였다.

01 $\begin{cases} x-2(y+1)=0 & \cdots\cdots \text{㉠} \\ 3(x-3y)=-y+6 & \cdots\cdots \text{㉡} \end{cases}$

㉠을 간단히 하면 $x-2y=2$ $\qquad\cdots\cdots$ ㉢

㉡을 간단히 하면 $3x-8y=6$ $\qquad\cdots\cdots$ ㉣

㉢$\times 3-$㉣을 하면 $2y=0$ $\quad\therefore y=0$

$y=0$을 ㉢에 대입하면 $x=2$

따라서 ④ $4\times 2-3\times 0=8$이므로 $x=2,\ y=0$을 해로 가지는 일차방정식은 ④이다.

02 $\begin{cases} 0.4x+0.3y=3 & \cdots\cdots \text{㉠} \\ \dfrac{x}{4}+\dfrac{y-5}{6}=1 & \cdots\cdots \text{㉡} \end{cases}$

㉠$\times 10$을 하면 $4x+3y=30$ $\qquad\cdots\cdots$ ㉢

㉡$\times 12$를 하면 $3x+2(y-5)=12$

$3x+2y=22$ $\qquad\cdots\cdots$ ㉣

㉢$\times 2-$㉣$\times 3$을 하면 $-x=-6$ $\quad\therefore x=6$

$x=6$을 ㉣에 대입하면

$18+2y=22,\ 2y=4$ $\quad\therefore y=2$

따라서 $a=6,\ b=2$이므로

$(a+2b)\times(a-2b)=(6+4)\times(6-4)$

$\qquad\qquad\qquad\qquad\quad =10\times 2=20$

03 주어진 방정식의 해는 다음 연립방정식의 해와 같다.

$\begin{cases} 6x-2y-1=5x-4y & \cdots\cdots \text{㉠} \\ 2x+3y+16=5x-4y & \cdots\cdots \text{㉡} \end{cases}$

㉠을 간단히 하면 $x+2y=1$ $\qquad\cdots\cdots$ ㉢

㉡을 간단히 하면 $3x-7y=16$ $\qquad\cdots\cdots$ ㉣

㉢$\times 3-$㉣을 하면

$13y=-13$ $\quad\therefore y=-1$

$y=-1$을 ㉢에 대입하면

$x-2=1$ $\quad\therefore x=3$

04 y의 계수가 같아지도록 ㉠$\times 3$을 하면

$\begin{cases} 3x-6y=9 \\ ax-6y=2 \end{cases}$

이때 해가 존재하지 않으므로 $a=3$

05 상수항이 같아지도록 ㉠$\times(-2)$를 하면

$\begin{cases} -6x+2ay=-4 \\ bx+6y=-4 \end{cases}$ $\qquad\qquad\cdots\cdots$ [30 %]

이때 해가 무수히 많으므로

$-6=b,\ 2a=6$ $\quad\therefore a=3,\ b=-6$ $\qquad\cdots\cdots$ [50 %]

$\therefore a+b=3+(-6)=-3$ $\qquad\cdots\cdots$ [20 %]

06 $\begin{cases} 2x+3y=5 & \cdots\cdots \text{㉠} \\ 4(x+y)=10-2y & \cdots\cdots \text{㉡} \end{cases}$

㉡을 간단히 하면 $4x+6y=10$ $\qquad\cdots\cdots$ ㉢

㉠$\times 2$를 하면 $4x+6y=10$ $\qquad\cdots\cdots$ ㉣

이때 ㉢과 ㉣에서 $x,\ y$의 계수와 상수항이 각각 같으므로 주어진 연립방정식은 $x=1,\ y=1$ 이외에도 해가 무수히 많다. 즉 연립방정식의 해가 무수히 많을 수도 있는데 성준이는 해가 한 개뿐이라고 잘못 생각하였다.

6. 연립방정식의 활용

1 연립방정식의 활용

130쪽~132쪽

개념 확인

1. (1) $\begin{cases} y-x=22 \\ 3x-y=12 \end{cases}$ (2) 17, 39

2.

	볼펜	연필
개수	x자루	y자루
금액	$1000x$원	$500y$원

볼펜: 3자루, 연필: 10자루

3. $\dfrac{x}{3}, \dfrac{y}{2}, 7, \dfrac{x}{3}, \dfrac{y}{2}, 3$

뛰어간 거리: 3 km, 걸어간 거리: 4 km

4. (1) $600, \dfrac{8}{100}\times y, \dfrac{6}{100}\times 600$

(2) $\begin{cases} x+y=600 \\ \dfrac{5}{100}x+\dfrac{8}{100}y=36 \end{cases}$

(3) 5 %의 소금물: 400 g, 8 %의 소금물: 200 g

1 (2) $\begin{cases} y-x=22 & \cdots\cdots ㉠ \\ 3x-y=12 & \cdots\cdots ㉡ \end{cases}$

㉠+㉡을 하면 $2x=34$ $\therefore x=17$

$x=17$을 ㉠에 대입하면 $y-17=22$ $\therefore y=39$

따라서 두 수는 17, 39이다.

2 $\begin{cases} x+y=13 \\ 1000x+500y=8000 \end{cases} \Rightarrow \begin{cases} x+y=13 & \cdots\cdots ㉠ \\ 2x+y=16 & \cdots\cdots ㉡ \end{cases}$

㉠−㉡을 하면 $-x=-3$ $\therefore x=3$

$x=3$을 ㉠에 대입하면 $3+y=13$ $\therefore y=10$

따라서 볼펜은 3자루, 연필은 10자루이다.

3 $\begin{cases} x+y=7 & \cdots\cdots ㉠ \\ \dfrac{x}{3}+\dfrac{y}{2}=3 & \cdots\cdots ㉡ \end{cases}$

㉡×6을 하면 $2x+3y=18$ $\cdots\cdots ㉢$

㉠×2−㉢을 하면 $-y=-4$ $\therefore y=4$

$y=4$를 ㉠에 대입하면 $x+4=7$ $\therefore x=3$

따라서 대성이가 뛰어간 거리는 3 km, 걸어간 거리는 4 km이다.

4 (3) $\begin{cases} x+y=600 \\ \dfrac{5}{100}x+\dfrac{8}{100}y=36 \end{cases} \Rightarrow \begin{cases} x+y=600 & \cdots\cdots ㉠ \\ 5x+8y=3600 & \cdots\cdots ㉡ \end{cases}$

㉠×5−㉡을 하면 $-3y=-600$ $\therefore y=200$

$y=200$을 ㉠에 대입하면

$x+200=600$ $\therefore x=400$

따라서 5 %의 소금물 400 g과 8 %의 소금물 200 g을 섞었다.

STEP ①

133쪽~134쪽

1-1. 43

연구 $10x+y, 10y+x, 7, 10y+x, 7, -1, 4, 3, 43$

1-2. (1) $\begin{cases} x+y=10 \\ 10y+x=10x+y+36 \end{cases}$ (2) 37

2-1. 아버지의 나이: 38세, 딸의 나이: 7세

연구 $x+24, y+24, x+y=45, x+24=2(y+24), 45,$ $2, 24, 38, 7, 38, 7$

2-2. (1) $\begin{cases} x=5y \\ x+10=3(y+10)+6 \end{cases}$

(2) 할머니의 나이: 65세, 손자의 나이: 13세

3-1. 올라간 거리: 2 km, 내려온 거리: 6 km

연구 $8, \dfrac{5}{2}, 8, \dfrac{5}{2}, 8, 10, 2, 6, 2, 6$

3-2. (1) $\begin{cases} x+y=13 \\ \dfrac{x}{2}+\dfrac{y}{4}=\dfrac{9}{2} \end{cases}$

(2) A 코스: 5 km, B 코스: 8 km

4-1. 400 g

연구 $500, 500, 500, 45, 500, 900, 100, 400, 400$

4-2. (1) $x+y=300$ (2) $\dfrac{6}{100}x+\dfrac{12}{100}y=30$

(3) 6 %의 소금물: 100 g, 12 %의 소금물: 200 g

1-2 (1)

	십의 자리	일의 자리	
처음 수	x	y	$\Rightarrow 10x+y$
각 자리의 숫자를 바꾼 수	y	x	$\Rightarrow 10y+x$

$\therefore \begin{cases} x+y=10 \\ 10y+x=10x+y+36 \end{cases}$

(2) $\begin{cases} x+y=10 \\ 10y+x=10x+y+36 \end{cases} \Rightarrow \begin{cases} x+y=10 & \cdots\cdots ㉠ \\ -x+y=4 & \cdots\cdots ㉡ \end{cases}$

㉠+㉡을 하면 $2y=14$ $\therefore y=7$

$y=7$을 ㉠에 대입하면 $x+7=10$ $\therefore x=3$

따라서 처음 수는 37이다.

2-2 (1)

	할머니	손자
현재 나이	x세	y세
10년 후의 나이	$(x+10)$세	$(y+10)$세

현재 할머니의 나이는 손자의 나이의 5배이다.

$\Rightarrow x=5y$

10년 후 할머니의 나이는 손자의 나이의 3배보다 6세 많아진다. $\Rightarrow x+10=3(y+10)+6$

$\therefore \begin{cases} x=5y \\ x+10=3(y+10)+6 \end{cases}$

(2) $\begin{cases} x=5y \\ x+10=3(y+10)+6 \end{cases} \Rightarrow \begin{cases} x=5y & \cdots\cdots \text{㉠} \\ x-3y=26 & \cdots\cdots \text{㉡} \end{cases}$

㉠을 ㉡에 대입하면 $5y-3y=26$ $\therefore y=13$

$y=13$을 ㉠에 대입하면 $x=5\times13=65$

따라서 현재 할머니의 나이는 65세, 손자의 나이는 13세 이다.

3-2 (2) $\begin{cases} x+y=13 \\ \dfrac{x}{2}+\dfrac{y}{4}=\dfrac{9}{2} \end{cases} \Rightarrow \begin{cases} x+y=13 & \cdots\cdots \text{㉠} \\ 2x+y=18 & \cdots\cdots \text{㉡} \end{cases}$

㉠-㉡을 하면 $-x=-5$ $\therefore x=5$

$x=5$를 ㉠에 대입하면 $5+y=13$ $\therefore y=8$

따라서 A 코스의 길이는 5 km, B 코스의 길이는 8 km 이다.

4-2 (2) $\dfrac{6}{100}\times x+\dfrac{12}{100}\times y=\dfrac{10}{100}\times300$

$\therefore \dfrac{6}{100}x+\dfrac{12}{100}y=30$

(3) $\begin{cases} x+y=300 \\ \dfrac{6}{100}x+\dfrac{12}{100}y=30 \end{cases} \Rightarrow \begin{cases} x+y=300 & \cdots\cdots \text{㉠} \\ x+2y=500 & \cdots\cdots \text{㉡} \end{cases}$

㉠-㉡을 하면 $-y=-200$ $\therefore y=200$

$y=200$을 ㉠에 대입하면

$x+200=300$ $\therefore x=100$

따라서 6 %의 소금물 100 g과 12 %의 소금물 200 g을 섞어야 한다.

135쪽~137쪽

1-2. 어른: 4명, 어린이: 4명

2-2. 3마리   **2-3.** 9회

3-2. 330상자   **4-2.** 24일

5-2. 7 km

6-2. 5 %의 소금물: 200 g, 8 %의 소금물: 400 g

6-3. 15 g

1-2 어른의 수를 x명, 어린이의 수를 y명이라 하면

$\begin{cases} x+y=8 \\ 6000x+3000y=36000 \end{cases} \Rightarrow \begin{cases} x+y=8 & \cdots\cdots \text{㉠} \\ 2x+y=12 & \cdots\cdots \text{㉡} \end{cases}$

㉠-㉡을 하면 $-x=-4$ $\therefore x=4$

$x=4$를 ㉠에 대입하면 $4+y=8$ $\therefore y=4$

따라서 어른의 수는 4명, 어린이의 수는 4명이다.

2-2 닭의 수를 x마리, 토끼의 수를 y마리라 하면

닭의 다리 수는 2개, 토끼의 다리 수는 4개이므로

$\begin{cases} x+y=12 \\ 2x+4y=30 \end{cases} \Rightarrow \begin{cases} x+y=12 & \cdots\cdots \text{㉠} \\ x+2y=15 & \cdots\cdots \text{㉡} \end{cases}$

㉠-㉡을 하면 $-y=-3$ $\therefore y=3$

$y=3$을 ㉠에 대입하면 $x+3=12$ $\therefore x=9$

따라서 토끼는 3마리이다.

2-3 A가 이긴 횟수를 x회, 진 횟수를 y회라 하면

B가 진 횟수가 x회, 이긴 횟수가 y회이므로

$\begin{cases} 3x-2y=18 & \cdots\cdots \text{㉠} \\ 3y-2x=3 & \cdots\cdots \text{㉡} \end{cases}$

㉠$\times2$+㉡$\times3$을 하면 $5y=45$ $\therefore y=9$

$y=9$를 ㉡에 대입하면

$27-2x=3, -2x=-24$ $\therefore x=12$

따라서 B가 이긴 횟수는 9회이다.

3-2 작년 자두의 수확량을 x상자, 복숭아의 수확량을 y상자라 하면

$\begin{cases} x+y=500 \\ -\dfrac{5}{100}x+\dfrac{10}{100}y=\dfrac{4}{100}\times500 \end{cases}$

$\Rightarrow \begin{cases} x+y=500 & \cdots\cdots \text{㉠} \\ -x+2y=400 & \cdots\cdots \text{㉡} \end{cases}$

㉠+㉡을 하면 $3y=900$ $\therefore y=300$

$y=300$을 ㉠에 대입하면 $x+300=500$ $\therefore x=200$

따라서 올해 복숭아의 수확량은

$300+300\times\dfrac{10}{100}=330$(상자)이다.

4-2 전체 일의 양을 1로 놓고 A, B가 하루 동안 할 수 있는 일의 양을 각각 x, y라 하면

$\begin{cases} 8x+8y=1 & \cdots\cdots \text{㉠} \\ 6x+12y=1 & \cdots\cdots \text{㉡} \end{cases}$

㉠$\times3$-㉡$\times4$를 하면 $-24y=-1$ $\therefore y=\dfrac{1}{24}$

$y=\dfrac{1}{24}$을 ㉠에 대입하면

$8x+\dfrac{1}{3}=1, 8x=\dfrac{2}{3}$ $\therefore x=\dfrac{1}{12}$

따라서 B가 혼자서 이 일을 끝내려면 24일이 걸린다.

58 · 정답과 해설

5-2 자전거를 타고 간 거리를 x km, 걸어간 거리를 y km라 하면

$$\begin{cases} x+y=10 \\ \dfrac{x}{14}+\dfrac{y}{6}=1 \end{cases} \Rightarrow \begin{cases} x+y=10 & \cdots\cdots\ \text{㉠} \\ 3x+7y=42 & \cdots\cdots\ \text{㉡} \end{cases}$$

㉠$\times 3-$㉡을 하면 $-4y=-12$ ∴ $y=3$

$y=3$을 ㉠에 대입하면 $x+3=10$ ∴ $x=7$

따라서 자전거를 타고 간 거리는 7 km이다.

6-2 5 %의 소금물의 양을 x g, 8 %의 소금물의 양을 y g이라 하면

$$\begin{cases} x+y=600 \\ \dfrac{5}{100}x+\dfrac{8}{100}y=\dfrac{7}{100}\times 600 \end{cases}$$

$$\Rightarrow \begin{cases} x+y=600 & \cdots\cdots\ \text{㉠} \\ 5x+8y=4200 & \cdots\cdots\ \text{㉡} \end{cases}$$

㉠$\times 5-$㉡을 하면 $-3y=-1200$ ∴ $y=400$

$y=400$을 ㉠에 대입하면

$x+400=600$ ∴ $x=200$

따라서 5 %의 소금물은 200 g, 8 %의 소금물은 400 g 섞어야 한다.

6-3 8 %의 소금물의 양을 x g, 더 넣어야 하는 소금의 양을 y g이라 하면

$$\begin{cases} x+y=345 \\ \dfrac{8}{100}x+y=\dfrac{12}{100}\times 345 \end{cases}$$

$$\Rightarrow \begin{cases} x+y=345 & \cdots\cdots\ \text{㉠} \\ 2x+25y=1035 & \cdots\cdots\ \text{㉡} \end{cases}$$

㉠$\times 2-$㉡을 하면 $-23y=-345$ ∴ $y=15$

$y=15$를 ㉠에 대입하면 $x+15=345$ ∴ $x=330$

따라서 더 넣어야 하는 소금의 양은 15 g이다.

STEP 3　　　　　　　　　　　138쪽~139쪽

01. 6　　**02.** ④　　**03.** 45세

04. (1) $\begin{cases} x+y=36 \\ 6000x+15000y=270000 \end{cases}$　(2) 30명　　**05.** 11골

06. 13　　**07.** ②　　**08.** ①

09. 고속국도: 140 km, 지방도: 60 km　　**10.** ③

11. 300 g

01
$$\begin{cases} 3x+y=8 & \cdots\cdots\ \text{㉠} \\ y=5x & \cdots\cdots\ \text{㉡} \end{cases}$$

㉡을 ㉠에 대입하면 $3x+5x=8$, $8x=8$ ∴ $x=1$

$x=1$을 ㉡에 대입하면 $y=5\times 1=5$

∴ $x+y=1+5=6$

02 처음 수의 십의 자리의 숫자를 x, 일의 자리의 숫자를 y라 하면

$$\begin{cases} x+y=13 \\ 10y+x=10x+y+9 \end{cases} \Rightarrow \begin{cases} x+y=13 & \cdots\cdots\ \text{㉠} \\ -x+y=1 & \cdots\cdots\ \text{㉡} \end{cases}$$

㉠$+$㉡을 하면 $2y=14$ ∴ $y=7$

$y=7$을 ㉠에 대입하면 $x+7=13$ ∴ $x=6$

따라서 처음 수는 67, 각 자리의 숫자를 바꾼 수는 76이므로 두 수의 합은 $67+76=143$

03 현재 아버지의 나이를 x세, 민영이의 나이를 y세라 하면

$$\begin{cases} x-y=26 \\ x+10=2(y+10)-3 \end{cases} \Rightarrow \begin{cases} x-y=26 & \cdots\cdots\ \text{㉠} \\ x-2y=7 & \cdots\cdots\ \text{㉡} \end{cases}$$

㉠$-$㉡을 하면 $y=19$

$y=19$를 ㉠에 대입하면 $x-19=26$ ∴ $x=45$

따라서 현재 아버지의 나이는 45세이다.

04 (1) 놀이공원에 입장한 어린이의 수를 x명, 어른의 수를 y명이라 하면

$$\begin{cases} x+y=36 \\ 6000x+15000y=270000 \end{cases} \quad\cdots\cdots\ [40\ \%]$$

(2) $$\begin{cases} x+y=36 \\ 6000x+15000y=270000 \end{cases}$$

$$\Rightarrow \begin{cases} x+y=36 & \cdots\cdots\ \text{㉠} \\ 2x+5y=90 & \cdots\cdots\ \text{㉡} \end{cases}$$

㉠$\times 2-$㉡을 하면 $-3y=-18$ ∴ $y=6$

$y=6$을 ㉠에 대입하면 $x+6=36$ ∴ $x=30$

따라서 어린이는 30명 입장하였다.　　$\cdots\cdots\ [60\ \%]$

05 2점 숏을 x골, 3점 숏을 y골 넣었다고 하면

$$\begin{cases} x+y=15 & \cdots\cdots\ \text{㉠} \\ 2x+3y=34 & \cdots\cdots\ \text{㉡} \end{cases}$$

㉠$\times 2-$㉡을 하면 $-y=-4$ ∴ $y=4$

$y=4$를 ㉠에 대입하면 $x+4=15$ ∴ $x=11$

따라서 승환이가 넣은 2점 숏은 11골이다.

06
$$\begin{cases} x=y+6 \\ 2(x+y)=64 \end{cases} \Rightarrow \begin{cases} x=y+6 & \cdots\cdots\ \text{㉠} \\ x+y=32 & \cdots\cdots\ \text{㉡} \end{cases}$$

㉠을 ㉡에 대입하면

$y+6+y=32$, $2y=26$ ∴ $y=13$

$y=13$을 ㉠에 대입하면 $x=13+6=19$

따라서 직사각형의 세로의 길이는 13이다.

07 작년의 남학생 수를 x명, 여학생 수를 y명이라 하면

$$\begin{cases} x+y=400 \\ \dfrac{5}{100}x-\dfrac{5}{100}y=-10 \end{cases} \Rightarrow \begin{cases} x+y=400 & \cdots\cdots\ \text{㉠} \\ x-y=-200 & \cdots\cdots\ \text{㉡} \end{cases}$$

㉠$+$㉡을 하면 $2x=200$ ∴ $x=100$

$x=100$을 ㉠에 대입하면 $100+y=400$ ∴ $y=300$

따라서 올해의 남학생 수는

$100+100\times\dfrac{5}{100}=105$(명)

08 전체 일의 양을 1로 놓고 A, B가 하루 동안 할 수 있는 일의 양을 각각 x, y라 하면

$\begin{cases} 6x+6y=1 & \cdots\cdots \text{㉠} \\ 3x+7y=1 & \cdots\cdots \text{㉡} \end{cases}$

㉠$-$㉡$\times 2$를 하면 $-8y=-1$ $\therefore y=\dfrac{1}{8}$

$y=\dfrac{1}{8}$을 ㉠에 대입하면

$6x+\dfrac{3}{4}=1, 6x=\dfrac{1}{4}$ $\therefore x=\dfrac{1}{24}$

따라서 B가 혼자서 한다면 8일이 걸린다.

09 고속국도로 달린 거리를 x km, 지방도로 달린 거리를 y km라 하면

$\begin{cases} x+y=200 \\ \dfrac{x}{80}+\dfrac{y}{60}=2\dfrac{45}{60} \end{cases} \Rightarrow \begin{cases} x+y=200 & \cdots\cdots \text{㉠} \\ 3x+4y=660 & \cdots\cdots \text{㉡} \end{cases}$

㉠$\times 3-$㉡을 하면 $-y=-60$ $\therefore y=60$

$y=60$을 ㉠에 대입하면

$x+60=200$ $\therefore x=140$

따라서 고속국도로 달린 거리는 140 km, 지방도로 달린 거리는 60 km이다.

10 시속 4 km로 걸은 거리를 x km, 시속 8 km로 달린 거리를 y km라 하면

$\begin{cases} x+y=5 \\ \dfrac{x}{4}+\dfrac{y}{8}=1 \end{cases} \Rightarrow \begin{cases} x+y=5 & \cdots\cdots \text{㉠} \\ 2x+y=8 & \cdots\cdots \text{㉡} \end{cases}$

㉠$-$㉡을 하면 $-x=-3$ $\therefore x=3$

$x=3$을 ㉠에 대입하면 $3+y=5$ $\therefore y=2$

따라서 시속 4 km로 걸은 거리는 3 km이고,

(시간)$=\dfrac{\text{(거리)}}{\text{(속력)}}$이므로 시속 4 km로 걸은 시간은 $\dfrac{3}{4}$시간,

즉 45분이다.

11 8 %의 소금물의 양을 x g, 13 %의 소금물의 양을 y g이라 하면

$\begin{cases} x+y=500 \\ \dfrac{8}{100}x+\dfrac{13}{100}y=\dfrac{11}{100}\times 500 \end{cases}$

$\Rightarrow \begin{cases} x+y=500 & \cdots\cdots \text{㉠} \\ 8x+13y=5500 & \cdots\cdots \text{㉡} \end{cases}$

㉠$\times 8-$㉡을 하면 $-5y=-1500$ $\therefore y=300$

$y=300$을 ㉠에 대입하면

$x+300=500$ $\therefore x=200$

따라서 13 %의 소금물은 300 g 섞었다.

---

7. 일차함수와 그래프 (1)

1 함수의 뜻

개념 확인   142쪽~143쪽

1. (1), (3)   **2.** (1) -2 (2) 6 (3) 3

3. (1) 10 (2) -1 (3) -1 (4) -1

1 (1)

x	1	2	3	4	$\cdots$
y	1	2	2	3	$\cdots$

x의 값 하나에 y의 값이 하나씩 정해지므로 y는 x의 함수이다.

(2)

x	1	2	3	4	$\cdots$
y		1	1, 2	1, 2, 3	$\cdots$

x의 값 하나에 y의 값이 정해지지 않거나 2개 이상인 경우가 있으므로 y는 x의 함수가 아니다.

(3)

x	1	2	3	4	$\cdots$
y	12	6	4	3	$\cdots$

x의 값 하나에 y의 값이 하나씩 정해지므로 y는 x의 함수이다.

2 (1) $f(1)=-2\times 1=-2$

(2) $f(-3)=-2\times(-3)=6$

(3) $f\left(-\dfrac{3}{2}\right)=-2\times\left(-\dfrac{3}{2}\right)=3$

3 (1) $f(2)=5\times 2=10$

(2) $f(2)=-\dfrac{2}{2}=-1$

(3) $f(2)=2-3=-1$

(4) $f(2)=-2\times 2+3$

$=-4+3=-1$

STEP ❶   144쪽

1-1. (1)

x (시간)	1	2	3	4	$\cdots$
y (km)	3	6	9	12	$\cdots$

(2) $y=3x$ (3) y는 x의 함수이다.

연구 (1) 함수 (2) 아니다

1-2. (1)

x	1	2	3	4	$\cdots$
y	1	1, 2	1, 3	1, 2, 4	$\cdots$

(2) y는 x의 함수가 아니다.

2-1. (1) 1 (2) -8 (3) 8

2-2. (1) -1 (2) 3 (3) $f(1)=-\dfrac{1}{3}$, $f(-3)=1$

(4) $f(-1)=6$, $f(3)=-2$

3-1. -2 [연구] -5, 1, -5, 1, -2

3-2. (1) -4 (2) 16 (3) 0

1-1 (3) x의 값 하나에 y의 값이 하나씩 정해지므로 y는 x의 함수이다.

1-2 (2) x의 값 하나에 y의 값이 2개 이상인 경우가 있으므로 y는 x의 함수가 아니다.

2-1 (1) $f(-1)=-(-1)=1$

(2) $f(-1)=\dfrac{8}{-1}=-8$

(3) $f(-1)=-3\times(-1)+5=3+5=8$

2-2 (1) $f(-5)=\dfrac{5}{-5}=-1$

(2) $f(-1)=-2\times(-1)+1=2+1=3$

(3) $f(1)=-\dfrac{1}{3}\times1=-\dfrac{1}{3}$

$f(-3)=-\dfrac{1}{3}\times(-3)=1$

(4) $f(-1)=-\dfrac{6}{-1}=6$, $f(3)=-\dfrac{6}{3}=-2$

3-1 $f(-1)=2\times(-1)-3=-5$

$f(2)=2\times2-3=1$

$\therefore f(-1)+3f(2)=-5+3\times1=-2$

3-2 (1) $f(-1)+f(2)=-4\times(-1)+(-4)\times2$

$=4+(-8)=-4$

(2) $2f\left(-\dfrac{1}{2}\right)-f(3)=2\times(-4)\times\left(-\dfrac{1}{2}\right)-(-4)\times3$

$=4-(-12)=16$

(3) $f(1)+f(2)+f(-3)$

$=(-4)\times1+(-4)\times2+(-4)\times(-3)$

$=-4+(-8)+12=0$

STEP ② 145쪽~146쪽

1-2. ①

2-2. (1) $f(x)=\dfrac{1200}{x}$ (2) 10

3-2. -10

3-3. 10

4-2. (1) 18 (2) 6

1-2 ①

x	1	2	3	4	5	…
y			2	2	2, 4	…

---

x의 값 하나에 y의 값이 정해지지 않거나 2개 이상인 경우가 있으므로 y는 x의 함수가 아니다.

②

x	1	2	3	4	5	6	…
y	1	2	0	1	2	0	…

x의 값 하나에 y의 값이 하나씩 정해지므로 y는 x의 함수이다.

③ $y=4x$ ➡ y는 x의 함수이다.

④ $y=\dfrac{2000}{x}$ ➡ y는 x의 함수이다.

⑤ $y=\dfrac{50}{x}$ ➡ y는 x의 함수이다.

2-2 (1) (1분 동안 입력하는 타 수)$\times$(시간)$=$(총 타 수)이므로

$x\times y=1200$ $\quad\therefore y=\dfrac{1200}{x}$

이때 $y=f(x)$이므로 $f(x)=\dfrac{1200}{x}$

(2) $f(x)=\dfrac{1200}{x}$에서 x에 120을 대입하면

$f(120)=\dfrac{1200}{120}=10$

3-2 $f(-6)=5\times(-6)=-30$, $f(1)=5\times1=5$,

$f(3)=5\times3=15$이므로

$f(-6)+f(1)+f(3)=-30+5+15=-10$

3-3 $f\left(\dfrac{1}{2}\right)=10\div\dfrac{1}{2}=10\times2=20$ $\quad\therefore a=20$

$f(-1)=\dfrac{10}{-1}=-10$ $\quad\therefore b=-10$

$\therefore a+b=20+(-10)=10$

4-2 (1) $f(-2)=-9$이므로 $f(x)=\dfrac{a}{x}$에 $x=-2$를 대입하면

$f(-2)=\dfrac{a}{-2}=-9$ $\quad\therefore a=18$

(2) $f(x)=\dfrac{18}{x}$이므로 $f(3)=\dfrac{18}{3}=6$

STEP ③ 147쪽~148쪽

01. ①, ④ **02.** ⑤ **03.** ④

04. (1)

x (cm)	1	2	3	4	…
y (cm)	5	10	15	20	…

(2) $y=5x$ (3) 50

05. (1) $f(x)=2x$ (2) $f(-1)=-2$, $f(0)=0$, $f(1)=2$

06. ㉠, ㉣ **07.** -3 **08.** $\dfrac{2}{3}$ **09.** -3 **10.** ①

11. ⑤

01 ①

x	1	2	3	4	5	6	$\cdots$
y		2	3	2	5	2, 3	$\cdots$

x의 값 하나에 y의 값이 정해지지 않거나 2개 이상인 경우가 있으므로 y는 x의 함수가 아니다.

②

x	1	2	3	4	5	$\cdots$
y	6	11	16	21	26	$\cdots$

x의 값 하나에 y의 값이 하나씩 정해지므로 y는 x의 함수이다.

③ $y=700x$ ➡ y는 x의 함수이다.

④

x	1	2	3	4	5	6	$\cdots$
y		1	1	1, 3	1, 3	1, 3, 5	$\cdots$

x의 값 하나에 y의 값이 정해지지 않거나 2개 이상인 경우가 있으므로 y는 x의 함수가 아니다.

⑤ $y=\dfrac{5}{x}$ ➡ y는 x의 함수이다.

02 x와 y의 곱이 18로 일정하므로 $xy=18$
$$\therefore y=\frac{18}{x}$$

03 ① (귤의 값)=(귤 한 개의 가격)×(귤의 개수)이므로 x와 y 사이의 관계식은 $y=300x$이다.
② x의 값 하나에 y의 값이 하나씩 정해지므로 y는 x의 함수이다.
③ $y=300x$이고 $y=f(x)$이므로 $f(x)=300x$이다.
④ $f(3)=300\times3=900$
⑤ $x=4$일 때, 함숫값은 $f(4)=300\times4=1200$이다.
따라서 옳지 않은 것은 ④이다.

04 (1)

x (cm)	1	2	3	4	$\cdots$
y (cm)	5	10	15	20	$\cdots$

$\cdots\cdots$ [40 %]
(2) (정오각형의 둘레의 길이)=5×(정오각형의 한 변의 길이)
이므로 $y=5x$ $\cdots\cdots$ [30 %]
(3) $y=5x$이고 $y=f(x)$이므로 $f(x)=5x$
$$\therefore f(10)=5\times10=50 \qquad \cdots\cdots \text{[30 %]}$$

05 (1) 주어진 그래프는 정비례 관계의 그래프이므로
$y=ax(a\neq0)$로 놓는다.
이때 점 $(1, 2)$를 지나므로 $y=ax$에 $x=1$, $y=2$를 대입하면 $a=2$
$$\therefore f(x)=2x$$

(2) $f(-1)=2\times(-1)=-2$, $f(0)=2\times0=0$,
$f(1)=2\times1=2$

06 ㉠ $f(1)=3\times1=3$
㉡ $f(-2)=3\times(-2)=-6$
㉢ $f(0)=3\times0=0$
㉣ $f(-3)=3\times(-3)=-9$
따라서 옳은 것은 ㉠, ㉣이다.

07 $f(3)=-3\times3=-9$
$f(-4)=-3\times(-4)=12$
$$\therefore f(3)+\frac{1}{2}f(-4)=-9+\frac{1}{2}\times12$$
$$=-9+6=-3$$

08 $f(4)=a$이므로 $f(x)=\dfrac{8}{x}$에 $x=4$를 대입하면
$$f(4)=\frac{8}{4}=2 \qquad \therefore a=2 \qquad \cdots\cdots \text{[40 %]}$$
$f(b)=-6$이므로 $f(x)=\dfrac{8}{x}$에 $x=b$를 대입하면
$$f(b)=\frac{8}{b}=-6$$
$$\therefore b=\frac{8}{-6}=-\frac{4}{3} \qquad \cdots\cdots \text{[40 %]}$$
$$\therefore a+b=2+\left(-\frac{4}{3}\right)=\frac{2}{3} \qquad \cdots\cdots \text{[20 %]}$$

09 $f(-1)=5\times(-1)-1=-5-1=-6$
$f(2)=5\times2-1=10-1=9$
$$\therefore f(-1)+\frac{1}{3}f(2)=-6+\frac{1}{3}\times9$$
$$=-6+3=-3$$

10 $y=3x-7$에 $x=3$을 대입하면
$y=3\times3-7=2$
$x=3$일 때, $y=3x-7$과 $y=-\dfrac{a}{x}$의 함숫값이 같으므로
$y=-\dfrac{a}{x}$에 $x=3$, $y=2$를 대입하면
$$2=-\frac{a}{3} \qquad \therefore a=-6$$

11 $y=\dfrac{a}{x}$에서 $x=-2$일 때 $y=6$이므로 $6=\dfrac{a}{-2}$
$$\therefore a=-12, \ \text{즉} \ y=-\frac{12}{x}$$
$y=-\dfrac{12}{x}$에 $x=-1$을 대입하면 $y=12$ $\qquad \therefore A=12$
$y=-\dfrac{12}{x}$에 $x=1$을 대입하면 $y=-12$
$$\therefore B=-12$$
$$\therefore A-B=12-(-12)=24$$

2 일차함수의 뜻과 그래프

개념 확인
149쪽~151쪽

1. (1) ◯ (2) ◯ (3) × (4) ×

2. (1) $y=10000x+2500$ (2) 일차함수이다.

3.
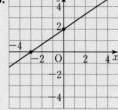

4. (1) -3 (2) $3x$
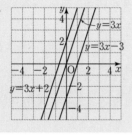

2 (1) 티셔츠 x장의 가격은 $10000x$원이므로 y를 x의 식으로
　　나타내면 $y=10000x+2500$

　(2) $10000x+2500$은 x에 대한 일차식이므로
　　$y=10000x+2500$은 x에 대한 일차함수이다.

3 일차함수 $y=\dfrac{2}{3}x+2$에서

　$x=-3$일 때, $y=\dfrac{2}{3}\times(-3)+2=0 \Rightarrow$ 점 $(-3, 0)$

　$x=0$일 때, $y=\dfrac{2}{3}\times0+2=2 \Rightarrow$ 점 $(0, 2)$

　따라서 이 일차함수의 그래프는 두 점 $(-3, 0)$, $(0, 2)$를
　지나는 직선이다.

STEP 1
152쪽

1-1. (1) $24-x$, ◯ (2) πx^2, ×

1-2. (1) $y=2x$, 일차함수이다.

　(2) $y=x^2$, 일차함수가 아니다.

　(3) $y=50-4x$, 일차함수이다.

　(4) $y=\dfrac{20}{x}$, 일차함수가 아니다.

2-1. (1) 4 (2) $y, 2$ (3) $-2x-2$ 　연구 b

2-2. (1) $y=x+3$ (2) $y=3x-7$ (3) $y=-2x+5$

　(4) $y=-\dfrac{1}{4}x-6$

3-1. $y=-x$
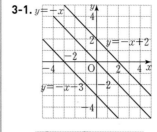
연구 $2, -3$

3-2.
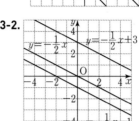

STEP 2
153쪽~154쪽

1-2. ② 　　　　　　　**1-3.** ②

2-2. -1 　　　　　　**2-3.** 5

3-2. ④ 　　　　　　　**3-3.** 3

4-2. ② 　　　　　　　**4-3.** $\dfrac{5}{4}$

1-2 ③ $y=4x-2x^2 \Rightarrow$ 일차함수가 아니다.
　따라서 일차함수인 것은 ②이다.

1-3 ① $y=30x \Rightarrow$ 일차함수이다.

　② $\dfrac{1}{2}\times x\times y=6$ 　∴ $y=\dfrac{12}{x} \Rightarrow$ 일차함수가 아니다.

　③ $y=3x \Rightarrow$ 일차함수이다.

　④ $y=3000-2x \Rightarrow$ 일차함수이다.

　⑤ $y=2(3+x)$ 　∴ $y=2x+6 \Rightarrow$ 일차함수이다.

　따라서 일차함수가 아닌 것은 ②이다.

2-2 $f(5)=-2$이므로 $5a+3=-2$
　$5a=-5$ 　∴ $a=-1$

2-3 $f(-2)=3$이므로 $-4-a=3$,
　$-a=7$ 　∴ $a=-7$
　즉 $f(x)=2x+7$이므로
　$f(-1)=2\times(-1)+7=5$

3-2 $y=-3x+1$에 각 점의 좌표를 대입하면

　① $1=-3\times0+1$

　② $4=-3\times(-1)+1$

　③ $-5=-3\times2+1$

　④ $8\neq-3\times(-3)+1$

　⑤ $-11=-3\times4+1$

　따라서 주어진 그래프 위에 있는 점이 아닌 것은 ④이다.

3-3 $y=ax-6$에 $x=1$, $y=-3$을 대입하면

$-3=a \times 1-6$ $\quad \therefore a=3$

4-2 $y=2x$의 그래프를 y축의 방향으로 -5만큼 평행이동한 그래프를 나타내는 일차함수의 식은 $y=2x-5$

따라서 $y=2x-5$에 각 점의 좌표를 대입하면

① $3 \neq 2 \times 2-5$

② $-3=2 \times 1-5$

③ $-1 \neq 2 \times (-2)-5$

④ $5 \neq 2 \times (-1)-5$

⑤ $-5 \neq 2 \times 2-5$

따라서 $y=2x-5$의 그래프 위에 있는 점은 ②이다.

4-3 $y=-\dfrac{1}{4}x+1$의 그래프를 y축의 방향으로 a만큼 평행이동한 그래프를 나타내는 일차함수의 식은 $y=-\dfrac{1}{4}x+1+a$

이때 $y=-\dfrac{1}{4}x+1+a$의 그래프가 점 $(1, 2)$를 지나므로

$2=-\dfrac{1}{4} \times 1+1+a$, $a+\dfrac{3}{4}=2$

$\therefore a=\dfrac{5}{4}$

STEP ③ 155쪽~156쪽

01. ②, ③ **02.** ② **03.** (1) 4 (2) -1 **04.** ①, 13

05. -2 **06.** ⑤ **07.** -2 **08.** ② **09.** $\dfrac{1}{2}$

10. 10 **11.** 0 **12.** 2

01 ① $y=x-(2+x)=-2$ ➡ 일차함수가 아니다.

④ $y=\dfrac{5}{x}$ ➡ 일차함수가 아니다.

⑤ $y=2x(x+1)=2x^2+2x$ ➡ 일차함수가 아니다.

따라서 y가 x에 대한 일차함수인 것은 ②, ③이다.

02 ① $y=14+x$ ➡ 일차함수이다.

② $y=\dfrac{x(x-3)}{2}$ $\quad \therefore y=\dfrac{1}{2}x^2-\dfrac{3}{2}x$

➡ 일차함수가 아니다.

③ $y=20x$ ➡ 일차함수이다.

④ $y=2\pi x$ ➡ 일차함수이다.

⑤ $y=\dfrac{1}{2} \times (5+x) \times 8$ $\quad \therefore y=20+4x$

➡ 일차함수이다.

따라서 y가 x에 대한 일차함수가 아닌 것은 ②이다.

03 (1) $f(3)=5$이므로 $-3+2a=5$

$2a=8$ $\quad \therefore a=4$ $\quad$ ······ [40 %]

(2) $f(x)=-x+8$이므로 $\quad$ ······ [20 %]

$f(0)=-0+8=8$

$f(-1)=-(-1)+8=9$ $\quad$ ······ [20 %]

$\therefore f(0)-f(-1)=8-9=-1$ $\quad$ ······ [20 %]

04 처음으로 틀린 곳은 ①이다.

$f(-3)=-2$이므로 $-3a+7=-2$

$-3a=-9$ $\quad \therefore a=3$

즉 $f(x)=3x+7$이므로

$f(2)=3 \times 2+7=13$

05 $f(1)=3$에서 $a+2=3$ $\quad \therefore a=1$

이때 $f(x)=x+2$이므로

$f(b)=5$에서 $f(b)=b+2=5$ $\quad \therefore b=3$

$\therefore a-b=1-3=-2$

06 $y=3x-2$에 각 점의 좌표를 대입하면

① $-2=3 \times 0-2$

② $4=3 \times 2-2$

③ $-5=3 \times (-1)-2$

④ $-8=3 \times (-2)-2$

⑤ $-1 \neq 3 \times 1-2$

따라서 주어진 그래프 위에 있는 점이 아닌 것은 ⑤이다.

07 $y=-3x+a$에 $x=-1$, $y=1$을 대입하면

$1=-3 \times (-1)+a$

$1=3+a$ $\quad \therefore a=-2$

08 ② $y=-2x-1$의 그래프는 $y=-2x$의 그래프를 y축의 방향으로 -1만큼 평행이동한 것이므로 $y=-2x$의 그래프를 y축의 방향으로 평행이동하였을 때 겹쳐진다.

09 $y=\dfrac{1}{6}x$의 그래프를 y축의 방향으로 3만큼 평행이동한 그래프를 나타내는 일차함수의 식은

$y=\dfrac{1}{6}x+3$ $\quad$ ······ [40 %]

따라서 $a=\dfrac{1}{6}$, $b=3$이므로 $\quad$ ······ [30 %]

$ab=\dfrac{1}{6} \times 3=\dfrac{1}{2}$ $\quad$ ······ [30 %]

10 $y=\dfrac{5}{3}x-4$의 그래프를 y축의 방향으로 k만큼 평행이동한 그래프를 나타내는 일차함수의 식은

$y=\dfrac{5}{3}x-4+k$

이때 이 일차함수의 식이 $y=\dfrac{5}{3}x+6$과 일치해야 하므로

$-4+k=6$ $\quad\therefore k=10$

11 $y=ax+2$의 그래프를 y축의 방향으로 b만큼 평행이동한 그래프를 나타내는 일차함수의 식은 $y=ax+2+b$이므로

$a=2, 2+b=4$ $\quad\therefore a=2, b=2$

$\therefore a-b=2-2=0$

12 $y=-3x+4$의 그래프를 y축의 방향으로 k만큼 평행이동한 그래프를 나타내는 일차함수의 식은

$y=-3x+4+k$

이때 점 $(1, 3)$을 지나므로

$3=-3\times1+4+k$

$3=1+k$ $\quad\therefore k=2$

3 x절편, y절편, 기울기

개념 확인
157쪽~159쪽

1.

그래프	(1)	(2)	(3)	(4)
x축과의 교점의 좌표	$(2,0)$	$(3,0)$	$(-3,0)$	$(-2,0)$
x절편	2	3	-3	-2
y축과의 교점의 좌표	$(0,-1)$	$(0,4)$	$(0,-3)$	$(0,4)$
y절편	-1	4	-3	4

2. (1) x절편: -2, y절편: 2

(2) x절편: $-\dfrac{1}{4}$, y절편: -1

3. (1) 3, 3, 1 (2) -2, -2, $-\dfrac{1}{2}$

4. (1) 2 (2) -1 (3) 4 (4) $-\dfrac{1}{5}$

5. (1) x절편: -4, y절편: 3 (2)

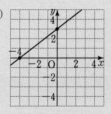

6. (1) 기울기: $-\dfrac{1}{3}$, y절편: 1 (2)

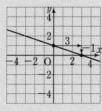

2 (1) $y=x+2$에 $y=0$을 대입하면

$0=x+2$ $\quad\therefore x=-2\Rightarrow x$절편: 2

$y=x+2$에 $x=0$을 대입하면

$y=0+2=2\Rightarrow x$절편: 2

(2) $y=-4x-1$에 $y=0$을 대입하면

$0=-4x-1$ $\quad\therefore x=-\dfrac{1}{4}\Rightarrow x$절편: $-\dfrac{1}{4}$

$y=-4x-1$에 $x=0$을 대입하면

$y=-4\times0-1=-1\Rightarrow y$절편: -1

5 (1) $y=\dfrac{3}{4}x+3$에 $y=0$을 대입하면

$0=\dfrac{3}{4}x+3$ $\quad\therefore x=-4\Rightarrow x$절편: -4

$y=\dfrac{3}{4}x+3$에 $x=0$을 대입하면

$y=\dfrac{3}{4}\times0+3=3\Rightarrow y$절편: 3

STEP 1
160쪽

1-1. (1) 5 (2) $\dfrac{1}{5}$ (3) -1 [연구] (2) $0, \dfrac{1}{5}$ (3) $x, -1$

1-2. (1) 기울기: -3, x절편: 2, y절편: 6

(2) 기울기: 2, x절편: 4, y절편: -8

(3) 기울기: $-\dfrac{1}{2}$, x절편: 2, y절편: 1

(4) 기울기: $\dfrac{1}{3}$, x절편: -6, y절편: 2

2-1. (1) $\dfrac{1}{3}$ (2) $\dfrac{1}{4}$ [연구] (1) 5, 4, 3, $\dfrac{1}{3}$ (2) $-4, -5, 1, \dfrac{1}{4}$

2-2. (1) -2 (2) $-\dfrac{3}{5}$ (3) $\dfrac{2}{3}$

3-1.

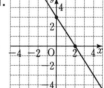

[연구] ① 2, $(2,0)$

② 3, $(0,3)$

③ 직선

3-2.

1-2 (1) $y=-3x+6$에 $y=0$을 대입하면

$0=-3x+6$ $\quad\therefore x=2\Rightarrow x$절편: 2

$y=-3x+6$에 $x=0$을 대입하면

$y=-3\times0+6=6\Rightarrow y$절편: 6

(2) $y=2x-8$에 $y=0$을 대입하면

$\qquad 0=2x-8 \quad \therefore x=4 \Rightarrow x$절편 : 4

$\qquad y=2x-8$에 $x=0$을 대입하면

$\qquad y=2\times 0-8=-8 \Rightarrow y$절편 : -8

(3) $y=-\dfrac{1}{2}x+1$에 $y=0$을 대입하면

$\qquad 0=-\dfrac{1}{2}x+1 \quad \therefore x=2 \Rightarrow x$절편 : 2

$\qquad y=-\dfrac{1}{2}x+1$에 $x=0$을 대입하면

$\qquad y=-\dfrac{1}{2}\times 0+1=1 \Rightarrow y$절편 : 1

(4) $y=\dfrac{1}{3}x+2$에 $y=0$을 대입하면

$\qquad 0=\dfrac{1}{3}x+2 \quad \therefore x=-6 \Rightarrow x$절편 : -6

$\qquad y=\dfrac{1}{3}x+2$에 $x=0$을 대입하면

$\qquad y=\dfrac{1}{3}\times 0+2=2 \Rightarrow y$절편 : 2

2-2 (1) (기울기)$=\dfrac{-1-3}{3-1}=\dfrac{-4}{2}=-2$

(2) (기울기)$=\dfrac{2-(-1)}{-2-3}=\dfrac{3}{-5}=-\dfrac{3}{5}$

(3) (기울기)$=\dfrac{-4-(-2)}{0-3}=\dfrac{-2}{-3}=\dfrac{2}{3}$

STEP ②

161쪽~163쪽

1-2. 8	**1-3.** 7
2-2. -6	**2-3.** ③
3-2. 0	**3-3.** 2
4-2. 1	**4-3.** $\dfrac{4}{3}$
5-2. ③	
6-2. (1) x절편: 3, y절편: 4 (2) 6	

1-2 $y=-\dfrac{1}{2}x+8$에 $y=0$을 대입하면

$\qquad 0=-\dfrac{1}{2}x+8 \quad \therefore x=16$, 즉 $a=16$

$\qquad y=-\dfrac{1}{2}x+8$에 $x=0$을 대입하면

$\qquad y=-\dfrac{1}{2}\times 0+8=8 \quad \therefore b=8$

$\qquad \therefore a-b=16-8=8$

1-3 y절편이 6이므로

$\qquad y=3x+k-1$에 $x=0$, $y=6$을 대입하면

$\qquad 6=3\times 0+k-1$, $6=k-1 \quad \therefore k=7$

2-2 (기울기)$=\dfrac{(y\text{의 값의 증가량})}{7-(-1)}=-\dfrac{3}{4}$이므로

$\qquad \dfrac{(y\text{의 값의 증가량})}{8}=-\dfrac{3}{4}$

$\qquad \therefore (y\text{의 값의 증가량})=-6$

2-3 (기울기)$=\dfrac{-4}{2}=-2$인 것을 찾으면 ③이다.

3-2 (기울기)$=\dfrac{k-3}{4-2}=-\dfrac{3}{2}$이므로

$\qquad \dfrac{k-3}{2}=-\dfrac{3}{2}$, $k-3=-3 \quad \therefore k=0$

3-3 (기울기)$=\dfrac{5-4}{1-(-1)}=\dfrac{1}{2}$이므로

$\qquad \dfrac{(y\text{의 값의 증가량})}{4-0}=\dfrac{1}{2}$

$\qquad \therefore (y\text{의 값의 증가량})=2$

4-2 두 점 $(-1, 7)$, $(2, -5)$를 지나는 직선의 기울기는

$\qquad \dfrac{-5-7}{2-(-1)}=\dfrac{-12}{3}=-4$

$\qquad$ 두 점 $(2, -5)$, $(k, -1)$을 지나는 직선의 기울기는

$\qquad \dfrac{-1-(-5)}{k-2}=\dfrac{4}{k-2}$

$\qquad$ 따라서 $-4=\dfrac{4}{k-2}$이므로

$\qquad k-2=-1 \quad \therefore k=1$

4-3 두 점 $(-1, 4)$, $(2, -2)$를 지나는 직선의 기울기는

$\qquad \dfrac{-2-4}{2-(-1)}=\dfrac{-6}{3}=-2$

$\qquad$ 두 점 $(2, -2)$, $(k, k-2)$를 지나는 직선의 기울기는

$\qquad \dfrac{k-2-(-2)}{k-2}=\dfrac{k}{k-2}$

$\qquad$ 따라서 $-2=\dfrac{k}{k-2}$이므로

$\qquad -2(k-2)=k$, $-2k+4=k$

$\qquad -3k=-4 \quad \therefore k=\dfrac{4}{3}$

5-2 $y=2x+8$에 $y=0$을 대입하면

$\qquad 0=2x+8 \quad \therefore x=-4$

$\qquad y=2x+8$에 $x=0$을 대입하면 $y=8$

$\qquad$ 따라서 x절편이 -4, y절편이 8이므로 그 그래프는 ③과 같다.

6-2 (1) $y=-\dfrac{4}{3}x+4$에 $y=0$을 대입하면

$\qquad 0=-\dfrac{4}{3}x+4 \quad \therefore x=3$

$\qquad y=-\dfrac{4}{3}x+4$에 $x=0$을 대입하면 $y=4$

$\qquad$ 따라서 x절편은 3, y절편은 4이다.

(2) $y=-\dfrac{4}{3}x+4$의 그래프는 오른 쪽 그림과 같으므로 그래프와 x 축 및 y축으로 둘러싸인 도형의 넓이는

$\dfrac{1}{2}\times3\times4=6$

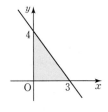

STEP 3 164쪽~165쪽

01. 3	**02.** 2	**03.** ①	**04.** -2	**05.** 4
06. 16	**07.** 2	**08.** ①	**09.** 제2사분면	
10. ③	**11.** (1) A$(0, 6)$, B$(-3, 0)$ (2) 9			

01 $y=4x$의 그래프를 y축의 방향으로 3만큼 평행이동한 그래 프를 나타내는 일차함수의 식은 $y=4x+3$

$y=4x+3$에 $y=0$을 대입하면

$0=4x+3$ ∴ $x=-\dfrac{3}{4}$

$y=4x+3$에 $x=0$을 대입하면 $y=3$

따라서 x절편은 $-\dfrac{3}{4}$, y절편은 3이므로

$a=-\dfrac{3}{4}$, $b=3$

∴ $8a+3b=8\times\left(-\dfrac{3}{4}\right)+3\times3=3$

02 x절편이 -6이므로

$y=\dfrac{1}{3}x-k$에 $x=-6$, $y=0$을 대입하면

$0=\dfrac{1}{3}\times(-6)-k$, $0=-2-k$ ∴ $k=-2$

따라서 일차함수 $y=\dfrac{1}{3}x+2$의 그래프의 y절편은 2이다.

03 (기울기)$=\dfrac{(y\text{의 값의 증가량})}{9}=\dfrac{2}{3}$이므로

$(y\text{의 값의 증가량})=6$

04 주어진 일차함수의 그래프에서 (기울기)$=\dfrac{4}{2}=2$이고, 그 래프가 y축과 만나는 점의 y좌표가 -4이므로 y절편은 -4 이다.

따라서 $a=2$, $b=-4$이므로

$a+b=2+(-4)=-2$

05 (기울기)$=\dfrac{-6-10}{-2-2}=\dfrac{-16}{-4}=4$

06 (기울기)$=\dfrac{(a+1)-2}{3-0}=5$이므로

$\dfrac{a-1}{3}=5$, $a-1=15$ ∴ $a=16$

07 두 점 $(2, a)$, $(3, 4)$를 지나는 직선의 기울기는

$\dfrac{4-a}{3-2}=4-a$

두 점 $(3, 4)$, $(-1, -2a)$를 지나는 직선의 기울기는

$\dfrac{-2a-4}{-1-3}=\dfrac{2a+4}{4}$

따라서 $4-a=\dfrac{2a+4}{4}$이므로 ······ [50 %]

$4(4-a)=2a+4$

$16-4a=2a+4$, $-6a=-12$

∴ $a=2$ ······ [50 %]

08 $y=-\dfrac{3}{4}x-\dfrac{1}{2}$에 $y=0$을 대입하면

$0=-\dfrac{3}{4}x-\dfrac{1}{2}$, $\dfrac{3}{4}x=-\dfrac{1}{2}$ ∴ $x=-\dfrac{2}{3}$

$y=-\dfrac{3}{4}x-\dfrac{1}{2}$에 $x=0$을 대입하면 $y=-\dfrac{1}{2}$

따라서 x절편이 $-\dfrac{2}{3}$, y절편이 $-\dfrac{1}{2}$이므로 그 그래프는 ① 과 같다.

09 $y=\dfrac{1}{2}x-1$에 $y=0$을 대입하면

$0=\dfrac{1}{2}x-1$ ∴ $x=2$

$y=\dfrac{1}{2}x-1$에 $x=0$을 대입하면 $y=-1$

따라서 x절편이 2, y절편이 -1이므 로 그 그래프는 오른쪽 그림과 같고, 그래프가 지나지 않는 사분면은 제2 사분면이다.

10 가연이의 설명에서 그래프의 기울기는 $\dfrac{4}{2}=2$이고, 은기의

설명에서 $y=-\dfrac{3}{2}x+3$의 그래프의 x절편은 2이므로 구 하는 그래프의 x절편도 2이다.

따라서 가연이와 은기가 설명하고 있 는 일차함수의 그래프는 오른쪽 그림 과 같으므로 ③이다.

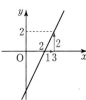

11 (1) $y=2x+6$에 $y=0$을 대입하면

$0=2x+6$ ∴ $x=-3$

$y=2x+6$에 $x=0$을 대입하면 $y=6$

따라서 두 점 A, B의 좌표는 A$(0, 6)$, B$(-3, 0)$이다.

······ [60 %]

(2) (삼각형 ABO의 넓이)$=\dfrac{1}{2}\times3\times6=9$ ······ [40 %]

8. 일차함수와 그래프 (2)

1 일차함수의 그래프의 성질

168쪽~171쪽

개념 확인

1. (1) × (2) ○ (3) ○ (4) ○ (5) ×

2. (1) ㉡, ㉢, ㉤, ㉥ (2) ㉠, ㉣ (3) ㉡, ㉢, ㉤, ㉥ (4) ㉠, ㉣

3. (1) >, < (2) <, > (3) >, > (4) <, <

4. (1) ㉠과 ㉣ (2) ㉡과 ㉢

4 (1) ㉠ $y=-\dfrac{1}{2}x+1$과 ㉣ $y=-\dfrac{1}{2}x+3$의 그래프는 기울기가 같고 y절편이 다르므로 서로 평행하다.

　(2) ㉡ $y=2(x+1)+3$, 즉 $y=2x+5$와 ㉢ $y=2x+5$의 그래프는 기울기가 같고 y절편도 같으므로 일치한다.

STEP 1

172쪽

1-1. (1) × (2) ○ (3) × (4) ○ [연구] x, y, y, x

1-2. (1) × (2) ○ (3) ○ (4) ×

2-1. (1) >, > (2) <, < [연구] 모양, y

2-2. (1) $a>0, b<0$ (2) $a<0, b<0$

3-1. 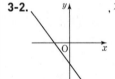　, 제1, 2, 3사분면 [연구] >, 위, >, 위

3-2. 　, 제2, 3, 4사분면

1-1 (1) x축과의 교점의 좌표는 $\left(\dfrac{5}{2}, 0\right)$이다.

　(3) 제1, 3, 4사분면을 지난다.

1-2 (1) 오른쪽 아래로 향하는 직선이다.

　(4) x의 값이 3만큼 증가할 때, y의 값은 2만큼 감소한다.

2-1 (1) 그래프가 오른쪽 위로 향하는 직선이므로 $a>0$

　　y축과 원점보다 아래쪽에서 만나므로 $-b<0$

　　$\therefore b>0$

　(2) 그래프가 오른쪽 아래로 향하는 직선이므로 $a<0$

---

　　y축과 원점보다 위쪽에서 만나므로 $-b>0$

　　$\therefore b<0$

2-2 (1) 그래프가 오른쪽 아래로 향하는 직선이므로

　　$-a<0$　$\therefore a>0$

　　y축과 원점보다 아래쪽에서 만나므로 $b<0$

　(2) 그래프가 오른쪽 위로 향하는 직선이므로

　　$-a>0$　$\therefore a<0$

　　y축과 원점보다 아래쪽에서 만나므로 $b<0$

3-2 $a>0, b<0$이므로 $-a<0, b<0$
따라서 그래프는 오른쪽 그림과 같은 모양이므로 그래프가 지나는 사분면은 제2, 3, 4사분면이다.

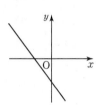

STEP 2

173쪽~174쪽

1-2. ④　　　　　**2-2.** $a<0, b>0$

3-2. 제1사분면

4-2. 8　　　　　**4-3.** -5

1-2 ① 점 $(-3, -8)$을 지난다.

　② 그래프는 오른쪽 그림과 같은 모양이므로 제1, 3, 4사분면을 지난다.

　③ x축과 만나는 점의 좌표는 $(3, 0)$이다.

　⑤ 일차함수 $y=\dfrac{4}{3}x$의 그래프를 y축의 방향으로 -4만큼 평행이동한 직선이다.

2-2 그래프가 오른쪽 아래로 향하는 직선이므로
$a<0$
y축과 원점보다 아래쪽에서 만나므로 $-b<0$　$\therefore b>0$

3-2 그래프가 오른쪽 위로 향하는 직선이므로 $a>0$
y축과 원점보다 위쪽에서 만나므로 $-b>0$　$\therefore b<0$
따라서 일차함수 $y=bx-a$의 그래프는 오른쪽 그림과 같은 모양이므로 그래프가 지나지 않는 사분면은 제1사분면이다.

4-2 서로 평행한 두 일차함수의 그래프의 기울기는 같으므로
$\dfrac{a}{2}=4$　$\therefore a=8$

4-3 일치하는 두 일차함수의 그래프는 기울기와 y절편이 각각 같으므로 $a=-2, b=-3$
$\therefore a+b=-2+(-3)=-5$

STEP 3

01. ③   **02.** ②   **03.** ③   **04.** ②

05. (1) $a<0, b<0$ (2) 제2사분면 **06.** ②   **07.** ③

08. ①   **09.** -2

01 ① 원점을 지나는 것은 없다.

② x의 값이 증가할 때, y의 값은 감소하는 것은 ⓒ이다.

④ 오른쪽 위로 향하는 직선은 ㉠, ㉡, ㉣이다.

⑤ 오른쪽 아래로 향하는 직선은 ⓒ이다.

02 $y=-\dfrac{1}{2}x+1$의 그래프는 오른쪽 그림과 같다.

② x절편은 2이다.

03 그래프가 오른쪽 위로 향하는 직선이므로

$-a>0$ $\therefore a<0$

y축과 원점보다 위쪽에서 만나므로 $b>0$

04 $a<0, b<0$이므로 $ab>0, a+b<0$

따라서 $y=abx+(a+b)$의 그래프의 모양은 ②와 같다.

05 (1) 그래프가 오른쪽 아래로 향하는 직선이므로 $a<0$

y축과 원점보다 위쪽에서 만나므로 $ab>0$

이때 $a<0$이므로 $b<0$ …… [40 %]

(2) $b<0$이므로 $-b>0$

따라서 $y=-bx+a$의 그래프는 오른쪽 그림과 같은 모양이므로 그래프가 지나지 않는 사분면은 제2사분면이다. …… [60 %]

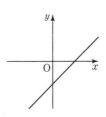

06 일차함수의 그래프가 서로 평행하려면 기울기는 같고 y절편은 달라야 하므로 ㉠과 ㉢, ㉡과 ㉣의 그래프가 서로 평행하다.

07 주어진 그래프는 두 점 $(2, 0), (0, 2)$를 지나므로

(기울기)$=\dfrac{2-0}{0-2}=-1$, (y절편)$=2$이다.

따라서 주어진 그래프와 평행하려면

(기울기)$=-1$, (y절편)$\neq 2$이어야 하므로 조건을 만족하는 것은 ③이다.

08 두 일차함수의 그래프가 서로 평행하려면 기울기는 같고 y절편은 달라야 하므로

$a=\dfrac{2}{3}, b\neq 3$

09 두 일차함수의 그래프가 일치하려면 기울기가 같고 y절편도 같아야 하므로

$a=2, b=4$

$\therefore a-b=2-4=-2$

2 일차함수의 식

개념 확인

1. (1) $y=3x+1$ (2) $y=\dfrac{1}{2}x+4$

2. (1) $y=-x+6$ (2) $y=\dfrac{1}{3}x-4$

3. (1) $y=-x+5$ (2) $y=-3x+1$

4. (1) $y=2x-4$ (2) $y=-\dfrac{1}{2}x-3$

2 (1) 기울기가 -1이므로 $y=-x+b$로 놓고

$x=2, y=4$를 대입하면

$4=-2+b$ $\therefore b=6$

따라서 구하는 일차함수의 식은 $y=-x+6$

(2) 기울기가 $\dfrac{1}{3}$이므로 $y=\dfrac{1}{3}x+b$로 놓고

$x=3, y=-3$을 대입하면

$-3=\dfrac{1}{3}\times 3+b$ $\therefore b=-4$

따라서 구하는 일차함수의 식은

$y=\dfrac{1}{3}x-4$

3 (1) (기울기)$=\dfrac{2-6}{3-(-1)}=\dfrac{-4}{4}=-1$이므로

$y=-x+b$로 놓고 $x=-1, y=6$을 대입하면

$6=1+b$ $\therefore b=5$

따라서 구하는 일차함수의 식은 $y=-x+5$

(2) (기울기)$=\dfrac{-5-10}{2-(-3)}=\dfrac{-15}{5}=-3$이므로

$y=-3x+b$로 놓고 $x=2, y=-5$를 대입하면

$-5=-3\times 2+b$ $\therefore b=1$

따라서 구하는 일차함수의 식은

$y=-3x+1$

4 (1) 두 점 $(2, 0)$, $(0, -4)$를 지나므로

$(기울기) = \dfrac{-4-0}{0-2} = 2$

즉 기울기가 2이고 y절편이 -4이므로

구하는 일차함수의 식은 $y = 2x - 4$

(2) 두 점 $(-6, 0)$, $(0, -3)$을 지나므로

$(기울기) = \dfrac{-3-0}{0-(-6)} = \dfrac{-3}{6} = -\dfrac{1}{2}$

즉 기울기가 $-\dfrac{1}{2}$이고 y절편이 -3이므로

구하는 일차함수의 식은

$y = -\dfrac{1}{2}x - 3$

STEP ❶ 　　　　　　　　　　　　　　　　180쪽

1-1. (1) $y = 2x + 5$　(2) $y = -2x + 2$

　　연구 $-2, -2, 2, y = -2x + 2$

1-2. (1) $y = -3x - 1$　(2) $y = \dfrac{3}{5}x + 1$

2-1. (1) $y = -3x + 2$　(2) $y = \dfrac{5}{2}x - 5$　(3) $y = 2x - 2$

　　연구 $y_2 - y_1$

2-2. (1) $y = -3x + 1$　(2) $y = x + 3$　(3) $y = -3x - 6$

3-1. (1) $\dfrac{3}{2}$　(2) $y = \dfrac{3}{2}x + 2$

　　연구 (1) $2, 5, 5, 2, \dfrac{3}{2}$　(2) $\dfrac{3}{2}, 2, y = \dfrac{3}{2}x + 2$

3-2. (1) $\dfrac{5}{3}$　(2) $y = \dfrac{5}{3}x + 5$

1-2 (1) $(기울기) = \dfrac{(y의\ 값의\ 증가량)}{(x의\ 값의\ 증가량)} = \dfrac{-9}{3} = -3$

즉 기울기가 -3이고 y절편은 -1이므로

구하는 일차함수의 식은

$y = -3x - 1$

(2) $y = \dfrac{3}{5}x - 2$의 그래프와 평행하므로 기울기는 $\dfrac{3}{5}$

$y = \dfrac{3}{5}x + b$로 놓고 $x = -5$, $y = -2$를 대입하면

$-2 = \dfrac{3}{5} \times (-5) + b$　∴ $b = 1$

따라서 구하는 일차함수의 식은

$y = \dfrac{3}{5}x + 1$

2-1 (1) $(기울기) = \dfrac{-4-5}{2-(-1)} = \dfrac{-9}{3} = -3$

$y = -3x + b$로 놓고 $x = -1$, $y = 5$를 대입하면

$5 = -3 \times (-1) + b$　∴ $b = 2$

따라서 구하는 일차함수의 식은 $y = -3x + 2$

(2) 두 점 $(2, 0)$, $(0, -5)$를 지나므로

$(기울기) = \dfrac{-5-0}{0-2} = \dfrac{5}{2}$

즉 기울기가 $\dfrac{5}{2}$이고 y절편이 -5이므로

구하는 일차함수의 식은 $y = \dfrac{5}{2}x - 5$

(3) $(기울기) = \dfrac{-2-0}{0-1} = 2$이고 점 $(0, -2)$를 지나므로

y절편은 -2이다.

따라서 구하는 일차함수의 식은 $y = 2x - 2$

2-2 (1) $(기울기) = \dfrac{-5-10}{2-(-3)} = \dfrac{-15}{5} = -3$

$y = -3x + b$로 놓고 $x = 2$, $y = -5$를 대입하면

$-5 = -3 \times 2 + b$　∴ $b = 1$

따라서 구하는 일차함수의 식은 $y = -3x + 1$

(2) 두 점 $(-3, 0)$, $(0, 3)$을 지나므로

$(기울기) = \dfrac{3-0}{0-(-3)} = 1$

즉 기울기가 1이고 y절편은 3이므로

구하는 일차함수의 식은 $y = x + 3$

(3) $(기울기) = \dfrac{-6-0}{0-(-2)} = -3$이고 점 $(0, -6)$을 지나

므로 y절편은 -6이다.

따라서 구하는 일차함수의 식은

$y = -3x - 6$

3-2 (1) 두 점 $(-3, 0)$, $(0, 5)$를 지나므로

$(기울기) = \dfrac{5-0}{0-(-3)} = \dfrac{5}{3}$

(2) 기울기가 $\dfrac{5}{3}$이고 y절편은 5이므로

구하는 일차함수의 식은 $y = \dfrac{5}{3}x + 5$

STEP ❷ 　　　　　　　　　　　　　181쪽~182쪽

1-2. (1) $y = 4x - 3$　(2) $y = -\dfrac{1}{2}x - 5$

1-3. $y = -\dfrac{2}{3}x - 5$

2-2. $y = -\dfrac{2}{3}x + 3$　　　　**2-3.** $y = -2x - 2$

3-2. $y = -\dfrac{6}{5}x + \dfrac{14}{5}$　　　**4-2.** $\dfrac{3}{2}$

1-2 (1) 기울기가 4이고 y절편이 -3이므로

구하는 일차함수의 식은 $y=4x-3$

(2) 기울기가 $-\dfrac{1}{2}$이고 y절편이 -5이므로

구하는 일차함수의 식은 $y=-\dfrac{1}{2}x-5$

1-3 기울기가 $-\dfrac{2}{3}$이고 y절편이 -5이므로

구하는 일차함수의 식은 $y=-\dfrac{2}{3}x-5$

2-2 기울기가 $-\dfrac{2}{3}$이므로

$y=-\dfrac{2}{3}x+b$로 놓고 $x=6, y=-1$을 대입하면

$-1=-\dfrac{2}{3}\times6+b$ $\quad \therefore b=3$

따라서 구하는 일차함수의 식은

$y=-\dfrac{2}{3}x+3$

2-3 주어진 그림의 직선이 두 점 $(5,0), (0,10)$을 지나므로

(기울기)$=\dfrac{10-0}{0-5}=\dfrac{10}{-5}=-2$

$y=-2x+b$로 놓고 $x=-2, y=2$를 대입하면

$2=-2\times(-2)+b$ $\quad \therefore b=-2$

따라서 구하는 일차함수의 식은

$y=-2x-2$

3-2 주어진 그래프가 두 점 $(-1,4), (4,-2)$를 지나므로

(기울기)$=\dfrac{-2-4}{4-(-1)}=-\dfrac{6}{5}$

$y=-\dfrac{6}{5}x+b$로 놓고 $x=-1, y=4$를 대입하면

$4=-\dfrac{6}{5}\times(-1)+b$ $\quad \therefore b=\dfrac{14}{5}$

따라서 구하는 일차함수의 식은

$y=-\dfrac{6}{5}x+\dfrac{14}{5}$

4-2 두 점 $(8,0), (0,-4)$를 지나므로

(기울기)$=\dfrac{-4-0}{0-8}=\dfrac{1}{2}$

따라서 주어진 직선을 그래프로 하는 일차함수의 식은

$y=\dfrac{1}{2}x-4$이므로 이 식에 $x=2k, y=2-3k$를 대입하면

$2-3k=\dfrac{1}{2}\times2k-4, 2-3k=k-4$

$-4k=-6$ $\quad \therefore k=\dfrac{3}{2}$

STEP ❸

01. ② **02.** -5 **03.** ② **04.** $y=-\dfrac{3}{4}x-\dfrac{3}{4}$

05. ④ **06.** $\dfrac{9}{5}$ **07.** 15 **08.** ①

09. $y=-\dfrac{1}{2}x+4, -4$ **10.** ⑤ **11.** ④ **12.** ②

13. ④

01 기울기가 3이고 y절편이 2이므로 구하는 일차함수의 식은

$y=3x+2$

02 기울기가 $\dfrac{3}{4}$이고 y절편이 -2인 직선을 그래프로 하는 일

차함수의 식은 $y=\dfrac{3}{4}x-2$이다.

이 식에 $x=-4, y=a$를 대입하면

$a=\dfrac{3}{4}\times(-4)-2=-5$

03 $y=-4x+1$의 그래프와 평행하므로 (기울기)$=-4$

$y=-\dfrac{2}{3}x+5$의 그래프와 y절편이 같으므로 (y절편)$=5$

따라서 구하는 일차함수의 식은 $y=-4x+5$

04 주어진 그래프가 두 점 $(4,0), (0,3)$을 지나므로

(기울기)$=\dfrac{3-0}{0-4}=-\dfrac{3}{4}$

x절편이 -1이므로

$y=-\dfrac{3}{4}x+b$로 놓고 $x=-1, y=0$을 대입하면

$0=-\dfrac{3}{4}\times(-1)+b$ $\quad \therefore b=-\dfrac{3}{4}$

따라서 구하는 일차함수의 식은

$y=-\dfrac{3}{4}x-\dfrac{3}{4}$

05 기울기가 -2이므로 $y=-2x+b$로 놓고 $x=1, y=3$을

대입하면

$3=-2\times1+b$ $\quad \therefore b=5$

즉 주어진 직선을 그래프로 하는 일차함수의 식은

$y=-2x+5$

이 식에 $y=0$을 대입하면 $0=-2x+5$ $\quad \therefore x=\dfrac{5}{2}$

따라서 구하는 직선의 x절편은 $\dfrac{5}{2}$이다.

06 주어진 그래프가 두 점 $(3,2), (0,-3)$을 지나므로

(기울기)$=\dfrac{-3-2}{0-3}=\dfrac{5}{3}$

한편 y절편은 -3이므로 일차함수의 식은

$y=\dfrac{5}{3}x-3$ ...... [70 %]

이 식에 $y=0$을 대입하면

$0=\dfrac{5}{3}x-3$ $\quad \therefore x=\dfrac{9}{5}$

따라서 일차함수의 그래프의 x절편은 $\dfrac{9}{5}$이다.

...... [30 %]

07 $(기울기)=\dfrac{3a-a}{2-(-1)}=\dfrac{2}{3}a$

이때 $\dfrac{2}{3}a=2$이므로 $a=3$

즉 두 점 $(-1, 3)$, $(2, 9)$를 지나므로

$y=2x+b$에 $x=-1$, $y=3$을 대입하면

$3=2\times(-1)+b$ $\quad \therefore b=5$

$\therefore ab=3\times5=15$

08 $(기울기)=\dfrac{-2-2}{5-1}=\dfrac{-4}{4}=-1$이므로

$y=-x+b$로 놓고 $x=1$, $y=2$를 대입하면

$2=-1+b$ $\quad \therefore b=3$

따라서 일차함수의 식은 $y=-x+3$

각 점의 좌표를 $y=-x+3$에 대입하면

① $4\neq-1\times0+3$

② $1=-2+3$

③ $-1=-4+3$

④ $-3=-6+3$

⑤ $-7=-10+3$

따라서 그래프 위의 점이 아닌 것은 ①이다.

09 직선이 두 점 $(2, 3)$, $(-2, 5)$를 지나므로

$(기울기)=\dfrac{5-3}{-2-2}=\dfrac{2}{-4}=-\dfrac{1}{2}$

$y=-\dfrac{1}{2}x+b$로 놓고 $x=2$, $y=3$을 대입하면

$3=-\dfrac{1}{2}\times2+b$ $\quad \therefore b=4$

따라서 구하는 일차함수의 식은 $y=-\dfrac{1}{2}x+4$이고

이 일차함수의 그래프가 점 $(a, 6)$을 지나므로

$6=-\dfrac{1}{2}a+4$, $\dfrac{1}{2}a=-2$

$\therefore a=-4$

10 $y=-\dfrac{2}{3}x+2$의 그래프와 x축 위에서 만나므로

$(x절편)=3$

$y=4x-3$의 그래프와 y축 위에서 만나므로

$(y절편)=-3$

즉 두 점 $(3, 0)$, $(0, -3)$을 지나므로

$(기울기)=\dfrac{-3-0}{0-3}=1$

따라서 구하는 일차함수의 식은 $y=x-3$이므로

$a=1$, $b=-3$

$\therefore a-b=1-(-3)=4$

11 주어진 그래프는 두 점 $(-2, 0)$, $(0, 3)$을 지나므로

$(기울기)=\dfrac{3-0}{0-(-2)}=\dfrac{3}{2}$

즉 기울기가 $\dfrac{3}{2}$, y절편이 3이므로 일차함수의 식은

$y=\dfrac{3}{2}x+3$

① 기울기는 $\dfrac{3}{2}$이다.

② 점 $\left(-1, \dfrac{3}{2}\right)$을 지난다.

③ x절편은 -2, y절편은 3이다.

④ $y=\dfrac{3}{2}x-2$의 그래프와 기울기가 같고 y절편은 다르므로 서로 평행하다.

⑤ 기울기가 양수이므로 x의 값이 증가하면 y의 값도 증가한다.

12 두 점 $(-1, 0)$, $(0, 3)$을 지나는 직선의 기울기는

$\dfrac{3-0}{0-(-1)}=3$이고, y절편은 3이므로 일차함수의 식은

$y=3x+3$

$y=3x+3$의 그래프를 y축의 방향으로 -2만큼 평행이동한 직선을 그래프로 하는 일차함수의 식은

$y=3x+3-2$ $\quad \therefore y=3x+1$

13 관의 윗부분이 나타내는 직선이 두 점 $(-6, 0)$, $(0, 3)$을 지나므로

$(기울기)=\dfrac{3-0}{0-(-6)}=\dfrac{3}{6}=\dfrac{1}{2}$

즉 기울기는 $\dfrac{1}{2}$, y절편은 3이므로 구하는 일차함수의 식은

$y=\dfrac{1}{2}x+3$

3 일차함수의 활용

개념 확인 185쪽

1. (1) $y=4x+10$ (2) 70 cm (3) 8개

1 (1) 추가 1개씩 증가할 때마다 용수철의 길이는 $4\,\text{cm}$씩 늘어나므로 추를 x개 매달 때 용수철의 길이는 $4x\,\text{cm}$만큼 늘어난다.
이때 처음 용수철의 길이가 $10\,\text{cm}$이므로 x와 y 사이의 관계식은
$y=4x+10$

(2) $y=4x+10$에 $x=15$를 대입하면
$y=4\times15+10=70$
따라서 용수철의 길이는 $70\,\text{cm}$이다.

(3) $y=4x+10$에 $y=42$를 대입하면
$42=4x+10,\ -4x=-32$
$\therefore x=8$
따라서 매단 추의 개수는 8개이다.

STEP ❶ 186쪽

1-1. (1) $y=50-5x$ (2) $25\,\text{L}$ (3) 10분 후
연구 (1) $5x,\ 50-5x$ (2) 5 (3) 0

1-2. (1) $y=96-2x$ (2) 45분

2-1. (1) $y=0.4x+40$ (2) $44\,\text{mm}$
연구 (1) $0.4,\ 0.4x,\ 0.4x+40$

2-2. (1) $y=\dfrac{9}{5}x+32$ (2) $95\ ^\circ\text{F}$

1-1 (2) $y=50-5x$에 $x=5$를 대입하면
$y=50-5\times5=25$
따라서 물통 속에 남아 있는 물의 양은 $25\,\text{L}$이다.

(3) 물통이 비게 되는 것은 $y=0$일 때이므로
$y=50-5x$에 $y=0$을 대입하면
$0=50-5x$ $\therefore x=10$
따라서 물이 흘러나오기 시작한 지 10분 후에 물통이 비게 된다.

1-2 (1) 물의 온도가 1분에 $2\ ^\circ\text{C}$씩 내려가므로 x분 후의 물의 온도는 $2x\ ^\circ\text{C}$만큼 내려간다.
이때 처음 물의 온도가 $96\ ^\circ\text{C}$이므로 x와 y 사이의 관계식은
$y=96-2x$

(2) $y=96-2x$에 $y=6$을 대입하면
$6=96-2x,\ 2x=90$
$\therefore x=45$
따라서 45분이 지나면 물의 온도가 $6\ ^\circ\text{C}$가 된다.

2-1 (2) $y=0.4x+40$에 $x=10$을 대입하면
$y=0.4\times10+40=44$
따라서 용수철의 길이는 $44\,\text{mm}$이다.

2-2 (1) 섭씨온도가 $10\ ^\circ\text{C}$ 오를 때마다 화씨온도는 $18\ ^\circ\text{F}$씩 일정하게 오르므로 섭씨온도가 $1\ ^\circ\text{C}$씩 오를 때마다 화씨온도는 $\dfrac{9}{5}\ ^\circ\text{F}$씩 오른다.
즉 섭씨온도가 $x\ ^\circ\text{C}$ 오를 때 화씨온도는 $\dfrac{9}{5}x\ ^\circ\text{F}$ 오르고, 섭씨온도 $0\ ^\circ\text{C}$는 화씨온도 $32\ ^\circ\text{F}$이므로 x와 y 사이의 관계식은
$y=\dfrac{9}{5}x+32$

(2) $y=\dfrac{9}{5}x+32$에 $x=35$를 대입하면
$y=\dfrac{9}{5}\times35+32=95$
따라서 섭씨온도가 $35\ ^\circ\text{C}$일 때의 화씨온도는 $95\ ^\circ\text{F}$이다.

STEP ❷ 187쪽~188쪽

1-2. (1) $y=40-\dfrac{1}{15}x$ (2) $22\,\text{L}$

1-3. 10분

2-2. (1) $y=-10x+140$ (2) 5초 후

3-2. $16\,\text{cm}$

1-2 (1) $1\,\text{km}$를 달리는 데 사용되는 휘발유의 양은 $\dfrac{1}{15}\,\text{L}$이므로 $x\,\text{km}$를 달리는 데 사용되는 휘발유의 양은 $\dfrac{1}{15}x\,\text{L}$이다.
이때 처음 휘발유의 양이 $40\,\text{L}$이므로 x와 y 사이의 관계식은
$y=40-\dfrac{1}{15}x$

(2) $y=40-\dfrac{1}{15}x$에 $x=270$을 대입하면
$y=40-\dfrac{1}{15}\times270=22$
따라서 남아 있는 휘발유의 양은 $22\,\text{L}$이다.

1-3 물을 가열한 시간을 x분, 이때의 물의 온도를 $y\ ^\circ\text{C}$라 하자.
시간이 2분씩 지날 때마다 물의 온도가 $14\ ^\circ\text{C}$씩 일정하게 오르므로 시간이 1분씩 지날 때마다 물의 온도가 $7\ ^\circ\text{C}$씩 오른다.

즉 시간이 x분 지날 때 물의 온도는 $7x$ °C만큼 올라가고 처음 물의 온도가 8 °C이므로 x와 y 사이의 관계식은
$y=7x+8$이다.
이때 $y=7x+8$에 $y=78$을 대입하면
$78=7x+8$ $\therefore x=10$
따라서 물의 온도가 78 °C가 되려면 10분 동안 가열하면 된다.

2-2 (1) x초 후에 $\overline{\mathrm{BP}}=2x$ cm이므로
x와 y 사이의 관계식은
$y=\dfrac{1}{2}\times\{(14-2x)+14\}\times10$
$\therefore y=-10x+140$

(2) $y=-10x+140$에 $y=90$을 대입하면
$90=-10x+140$
$10x=50$ $\therefore x=5$
따라서 사다리꼴 APCD의 넓이가 90 cm²가 되는 것은 점 P가 점 B를 출발한 지 5초 후이다.

3-2 그래프가 두 점 $(0,10)$, $(20,14)$를 지나므로
$(기울기)=\dfrac{14-10}{20-0}=\dfrac{1}{5}$
또, y절편이 10이므로 x와 y 사이의 관계식은
$y=\dfrac{1}{5}x+10$
이때 $y=\dfrac{1}{5}x+10$에 $x=30$을 대입하면
$y=\dfrac{1}{5}\times30+10=16$
따라서 무게가 30 g인 추를 매달 때, 용수철의 길이는 16 cm이다.

STEP ③   189쪽

01. ①   **02.** (1) $y=60-2x$ (2) 25초 후
03. (1) $y=5-0.15x$ (2) 20분 후
04. (1) $y=27-3x$ (2) 15 cm²   **05.** 165 °C

01 양초의 길이가 3분마다 1 cm씩 짧아지므로 1분마다 $\dfrac{1}{3}$ cm씩 짧아진다.
즉 x분 후에 양초의 길이는 $\dfrac{1}{3}x$ cm만큼 짧아지고 처음 양초의 길이가 20 cm이므로 불을 붙인 지 x분 후의 양초의 길이를 y cm라 하면

$y=20-\dfrac{1}{3}x$
$y=20-\dfrac{1}{3}x$에 $y=8$을 대입하면
$8=20-\dfrac{1}{3}x$, $\dfrac{1}{3}x=12$ $\therefore x=36$
따라서 양초의 길이가 8 cm가 되는 것은 불을 붙인 지 36분 후이다.

02 (1) 1초에 2 m씩 내려오므로 x초 후에는 $2x$ m만큼 내려온다. 따라서 x와 y 사이의 관계식은
$y=60-2x$

(2) $y=60-2x$에 $y=10$을 대입하면
$10=60-2x$, $2x=50$
$\therefore x=25$
따라서 지면으로부터 10 m의 높이에 도착하는 것은 출발한 지 25초 후이다.

03 (1) 승민이는 1분에 0.15 km를 달리므로 출발하여 x분 동안 달린 거리는 $0.15x$ km이다.
따라서 x와 y 사이의 관계식은
$y=5-0.15x$

(2) $y=5-0.15x$에 $y=2$를 대입하면
$2=5-0.15x$ $\therefore x=20$
따라서 결승점까지 남은 거리가 2 km가 되는 것은 출발한 지 20분 후이다.

04 (1) $\overline{\mathrm{BP}}=(9-x)$ cm이므로
$y=\dfrac{1}{2}\times(9-x)\times6$
$\therefore y=27-3x$ ······ [50 %]

(2) $y=27-3x$에 $x=4$를 대입하면
$y=27-3\times4=15$
따라서 삼각형 ABP의 넓이는 15 cm²이다.
······ [50 %]

05 두 점 $(0,15)$, $(1,45)$를 지나므로
$(기울기)=\dfrac{45-15}{1-0}=30$
또, y절편이 15이므로 x와 y 사이의 관계식은
$y=30x+15$ ······ [50 %]
$y=30x+15$에 $x=5$를 대입하면
$y=30\times5+15=165$
따라서 이 지점에서 지표면으로부터의 깊이가 5 km인 땅속의 온도는 165 °C이다.   ······ [50 %]

9. 일차함수와 일차방정식

1 일차함수와 일차방정식

개념 확인

192쪽~195쪽

1. (1)

x	$\cdots$	-4	-2	0	2	4	$\cdots$
y	$\cdots$	4	3	2	1	0	$\cdots$

(2)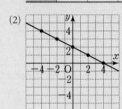

2. (1) $3x+3$

① 3

② -1

③ 3

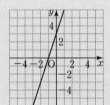

(2) $-\dfrac{1}{2}x-2$

① $-\dfrac{1}{2}$

② -4

③ -2

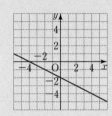

3. (1)

x	$\cdots$	3	3	3	3	3	$\cdots$
y	$\cdots$	-4	-2	0	2	4	$\cdots$

(2) 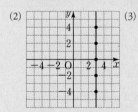   (3) $3, y$

4. (1)

x	$\cdots$	-4	-2	0	2	4	$\cdots$
y	$\cdots$	-3	-3	-3	-3	-3	$\cdots$

(2) 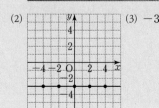   (3) $-3, x$

5.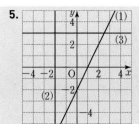

2 (2) $x+2y+4=0$에서 y를 x의 식으로 나타내면

$$2y=-x-4 \qquad \therefore y=-\dfrac{1}{2}x-2$$

5 (1) $2x-y-2=0$에서 y를 x의 식으로 나타내면

$$y=2x-2$$

(2) $5x+10=0$에서 $5x=-10$ $\qquad \therefore x=-2$

(3) $3y-9=0$에서 $3y=9$ $\qquad \therefore y=3$

STEP 1

196쪽

1-1. (1) $2x+3$ ① 2 ② $-\dfrac{3}{2}$ ③ 3

(2) $\dfrac{2}{3}x+2$ ① $\dfrac{2}{3}$ ② -3 ③ 2

(3) $-\dfrac{1}{3}x+1$ ① $-\dfrac{1}{3}$ ② 3 ③ 1

(4) $-2x+\dfrac{3}{2}$ ① -2 ② $\dfrac{3}{4}$ ③ $\dfrac{3}{2}$

연구 $-\dfrac{a}{b}x-\dfrac{c}{b}$

1-2. (1) $\dfrac{3}{2}x-2$ ① $\dfrac{3}{2}$ ② $\dfrac{4}{3}$ ③ -2

(2) $-x+3$ ① -1 ② 3 ③ 3

(3) $2x+\dfrac{1}{2}$ ① 2 ② $-\dfrac{1}{4}$ ③ $\dfrac{1}{2}$

(4) $\dfrac{2}{3}x+8$ ① $\dfrac{2}{3}$ ② -12 ③ 8

2-1. (1) $x=3$ (2) $x=-1$ (3) $y=2$ (4) $y=-5$

연구 $x=p, y=q$

2-2. (1) $y=3$ (2) $x=-2$ (3) $x=1$ (4) $y=-2$

STEP 2

197쪽~198쪽

1-2. $\dfrac{7}{3}$ **1-3.** -16

2-2. ②   **2-3.** -45

3-2. $a<0, b>0$ **3-3.** 제1, 3, 4사분면

4-2. (1) $y=-2$ (2) $x=6$ **4-3.** 5

1-2 $2x-3y+1=0$에서 y를 x의 식으로 나타내면

$-3y=-2x-1$ $\quad\therefore y=\dfrac{2}{3}x+\dfrac{1}{3}$

따라서 $a=2$, $b=\dfrac{1}{3}$이므로

$a+b=2+\dfrac{1}{3}=\dfrac{7}{3}$

1-3 $4x-3y+12=0$에서 y를 x의 식으로 나타내면

$-3y=-4x-12$ $\quad\therefore y=\dfrac{4}{3}x+4$

이때 그래프의 기울기는 $\dfrac{4}{3}$, x절편은 -3, y절편은 4이므로

$a=\dfrac{4}{3}$, $b=-3$, $c=4$

$\therefore abc=\dfrac{4}{3}\times(-3)\times4=-16$

2-2 $2x-y-5=0$에 각 점의 좌표를 대입하면

① $2\times\dfrac{1}{2}-(-4)-5=0$

② $2\times\left(-\dfrac{1}{2}\right)-6-5\neq0$

③ $2\times0-(-5)-5=0$

④ $2\times(-1)-(-7)-5=0$

⑤ $2\times3-1-5=0$

따라서 그래프 위의 점이 아닌 것은 ②이다.

2-3 $x-2y+6=0$에 $x=3$, $y=a$를 대입하면

$3-2a+6=0$, $-2a=-9$ $\quad\therefore a=\dfrac{9}{2}$

$x-2y+6=0$에 $x=b$, $y=-2$를 대입하면

$b-2\times(-2)+6=0$ $\quad\therefore b=-10$

$\therefore ab=\dfrac{9}{2}\times(-10)=-45$

3-2 $ax-y-b=0$에서 y를 x의 식으로 나타내면

$y=ax-b$

그래프가 오른쪽 아래로 향하는 직선이므로 $a<0$

y축과 원점보다 아래쪽에서 만나므로 $-b<0$ $\quad\therefore b>0$

3-3 $ax+by+2=0$에서 y를 x의 식으로 나타내면

$y=-\dfrac{a}{b}x-\dfrac{2}{b}$

이때 $a<0$, $b>0$이므로 $-\dfrac{a}{b}>0$, $-\dfrac{2}{b}<0$

따라서 $y=-\dfrac{a}{b}x-\dfrac{2}{b}$의 그래프는 오른쪽 그래프와 같은 모양이므로 그래프가 지나는 사분면은 제1, 3, 4사분면이다.

4-2 (1) 두 점 $(3,-2)$, $(-3,-2)$를 지나는 직선은 x축에 평행하므로 직선의 방정식은

$y=-2$

(2) 두 점 $(6,-1)$, $(6,5)$를 지나는 직선은 y축에 평행하므로 직선의 방정식은

$x=6$

4-3 x축에 수직, 즉 y축에 평행한 직선 위의 두 점의 x좌표는 같으므로

$a-2=2a-7$, $-a=-5$ $\quad\therefore a=5$

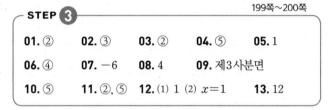

STEP ③ 199쪽~200쪽

01. ② **02.** ③ **03.** ② **04.** ⑤ **05.** 1
06. ④ **07.** -6 **08.** 4 **09.** 제3사분면
10. ⑤ **11.** ②, ⑤ **12.** (1) 1 (2) $x=1$ **13.** 12

01 $6x+5y-7=0$에서 y를 x의 식으로 나타내면

$y=-\dfrac{6}{5}x+\dfrac{7}{5}$

따라서 $a=-\dfrac{6}{5}$, $b=\dfrac{7}{5}$이므로

$a+b=-\dfrac{6}{5}+\dfrac{7}{5}=\dfrac{1}{5}$

02 $2x-3y-6=0$에서 y를 x의 식으로 나타내면

$y=\dfrac{2}{3}x-2$

① 점 $(-3,-4)$를 지난다.

② 제1, 3, 4사분면을 지난다.

③ x절편이 3, y절편이 -2이므로 x절편과 y절편의 합은 1이다.

④ $y=-\dfrac{2}{3}x+1$과 $y=\dfrac{2}{3}x-2$의 그래프는 기울기가 다르므로 한 점에서 만난다.

⑤ 기울기가 양수이므로 x의 값이 증가할 때, y의 값도 증가한다.

03 $-x+2y+1=0$에서 y를 x의 식으로 나타내면

$y=\dfrac{1}{2}x-\dfrac{1}{2}$

이 직선과 평행하므로 구하는 직선의 방정식을 $y=\dfrac{1}{2}x+b$로 놓고 $x=0$, $y=3$을 대입하면 $b=3$

따라서 구하는 직선의 방정식은

$y=\dfrac{1}{2}x+3$ $\quad\therefore x-2y+6=0$

04 ㉣ $2x-y+5=0$에서 $y=2x+5$

㉤ $\frac{1}{2}y=x+2$에서 $y=2x+4$

㉥ $-2x+y=7$에서 $y=2x+7$

㉢, ㉣, ㉤, ㉥의 그래프가 기울기가 2로 같으므로 서로 평행하다.

05 $-2x+ay+3=0$에 $x=-1, y=-5$를 대입하면
$2-5a+3=0$
$-5a=-5$ ∴ $a=1$

06 $y-ax+b=0 \Rightarrow y=ax-b$
그래프가 오른쪽 위로 향하는 직선이므로 $a>0$
y축과 원점보다 아래쪽에서 만나므로 $-b<0$ ∴ $b>0$

07 $x+y-2=0$에서 y를 x의 식으로 나타내면
$y=-x+2$ ······ [20 %]
$y=-x+2$의 그래프를 y축의 방향으로 -5만큼 평행이동한 그래프의 식은
$y=-x+2-5$, 즉 $y=-x-3$ ······ [30 %]
따라서 $y=-x-3$의 그래프의 x절편은 -3, y절편은 -3이므로
$m=-3, n=-3$ ······ [30 %]
∴ $m+n=-3+(-3)=-6$ ······ [20 %]

08 $2x-y+4=0$에서 y를 x의 식으로 나타내면
$y=2x+4$
이 그래프의 x절편은 -2, y절편은 4이므로 오른쪽 그림과 같다.
따라서 구하는 넓이는
$\frac{1}{2}\times 2\times 4=4$

09 $ax-by-1=0$에서 y를 x의 식으로 나타내면
$y=\frac{a}{b}x-\frac{1}{b}$
이때 $a>0, b<0$이므로 $\frac{a}{b}<0, -\frac{1}{b}>0$
따라서 $y=\frac{a}{b}x-\frac{1}{b}$의 그래프는 오른쪽 그래프와 같은 모양이므로 그래프가 지나지 않는 사분면은 제3사분면이다.

10 직선 $x=-3$에 수직이면 x축에 평행하다.
따라서 점 $(-5, 5)$를 지나고 x축에 평행한 직선의 방정식은 $y=5$이다.

11 ① $3x-2y+1=0$에서 $y=\frac{3}{2}x+\frac{1}{2}$

③ $2x-3=0$에서 $x=\frac{3}{2}$

④ $3x=0$에서 $x=0$

⑤ $5y+2=0$에서 $y=-\frac{2}{5}$

따라서 x축에 평행한 직선의 방정식은 ②, ⑤이다.

12 (1) y축에 평행한 직선 위의 두 점의 x좌표는 같으므로
$k=3k-2, -2k=-2$
∴ $k=1$ ······ [60 %]
(2) 두 점 $(1, -1), (1, 5)$를 지나는 직선의 방정식은
$x=1$ ······ [40 %]

13 $2x-8=0$에서 $x=4$
$-3y+9=0$에서 $y=3$
$\frac{1}{3}x=0$에서 $x=0$
따라서 네 직선으로 둘러싸인 도형은 오른쪽 그림과 같다.
따라서 구하는 넓이는
$4\times 3=12$

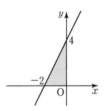

2 연립방정식의 해와 그래프

개념 확인
201쪽~202쪽

1. (1) $x=2, y=4$ (2) $x=-1, y=-1$

2. 2

3. (1) ㉠, ㉣ (2) ㉡ (3) ㉢

2 두 직선의 교점의 좌표가 $(-1, 2)$이므로
$ax-y=-4$에 $x=-1, y=2$를 대입하면
$-a-2=-4, -a=-2$
∴ $a=2$

3 ㉠ $\begin{cases} y=-\frac{2}{3}x+\frac{4}{3} \\ y=\frac{3}{2}x-\frac{5}{2} \end{cases}$ ㉡ $\begin{cases} y=-\frac{1}{3}x+\frac{4}{3} \\ y=-\frac{1}{3}x-\frac{4}{3} \end{cases}$

㉢ $\begin{cases} y=2x+3 \\ y=2x+3 \end{cases}$ ㉣ $\begin{cases} y=-3x+2 \\ y=3x+2 \end{cases}$

STEP ➊

1-1. 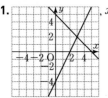 $, x=3, y=2$

연구 $-x+5, 2x-4, 3, 2$

1-2. (1) 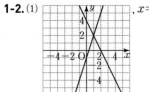 $, x=1, y=2$

(2) $, x=-2, y=-4$

2-1. $a=1, b=2$

연구 $2, 2, 2, 2, 2, 2, 1$

2-2. $a=2, b=1$

3-1. (1) 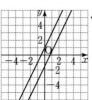 $,$ 해가 없다.

(2) $,$ 해가 무수히 많다.

3-2. (1) 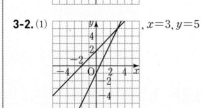 $, x=3, y=5$

(2) $,$ 해가 무수히 많다.

1-2 (1) $\begin{cases} 2x+y=4 \\ -3x+y=-1 \end{cases} \Rightarrow \begin{cases} y=-2x+4 \\ y=3x-1 \end{cases}$

각 일차방정식의 그래프를 좌표
평면 위에 그리면 오른쪽 그림과
같으므로 연립방정식의 해는
$x=1, y=2$이다.

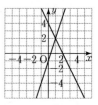

(2) $\begin{cases} 3x-y=-2 \\ 2x-3y=8 \end{cases} \Rightarrow \begin{cases} y=3x+2 \\ y=\dfrac{2}{3}x-\dfrac{8}{3} \end{cases}$

각 일차방정식의 그래프를 좌표
평면 위에 그리면 오른쪽 그림과
같으므로 연립방정식의 해는
$x=-2, y=-4$이다.

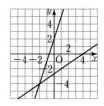

2-2 두 직선의 교점의 좌표는 $(-2, 2)$이므로
$ax-y=-6$에 $x=-2, y=2$를 대입하면
$-2a-2=-6, -2a=-4 \quad \therefore a=2$
$3x+by=-4$에 $x=-2, y=2$를 대입하면
$-6+2b=-4, 2b=2 \quad \therefore b=1$

STEP ➋

1-2. 3	**1-3.** -1
2-2. $y=3x+1$	**2-3.** $x=3$
3-2. ①	**3-3.** -6
4-2. 18	**4-3.** $\dfrac{27}{10}$

1-2 두 직선의 교점의 x좌표가 -2이므로
$x-y=-5$에 $x=-2$를 대입하면
$-2-y=-5 \quad \therefore y=3$
$ax+4y=6$에 $x=-2, y=3$을 대입하면
$-2a+12=6, -2a=-6 \quad \therefore a=3$

1-3 연립방정식 $\begin{cases} y=2x-3 \\ y=x+1 \end{cases}$을 풀면 $x=4, y=5$이므로 두 직선
의 교점의 좌표는 $(4, 5)$이다.
따라서 $a=4, b=5$이므로
$a-b=4-5=-1$

2-2 연립방정식 $\begin{cases} 2x+3y-3=0 \\ x-y+1=0 \end{cases}$을 풀면 $x=0, y=1$이므로 두
직선의 교점의 좌표는 $(0, 1)$이다.
직선의 기울기가 3이므로 구하는 직선의 방정식을
$y=3x+b$로 놓고 $x=0, y=1$을 대입하면 $b=1$
따라서 구하는 직선의 방정식은 $y=3x+1$이다.

2-3 연립방정식 $\begin{cases} y=2x-3 \\ y=-x+6 \end{cases}$ 을 풀면 $x=3$, $y=3$이므로 두 직선의 교점의 좌표는 $(3, 3)$이다.

따라서 점 $(3, 3)$을 지나고 x축에 수직인 직선의 방정식은 $x=3$이다.

3-2 $2x-4y=5$에서 $y=\dfrac{1}{2}x-\dfrac{5}{4}$

$-x+2y=a$에서 $y=\dfrac{1}{2}x+\dfrac{a}{2}$

연립방정식의 해가 없으려면 두 일차방정식의 그래프가 평행해야 하므로

$-\dfrac{5}{4}\neq\dfrac{a}{2}$ $\quad\therefore a\neq-\dfrac{5}{2}$

3-3 $x-2y=b$에서 $y=\dfrac{1}{2}x-\dfrac{b}{2}$

$ax+6y=9$에서 $y=-\dfrac{a}{6}x+\dfrac{3}{2}$

연립방정식의 해가 무수히 많으려면 두 일차방정식의 그래프가 일치해야 하므로

$\dfrac{1}{2}=-\dfrac{a}{6}$, $-\dfrac{b}{2}=\dfrac{3}{2}$

$\therefore a=-3$, $b=-3$

$\therefore a+b=-3+(-3)=-6$

4-2 연립방정식 $\begin{cases} x-y=-4 \\ y=-3x-8 \end{cases}$ 을 풀면 $x=-3$, $y=1$이므로 두 직선의 교점의 좌표는 $(-3, 1)$이다.

직선 $x-y=-4$의 y절편은 4이고 직선 $y=-3x-8$의 y절편은 -8이므로 두 직선은 오른쪽 그림과 같다.

따라서 구하는 도형의 넓이는

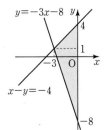

$\dfrac{1}{2}\times\{4-(-8)\}\times3=18$

4-3 연립방정식 $\begin{cases} x+y=4 \\ 3x-2y=3 \end{cases}$ 을 풀면 $x=\dfrac{11}{5}$, $y=\dfrac{9}{5}$이므로 두 직선의 교점의 좌표는 $\left(\dfrac{11}{5}, \dfrac{9}{5}\right)$이다.

직선 $x+y=4$의 x절편은 4이고 직선 $3x-2y=3$의 x절편은 1이므로 두 직선은 오른쪽 그림과 같다.

따라서 구하는 삼각형의 넓이는

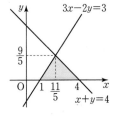

$\dfrac{1}{2}\times(4-1)\times\dfrac{9}{5}=\dfrac{27}{10}$

STEP ③

01. ①	**02.** 3	**03.** 1	**04.** ②	**05.** ①
06. −1	**07.** ②	**08.** 6	**09.** ③	**10.** ②
11. ①	**12.** $a=-\dfrac{4}{3}$, $b\neq9$			

01 연립방정식의 해는 두 일차방정식의 그래프의 교점의 좌표이므로 두 직선의 교점인 A이다.

02 두 직선의 교점의 좌표가 $(2, 4)$이므로 $x+ay=6$에 $x=2$, $y=4$를 대입하면 $2+4a=6$, $4a=4$ $\quad\therefore a=1$
$bx-y=2$에 $x=2$, $y=4$를 대입하면 $2b-4=2$, $2b=6$ $\quad\therefore b=3$
$\therefore ab=1\times3=3$

03 $y=-\dfrac{1}{2}x+1$에 $x=-2$를 대입하면 $y=2$
따라서 두 직선의 교점의 좌표가 $(-2, 2)$이므로 $y=ax+4$에 $x=-2$, $y=2$를 대입하면 $2=-2a+4$, $2a=2$ $\quad\therefore a=1$

04 직선 ㉠은 x절편이 2, y절편이 3이므로 직선의 방정식은

$y=-\dfrac{3}{2}x+3$

직선 ㉡은 x절편이 4, y절편이 -3이므로 직선의 방정식은

$y=\dfrac{3}{4}x-3$

이때 점 $P(a, b)$는 두 직선의 교점이므로

연립방정식 $\begin{cases} y=-\dfrac{3}{2}x+3 \\ y=\dfrac{3}{4}x-3 \end{cases}$ 을 풀면

$x=\dfrac{8}{3}$, $y=-1$

따라서 $a=\dfrac{8}{3}$, $b=-1$이므로

$a+2b=\dfrac{8}{3}+2\times(-1)=\dfrac{2}{3}$

05 직선 ㉠은 두 점 $(-4, -1)$, $(2, 2)$를 지나므로 직선의 방정식은 $y=\dfrac{1}{2}x+1$이다.

직선 ㉡은 직선 ㉠과 y축 위에서 만나므로 직선 ㉡은 점 $(-1, 5)$를 지나고 y절편이 1인 직선이다.

따라서 직선 ㉡의 직선의 방정식은 $y=-4x+1$이므로 직선 ㉡의 기울기는 -4이다.

06 연립방정식 $\begin{cases} 2x-y-5=0 \\ x+2y+5=0 \end{cases}$의 해는 $x=1, y=-3$이므로

세 직선은 점 $(1, -3)$에서 만난다. …… [50 %]

이때 직선 $ax-y-2=0$이 점 $(1, -3)$을 지나므로

$ax-y-2=0$에 $x=1, y=-3$을 대입하면

$a+3-2=0$

$\therefore a=-1$ …… [50 %]

07 연립방정식 $\begin{cases} 3x+2y+1=0 \\ 2x-y+10=0 \end{cases}$의 해는 $x=-3, y=4$이므로

두 직선의 교점의 좌표는 $(-3, 4)$이다.

$x+2y+2=0$에서 y를 x의 식으로 나타내면

$y=-\dfrac{1}{2}x-1$

따라서 구하는 직선은 기울기가 $-\dfrac{1}{2}$이고 점 $(-3, 4)$를

지나므로 $y=-\dfrac{1}{2}x+b$로 놓고 $x=-3, y=4$를 대입하면

$4=-\dfrac{1}{2}\times(-3)+b$

$\therefore b=\dfrac{5}{2}$, 즉 $y=-\dfrac{1}{2}x+\dfrac{5}{2}$

따라서 $a=-\dfrac{1}{2}, b=\dfrac{5}{2}$이므로

$a+b=-\dfrac{1}{2}+\dfrac{5}{2}=2$

08 연립방정식 $\begin{cases} x-y+2=0 \\ 2x+y+4=0 \end{cases}$을 풀면 $x=-2, y=0$이므로

두 직선의 교점의 좌표는 $(-2, 0)$이다.

직선 $x-y+2=0$의 y절편은 2,

직선 $2x+y+4=0$의 y절편은

-4이므로 두 직선은 오른쪽 그림

과 같다.

따라서 구하는 삼각형의 넓이는

$\dfrac{1}{2}\times\{2-(-4)\}\times 2=6$

09 ① $\begin{cases} y=-2x+2 \\ y=2x-1 \end{cases}$ ② $\begin{cases} y=-2x+1 \\ y=-2x+1 \end{cases}$

③ $\begin{cases} y=-2x+2 \\ y=-2x-2 \end{cases}$ ④ $\begin{cases} y=x+2 \\ y=x+2 \end{cases}$

⑤ $\begin{cases} y=-x+2 \\ y=\dfrac{3}{4}x+\dfrac{3}{4} \end{cases}$

연립방정식의 해가 없으려면 두 일차방정식의 그래프가 평
행해야 하므로 해가 없는 것은 ③이다.

10 $4x+5y=3$에서 $y=-\dfrac{4}{5}x+\dfrac{3}{5}$

$ax-10y=b$에서 $y=\dfrac{a}{10}x-\dfrac{b}{10}$

연립방정식의 해가 무수히 많으려면 두 일차방정식의 그래
프가 일치해야 하므로

$-\dfrac{4}{5}=\dfrac{a}{10}, \dfrac{3}{5}=-\dfrac{b}{10}$

$\therefore a=-8, b=-6$

$\therefore a+b=-8+(-6)=-14$

11 $ax+by-1=0$에서 $y=-\dfrac{a}{b}x+\dfrac{1}{b}$

$2x-3y-2=0$에서 $y=\dfrac{2}{3}x-\dfrac{2}{3}$

두 직선의 교점이 무수히 많으려면 두 직선이 일치해야 하
므로

$-\dfrac{a}{b}=\dfrac{2}{3}, \dfrac{1}{b}=-\dfrac{2}{3}$ $\therefore a=1, b=-\dfrac{3}{2}$

$\therefore ab=1\times\left(-\dfrac{3}{2}\right)=-\dfrac{3}{2}$

12 $2x+ay=6$에서 $y=-\dfrac{2}{a}x+\dfrac{6}{a}$

$3x-2y=b$에서 $y=\dfrac{3}{2}x-\dfrac{b}{2}$ …… [30 %]

두 직선의 교점이 없으려면 두 직선이 평행해야 하므로

$-\dfrac{2}{a}=\dfrac{3}{2}, \dfrac{6}{a}\neq-\dfrac{b}{2}$ …… [40 %]

$\therefore a=-\dfrac{4}{3}, b\neq 9$ …… [30 %]

단원 종합 문제

1쪽~3쪽

① 유리수와 순환소수

01. ③	**02.** ④	**03.** 2	**04.** ②	**05.** ③
06. ③, ⑤	**07.** ①	**08.** 3	**09.** ②	**10.** ①, ②
11. 39	**12.** ⑤	**13.** ㉠ 1000 ㉡ 999		**14.** ④
15. ⑤	**16.** ③	**17.** 18	**18.** ④	**19.** ②
20. ②				

01 각각의 순환마디를 구하면
① 3 ② 45 ③ 90 ④ 237 ⑤ 714285

02 ④ $2.020202\cdots=2.\dot{0}\dot{2}$

03 $\dfrac{3}{7}=0.428571428571\cdots=0.\dot{4}2857\dot{1}$이므로 순환마디를 이루는 숫자의 개수는 6개이다. ...... [50 %]
이때 $50=6\times8+2$이므로 소수점 아래 50번째 자리의 숫자는 순환마디의 2번째 숫자인 2와 같다. ...... [50 %]

04 $2.7\dot{5}\dot{3}$에서 순환하지 않는 숫자의 개수는 1개이고 순환마디를 이루는 숫자의 개수는 2개이다.
이때 소수점 아래 47번째 자리의 숫자는 순환하는 부분에서 46번째 숫자이고 $46=2\times23$이므로 순환마디의 2번째 숫자인 3과 같다.

05 $\dfrac{3}{20}=\dfrac{3}{2^2\times5}=\dfrac{3\times5}{2^2\times5\times5}=\dfrac{15}{100}=0.15$
따라서 ㉠에 알맞은 수는 5이다.

06 ① $\dfrac{6}{2^2\times3^2}=\dfrac{1}{2\times3}$ ➡ 유한소수로 나타낼 수 없다.
② $\dfrac{12}{3^2\times5}=\dfrac{4}{3\times5}$ ➡ 유한소수로 나타낼 수 없다.
③ $\dfrac{3}{8}=\dfrac{3}{2^3}$ ➡ 유한소수로 나타낼 수 있다.
④ $\dfrac{7}{6}=\dfrac{7}{2\times3}$ ➡ 유한소수로 나타낼 수 없다.
⑤ $\dfrac{14}{2^2\times5^3\times7}=\dfrac{1}{2\times5^3}$ ➡ 유한소수로 나타낼 수 있다.
따라서 유한소수로 나타낼 수 있는 것은 ③, ⑤이다.

07 $\dfrac{1}{5}=\dfrac{14}{70}$, $\dfrac{3}{7}=\dfrac{30}{70}$이므로 $\dfrac{1}{5}$과 $\dfrac{3}{7}$ 사이의 분모가 70인 분수는 $\dfrac{15}{70}$, $\dfrac{16}{70}$, $\cdots$, $\dfrac{28}{70}$, $\dfrac{29}{70}$이다.
이때 $70=2\times5\times7$이므로 분자가 7의 배수이어야 유한소수로 나타낼 수 있다.

따라서 유한소수로 나타낼 수 있는 분수는 $\dfrac{21}{70}$, $\dfrac{28}{70}$의 2개이다.

08 $\dfrac{11}{60}=\dfrac{11}{2^2\times3\times5}$이므로 $\dfrac{11}{2^2\times3\times5}\times a$가 유한소수가 되려면 a는 3의 배수이어야 한다. ...... [60 %]
따라서 a의 값이 될 수 있는 가장 작은 자연수는 3이다. ...... [40 %]

09 $\dfrac{a}{2^2\times3^2\times5}$가 유한소수가 되려면 a는 9의 배수이어야 한다.
따라서 a의 값이 될 수 없는 것은 ②이다.

10 $\dfrac{3}{8\times a}=\dfrac{3}{2^3\times a}$이 유한소수가 되려면 a는 3이거나 소인수가 2 또는 5뿐인 수이거나 이들의 곱으로 이루어진 수이다.
따라서 a의 값이 될 수 있는 것은 ①, ②이다.

11 $\dfrac{17}{102}=\dfrac{1}{6}=\dfrac{1}{2\times3}$이므로 a는 3의 배수이어야 하고 ...... [30 %]
$\dfrac{7}{130}=\dfrac{7}{2\times5\times13}$이므로 a는 13의 배수이어야 한다. ...... [30 %]
따라서 a는 3과 13의 공배수인 39의 배수이어야 하고 이 중 a의 값이 될 수 있는 가장 작은 자연수는 39이다. ...... [40 %]

12 $\dfrac{a}{120}=\dfrac{a}{2^3\times3\times5}$가 유한소수가 되려면 a는 3의 배수이어야 한다.
이때 $20<a<25$인 자연수이므로
$a=21, 24$
(ⅰ) $a=21$일 때, $\dfrac{21}{2^3\times3\times5}=\dfrac{7}{2^3\times5}$
(ⅱ) $a=24$일 때, $\dfrac{24}{2^3\times3\times5}=\dfrac{1}{5}$
따라서 $a=24$, $b=5$이므로
$a+b=24+5=29$

14 $x=3.25\dot{7}=3.25777\cdots$에서
$1000x=3257.777\cdots$ ...... ㉠
$100x=325.777\cdots$ ...... ㉡
㉠-㉡을 하면 $900x=2932$
따라서 가장 편리한 식은 ④이다.

15 ① x는 무한소수이다.
② $1000x-10x=1706$

③ 순환마디는 23이다.

④ $1.7\dot{2}\dot{3}$으로 나타낼 수 있다.

⑤ ②에서 $1000x-10x=1706$이므로

$$x=\frac{1706}{990}=\frac{853}{495}$$

16 ① $0.\dot{7}=\frac{7}{9}$

② $0.\dot{1}\dot{4}=\frac{14}{99}$

③ $0.1\dot{2}\dot{3}=\frac{122}{990}=\frac{61}{495}$

④ $1.4\dot{2}=\frac{128}{90}=\frac{64}{45}$

⑤ $0.92\dot{5}=\frac{833}{900}$

17 $0.2\dot{4}=\frac{22}{90}=\frac{11}{45}=\frac{11}{3^2\times5}$ ······ [30 %]

이때 $\dfrac{11}{3^2\times5}\times a$가 유한소수가 되려면 a는 9의 배수이어야

한다. ······ [30 %]

따라서 a의 값이 될 수 있는 가장 작은 두 자리 자연수는 18

이다. ······ [40 %]

18 ① $0.1\dot{3}\dot{0}=0.1303030\cdots$

② $0.\dot{1}3\dot{0}=0.130130\cdots$

③ $0.\dot{1}=0.1111\cdots$

④ $0.1\dot{3}=0.1333\cdots$

⑤ 0.13

따라서 $0.1\dot{3}>0.1\dot{3}\dot{0}>0.\dot{1}3\dot{0}>0.13>0.\dot{1}$이므로 가장 큰

수는 $0.1\dot{3}$이다.

19 $0.\dot{0}\dot{7}=\frac{7}{99}$이므로

$$\frac{17}{99}=x+\frac{7}{99} \qquad \therefore x=\frac{10}{99}=0.\dot{1}\dot{0}$$

20 ② 순환소수는 모두 유리수이다.

② 단항식의 계산 ~ ③ 다항식의 계산

01. ③	**02.** ④	**03.** 40	**04.** ④	**05.** 10
06. ①	**07.** $-\dfrac{3b^3}{a^2}$	**08.** ④	**09.** $\dfrac{40}{9}a^7b^5$	**10.** $2ab^3$
11. ⑤	**12.** ⑤	**13.** $a+4b$	**14.** $3x^2+5x-4$	
15. ②	**16.** ③	**17.** ⑤	**18.** ⑤	**19.** ①
20. $7y-2$				

01 ① $a^2\times a^3=a^{2+3}=a^5$

② $(a^2)^7=a^{2\times7}=a^{14}$

③ $x^8\div x^5=x^{8-5}=x^3$

④ $(2a^5b)^3=2^3\times a^{5\times3}\times b^3=8a^{15}b^3$

⑤ $\left(\dfrac{x^3}{y}\right)^3=\dfrac{x^{3\times3}}{y^3}=\dfrac{x^9}{y^3}$

따라서 옳은 것은 ③이다.

02 $(x^2)^a\times(y^b)^3\div x=x^{2a}\times y^{3b}\div x=x^{2a-1}y^{3b}=x^{11}y^{12}$이므로

$2a-1=11$에서 $2a=12$ $\quad\therefore a=6$

$3b=12$에서 $b=4$

$\therefore a+b=6+4=10$

03 $3^3\times3^3\times3^3=3^{3+3+3}=3^9$ $\quad\therefore a=9$

$3^3+3^3+3^3=3^3\times3=3^{3+1}=3^4$ $\quad\therefore b=4$

$\{(3^3)^3\}^3=3^{3\times3\times3}=3^{27}$ $\quad\therefore c=27$

$\therefore a+b+c=9+4+27=40$

04 $64^3=(2^6)^3=(2^3)^6=A^6$

05 $2^{10}\times3\times5^8=2^{8+2}\times5^8\times3$

$\qquad\qquad\quad=(2^8\times2^2)\times5^8\times3$

$\qquad\qquad\quad=(2^8\times5^8)\times2^2\times3$

$\qquad\qquad\quad=(2\times5)^8\times4\times3$

$\qquad\qquad\quad=12\times10^8=1200000000$

따라서 $2^{10}\times3\times5^8$은 10자리의 자연수이므로 $n=10$

06 $6a^4b^2\div4a^2b^3\times(-8ab^3)=6a^4b^2\times\dfrac{1}{4a^2b^3}\times(-8ab^3)$

$\qquad\qquad\qquad\qquad\qquad=-12a^3b^2$

07 $(-2a^2b^3)^2\div(-3ab^4)\times\boxed{}=4ab^5$에서

$4a^4b^6\times\left(-\dfrac{1}{3ab^4}\right)\times\boxed{}=4ab^5$

$-\dfrac{4a^3b^2}{3}\times\boxed{}=4ab^5$ ······ [30 %]

$\therefore \boxed{}=4ab^5\div\left(-\dfrac{4a^3b^2}{3}\right)$

$\qquad\quad=4ab^5\times\left(-\dfrac{3}{4a^3b^2}\right)=-\dfrac{3b^3}{a^2}$ ······ [70 %]

08 $(-3x^2y)^A\div6x^By\times2x^5y^3$

$=(-3)^Ax^{2A}y^A\div6x^By\times2x^5y^3$

$=(-3)^Ax^{2A}y^A\times\dfrac{1}{6x^By}\times2x^5y^3$

$=(-3)^A\times\dfrac{1}{6}\times2\times x^{2A}y^A\times\dfrac{1}{x^By}\times x^5y^3$

$=\dfrac{(-3)^A}{3}\times x^{2A-B+5}\times y^{A+2}$

$=Cx^2y^4$

82 • 정답과 해설

이때 $y^{A+2}=y^4$에서

$A+2=4$ $\quad\therefore A=2$

$x^{2A-B+5}=x^2$에서

$4-B+5=2$ $\quad\therefore B=7$

$\dfrac{(-3)^A}{3}=C$에서 $\dfrac{9}{3}=C$ $\quad\therefore C=3$

$\therefore A+B+C=2+7+3=12$

09 $A\div\left(-\dfrac{2}{3}a^3b^2\right)=10ab$

$\therefore A=10ab\times\left(-\dfrac{2}{3}a^3b^2\right)=-\dfrac{20}{3}a^4b^3$

따라서 바르게 계산한 식은

$-\dfrac{20}{3}a^4b^3\times\left(-\dfrac{2}{3}a^3b^2\right)=\dfrac{40}{9}a^7b^5$

10 직사각형의 넓이는

$4a^2b\times2a^3b^5=4\times2\times a^2b\times a^3b^5=8a^5b^6$ $\qquad$ ······ [30 %]

따라서 삼각형의 넓이는 사각형의 넓이와 같으므로

$8a^5b^6$이다.

삼각형의 높이를 $\boxed{}$라 하면

$\dfrac{1}{2}\times8a^4b^3\times\boxed{}=8a^5b^6$ $\qquad$ ······ [30 %]

$4a^4b^3\times\boxed{}=8a^5b^6$

$\therefore \boxed{}=8a^5b^6\div4a^4b^3$

$\qquad\quad=\dfrac{8a^5b^6}{4a^4b^3}=2ab^3$ $\qquad$ ······ [40 %]

11 $\dfrac{a-3b}{5}+\dfrac{3a-5b}{3}=\dfrac{3(a-3b)+5(3a-5b)}{15}$

$\qquad\qquad\qquad\qquad=\dfrac{3a-9b+15a-25b}{15}$

$\qquad\qquad\qquad\qquad=\dfrac{18a-34b}{15}$

$\qquad\qquad\qquad\qquad=\dfrac{6}{5}a-\dfrac{34}{15}b$

12 $(3x^2+2x-2)-\left(x^2-3x-\dfrac{3}{2}\right)$

$=3x^2+2x-2-x^2+3x+\dfrac{3}{2}$

$=2x^2+5x-\dfrac{1}{2}$

13 $5b-[a+\{a-b-(3a-2b)\}]$

$=5b-\{a+(a-b-3a+2b)\}$

$=5b-\{a+(-2a+b)\}$

$=5b-(-a+b)$

$=5b+a-b$

$=a+4b$

14 어떤 식을 A라 하면

$A+(2x^2-3x+5)=7x^2-x+6$ $\qquad$ ······ [30 %]

$\therefore A=7x^2-x+6-(2x^2-3x+5)$

$\qquad=7x^2-x+6-2x^2+3x-5$

$\qquad=5x^2+2x+1$ $\qquad$ ······ [40 %]

따라서 바르게 계산하면

$5x^2+2x+1-(2x^2-3x+5)$

$=5x^2+2x+1-2x^2+3x-5$

$=3x^2+5x-4$ $\qquad$ ······ [30 %]

15 $x(3y-2)-(4xy^2-8xy-6y^2)\div\dfrac{1}{2}y$

$=3xy-2x-(4xy^2-8xy-6y^2)\times\dfrac{2}{y}$

$=3xy-2x-(8xy-16x-12y)$

$=3xy-2x-8xy+16x+12y$

$=-5xy+14x+12y$

16 $\dfrac{8x^2-12xy}{2x}-\dfrac{15xy+18y^2}{-3y}=4x-6y-(-5x-6y)$

$\qquad\qquad\qquad\qquad\qquad\qquad=4x-6y+5x+6y$

$\qquad\qquad\qquad\qquad\qquad\qquad=9x$

따라서 $A=9$, $B=0$이므로

$A+B=9+0=9$

17 (직육면체의 부피)$=$(밑넓이)$\times$(높이)이므로

$3x\times y\times$(높이)$=18x^2y-12xy^2$

$\therefore$ (높이)$=(18x^2y-12xy^2)\div3xy$

$\qquad\qquad\quad=\dfrac{18x^2y-12xy^2}{3xy}=6x-4y$

18 $(3a^2+4ab)\div a-\dfrac{8ab-10b^2}{2b}=3a+4b-(4a-5b)$

$\qquad\qquad\qquad\qquad\qquad\qquad\quad=3a+4b-4a+5b$

$\qquad\qquad\qquad\qquad\qquad\qquad\quad=-a+9b$

$-a+9b$에 $a=-3$, $b=2$를 대입하면

$-a+9b=-(-3)+9\times2=3+18=21$

19 $2A-3(A-2B)-3B=2A-3A+6B-3B$

$\qquad\qquad\qquad\qquad\quad=-A+3B$

$\qquad\qquad\qquad\qquad\quad=-(2x-y)+3(-x+3y)$

$\qquad\qquad\qquad\qquad\quad=-2x+y-3x+9y$

$\qquad\qquad\qquad\qquad\quad=-5x+10y$

20 $y+3x+1$에 $x=2y-1$을 대입하면

$y+3x+1=y+3(2y-1)+1$

$\qquad\qquad\quad=y+6y-3+1=7y-2$

❹ 일차부등식

01. ⑤	**02.** ④	**03.** ②	**04.** ③	**05.** ②
06. ②	**07.** ①	**08.** 3	**09.** ④	**10.** ⑤
11. ①	**12.** ⑤	**13.** 1	**14.** ⑤	**15.** ⑤
16. ②	**17.** ③	**18.** ②	**19.** $\dfrac{24}{7}$ km	

01 ⑤ $3x \geq 10$

02 ① $2-3 \geq 0$ (거짓)   ② $3-2 \geq 2$ (거짓)
    ③ $2 \times 2 - 1 \geq 4$ (거짓)   ④ $3 \times 2 - 2 \geq 4$ (참)
    ⑤ $-2+1 \geq 1$ (거짓)
따라서 $x=2$일 때 참인 것은 ④이다.

03 ① $a<b$에서 $9a<9b$ ∴ $9a+2<9b+2$
    ② $a<b$에서 $-a>-b$ ∴ $7-a>7-b$
    ③ $a<b$에서 $3a<3b$ ∴ $3a-4<3b-4$
    ④ $a<b$에서 $-a>-b$, $6-a>6-b$
       ∴ $\dfrac{6-a}{-5}<\dfrac{6-b}{-5}$
    ⑤ $a<b$에서 $a+6<b+6$ ∴ $\dfrac{a+6}{10}<\dfrac{b+6}{10}$

04 $-1 \leq x < 2$에서 $2 \geq -2x > -4$, 즉 $-4 < -2x \leq 2$
    $-1 < -2x+3 \leq 5$ ∴ $-1 < A \leq 5$

05 ① $-3x^2+3 \leq 0$
    ② $x-12 \leq 0$
    ③ $x^2-x \geq -4x \Rightarrow x^2+3x \geq 0$
    ④ $\dfrac{3}{x}-5>0$
    ⑤ $-4<0$
따라서 일차부등식인 것은 ②이다.

06 $2x+3 \leq 4x-1$에서 $-2x \leq -4$ ∴ $x \geq 2$
따라서 부등식의 해를 수직선 위에 바르게 나타낸 것은 ②이다.

07 $3x+2(4-x)<5$에서 $3x+8-2x<5$ ∴ $x<-3$
따라서 주어진 일차부등식을 만족하는 x의 값 중 가장 큰 정수는 -4이다.

08 $0.5x-1.2 < \dfrac{3}{10}x - \dfrac{1}{2}$의 양변에 10을 곱하면
    $5x-12 < 3x-5$ ······ [30 %]
    $2x<7$ ∴ $x<\dfrac{7}{2}$ ······ [40 %]
따라서 주어진 일차부등식을 만족하는 자연수 x는 1, 2, 3의 3개이다.   ······ [30 %]

09 $\dfrac{x+1}{3} - \dfrac{2x-4}{5} < 1$의 양변에 15를 곱하면
    $5(x+1) - 3(2x-4) < 15$
    $5x+5-6x+12 < 15$, $-x<-2$ ∴ $x>2$
따라서 주어진 일차부등식을 만족하는 x의 값 중 가장 작은 정수는 3이다.

10 $2-ax>-1$에서 $-ax>-3$
이때 $-a>0$이므로 $x>\dfrac{3}{a}$

11 $3x-9<a(x-3)$에서 $3x-9<ax-3a$
    $(3-a)x<-3a+9$, $(3-a)x<3(3-a)$
이때 $a>3$이므로 $3-a<0$
따라서 $x>\dfrac{3(3-a)}{3-a}$이므로 $x>3$

12 $5x-2>a$에서 $5x>a+2$ ∴ $x>\dfrac{a+2}{5}$
이 일차부등식의 해가 $x>2$이므로
    $\dfrac{a+2}{5}=2$, $a+2=10$ ∴ $a=8$

13 $3(x-2)>2(2-x)$에서 $3x-6>4-2x$
    $5x>10$ ∴ $x>2$ ······ [40 %]
    $x+a-1<2(x-1)$에서 $x+a-1<2x-2$
    $-x<-a-1$ ∴ $x>a+1$ ······ [40 %]
두 일차부등식의 해가 서로 같으므로
    $2=a+1$ ∴ $a=1$ ······ [20 %]

14 어떤 자연수를 x라 하면 $4x+1<3(x+4)$
    $4x+1<3x+12$ ∴ $x<11$
따라서 어떤 자연수가 될 수 없는 것은 ⑤이다.

16 조각 케이크를 x개 넣는다고 하면
    $2500x+1200 \leq 20000$
    $2500x \leq 18800$ ∴ $x \leq \dfrac{188}{25} = 7.52$
따라서 조각 케이크를 최대 7개까지 넣을 수 있다.

17 x개월 후에 승우의 저금액이 지우의 저금액보다 많아진다고 하면
    $30000+5000x > 45000+3000x$
    $2000x > 15000$ ∴ $x>\dfrac{15}{2}$
따라서 8개월 후부터 승우의 저금액이 지우의 저금액보다 많아진다.

18 입장하는 사람 수를 x명이라 하면

$$5000x > \left(5000 \times \frac{80}{100}\right) \times 40$$

$5000x > 160000$ ∴ $x > 32$

따라서 33명 이상이면 40명의 단체 입장료보다 더 많은 입장료를 지불해야 한다.

19 올라간 거리를 $x \, \text{km}$라 하면

$$\frac{x}{3} + \frac{x}{4} \leq 2 \qquad\qquad \cdots\cdots \, [50\,\%]$$

$4x + 3x \leq 24,\ 7x \leq 24$ ∴ $x \leq \dfrac{24}{7}$ $\cdots\cdots \, [40\,\%]$

따라서 최대 $\dfrac{24}{7} \, \text{km}$까지 올라갔다 내려올 수 있다.

$\cdots\cdots \, [10\,\%]$

10쪽~12쪽

❺ 연립방정식의 풀이 ~ ❻ 연립방정식의 활용

01. ①	02. ②	03. ②	04. $a=7, b=2$	
05. ④	06. ④	07. -2	08. -1	09. ③
10. ①	11. -1	12. ①	13. ③	14. ②
15. ③	16. 62	17. 여학생: 252명, 남학생: 288명		
18. ②	19. (1) $\begin{cases} x+y=4 \\ \dfrac{x}{3}+\dfrac{y}{6}=1 \end{cases}$ (2) $2 \, \text{km}$		20. ④	

01 ② xy가 있으므로 일차방정식이 아니다.

③ $2(x+y)+4=2x$에서 $2y+4=0$

➡ 미지수가 1개인 일차방정식이다.

④ x^2이 있으므로 일차방정식이 아니다.

⑤ $3x+y=1-(x-y)$에서 $4x-1=0$

➡ 미지수가 1개인 일차방정식이다.

따라서 미지수가 2개인 일차방정식은 ①이다.

02 $(1, 2), (3, 1)$의 2개이다.

03 $x=4, y=2$를 두 일차방정식에 각각 대입하면

② $4+4\times2=12,\ 2\times4-5\times2=-2$

따라서 해가 $(4, 2)$인 것은 ②이다.

04 $x=2, y=3$을 $2x+y=a$에 대입하면

$4+3=a$ ∴ $a=7$ $\cdots\cdots \, [50\,\%]$

$x=2, y=3$을 $bx+3y=13$에 대입하면

$2b+9=13, 2b=4$ ∴ $b=2$ $\cdots\cdots \, [50\,\%]$

05 ㉠을 ㉡에 대입하면 $2x-2(7-3x)=10$

$8x=24$ ∴ $a=8$

06 x를 없애기 위해서는 x의 계수의 절댓값이 같아야 하므로 필요한 식은 $㉠\times5-㉡\times7$이다.

07 $\begin{cases} 3x+4y=24 & \cdots\cdots \, ㉠ \\ 4x-3y=7 & \cdots\cdots \, ㉡ \end{cases}$

$㉠\times3+㉡\times4$를 하면 $25x=100$ ∴ $x=4$

$x=4$를 ㉠에 대입하면

$12+4y=24, 4y=12$ ∴ $y=3$

∴ $x-2y=4-2\times3=-2$

08 주어진 연립방정식의 해는 세 일차방정식을 모두 만족하므로 연립방정식 $\begin{cases} x-y=1 & \cdots\cdots \, ㉠ \\ 3x-2y=5 & \cdots\cdots \, ㉡ \end{cases}$의 해와 같다.

$\cdots\cdots \, [30\,\%]$

$㉠\times2-㉡$을 하면 $-x=-3$ ∴ $x=3$

$x=3$을 ㉠에 대입하면

$3-y=1$ ∴ $y=2$ $\cdots\cdots \, [40\,\%]$

$x=3, y=2$를 $ax+3y=3$에 대입하면

$3a+6=3, 3a=-3$ ∴ $a=-1$ $\cdots\cdots \, [30\,\%]$

09 a, b가 없는 두 일차방정식으로 연립방정식을 세우면

$\begin{cases} x+2y=8 & \cdots\cdots \, ㉠ \\ x-y=2 & \cdots\cdots \, ㉡ \end{cases}$

$㉠-㉡$을 하면 $3y=6$ ∴ $y=2$

$y=2$를 ㉡에 대입하면 $x-2=2$ ∴ $x=4$

$x=4, y=2$를 $2x-3y=a$에 대입하면

$8-6=a$ ∴ $a=2$

$x=4, y=2$를 $x-by=6$에 대입하면

$4-2b=6, -2b=2$ ∴ $b=-1$

∴ $a+b=2+(-1)=1$

10 $\begin{cases} 2(x+1)+3y=2 & \cdots\cdots \, ㉠ \\ 4x-5(y-2)=-12 & \cdots\cdots \, ㉡ \end{cases}$

㉠을 간단히 하면 $2x+3y=0$ $\cdots\cdots \, ㉢$

㉡을 간단히 하면 $4x-5y=-22$ $\cdots\cdots \, ㉣$

$㉢\times2-㉣$을 하면 $11y=22$ ∴ $y=2$

$y=2$를 ㉢에 대입하면

$2x+6=0$ ∴ $x=-3$

11 $\begin{cases} -0.6x+0.2y=1 & \cdots\cdots \, ㉠ \\ \dfrac{1}{4}x-\dfrac{1}{3}y=-\dfrac{1}{6} & \cdots\cdots \, ㉡ \end{cases}$

$㉠\times10$을 하면 $-6x+2y=10$ $\cdots\cdots \, ㉢$

$㉡\times12$를 하면 $3x-4y=-2$ $\cdots\cdots \, ㉣\ [40\,\%]$

$㉢\times2+㉣$을 하면 $-9x=18$ ∴ $x=-2 \cdots\cdots \, [30\,\%]$

$x=-2$를 ⓒ에 대입하면

$12+2y=10$ ∴ $y=-1$ ····· [20 %]

따라서 $a=-2$, $b=-1$이므로

$a-b=-2-(-1)=-1$ ····· [10 %]

12 주어진 방정식의 해는 다음 연립방정식의 해와 같다.

$$\begin{cases} 2x+y-4=4x-y+2 & \cdots\cdots ㉠ \\ 4x-y+2=3x+2y+7 & \cdots\cdots ㉡ \end{cases}$$

㉠을 간단히 하면 $-2x+2y=6$ ····· ㉢

㉡을 간단히 하면 $x-3y=5$ ····· ㉣

㉢+㉣×2를 하면 $-4y=16$ ∴ $y=-4$

$y=-4$를 ㉣에 대입하면 $x+12=5$ ∴ $x=-7$

13 y의 계수가 같아지도록 ㉠×2를 하면

$2ax+4y=2b$ ····· ㉢

이때 해가 무수히 많으려면 ㉡과 ㉢이 일치해야 하므로

$2a=6$, $2b=10$ ∴ $a=3$, $b=5$

∴ $a+b=3+5=8$

14 ①, ③, ④, ⑤ 해가 무수히 많다.

② 해가 없다.

15 $\begin{cases} x+y=7 \\ 500x+300y=2700 \end{cases}$ ➡ $\begin{cases} x+y=7 \\ 5x+3y=27 \end{cases}$

16 처음 수의 십의 자리의 숫자를 x, 일의 자리의 숫자를 y라 하면

$\begin{cases} x+y=8 \\ 10y+x=10x+y-36 \end{cases}$ ➡ $\begin{cases} x+y=8 & \cdots\cdots ㉠ \\ -x+y=-4 & \cdots\cdots ㉡ \end{cases}$

㉠+㉡을 하면 $2y=4$ ∴ $y=2$

$y=2$를 ㉠에 대입하면 $x+2=8$ ∴ $x=6$

따라서 처음 수는 62이다.

17 작년의 여학생 수를 x명, 남학생 수를 y명이라 하면

$\begin{cases} x+y=520 \\ -\dfrac{10}{100}x+\dfrac{20}{100}y=20 \end{cases}$

➡ $\begin{cases} x+y=520 & \cdots\cdots ㉠ \\ -x+2y=200 & \cdots\cdots ㉡ \end{cases}$ ····· [30 %]

㉠+㉡을 하면 $3y=720$ ∴ $y=240$

$y=240$을 ㉠에 대입하면

$x+240=520$ ∴ $x=280$ ····· [40 %]

따라서 올해의 여학생 수는 $280-\dfrac{10}{100}\times280=252$(명),

올해의 남학생 수는 $240+\dfrac{20}{100}\times240=288$(명)이다.

····· [30 %]

18 전체 일의 양을 1이라 하고 A가 하루 동안 하는 일의 양을 x, B가 하루 동안 하는 일의 양을 y라 하면

$\begin{cases} 8x+8y=1 & \cdots\cdots ㉠ \\ 4x+10y=1 & \cdots\cdots ㉡ \end{cases}$

㉠-㉡×2를 하면 $-12y=-1$ ∴ $y=\dfrac{1}{12}$

$y=\dfrac{1}{12}$을 ㉠에 대입하면 $8x+\dfrac{2}{3}=1$ ∴ $x=\dfrac{1}{24}$

따라서 B가 혼자서 하면 12일이 걸린다.

19 (2) $\begin{cases} x+y=4 \\ \dfrac{x}{3}+\dfrac{y}{6}=1 \end{cases}$ ➡ $\begin{cases} x+y=4 & \cdots\cdots ㉠ \\ 2x+y=6 & \cdots\cdots ㉡ \end{cases}$

㉠-㉡을 하면 $-x=-2$ ∴ $x=2$

$x=2$를 ㉠에 대입하면 $2+y=4$ ∴ $y=2$

따라서 성진이가 걸어간 거리는 2 km이다.

20 5 %의 소금물의 양을 x g, 10 %의 소금물의 양을 y g이라 하면

$\begin{cases} x+y=500 \\ \dfrac{5}{100}x+\dfrac{10}{100}y=\dfrac{9}{100}\times500 \end{cases}$ ➡ $\begin{cases} x+y=500 & \cdots\cdots ㉠ \\ x+2y=900 & \cdots\cdots ㉡ \end{cases}$

㉠-㉡을 하면 $-y=-400$ ∴ $y=400$

$y=400$을 ㉠에 대입하면

$x+400=500$ ∴ $x=100$

따라서 10 %의 소금물은 400 g 섞어야 한다.

13쪽~16쪽

❼ 일차함수와 그래프 (1) ~ ❾ 일차함수와 일차방정식

01. ③ **02.** -3 **03.** -2 **04.** ④ **05.** 3

06. x절편 : $\dfrac{4}{3}$, y절편 : 4 **07.** ② **08.** ③

09. ④ **10.** (1) A$(9, 0)$, B$(0, -6)$ (2) 27 **11.** ⑤

12. ③ **13.** ④ **14.** ⑤ **15.** 6

16. (1) -2 (2) $y=-2x+4$ **17.** ④ **18.** 350 g

19. ③ **20.** ③ **21.** ② **22.** ②

23. 제4사분면 **24.** $\dfrac{1}{2}$ **25.** ⑤ **26.** ②

27. 2

01 ④ $y=2x(x-1)=2x^2-2x$ ➡ 일차함수가 아니다.

⑤ $y=(x-3)-x=-3$ ➡ 일차함수가 아니다.

02 $f(a)=2$이므로 $f(a)=-\dfrac{4}{a}=2$ ∴ $a=-2$

$f(-4)=b$이므로 $f(-4)=-\dfrac{4}{-4}=1$ ∴ $b=1$

∴ $a-b=-2-1=-3$

03 $f(0)=\dfrac{1}{3}\times0-2=-2,\ f(6)=\dfrac{1}{3}\times6-2=0$

$\therefore f(0)+f(6)=-2+0=-2$

04 $y=-2x+1$에 각 점의 좌표를 대입한다.

① $1\neq-2\times2+1$ ② $2\neq-2\times1+1$

③ $2\neq-2\times0+1$ ④ $3=-2\times(-1)+1$

⑤ $1\neq-2\times\dfrac{3}{2}+1$

따라서 주어진 그래프 위에 있는 점은 ④이다.

05 $y=-\dfrac{1}{3}x+2$의 그래프를 y축의 방향으로 -3만큼 평행

이동한 그래프를 나타내는 일차함수의 식은

$y=-\dfrac{1}{3}x+2-3$, 즉 $y=-\dfrac{1}{3}x-1$ ...... [50 %]

이때 이 그래프가 점 $(a,-2)$를 지나므로

$-2=-\dfrac{1}{3}a-1,\ \dfrac{1}{3}a=1$ $\therefore a=3$ ...... [50 %]

06 $y=-3x+4$에 $y=0$을 대입하면

$0=-3x+4$ $\therefore x=\dfrac{4}{3}$

$y=-3x+4$에 $x=0$을 대입하면 $y=4$

따라서 x절편은 $\dfrac{4}{3}$, y절편은 4이다.

07 (기울기)$=\dfrac{(y\text{의 값의 증가량})}{4}=-\dfrac{1}{2}$이므로

$(y\text{의 값의 증가량})=-2$

08 두 점 $(-2,-5)$, $(2,1)$을 지나는 직선의 기울기는

$\dfrac{1-(-5)}{2-(-2)}=\dfrac{6}{4}=\dfrac{3}{2}$

두 점 $(2,1)$, $(6,2a-1)$을 지나는 직선의 기울기는

$\dfrac{2a-1-1}{6-2}=\dfrac{2a-2}{4}=\dfrac{a-1}{2}$

$\dfrac{3}{2}=\dfrac{a-1}{2}$이므로 $6=2a-2$

$-2a=-8$ $\therefore a=4$

09 $y=3x+1$에 $y=0$을 대입하면

$0=3x+1$ $\therefore x=-\dfrac{1}{3}$

$y=3x+1$에 $x=0$을 대입하면 $y=1$

따라서 x절편은 $-\dfrac{1}{3}$, y절편은 1이

므로 그래프는 오른쪽 그림과 같고,

그래프가 지나지 않는 사분면은

제4사분면이다.

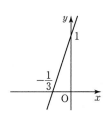

10 (1) $y=\dfrac{2}{3}x-6$에 $y=0$을 대입하면

$0=\dfrac{2}{3}x-6$ $\therefore x=9$

$y=\dfrac{2}{3}x-6$에 $x=0$을 대입하면 $y=-6$

따라서 A$(9,0)$, B$(0,-6)$이다. ...... [50 %]

(2) (삼각형 OBA의 넓이)$=\dfrac{1}{2}\times9\times6$

$=27$ ...... [50 %]

11 $y=-\dfrac{3}{5}x+7$의 그래프는 오른쪽

그림과 같다.

⑤ x절편은 $\dfrac{35}{3}$, y절편은 7이다.

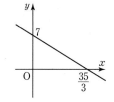

12 그래프가 오른쪽 아래로 향하는 직선이므로 $a<0$

y축과 원점보다 아래쪽에서 만나므로 $-b<0$

$\therefore b>0$

이때 $ab<0$, $b-a>0$이므로

$y=abx+b-a$의 그래프는 오른쪽

그림과 같이 제3사분면을 지나지 않

는다.

13 서로 평행한 일차함수의 그래프는 기울기가 같고, y절편은

다르다. 따라서 서로 평행한 그래프는 ㉢과 ㉤이다.

15 주어진 그래프는 두 점 $(2,0)$, $(0,-3)$을 지나므로

(기울기)$=\dfrac{-3-0}{0-2}=\dfrac{3}{2}$

구하는 일차함수의 식을 $y=\dfrac{3}{2}x+b$로 놓고 $x=-2$, $y=0$

을 대입하면

$0=\dfrac{3}{2}\times(-2)+b$ $\therefore b=3$, 즉 $y=\dfrac{3}{2}x+3$

$y=\dfrac{3}{2}x+3$에 $x=2$, $y=k$를 대입하면

$k=\dfrac{3}{2}\times2+3=6$

16 (1) (기울기)$=\dfrac{-2-2}{3-1}=\dfrac{-4}{2}=-2$ ...... [40 %]

(2) 구하는 일차함수의 식을 $y=-2x+b$로 놓고

$x=1$, $y=2$를 대입하면

$2=-2\times1+b$ $\therefore b=4$

따라서 구하는 일차함수의 식은 $y=-2x+4$이다.

...... [60 %]

17 ④ 주어진 그래프는 두 점 $(3, 0)$, $(0, -4)$를 지나므로

$(기울기)=\dfrac{-4-0}{0-3}=\dfrac{4}{3}$

이때 기울기가 $\dfrac{4}{3}$, y절편이 -4이므로 구하는 일차함수의 식은 $y=\dfrac{4}{3}x-4$

18 용수철에 $60\,\mathrm{g}$짜리 추를 매달았더니 용수철의 길이가 $12\,\mathrm{cm}$만큼 늘어났으므로 $x\,\mathrm{g}$짜리 추를 매달면 용수철의 길이는 $\dfrac{1}{5}x\,\mathrm{cm}$만큼 늘어난다.

$x\,\mathrm{g}$짜리 추를 매달았을 때의 용수철의 길이를 $y\,\mathrm{cm}$라 하면 처음 용수철의 길이가 $30\,\mathrm{cm}$이므로 $y=\dfrac{1}{5}x+30$이다.

$y=\dfrac{1}{5}x+30$에 $y=100$을 대입하면

$100=\dfrac{1}{5}x+30$, $\dfrac{1}{5}x=70$ $\qquad \therefore x=350$

따라서 $350\,\mathrm{g}$짜리 추를 매달면 용수철의 길이가 $100\,\mathrm{cm}$가 된다.

19 점 P가 점 B를 출발한 지 x초 후의 $\overline{\mathrm{BP}}$의 길이는 $x\,\mathrm{cm}$이므로 $\overline{\mathrm{PC}}=(8-x)\,\mathrm{cm}$

$\therefore y=\dfrac{1}{2}\times(8-x)\times6=24-3x$

$y=24-3x$에 $y=9$를 대입하면

$9=24-3x$, $3x=15$ $\qquad \therefore x=5$

따라서 점 P가 점 B를 출발한 지 5초 후에 $\triangle\mathrm{APC}$의 넓이가 $9\,\mathrm{cm}^2$가 된다.

20 $3x-2y-6=0$에서 $y=\dfrac{3}{2}x-3$이므로 구하는 직선의 방정식을 $y=\dfrac{3}{2}x+b$로 놓고 $x=-2$, $y=1$을 대입하면

$1=\dfrac{3}{2}\times(-2)+b$ $\qquad \therefore b=4$

따라서 $a=\dfrac{3}{2}$, $b=4$이므로 $ab=\dfrac{3}{2}\times4=6$

22 y축에 평행한 직선 위의 두 점의 x좌표는 같으므로

$a-3=3a+1$, $-2a=4$ $\qquad \therefore a=-2$

따라서 두 점을 지나는 직선의 방정식은 $x=-5$이다.

23 $ax+by+1=0$에서 $y=-\dfrac{a}{b}x-\dfrac{1}{b}$

이때 $a>0$, $b<0$이므로 $-\dfrac{a}{b}>0$, $-\dfrac{1}{b}>0$

따라서 $y=-\dfrac{a}{b}x-\dfrac{1}{b}$의 그래프는 오른쪽 그림과 같으므로 제4사분면을 지나지 않는다.

24 $x+y=4$에 $x=2$를 대입하면

$2+y=4$ $\qquad \therefore y=2$

따라서 두 직선의 교점의 좌표가 $(2, 2)$이므로

$ax-y=-1$에 $x=2$, $y=2$를 대입하면

$2a-2=-1$, $2a=1$ $\qquad \therefore a=\dfrac{1}{2}$

25 $x-2y-4=0$에서 $y=\dfrac{1}{2}x-2$

① x절편은 4, y절편은 -2이다.

② $3\ne\dfrac{1}{2}\times(-2)-2$이므로 점 $(-2, 3)$을 지나지 않는다.

③ 그래프는 오른쪽 그림과 같으므로 제1, 3, 4사분면을 지난다.

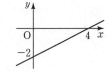

④ 기울기가 $\dfrac{1}{2}$이므로 x의 값이 4만큼 증가할 때 y의 값은 2만큼 증가한다.

⑤ 연립방정식 $\begin{cases} y=\dfrac{1}{2}x-2 \\ y=-x-5 \end{cases}$를 풀면 $x=-2$, $y=-3$이므로 두 그래프는 제3사분면 위의 한 점에서 만난다.

26 ① $\begin{cases} 2x+y=2 \\ 4x+2y=4 \end{cases}$ ➡ $\begin{cases} y=-2x+2 \\ y=-2x+2 \end{cases}$

② $\begin{cases} 3x-y=1 \\ 9x-3y=2 \end{cases}$ ➡ $\begin{cases} y=3x-1 \\ y=3x-\dfrac{2}{3} \end{cases}$

③ $\begin{cases} x+y=-3 \\ 6x+3y=-3 \end{cases}$ ➡ $\begin{cases} y=-x-3 \\ y=-2x-1 \end{cases}$

④ $\begin{cases} 2x-3y=-2 \\ -4x+6y=4 \end{cases}$ ➡ $\begin{cases} y=\dfrac{2}{3}x+\dfrac{2}{3} \\ y=\dfrac{2}{3}x+\dfrac{2}{3} \end{cases}$

⑤ $\begin{cases} x+2y=5 \\ x-4y=-3 \end{cases}$ ➡ $\begin{cases} y=-\dfrac{1}{2}x+\dfrac{5}{2} \\ y=\dfrac{1}{4}x+\dfrac{3}{4} \end{cases}$

따라서 해가 없는 것은 두 직선이 평행해야 하므로 두 직선의 기울기가 같고 y절편이 다른 ②이다.

27 연립방정식 $\begin{cases} x+y=1 \\ 3x-y-3=0 \end{cases}$을 풀면 $x=1$, $y=0$이므로 두 직선의 교점의 좌표는 $(1, 0)$이다. $\qquad$ ······ [30 %]

직선 $x+y=1$의 y절편은 1,

직선 $3x-y-3=0$의 y절편은 -3이므로 그래프는 오른쪽 그림과 같다. $\qquad$ ······ [30 %]

따라서 구하는 삼각형의 넓이는

$\dfrac{1}{2}\times\{1-(-3)\}\times1=2$

$\qquad\qquad$ ······ [40 %]

개념 **해결의 법칙**

정답과 **해설**

중학
수학 2-1